Biblioteca dell'Orsa

6

Grafica di Bruno Munari

Primo Levi

Opere
Volume secondo

Romanzi e poesie

Einaudi

ISBN 88-06-59973-9

Introduzione

È difficile scrivere di Primo Levi. Il suo punto di partenza è stato la necessità di testimoniare, e un testimone dev'essere chiaro ed esplicito. Egli non vuole che l'uomo dimentichi; egli fornisce i propri ricordi con l'esattezza possibile, segnalando persino se zone della sua memoria sono confuse, corrispondenze cronologiche incerte. Egli ha conosciuto, nelle loro conseguenze, gli aspetti piú oscuri, inconfessabili, abietti dell'animale uomo, ma è ricorso alla ragione, che se non riesce a spiegarli permette di inquadrarli e distinguerli e aiuta a vincerli almeno sul piano intellettuale. Ecco perché Levi non sente alcuna attrazione per gli angoli torbidi della coscienza («il pozzo buio dell'animo umano», *RR* * 123) in cui si spingono alcuni scrittori, desiderosi di sfiorare tutto il conoscibile dell'uomo. Questi angoli, Levi li ha visitati per forza, e preferisce ora aggrapparsi, illuministicamente, ai criteri di scelta e di giudizio che la sua ragione e la sua moralità gli forniscono. Ciò vale anche per gli scritti non dedicati all'esperienza concentrazionaria.

* Le opere di Primo Levi sono citate con le seguenti abbreviazioni, seguite direttamente dal numero della pagina (che è quello dei primi due volumi delle opere, salvo indicazione contraria per gli scritti destinati al terzo): *A = Autoritratto di Primo Levi*, a cura di F. Camon, Edizioni Nord-Est, Padova 1987; *CS = La chiave a stella*; *L = Lilìt e altri racconti*, Einaudi, Torino 1981; *OI = Ad ora incerta*; *RR = La ricerca delle radici. Antologia personale*, Einaudi, Torino 1981; *RS = Terza pagina. Racconti e saggi*, La Stampa, Torino 1986; *SES = I sommersi e i salvati*; *SNOQ = Se non ora, quando?*; *SP = Il sistema periodico*; *SQ = Se questo è un uomo*; *T = La tregua*.

Utile a questo proposito un confronto che fa Levi tra se stesso e Kafka, da lui tradotto negli ultimi anni:

... amo e ammiro Kafka perché scrive in un modo che mi è totalmente precluso. Nel mio scrivere, nel bene o nel male, sapendolo o no, ho sempre teso a un trapasso dall'oscuro al chiaro, come [...] potrebbe fare una pompa-filtro, che aspira acqua torbida e la espelle decantata: magari sterile. Kafka batte il cammino opposto: dipana senza fine le allucinazioni che attinge da falde incredibilmente profonde, e non le filtra mai. Il lettore le sente pullulare di germi e spore: sono gravide di significati scottanti, ma non è mai aiutato a rompere il velo o ad aggirarlo per andare a vedere cosa esso nasconde (*RS* 111).

In piú, Levi è fortemente condizionato dalla sua preparazione scientifica. Egli opera, anche come scrittore, con criteri ben definiti, che ridefinisce a nostro uso sia nelle numerose parti metanarrative dei suoi libri, sia in dichiarazioni apposite di poetica e in interviste. Questo naturalmente non implica estraneità o sordità all'irrazionale, ma favorisce una posizione di principio contraria a qualunque incauta adulazione dell'irrazionale, a qualunque gioco intellettuale che possa indulgere a potenzialità non sicuramente controllabili. Il suo sforzo, anche stilistico, è indirizzato verso la precisione, che è poi spesso esattezza espressiva; non ama e non cerca l'ambiguità, in cui talora risiede la poesia, ma anche la confusione dei valori. Il critico non può sbagliare molto con Levi, che si è già spiegato benissimo da solo; e non gli resta nemmeno molto spazio per l'invenzione personale. Può solo esplicitare meglio i movimenti dell'atto di scrivere, magari andando alla ricerca di quelli (penso pochi) di cui Levi non si rende conto.

Forse la chiave di tutto sta nella gioia del raccontare, che «è una delle gioie della vita» (*CS* 144). Si badi al contesto: «se non ci fossero delle difficoltà ci sarebbe poi meno gusto dopo a raccontare» (*ibid.*). Questo bisogno di raccontare diventa piú denso, anzi sanguinante, nell'«impresa» di *SP*: «Ibergekumene tsores iz gut tsu dertseyln» (È bello raccontare i guai passati; in quell'jiddish che allude sempre all'esperienza di *SQ*), raggiunge il suo significato pieno nella poesia *Alzarsi*: «Sognavamo nelle notti feroci | Sogni densi e violenti | Sognati con anima e corpo: | Tornare; mangiare; raccontare», e nel corrispondente episodio di *SQ*: quando in un sogno che dovrebbe essere di felicità il «godimento intenso, fisico, inesprimibile» di essere tornato a casa tra persone amiche è enigmaticamente rovinato dal contrasto tra l'«avere tante cose da raccontare» e il non essere ascoltato dai presenti, che anzi «sono del tutto indifferenti: parlano confusamente d'altro fra di loro» o se ne vanno «senza far parola». A questo punto del sogno, dice Levi, «nasce in me una pena desolata, come certi dolori appena ricordati della prima infanzia: è dolore allo stato puro, non temperato dal senso della realtà e dalla intrusione di circostanze estranee, simili a quelli per cui i bambini piangono» (*SQ* 57-58). All'angoscia del non poter raccontare sembra al momento preferibile la consapevolezza di essere sicuramente sveglio e sicuramente se stesso, sia pure ad Auschwitz. Cosí la normalità di una vita qualunque, inserita come sogno nella folle anormalità del Lager, si trasforma in incubo quando viene repressa la necessità di raccontare. Si tratta, in prima istanza, di raccontare l'esperienza incredibile del Lager, un raccontare considerato da Levi come una missione; ma si sa che questo racconto scatenò in Levi la successiva attività di scrittore anche d'invenzione, e perciò possiamo considerare il *raccontare* represso nell'incubo come la necessità irrinunciabile di affabulare.

A questo sogno è simmetrico quello che chiude *T*: ancora il protagonista si trova a casa, o proprio a tavola, e lentamente ciò che lo circonda si trasforma, egli è di nuovo nel Lager, «e nulla era vero all'infuori del Lager». Dunque il sogno iniziale, quello idillico, risulta «breve vacanza, o inganno dei sensi», sogno, appunto; mentre la verità è quella, gelida, del sogno intervenuto, con la voce che in-

giunge: «Alzarsi», «Wstawać» (*T* 423). Perché Levi chiama il primo sogno, quello idillico e corrispondente alla situazione effettiva, «sogno interno»? È come dare al sogno
angoscioso un maggior valore di verità, una contiguità di
essenza col reale. Poco prima, Levi dice che il ritorno a casa gli offrí, tra l'altro, «la gioia liberatrice del raccontare»
(*T* 422). Essa è dunque implicita anche nel segmento idillico del sogno, quello che Levi chiama «interno»; il passaggio al sogno «esterno» deve perciò comprendere la fine del
raccontare. Si affrontano insomma due incubi: quello di
essere nel Lager, quello di esserne fuori ma di non poter
raccontare; o in altre parole: quello di aver perso la libertà,
o quello di aver recuperato una libertà che vieta il racconto
della non libertà.

Il soddisfacimento del desiderio di raccontare è come la
garanzia della non reversibilità dalla situazione di uomo libero a quella di schiavo; del blocco al passaggio dal sogno
«interno» a quello «esterno». Non stupisce poi se il desiderio di raccontare si è esteso ad altri argomenti. Raccontare la sua vita nel Lager è stato, per Levi, comunicare ai
suoi simili gl'insegnamenti tratti da un'esperienza estrema.
È però evidente che anche esperienze meno estreme, o
persino esperienze dell'immaginazione, possono essere co-
municate, sempre con vantaggio dell'ascoltatore (Levi ha
vivo il senso didattico-morale del suo impegno) e con piacere liberatorio per lo scrittore.

Tanto *T* quanto *SNOQ* sono muniti di una carta geogra-
fica, con una linea che rappresenta l'itinerario del rispetti-
vo protagonista. Le rassomiglianze e i rapporti sono significativi. I due percorsi, quello di Primo Levi liberato ad
Auschwitz, e quello di Mendel e dei suoi compagni partigiani, hanno un andamento est-ovest (dalla Bielorussia,
dall'Ucraina e dalla Podolia a Monaco), poi si fa identico
nella sua inflessione nord-sud, passando per Innsbruck e
per il Brennero, e giungendo a Verona attraverso Bolzano.

L'itinerario di Mendel, che attraverso Polonia meridionale e Germania costeggia a distanza variabile i confini della Cecoslovacchia, è apparentemente diverso da quello di Levi, che passa per la Romania, l'Ungheria e l'Austria. La rassomiglianza però si accentua se si tiene conto dell'inizio del viaggio di Levi, da Auschwitz a Leopoli, sino alla zona tra Kiev e Smolensk. Mendel percorre in senso inverso il primo tratto, quello ovest-est, del viaggio di Levi, tenendosi un po' piú a nord.

Rassomiglianze e differenze tra i due itinerari simboleggiano una certa parte delle motivazioni che hanno spinto Levi a scrivere *SNOQ*. Il partigiano Levi, finito nelle mani dei tedeschi e deportato ad Auschwitz, perciò ridotto all'impotenza, oltre che tenuto alla soglia della morte, si crea Mendel come alter ego, partigiano che (ri)attraversa, tra pericoli continui, la regione conosciuta da Levi nel viaggio su un treno sovietico, in condizioni di non prigionia e di non libertà. In altre parole Mendel fa quello che a Levi sarebbe piaciuto fare, se la sua sorte glielo avesse concesso.

La cartina di *SNOQ* ha un'altra implicazione simbolica. Se la si percorre a rovescio, dal campo di raccolta presso Milano a Valuets (Urss), si toccano le zone piú importanti dell'ebraismo orientale, della Ostjudentum (aschenazita). Tanto per farsi un'idea: gli ebrei costituivano il 10 per cento della popolazione polacca; il 4 per cento di quella russa; il 40 per cento degli abitanti di Vilna (Lituania). E *SNOQ* è, anche, un canto funebre di questa civiltà ebraica orientale, finita nei campi di concentramento nazisti. Levi, assimilato e occidentalizzato come tutti gli ebrei italiani, guarda alla cultura ebraica orientale con quel senso di fraternità e di alterità che viene da remote origini comuni (nonché da una tragedia comune) e da una storia recente assai diversa, ben segnata dal divario linguistico: solo gli ebrei aschenaziti parlavano tra loro l'jiddish.

Il vagheggiamento di questa avventura partigiana non vissuta, e l'epicedio per l'ebraismo orientale, si congiungono in una premessa ideologica meno vistosa ma pervadente

tutto il libro: il recupero di una combattività ebraica ane-
stetizzata da secoli di non violenza, di docilità forzata, di
ricatti subiti. I personaggi della banda a cui si aggrega
Mendel rappresentano o testimoniano alcuni degli episodi
piú significativi: l'organizzazione del sindacato socialista
detto Bund (Unione generale dei lavoratori ebrei di Lituania, Polonia e Russia), col suo braccio paramilitare (il
Bund fu una delle piú battagliere organizzazioni antizari-
ste, ed ebbe una parte notevole nella Rivoluzione: creò tra
gli ebrei orientali un nuovo spirito, che continuò ad agire,
specie in Polonia, anche dopo l'annientamento da parte
dei bolscevichi russi nel 1919); la diffusione di idee e asso-
ciazioni sioniste, a base socialista, che furono poi attive
nella resistenza ideale ai tedeschi persino entro i campi di
concentramento; le rivolte nei ghetti di Bialystok, Bedzin,
Czestochova, ecc. alle prime retate, rivolte di cui la piú du-
ratura e organizzata, e la piú difficile a stroncare, ebbe luogo a Varsavia; finalmente le ribellioni dei deportati nei
campi di Treblinka, Sobibor, ecc. Non è inutile ricordare
che gli ebrei che combatterono contro il nazifascismo, in
Spagna e in Francia e in Italia e nel Reich e sui vari fronti
furono centinaia di migliaia.

Ripercorrendo nella persona di Mendel la strada che era
stata la sua, Levi vuole riprendere il discorso iniziato con
SQ. Se *SQ* descriveva la disumanizzazione dell'uomo ad
opera di uomini che hanno scelto di essere inumani: la perdita della dignità, l'assenza di solidarietà tra vittime ormai
tese soltanto a salvare, per qualche ora o qualche giorno, se
stesse, *SNOQ* narra come alcuni dei reietti siano riusciti a
mantenere la propria dignità, a dimostrarsi uomini affron-
tando gl'inumani, a rendere colpo su colpo a chi tentava di
ucciderli.

Motivazioni personali e collettive sono inestricabili; e la
serie di sviluppi da prigionia a libertà, da mortificazione a
orgoglio, da passività a vendetta vale tanto come motivazione alla scrittura del romanzo (motivazione che implica
un bisogno di catarsi), quanto come esplicazione storica.

Levi ha saputo cogliere questo nesso tra spinte assolutamente naturali, e condividerle con l'immaginazione, anche
se, a livello di coscienza e di riflessione, il suo punto di vista era alquanto diverso (Levi era uno *zadik*, un giusto). Si
veda per esempio come una pagina tra le piú dolenti e sanguinose del libro (distruzione degli ebrei di Polessia, Volinia e Bielorussia, fosse comuni di Kovno e di Riga, massacro di Ružany), si concluda con un inno all'allegria assurda
ma istintiva dei combattenti superstiti:

> Erano allegri, invece: nell'avventura ogni giorno diversa
> della Partisanka, nella steppa gelata, nella neve e nel fango
> avevano trovato una libertà nuova, sconosciuta ai loro pa-
> dri e ai loro nonni, un contatto con uomini amici e nemici,
> con la natura e con l'azione, che li ubriacava come il vino
> di Purim, quando è usanza abbandonare la sobrietà con-
> sueta e bere fino a non saper piú distinguere la benedizione
> dalla maledizione. Erano allegri e feroci, come animali a
> cui si schiude la gabbia, come schiavi insorti a vendetta. E
> l'avevano gustata, la vendetta, pur pagandola cara: a diver-
> se riprese, in sabotaggi, attentati e scontri di retrovia; ma
> anche di recente, pochi giorni prima e non lontano (*SNOQ*
> 319).

Considerazioni che si trasformano in professione di fede
nelle parole del capobanda Gedale al partigiano polacco
Edek:

> ... ci puoi chiamare socialisti, ma non siamo diventati par-
> tigiani per le nostre idee politiche. Combattiamo per sal-
> varci dai tedeschi, per vendicarci, per aprirci la strada; ma
> soprattutto, perdonami la parola grossa, per dignità. E in-
> fine devo dirti questo: molti fra noi non avevano mai gu-
> stato il sapore della libertà, e l'hanno imparato a conoscere
> qui, nelle foreste, nelle paludi e nel pericolo, insieme con
> l'avventura e la fraternità (*SNOQ* 417).

Porre il senso dell'avventura come la costante a cui le altre spinte e considerazioni si aggregano, è l'intuizione fondamentale di *SNOQ*. Lo spirito di avventura qui è una

specie di vitalismo disperato, in uomini che non vogliono
guardarsi indietro, perché non vedrebbero che rovine, e
davanti a loro hanno solo il miraggio di una patria lontana
e sconosciuta, non ancora concessa loro dai complessi di
colpa della comunità internazionale. Sta di fatto che gli
aspetti picareschi del romanzo sono da interpretare alla luce dei precedenti storici e psicologici, dell'ebraismo e di
Levi.

Di Levi si sa: una giovinezza oscurata se non anchilosa-
ta dall'oppressione fascista, una breve vicenda partigiana
e il campo di concentramento; se già *T* ha qualcosa di pica-
resco, è appunto in un clima di stupore per lo scampo da
una morte quasi certa, di sospensione di fronte a un avvenire imprevedibile. L'ebraismo orientale aveva provato sí
a uscire dai ghetti e a battersi per l'uguaglianza e la giustizia; ma s'era trattato di episodi recenti e non generalizzati,
di contro al permanere della civiltà e dell'educazione dello
shtetl. La vicenda che porta i figli di contadini, di commercianti e di rabbini alla lotta partigiana è riassunta nel
canto che Levi mette in bocca a Gedale (*SNOQ* 336), e poi
pubblica tra le proprie poesie in *OI*.

C'è, in questa tesissima sintesi, il passato lontano:

> [...] Siamo le pecore del ghetto.
> Tosate per mille anni, rassegnate all'offesa.
> Siamo i sarti, i copisti ed i cantori
> Appassiti all'ombra della Croce;

c'è l'esperienza recente dell'olocausto, espressa in parte
con parole di Celan, in una poesia che Levi prediligeva
(*RR* 212: «Scaviamo una tomba nell'aria»):

> I nostri fratelli sono saliti al cielo
> Per i camini di Sobibor e di Treblinka,
> Si sono scavati una tomba nell'aria;

c'è il sentimento dell'onore conquistato combattendo, la
necessità di ricordare, il gusto della vendetta:

Solo noi pochi siamo sopravvissuti
Per l'onore del nostro popolo sommerso
Per la vendetta e la testimonianza;

c'è l'aspirazione a una patria nuova, in cui gli ebrei possano sperare di non essere perseguitati:

Fratelli, via dall'Europa delle tombe:
Saliamo insieme verso la terra
Dove saremo uomini fra gli altri uomini;

e c'è anche il gusto dell'avventura e del confronto armato:

Ora abbiamo imparato i sentieri della foresta,
Abbiamo imparato a sparare, e colpiamo diritto.

L'abbandono (momentaneo e saltuario) al gusto dell'avventura è potenziato dalla grandezza dell'abisso superato: un abisso di sei milioni di morti, prima del quale c'è una vita precaria e umiliata in paesi e città spazzati a tratti dai pogrom, di là del quale c'è solo un'interrogazione a cui è impossibile rispondere: resta il bisogno di agire. I partigiani ebrei di *SNOQ* sono tutti concentrati in azioni progettate e compiute alla giornata: non hanno da ritornare ai loro cari e alle loro case (uccisi, distrutte), non hanno forti motivi di restare in vita, se non l'istinto di conservazione. Di qui il carattere spericolato delle loro iniziative.

In cambio, fuori del ghetto o del campo di concentramento, sono sedotti dalla natura, che imparano a conoscere e a utilizzare per celarsi, per avanzare rapidamente, per ripararsi e creare condizioni di provvisoria sussistenza. Si confronti con la situazione di Avrom, il ragazzo gettatosi dal treno che lo avrebbe portato in Germania, e unitosi ai partigiani del Canavese:

Per il ragazzo, che veniva dall'orrore del ghetto e dalla Polonia monotona, quella traversata per la montagna scabra e deserta, e le molte altre che seguirono, furono la rivelazione di un mondo splendido e nuovo, che racchiudeva in sé esperienze che lo ubriacavano e lo sconvolgevano: la bellezza del Creato, la libertà e la fiducia nei suoi compagni (*L* 52).

Certo, fuori delle costrizioni e in presenza di continui pericoli, le capacità dei singoli hanno occasione di svilupparsi, e si assiste a un uso ingegnoso di ogni oggetto od opportunità disponibile, a un generale bricolage. C'è un bisogno di esprimersi parlando (confessandosi) e operando, o anche abbandonandosi al canto, al suono del violino. Danze e spettacoli improvvisati nelle aperture di spensieratezza realizzano col massimo della corporeità la precaria allegria e soffocano lo struggimento.

È una situazione in cui i caratteri individuali sono portati, se non spinti, a rivelarsi. E Levi ci dà un bell'assortimento di caratteri, attento alla coerenza tra il destino individuale e il comportamento. L'alter ego Mendel (kolchoziano sfuggito, unico, alla strage dei suoi compaesani) era forse il più facile, dato che Levi gli ha attribuito molti tratti e molte riflessioni suoi e forse qualcosa del Chajim di *SQ*, orologiaio come Mendel (cfr. *SQ* 43); ma ci sono tanti altri, uomini e donne. Il capobanda Gedale, poeta e violinista mezzo russo e mezzo polacco, con le sue citazioni bibliche, la sua intensità, e il gusto dell'improvvisazione e della beffa, la sua autorità che non abbisogna di ordini. L'anziano Dov (nato in Siberia dove il nonno nichilista era stato deportato), dalla solida saggezza e dalla spiritualità che domina anche le debolezze del fisico. Line, nipote di una predicatrice di rivolgimenti etico-religiosi, figlia di rivoluzionari, femminista, donna volitiva ed enigmatica, spregiudicata e mai dominabile, seduttrice senza bellezza. Il complessato Leonid (moscovita paracadutato tra i tedeschi e poi fuggito da un Lager), solo deciso a seguire come uno schiavo Line; quando questa lo tradisce, cerca e trova facilmente la morte.

Anche le condizioni esterne, le difficoltà di una natura e di luoghi mal conosciuti, il sospetto dei partigiani di altre bande, la scarsità o nullità di aiuti, l'atteggiamento ostile delle popolazioni, moltiplicano, con la necessità di arrangiarsi, i casi curiosi, le soluzioni equilibristiche. Dov divide con un disertore ucraino la cabina di un aereo tedesco

abbattuto; case abbandonate, monasteri, fortini, fognature offrono un ricovero notturno comunque migliore del
bosco; lanci aerei di materiali vengono deviati con espe-
dienti ingegnosi; vi sono dirottamenti e arrembaggi ai treni, beffe telefoniche ai comandi tedeschi, furti di camion,
e cosí via. Poiché Levi chiude *SNOQ* con una nutrita bi-
bliografia, sarebbe interessante vedere quanti degli episodi
raccontati abbiano un modello storico nella realtà. Reale è,
ci precisa Levi, l'episodio di Polina, la ragazza pilota che,
con uno scassato aereo di legno, atterra per portare rifornimenti a una banda partigiana russa, di cui all'inizio
Mendel fa parte.

Il vitalismo dell'azione è per questi partigiani una droga
che cancella per un po' i sentimenti atavici e i dettami di
una cultura tradizionale. Tra i sentimenti atavici, Levi insiste sulla stanchezza (cfr.: «a quel tempo io ero stanco, di
una stanchezza ormai antica, incarnata, che credevo irre-
vocabile», *L* 9), la stanchezza di secoli, millenni durante i
quali gli ebrei sono riusciti a sopravvivere solo potenzian-
do le loro capacità di resistenza, e, quando l'avevano, la fede. Mendel è il portatore di questo peso psicologico:

> Era stanco della guerra e della vita, e sentiva corrergli
> per le vene, invece del sangue rosso del soldato, il sangue
> pallido della stirpe da cui sapeva di discendere, sarti, mer-
> canti, osti, violinisti di villaggio, miti patriarchi prolifici e
> rabbini visionari (*SNOQ* 205);

> Ventotto anni sui documenti, pochi di piú sulle giuntu-
> re, sui polmoni e sul cuore, ma sulla schiena una montagna,
> piú di Noè e di Matusalemme. Sí, piú di loro... (*SNOQ*
> 212);

> Stanchezza di mille anni, e insieme nausea, collera e or-
> rore (*SNOQ* 389).

Levi insiste ancor piú sulla tradizione di non violenza,
fondata ovviamente sul caposaldo del 6° comandamento
(5° nell'uso cattolico), ma poi divenuta seconda natura per
una minoranza obbligata, pena l'estinzione, alla remissivi-

tà e alla pazienza. L'emancipazione politica, là dove ci fu o fu tentata, e ora la Partisanka, riportando gli ebrei alla misura degli altri uomini, li privano anche di questa nobile, e però masochista, rinuncia all'autodifesa. In *SNOQ* si alternano efficacemente le espressioni di fierezza per la riconquistata combattività (dice Leonid al capobanda russo Venjamín, che ha rifiutato di accettare i partigiani ebrei, non graditi ai suoi uomini:

> Noi ce ne andiamo, e tu dirai a quei tuoi uomini che a Varsavia, in aprile, gli ebrei armati hanno resistito ai tedeschi piú a lungo dell'Armata Rossa nel '41. E non erano neppure ben armati, e avevano fame, e combattevano in mezzo ai morti, e non avevano alleati, *SNOQ* 232)

e gli accenni al permanere della mentalità non violenta come nella storia (una barzelletta da aggiungere a quelle ebraiche tradizionali) degli studenti della scuola rabbinica i quali, reclutati nell'esercito zarista, rivelano grande attitudine all'impiego delle armi e diventano tiratori scelti. Poi, portati al fronte, si rifiutano di sparare nonostante i ripetuti ordini («Fuoco!») e l'avvicinarsi dei nemici. Alla fine uno studente parla per tutti:

> «Non vede, signor capitano? Non sono sagome di cartone, sono uomini come noi. Se gli sparassimo, gli potremmo fare del male» (*SNOQ* 284-85).

Grande è lo spazio mentale percorso per balzare dall'area psicologica di Giobbe a quella di Davide contro Golia. La spinta è data dall'impossibilità di trovare una risposta tranquillizzante a domande come queste:

> E l'Eterno, benedetto Egli sia, perché se ne stava nascosto dietro le nuvole grige della Polessia invece di soccorrere il Suo popolo? «Tu ci hai scelti fra tutte le nazioni»: perché proprio noi? Perché prospera l'empio, perché la strage degli indifesi, perché la fame, le fosse comuni, il tifo, e il lanciafiamme delle SS nelle tane stipate di bambini atterriti? E perché ungheresi, polacchi, ucraini, lituani, tartari,

devono rapinare e massacrare gli ebrei, strappargli le ultime armi dalle mani, invece di unirsi a loro contro il nemico
comune? (*SNOQ* 259).

Non basta però questa reazione istintuale e disperata.
Quando Levi parla di dignità e di onore, allude a una risalita dalle bassure in cui la propaganda tedesca (nazista, ma
fatta propria dalla maggioranza dei tedeschi) aveva posto
le «razze inferiori», ebrei, zingari; ma ebrei in primo luogo. Levi ci mostra come gli ebrei razziati e deportati siano
stati talmente compressi da questa propaganda, da sentire
il bisogno, nei pochi casi in cui fu possibile, di smentirla
con i fatti. Mettete di fronte dei «superuomini» tedeschi
e dei rappresentanti delle «razze inferiori»; se i secondi,
pur in quantità sparuta e con poche armi, riescono a precipitare i primi nel panico e nel disordine, magari a spingerli
alla fuga e ad umiliarli, possono dire (Levi non ne gode, ma
comprende) di averli smentiti non sul piano argomentativo
ma su quello pratico, il piú comprensibile da chi si è definito «razza eletta» per giustificare le sue infamie.
Il groviglio terribile di queste connessioni lo mette in luce, al solito, Mendel:

I tedeschi hanno cominciato a capire qualche cosa solo
dopo Stalingrado. Ecco, per questo è importante che ci siano partigiani ebrei, ed ebrei nell'Armata Rossa. È importante, ma è anche orribile; solo se io uccido un tedesco riuscirò a persuadere gli altri tedeschi che io sono un uomo.
Eppure noi abbiamo una legge, che dice «Non uccidere»
(*SNOQ* 279);

Doveva scegliere, e la scelta era difficile; da una parte
c'era la sua stanchezza vecchia di mille anni, la sua paura,
il ribrezzo delle armi che pure aveva sepolte e portate con
sé: dall'altra c'era poco. C'era quella piccola molla compressa, che forse era quella che sulla «Pravda» veniva chiamata il «senso dell'onore e del dovere», ma che forse sarebbe stato piú appropriato descrivere come un muto bisogno di decenza (*SNOQ* 206).

Ecco allora il senso della rievocazione di uno scontro
con i tedeschi, che fa parte della pagina sull'«allegria» già
citata; certo è una disperata allegria, per i partigiani ebrei,
quella che può procurare «una guerra in cui non ci si volta
a guardare indietro e non si fanno i conti, una guerra di
mille tedeschi contro un ebreo e di mille morti ebrei contro un morto tedesco» (*SNOQ* 320); ma è importante per
quella riconquista di una dignità messa in forse anche dai
suoi portatori:

> I tedeschi erano stati cacciati da Ljuban: non erano di
> ferro, erano mortali, quando si vedevano sopraffatti scap-
> pavano in disordine, anche davanti agli ebrei. Alcuni di lo-
> ro avevano abbandonato le armi e si erano gettati nel fiu-
> me ingrossato dal disgelo, era stata una visione che ralle-
> grava, una immagine da portarsi nella tomba: gli ebrei la
> raccontavano ai russi con facce allucinate. Sí, gli uomini
> biondi e verdi della Wehrmacht erano fuggiti davanti a lo-
> ro, entravano nell'acqua e cercavano di arrampicarsi sulle
> lastre di ghiaccio trascinate dalla corrente, e loro avevano
> sparato ancora, e avevano visto i corpi dei tedeschi affon-
> dare o navigare verso la foce sui loro catafalchi di ghiaccio.
> [...] [I partigiani ebrei] erano allegri perché erano senza do-
> mani e non si curavano del domani, e perché avevano visto
> i superuomini sguazzare nell'acqua gelata come le rane: un
> regalo che nessuno gli avrebbe piú tolto (*SNOQ* 319-20).

Era necessario insistere sul sottofondo ebraico di
SNOQ, perché qui si trova la maggioranza delle componenti ideologiche, ed anche ideative, del romanzo. È stato poi Levi scrittore a trovare in questo nucleo cosí specifico una potenziale universalità. Perché se la vicenda del-
l'ebraismo è unica, lo è solo per l'accumulo di condizioni
condivise da qualunque gruppo sia stato oggetto di repressione, di emarginazione, di disprezzo, di tentata distruzione. E le corde toccate dalla nostalgia, dalla disperazione o
da sogni di riscatto, sono corde di valore universale. A un
certo punto anzi si può dire che lo specifico (nelle cause
contingenti) diventa generale (nei valori potenziali o sim-

bolici). La casa perduta, la patria perduta è uno dei Leit-motiv del romanzo, espresso a volte in forma tragica, a volte con dimesso struggimento («Uno entra in una casa e appende gli abiti e i ricordi; dove appendi i tuoi ricordi, Mendel figlio di Nachman?», *SNOQ* 439), a volte con un proustismo straziato (Mendel trova su un sentiero una bambola mutilata: «La accostò al naso, e percepí un odore dell'infanzia, l'odore patetico della canfora, della celluloi-de; per un attimo, evocate con violenza brutale, le sue so-relle, l'amichetta delle sorelle che sarebbe diventata sua moglie, Strelka, la fossa [la fossa comune dove sono finiti tutti gli ebrei, e parte degli altri abitanti di Strelka, a opera dei tedeschi]», *SNOQ* 237). Ma c'è un altro Leitmotiv, quello della guerra come condizione permanente:

> La guerra sarebbe durata sempre; la morte, la caccia, la fuga non sarebbero finite mai, mai la neve avrebbe cessato di cadere, mai sarebbe venuto giorno (*SNOQ* 267),

cosí come è permanente la brevità del benessere o del so-gno. Basti l'episodio futile o comico nell'apparenza, tragi-co nel simbolismo, del ballo indiavolato dei partigiani or-mai salvi sul treno che attraversa la pianura padana. La fo-ga del ballo è proporzionata al pensiero dei pericoli tra-scorsi, della momentanea sconfitta del male; e anche alle speranze in una vita completamente nuova, in una patria promessa. Ma ecco che il violino di Gedale, anima del bal-lo, si sfonda con uno scatto secco: «Fidl Kapút! [Violino finito]» sghignazza Pavel; ma per Gedale il violino era il compagno piú fedele di incredibili avventure; lo getta fuo-ri del finestrino, ed è come gettare una parte del proprio passato (*SNOQ* 486-87).

Questi due motivi, della guerra continua e della perdita delle radici, trasformano i personaggi di *SNOQ* in rappre-sentanti di un'umanità priva, o privata, di qualunque ag-gancio. Essi diventano quei pellegrini misteriosi che chissà da quando e non si sa da dove camminano verso una meta che anch'essi ignorano: testimoni e vittime del male, sono detentori di una saggezza che nessuno vuole apprendere. Uno di questi pellegrini è stato chiamato appunto, dalla fantasia popolare, l'eterno ebreo o l'ebreo errante, dove poi l'ebraismo è secondario nella definizione, anche se primario nell'attualizzazione. E i moralisti medievali non ribadivano che l'uomo è, sulla terra, soltanto un ospite o un viandante, e nulla possiede, e tocca la verità solo con la morte?

Levi, cosí, raggiunge l'universale attraverso l'eccezionale. I fatti che ha vissuto e raccontato in *SQ* e in *T*, quelli che ha inventato, ma su basi documentarie, in *SNOQ*, contengono un interrogativo terribile: che cosa ci assicura che il male, di cui si è fatto strumento uno dei paesi piú progrediti del mondo moderno, non torni a dominare una parte del nostro pianeta, o magari tutto? E chi può essere sicuro, individuo o gruppo, di non essere destinato all'annientamento come furono gli ebrei? Mi pare estremamente pregnante il finale di *SNOQ*, in una clinica milanese dove Ròkhele, con un parto difficile, dà alla luce un bambino che sembra un messaggio di vita trasmessa guardando al futuro. Mendel sbircia l'edizione straordinaria di un giornale:

> Quel giornale era del martedí 7 agosto 1945, e recava la notizia della prima bomba atomica lanciata su Hiroshima (*SNOQ* 514).

Quanto ai valori positivi, direi che il principale che si incontri in *SNOQ* sia la fraternità. I partigiani ebrei, riscuotendosi da una lunga schiavitú e sottraendosi alla «soluzione finale», sviluppano tra loro un cameratismo reso assoluto dalla mancanza di altri punti di riferimento (la famiglia, gli amici); hanno meditato ed elaborato insieme una tavola di valori e un senso della vita. È come se avessero lasciato alle spalle la storia e la loro vicenda personale, mantenendo invece nella memoria la lotta recente, con i suoi rischi e le sue avventure. È la versione pensosamente pragmatista della riflessività e dell'introversione di Levi.

Gedale, alla fine di una conversazione col giovane Leonid, che ne capisce poco, gli dice:

> Anch'io ho sangue di profeta, come ogni figlio d'Israele, e ogni tanto gioco a fare il profeta (*SNOQ* 328).

È la migliore premessa alla lettura delle poesie di Levi. Poesie che sembrano essersi ramificate a partire da quelle anteposte a *SQ* e a *T*, e all'altra riportata, come canzone composta da un immaginario Martin Fontasch, in *SNOQ*. In tutti e tre i casi, le poesie contengono la quintessenza dell'opera che accompagnano, con qualcosa in piú: l'elemento parenetico. Levi, cosí sobrio nel giudicare e restio a predicare, in queste poesie si spinge piú avanti, come se l'artificialità della forma contrappesasse la solennità del messaggio.

Quale che sia l'atteggiamento interiore di Levi, sul peso delle parole pronunciate non è possibile alcun dubbio: *Shemà*, anteposto a *SQ*, trae proprio le formule parenetiche dalla piú solenne preghiera ebraica, la professione di monoteismo («Vi comando queste parole. | Scolpitele nel vostro cuore | Stando in casa andando per via, | Coricandovi alzandovi»). Si tratta della medesima preghiera il cui inizio è scritto da Martin Fontasch dopo il testo della canzone di *SNOQ*, al momento della fucilazione: «Ascolta Israele, il Signore Iddio nostro è unico» (*SNOQ* 339). Salvo che l'obbligo del ricordo è spostato da un Dio di dubbia esistenza a un male di indubbia onnipresenza.

Già questi primi cenni escludono l'ascrizione della poesia di Levi all'ambito della lirica. Non abbiamo, qui, un poeta che parla con se stesso, un messaggio cosí rinnovato formalmente da giungere nuovo al suo stesso emittente. Al contrario, abbiamo un messaggio rivolto ad altri, o in forma di ammonimento, o in forma di apologo. La novità espressiva non è mai nell'ambito della parola o della frase, ma in quello del discorso, rivelatore nei suoi accostamenti o nelle sue implicazioni.

Le poesie sono quasi sempre indirizzate a un collettivo *voi*, che può anche includere tutti gli uomini, e si articolano sul succedersi di parallelismi e anafore, con una solennità antica. Il procedimento caratterizza le prime poesie (*Buna*: «Compagno stanco... Compagno grigio... Compagno vuoto...; Hai dentro... Hai rotto...; Uomo deserto... Uomo spento...; che non hai più pianto... che non hai più male... che non hai più spavento...»; *Il canto del corvo*: «Per portare... Per trovare... Per trovare... Per portarti... Ho superato... Ho forato... Ho volato...; Che ti tolga... Che ti corrompa... Che ti sieda...»; *Shemà*: «Voi che vivete... Voi che trovate... Considerate se... Considerate se...; Che non conosce... Che lotta... Che muore... Senza capelli... Senza più forza...»), ma ritorna sino all'ultimo, (*Nachtwache*: «Ho sentito... Ho sentito... Ho sentito... Ho visto... Ho visto... Ho sentito...»; *Dateci* è intessuta sull'anafora di «Dateci qualche cosa» e di nomi comuni preceduti da «Un», «Una»: «Un compagno... Una cabina... Un giornalista... Un tifoso... Un lampione...»).

I materiali compositivi risalgono principalmente a due ambiti: quello dell'orrore, rappresentato da parole e locuzioni del linguaggio del Lager (dal nome Buna, settore di Auschwitz, a *Wstawać* «alzarsi», nel polacco degli aguzzini; da *nebbich* «sciocco» e *oy gevalte* in jiddish, a *Nachtwache* «guardia notturna»); e quello della visione o dell'intelligenza più alta, tratto dai libri sacri ebraici (Levi, non osservante né credente ma colto, ha trovato ad esempio nei *Pirké Avoth* la frase eponima di *SNOQ* e della canzone di Gedale; intese *Pasqua* di battute proprie del *seder* [cena rituale]; intitola *Nel principio*, incipit del *Genesi*, una poesia sul big bang, ecc.), o dalla prediletta *Divina Commedia*, di cui è nota la presenza salvifica anche in *SQ*: il poema è visto come un culmine espressivo, capace di dar parole ai pensieri più alti come all'ineffabile infernale.

Ancor più netta che in *SNOQ* è in *OI* l'universalizzazione dell'esperienza personale. Non è solo il reduce del campo di Auschwitz che deve dirsi: «Presto udremo an-

cora | Il comando straniero: | "Wstawać!" »; non è solo
Levi che deve ricordare e attendersi «che nuovamente ci
desti, | Noto, davanti alle nostre porte, | Il percuotere di
passi ferrati» (*Attesa*); ed è chiaramente vana la speranza
del cadavere inumato del partigiano Micca, «Che perenni
su me s'avvicendino il caldo e il gelo, | Senza che nuovo
sangue, filtrato attraverso le zolle, | Penetri fino a me col
suo calore funesto | Destando a nuova doglia quest'ossa
oramai fatte pietra» (*Epigrafe*); anzi, in un'ipotetica adunata, i partigiani scoprirebbero di non saper piú distinguere
amici da nemici, si troverebbero impegnati in un *bellum
omnium contra omnes* («Ognuno è nemico di ognuno, |
Spaccato ognuno dalla sua propria frontiera», *Partigia*).

Tutto è pervaso dal dolore, non solo la nostra vita: l'ippocastano vicino a casa Levi, con le radici calpestate dal
tram, impregnate di metano, bagnate dall'orina dei cani,
col tronco avvolto di polvere («Eppure, nel suo tardo cuo-
re di legno | Sente e gode il tornare delle stagioni», *Cuore
di legno*); l'elefante di Annibale, trascinato in zone e climi
avversi, per un assurdo sogno di potenza (*L'elefante*; *assurdo* è un Leitmotiv, ripetuto sette volte); il bove carduccia-
no, assoggettato a una violenza che, contro la sua natura e
a costo della sua felicità, lo ha reso nonviolento, e magari
pio (*Pio*); l'agave, che col suo fiore «altissimo e disperato»,
prodotto solo dopo anni, grida la sua prossima morte (il tono è leopardiano, ma corretto verso un pessimismo anche
maggiore: cfr. «al cielo | Di dolcissimo odor mandi un
profumo | che il deserto consola», *La ginestra*, vv. 35-37,
con «Non ho colori lieti né profumi» e con «Questo mio
fiore altissimo e disperato, | Brutto, legnoso, rigido, ma
teso al cielo», *Agave*).

Piú volte, anzi, Levi arieggia con terribile scherzo leggi
fisiche o principî filosofici, per esprimere questa onnipre-
senza del dolore:

... spesso chi pensa non è sicuro di pensare, il suo pensiero
ondeggia fra l'accorgersi e il sognare, gli sfugge tra le mani,
rifiuta di lasciarsi afferrare e configgere sulla carta in forma

di parole. Ma invece chi soffre sí, chi soffre non ha dubbi
mai, chi soffre è ahimè sicuro sempre, sicuro di soffrire ed
ergo di esistere (*L* 176);

... il dolore è la sola forza che si crei dal nulla, senza spesa
e fatica (*SES* 718).

Ho parlato di elemento profetico, e in effetti la meditazione di Levi offre scorci escatologici che superano tempo
e spazi, come ne *La bambina di Pompei* (la fanciulla scarna
che fumo e lapilli hanno soffocata e pietrificata assieme alla madre), rivelatasi fraterna ad Anna Frank, che suoi simili (simili?) hanno gettato in una camera a gas, e alla scolara di Hiroshima proiettata, ombra su un muro, dal bagliore della prima atomica, o come *Annunciazione*, ragge-
lante calco di una scena evangelica per l'annuncio a un'altra madre, quella di Hitler-Anticristo. *Dateci* è il ritratto di
una possibile futura gioventú, in cui si sovrappongono i
tratti di terroristi e teppisti d'oggi, legati sotto l'etichetta
della gratuità.

È l'attitudine di Levi a trasmutarsi in mille guise, per
forza di immedesimazione, affinata dalla comunione nella sofferenza. *Autobiografia* s'ispira, contemporaneamente,
ad Empedocle, alla Bibbia e a Darwin, ma è chiaro che la
vecchiaia millenaria è la stessa di Mendel, in *SNOQ*, e di
Levi: cosí come è sua la conoscenza della frusta, e di caldi
e geli e disperazione, sua la «vertigine muta dell'asino alla
mola». Simmetrica a questa capacità è la tendenza a riportare all'ambito dell'escatologia anche ciò che in origine
rappresenta una meditazione di portata piú personale, come quella di Catullo, arieggiata in *Il tramonto di Fòssoli*:
«Soles occidere et redire possunt: | nobis cum semel occi-
dit brevis lux, | nox est perpetua una morienda».

Oggi poi la scienza ci sottopone misure temporali im-
mense, cataclismi cosmici che nessun mito antico osò con-
cepire. A Levi bastava la lettura di un'opera scientifica, o
magari di un numero di «Scientific American», per essere
stimolato a riflessioni che coinvolgono tutto l'universo.

Alludo in particolare a *Nel principio* e a *Le stelle nere*, nelle quali l'ipotesi astronomica assume forme bibliche («Fratelli umani», «affaticati per il vostro pane», «Nostro padre comune», «Le legioni celesti», «noi seme umano»). Ma se questo istituisce un'agevole continuità con le composizioni meno futuribili, l'unificazione si perfeziona mediante la terminologia della sofferenza: «cieco, violento e strano», «orribili», «stritolati», «disperata gravezza» e la clausola dell'inutilità: «moriamo per nulla», «perpetuamente invano».

Appassionato di libri di viaggio, da Marco Polo a Conrad, Levi era proprio l'opposto dell'amante dell'avventura. È la sua sorte che lo ha trascinato nell'avventura estrema, verso i limiti dell'umano e della morte; e di avventure nel senso tradizionale ha potuto viverne o immaginarne solo come itinerari per il ritorno verso un'umanità piú comune: il viaggio personale da Auschwitz all'Italia (*T*), la scorribanda orientata di Mendel e compagni dall'Ucraina a Milano, tappa verso la Palestina (*SNOQ*). Altre avventure gli erano invece familiari, quelle proprie della professione di chimico, proiettato spesso in terre straniere per verificare o per controllare prodotti, procedimenti, meccanismi. In *CS* i due elementi – lavoro tecnologico e spostamenti geografici – coesistono nella vicenda del protagonista Faussone.

Costui, si potrebbe dire con le parole di Conrad citate nell'esergo finale del romanzo, «non è il frutto di un incontro di poche ore, o settimane, o mesi: è il prodotto di vent'anni di vita, della mia propria vita» (*CS* 181). E naturalmente è molto di piú che un portavoce dell'autore, solo spostato dalla chimica alla meccanica, e a un livello culturale alquanto inferiore. Faussone è un esemplare di umanità in cui si può aver fiducia: la passione del lavoro ben fatto è niente di meno che un'etica, mentre il cosmopolitismo e il conseguente poliglottismo sono stimoli alla tolleranza, che infatti caratterizza molte delle sue enunciazioni. Ma in Faussone c'è altro, ciò che Levi aveva trovato nel capitano Renaud di R. Vercel, *Remorques*, da lui proposto come precursore di Faussone («La ricerca della paternità è sempre un'impresa incerta, ma non mi stupirei se nel mio Libertino Faussone si trovasse trapiantato qualche gene del capitano Renaud», *RR* 112). Lo ha detto benissimo lo stesso Levi:

> [*Remorques*, e, aggiungiamo, *CS*] tratta un tema attuale, eppure stranamente poco sfruttato: l'avventura umana nel mondo della tecnologia. Forse che l'uomo d'oggi ritiene superflua l'avventura, il «misurarsi» conradiano? Se cosí fosse, sarebbe un segnale infausto. Ora, questo libro fa vedere che l'avventura c'è ancora, e non agli antipodi; che l'uomo può mostrarsi valente e ingegnoso anche in imprese di pace; che il rapporto uomo-macchina non è necessariamente alienante, ed anzi può arricchire o integrare il vecchio rapporto uomo-natura (*RR* 111).

Non stupirà se, trattandosi comunque di un personaggio di fantasia, Levi lo ha elaborato partendo dalla lingua. Identico impegno aveva messo in *SNOQ*:

> ... si trattava di far parlare in italiano, di tradurre in italiano, un discorso putativo in polacco o in russo o in jiddish; e io non conosco né il polacco né il russo, e molto male lo jiddish; sicché ho dovuto studiarmelo, e me lo sono studiato: ho studiato jiddish per otto mesi, fino a poter dare a questi personaggi una parlata italiana che sonasse plausibile come versione. Non so se il lettore italiano medio si accorge di queste cose (*A* 67-68).

Il lettore italiano, in effetti, non sa distinguere i singoli risultati di questo impegno, ma avverte bene che il modo di connettere il generale e il particolare, il ricordo e il pragmatico, hanno qualcosa di antico e diverso.

Per *CS* gli elementi usati sono piú familiari. Faussone appartiene a una progenie di artigiani piemontesi, è lui stesso dialettofono, e ciò naturalmente non gl'impedisce di intarsiare nel suo discorso i tecnicismi del suo mestiere. Levi ha opportunamente sostituito al dialetto un italiano regionale che solo saltuariamente acconsente al dialetto: insomma ha finto di tradurre, ma a un livello linguistico che è anch'esso perfettamente mimetico per una persona come Faussone. Gli slittamenti di Faussone verso il dialetto («qui [in Russia] lo chiamano il samuliòt, lo sapeva? Mi è sempre sembrato un bel nome, mi fa pensare ai cipollini di casa nostra. Sí, ai siulòt, e ai scimmiotti...», *CS* 28), sono bilanciati dagli interventi metalinguistici del narratore («Lui, veramente, aveva detto "'na fija", ed infatti, in bocca sua, il termine "ragazza" avrebbe suonato come una forzatura, ma altrettanto forzato e manierato suonerebbe "figlia" nella presente trascrizione», *CS* 42), talora veri tentativi di arrivare alle radici di un'espressione («La locuzione mi era nota ("fare l'erlo" vuol dire press'a poco "mostrare baldanza", "fare il gradasso"), ma speravo che Faussone me ne spiegasse l'origine, o almeno mi chiarisse che cosa è un erlo», *CS* 131). L'operazione compiuta da Levi si apparenta a quella di certo Pavese o del Fenoglio di *La malora*, ma con un valore documentario aggiornato, perché l'italiano regionale è ormai riconosciuto e diffuso, e sta sostituendosi ai dialetti, e ancora perché l'immissione precisa di italianismi nella specie di tecnicismi è caratteristica di quegli operai specializzati di cui Faussone è un esponente. Levi aveva dunque ragione di dichiarare che

> ... qui a Torino, in fabbrica, è ormai nato un altro italiano-piemontese, dove nuove espressioni, nuovi vocaboli, nuove metafore hanno sostituito il lessico precedente, figlio di una cultura agricola. Ora, nessuno – mi pare – aveva mai registrato in un libro questo nuovo piemontese, che dalla fabbrica ha ormai contagiato la società circostante. Era una lingua letterariamente vergine; ho voluto fare un omaggio, anche linguistico, a Faussone (*Cronologia* del volume I, p. LIV).

Con questa attenzione alla lingua, Levi ci trasmette un messaggio preciso: il lessico letterario è inadeguato alle

forme di vita che il mondo della tecnica ha ormai ampiamente diffuso; una maniera di comunicare che abbia la
semplice efficacia sintattica dell'italiano regionale, che
possa appropriarsi delle terminologie progressivamente
immesse nel mercato e mescolarle con la metaforicità tradizionale del dialetto, rispecchia con efficacia modi di vita
e concezioni nuove. Faussone (questo importa piú di tutto)
è un esemplare di umanità che potrebbe diventare comune
nell'avvenire; comune non diventerà certo la sua lingua,
legata a una regione precisa, ma forse sí il modo in cui questa lingua è costruita. L'amicizia che nasce tra il piú anziano chimico, il narratore, e il piú giovane tecnico, potrebbe
simboleggiare un passaggio di testimone. Si noti infatti,
simmetricamente, la trasmissione dal narratore a Faussone
di nozioni storiche e mitologiche, quasi un innesto umani-
stico nella concreta limitatezza dell'operaio.

Tutto *CS* è costruito su un parallelismo: tra la tecnica e
la scrittura (una poiesis materiale e una letteraria). I chiarimenti su metodi di montaggio, di installazione, di collaudo, e quelli su espressioni e collegamenti narrativi sono vo-
lutamente equiparati. Questa narrazione che ha come eroe
un tecnico è nello stesso tempo una poetica (una tecnica)
della narrazione.

Colui che narra, il chimico, non ha nome ma è evidentemente Levi stesso. Verrebbe dunque fatto di parlare di
Faussone e Levi, alla stessa stregua; ma si confonderebbe
Levi deuteragonista e Levi autore del libro, perciò creatore
anche di Faussone. Parlerò dunque, senza distinguere, di
Faussone o del raccontatore, mentre distinguerò tra il narratore (colui che riferisce i discorsi di Faussone narrando la
vicenda) e Levi autore del libro. Del resto il narratore non
condivide tutta la personalità e la storia di Levi, ma solo
ciò che di esse è utile alla narrazione.

Il parallelismo raccontatore-narratore s'impone progressivamente. All'inizio, si susseguono i racconti di Faussone,
a cui il narratore fa quasi da «spalla»; è Faussone a sotto-
lineare le omissioni del suo racconto, a preannunciare svi-

luppi, e, raramente, a lamentarsi quando il suo discorso viene interrotto per richieste di chiarimenti o in qualche modo deviato verso obiettivi diversi. Alla fine invece abbiamo, sempre in forma riportata, un lungo racconto del narratore, dove il pathos dell'impegno lavorativo è quello del chimico, anch'egli di fronte ad avversità e ostacoli imprevisti come il montatore Faussone. Dunque il parallelismo piú evidente è quello tra l'operaio specializzato e il chimico: nel senso che entrambi i lavori si presentano primariamente come lotta, conoscenza delle cause, ricerca di perfezione.

Ma questo parallelismo nell'ambito dell'azione è un parallelismo di blocchi narrativi, mentre il parallelismo raccontatore-narratore è anche un parallelismo discorso narrato - discorso narrante. Sin dall'inizio Faussone sa che la curiosità del suo ascoltatore è finalizzata a costituire una nuova narrazione sulla base del racconto di Faussone, e le osservazioni del narratore sugli eventuali ristagni o sulle imperfezioni diegetiche di Faussone alludono evidentemente a particolarità conservate di proposito nel riportare, mentre già ciò che viene riportato è frutto di un rimaneggiamento strutturale, operato nel discorso narrante. Insomma, le allusioni ai difetti del racconto primo, oltre a costituire un «effetto di realtà», tengono sveglia l'attenzione sullo stesso discorso narrante.

L'elemento piú vivace di questo parallelismo è dato dalla preoccupazione del raccontatore sull'uso che farà il narratore di ciò che lui racconta. Come tutti i raccontatori spontanei, Faussone si preoccupa dell'esattezza con cui il suo racconto sarà riferito; esattezza di cui naturalmente al narratore di mestiere non importa nulla, anche se egli finge di volerci far credere alla realtà di Faussone e dei suoi discorsi. Nello stesso tempo il raccontatore si sente già «protagonista», parla al suo narratore come un Don Chisciotte che parlasse a Cervantes.

Il limite opposto, quello della libertà inventiva, è mostrato dal narratore in un discorso rivolto a Faussone,

come commento alla storia di Tiresia che gli ha appena
esposto:

> Ho spiegato a Faussone che uno dei grandi privilegi di
> chi scrive è proprio quello di tenersi sull'impreciso e sul va-
> go, di dire e non dire, di inventare a man salva, fuori di
> ogni regola di prudenza: tanto, sui tralicci che costruiamo
> noi non passano cavi ad alta tensione, se crollano non muo-
> re nessuno, e non devono neppure resistere al vento (*CS*
> 52).

Ma è interessante che questo limite sia esposto con ironia; lo scrittore che fu Levi era infatti preoccupatissimo
dell'attendibilità del suo narrare: e ciò non vale solo per i
ricordi, preminenti nel suo curriculum di scrittore, ma anche per le opere piú inventive, che risultano, come appunto *SNOQ* e *CS*, fondate su un tale impegno di documenta-
zione da essere sostanzialmente vere pur senza riferirsi,
punto per punto, a fatti reali. Il narratore può assicurare di
essersi attenuto fedelmente al discorso del non esistito
Faussone, perché Levi è stato fedele, con rigore, al personaggio Faussone cosí come l'ha inventato sulla base di
osservazioni certo attentissime su personaggi esistiti simili
a lui.

Il parallelismo raccontatore-narratore implica altro ancora. Presentando il deuteragonista come identico a se
stesso nella coesistenza di chimico e scrittore, Levi lo ha
fornito di una doppia valenza: come chimico egli è un fratello maggiore di Faussone, impegnato in un lavoro all'e-
stero diversamente ma altrettanto affascinante e avventuroso; come scrittore egli gestisce un diverso registro, che si
contrappone, integrandolo, a quello dei discorsi di Faussone, magari puntando alla fine a una certa convergenza.

Si veda per esempio il trattamento del paesaggio. Le allusioni di Faussone sono funzionali (il paesaggio fa parte
dell'ambiente in cui egli opera) e precise (per un atavico
contatto con la natura, per l'abitudine a cogliere i tratti so-
stanziali dell'«intorno» in cui si è successivamente trovato
a lavorare); il narratore viceversa dà descrizioni piú ampie

e autonome, talora intrise di liricità. Sono due diverse
messe a fuoco, che si integrano con buoni risultati.

Il punto d'incontro è quella equiparazione dell'animato
e dell'inanimato che costituisce, insieme, una caratteristica importante della visione del mondo del raccontatore e
un elemento della «filosofia» di Levi; Cases ha parlato fe-
licemente di ilozoismo. Per l'ilozoismo di Faussone si può
indicare, tra tanti casi:

> Mi sembrava anche che quel tubo diventasse sempre piú
> stretto e che mi soffocasse come i topi nella pancia dei ser-
> penti (*CS* 27);

> ... tirandoci dietro il derrick coricato sui due pontoni come
> quando si porta una vacca al mercato per la cavezza (*CS*
> 71);

> E un arnese lungo come quello, anche se è d'acciaio, ba-
> sta poco per farlo flettere, perché non era calcolato per la-
> vorare da coricato; un po' come noi, se uno ci pensa bene,
> che per dormire abbiamo bisogno che il letto sia piano (*CS*
> 72);

e per quello del narratore:

> Si sentiva anche, a intervalli, ora vicino ed ora lontano,
> un martellio tenue ma frenetico, come se qualcuno stesse
> tentando di conficcare nei tronchi dei minuscoli chiodi con
> dei minuscoli martelli pneumatici: Faussone mi ha spiegato
> che erano picchi verdi... (*CS* 37);

> ... quando l'ho detto a Faussone ci siamo sentiti un po' pa-
> renti: se maltrattato, cioè battuto, stirato, piegato, com-
> presso, il rame fa come noi, i suoi cristalli s'ingrossano e di-
> venta duro, crudo, ostile, Faussone direbbe «arverso» (*CS*
> 79).

Ed è forse nei pressi di questo ilozoismo che si trova la
motivazione del passaggio di Levi dal lavoro di chimico a
quello di scrittore: perché entrambi i lavori istituiscono
strutture, entrambi agiscono, uno sulla realtà degli elementi e dei prodotti, o degli uomini che li usano, l'altro sulla

realtà delle riflessioni e dei giudizi. Entrambi i lavori dànno, durante l'esecuzione, il tipo di piacere di chi affronta un compito difficile e riesce a superarlo; e dànno, una volta terminati, la soddisfazione ripiena di eticità, di chi ha affrontato degnamente una prova, ha saputo superarla e forse, superandola, ha giovato agli altri. Il narratore di *CS* considera appunto, conversando con Faussone, che i loro lavori, di montatore, di chimico e di scrittore, «possono dare la pienezza»:

> Il suo, e il mestiere chimico che gli somiglia, perché insegnano a essere interi, a pensare con le mani e con tutto il corpo, a non arrendersi davanti alle giornate rovescie ed alle formule che non si capiscono, perché si capiscono poi per strada; ed insegnano infine a conoscere la materia ed a tenerle testa. Il mestiere di scrivere, perché concede (di rado: ma pure concede) qualche momento di creazione, come quando in un circuito spento ad un tratto passa corrente, ed allora una lampada si accende, o un indotto si muove.
>
> Siamo rimasti d'accordo su quanto di buono abbiamo in comune. Sul vantaggio di potersi misurare, del non dipendere da altri nel misurarsi, dello specchiarsi nella propria opera. Sul piacere del veder crescere la tua creatura, piastra su piastra, bullone dopo bullone, solida, necessaria, simmetrica e adatta allo scopo, e dopo finita la riguardi e pensi che forse vivrà piú a lungo di te, e forse servirà a qualcuno che tu non conosci e che non ti conosce (*CS* 53).

Il discorso di *CS* riprende in certi punti quello dell'apparentemente lontanissimo *SNOQ*. Vi è continuità nel gusto dell'avventura e della prova difficile, nell'assillo di una dignità da difendere. Se le avventure portano a confronto con avversari molto meno terribili (difficoltà tecniche, resistenze naturali, incomprensione degli uomini), se la dignità da difendere è solo quella professionale, ciò è dovuto al contesto piú quotidiano, al raggio insomma non amplissimo delle difficoltà possibili. La minor eccezionalità delle condizioni rende però piú generale il tipo di esperienza, commisurabile in qualche modo alle esperienze di tutti. Va solo aggiunto che Faussone, nelle sue avventure, è solo: arriva per lo piú in aereo fra gente straniera, ed è messo subito di fronte alla gru o al traliccio che pone problemi superiori alla competenza delle maestranze locali. Egli è solo con la sua inventiva o con la sua esperienza, soprattutto solo col suo coraggio, talora con la forza d'animo. Non è perciò in grado, Faussone, di maturare quel sentimento di solidarietà che unisce i personaggi di *SNOQ*. Ma anche Faussone offre qualcosa alla umanità nuova vagheggiata evidentemente da Levi: è il gusto del lavoro svolto con cura, l'amore per l'attività che uno ha scelto come propria; il compiacimento per una perfezione raggiunta, e raggiunta col proprio impegno. Sta qui, secondo Levi, uno dei maggiori piaceri della vita, forse anche uno dei tipi di libertà «piú accessibile, piú goduto soggettivamente, e piú utile al consorzio umano» (*CS* 146); sta anche qui «la migliore approssimazione concreta alla felicità sulla terra» (*CS* 81-82). Una regola per la felicità: da Levi, che di felicità naturalmente non parla molto.

CESARE SEGRE

Opere

Volume secondo

La chiave a stella

... though this knave came somewhat sauci-
ly into the world... there was good sport at his
making.

(... questo furfante è venuto al mondo in
una maniera un po' impertinente,... ma c'è
stato un bel divertimento nel farlo).

Re Lear, atto I, scena I.

«Meditato con malizia»

«Eh no: tutto non le posso dire. O che le dico il paese, o che le racconto il fatto: io però, se fossi in lei, sceglierei il fatto, perché è un bel fatto. Lei poi, se proprio lo vuole raccontare, ci lavora sopra, lo rettifica, lo smeriglia, toglie le bavature, gli dà un po' di bombé e tira fuori una storia; e di storie, ben che sono piú giovane di lei, me ne sono capitate diverse. Il paese magari lo indovina, cosí non ci rimette niente; ma se glielo dico io, il paese, finisce che vado nelle grane, perché quelli sono brava gente ma un po' permalosa».

Conoscevo Faussone da due o tre sere soltanto. Ci eravamo trovati per caso a mensa, alla mensa per gli stranieri di una fabbrica molto lontana a cui ero stato condotto dal mio mestiere di chimico delle vernici. Eravamo noi due i soli italiani; lui era lí da tre mesi, ma in quelle terre era già stato altre volte, e se la cavava benino con la lingua, in aggiunta alle quattro o cinque che già parlava, scorrettamente ma correntemente. È sui trentacinque anni, alto, secco, quasi calvo, abbronzato, sempre ben rasato. Ha una faccia seria, poco mobile e poco espressiva. Non è un gran raccontatore: è anzi piuttosto monotono, e tende alla diminuzione e all'ellissi come se temesse di apparire esagerato, ma spesso si lascia trascinare, ed allora esagera senza rendersene conto. Ha un vocabolario ridotto, e si esprime spesso attraverso luoghi comuni che forse gli sembrano arguti e nuovi; se chi ascolta non sorride, lui li ripete, come se avesse da fare con un tonto.

«... perché sa, se io faccio questo mestiere di girare per tutti i cantieri, le fabbriche e i porti del mondo, non è mica per caso, è perché ho voluto. Tutti i ragazzi si sognano di andare nella giungla o nei deserti o in Malesia, e me lo sono sognato anch'io; solo che a me i sogni mi piace farli venire veri, se no rimangono come una malattia che uno se la porta appresso per tutta la vita, o come la farlecca di un'operazione, che tutte le volte che viene umido torna a fare male. C'erano due maniere: aspettare di diventare ricco e poi fare il turista, oppure fare il montatore. Io ho fatto il montatore. Si capisce che ce ne sono anche delle altre, di maniere, come chi dicesse fare il contrabbando eccetera, ma non fanno per me, perché a me piace vedere i paesi però sono un tipo regolare. Adesso poi ci ho fatto talmente l'abitudine che se dovessi mettermi tranquillo verrei malato: per conto mio, il mondo è bello perché è vario».

Mi ha guardato per un momento, con occhi singolarmente inespressivi, e poi ha ripetuto con pazienza:

«Se uno sta a casa sua magari è tranquillo, ma è come succhiare un chiodo. Il mondo è bello perché è vario. Dunque le stavo dicendo che ne ho viste tante e di tutti i colori, ma la storia più gotica mi è successa quest'anno passato, in quel paese che non le posso dire, però le posso dire che è molto lontano da qui e anche da casa nostra, e mentre che qui si patisce il freddo, laggiù invece nove mesi su dodici fa un caldo della forca, e gli altri tre tira vento. Io ero là per lavorare nel porto, ma laggiù non è come da noi: il porto non è dello Stato, è di una famiglia, e la famiglia è del capofamiglia. Io prima di cominciare il mio montaggio ho dovuto andare da lui tutto vestito con la giacca e la cravatta, mangiare, fare conversazione, fumare, senza fretta, pensi un po', noi che abbiamo sempre le ore contate. Mica per niente, è che costiamo cari, è il nostro vanto. Questo capofamiglia era un tipo mezzo e mezzo, mezzo moderno e mezzo all'antica; aveva una camicia bella bianca, di quelle che non si stirano, però quando entrava in casa si toglieva le scarpe, e me le ha fatte togliere anche a me. Parlava inglese meglio degli inglesi (che del resto ci va poco), ma le donne di casa sua non me le ha fatte vedere. Anche come padrone doveva essere mezzo e mezzo, una specie di schiavista progressista: pensi che aveva fatto appendere la sua foto incorniciata in tutti gli uffici e perfino nei magazzini, neanche fosse stato Gesú Cristo. Ma tutto il paese è un po' cosí, ci sono gli asini e le telescriventi, ci sono degli aeroporti che Caselle fa fino ridere, ma sovente per arrivare in un posto si fa piú presto a cavallo. Ci sono piú nàit che panetterie, ma si vede la gente in strada col tracoma.

Lei deve sapere che montare una gru è un bel lavoro, e un carro-ponte ancora di piú, però non sono mestieri da fare da soli: ci vuole uno che sappia le malizie e che diriga, che saremmo poi noi, e gli aiutanti si trovano sul posto. È qui che cominciano le sorprese. In quel porto che le stavo dicendo, anche la faccenda sindacale è un bel trigo; sa, è un paese dove se uno ruba gli tagliano la mano in piazza: la destra o la sinistra, secondo quanto ha rubato, o magari anche un orecchio, ma con l'anestesia, e con dei chirurghi in gamba che fermano l'emorragia in un momento. Sí, non sono storie, e se uno mette in giro delle calunnie sulle famiglie che contano gli tagliano la lingua e ciau.

Bene, con tutto questo hanno delle leghe abbastanza decise, e bisogna fargli i conti insieme: lí tutti gli operai si portano sempre dietro la radiolina, come se fosse un portafortuna, e se la radio dice che c'è sciopero si ferma tutto, non c'è uno che si osi di alzare un dito: del resto, se provasse, c'è caso che si prenda una coltellata, magari non subito ma di lí a due o tre giorni; oppure gli cade una putrella sulla testa, o beve un caffè e resta lí secco. Non mi piacerebbe viverci; però sono contento di esserci stato, perché certe cose uno se non le vede non le crede.

Allora, le stavo dicendo che ero laggiú per montare una gru da molo, uno di quei bestioni a braccio retrattile, e un carro-ponte fantastico, 40 metri di luce e un motore di sollevamento da 140 cavalli; cristo che macchina, domani sera bisogna che mi ricordi di farle avere le foto. Quando ho finito di metterla su, e abbiamo fatto il collaudo, e sembrava che camminasse in cielo, liscia come l'olio, mi sentivo come se mi avessero fatto commendatore, e ho pagato da bere a tutti. No, non vino, quella loro porcheria che chiamano cumfàn, sa di muffa, però rinfresca e fa bene; ma andiamo con ordine. Quel montaggio non è stato una cosa semplice; non per la faccenda tecnica, che è andata dritta fin dal primo bullone, no, era una specie di atmosfera che si sentiva, come un'aria pesante, quando sta per venire la tempesta. Gente che parlottava negli angoli, si facevano dei segni e delle smorfie che io non capivo, ogni tanto saltava fuori un giornale murale e tutti si ammucchiavano intorno a leggerlo o a farselo leggere, e io rimanevo solo in cima all'impalcatura come un merlo.

Poi la tempesta è venuta. Un giorno ho visto che si chiamavano uno coll'altro, a gesti, a fischi: se ne sono andati via tutti, e allora, dato che da solo non potevo combinare niente, sono sceso anch'io giú per il traliccio, e sono andato a vedere la loro assemblea. Era in un capannone in costruzione: in fondo avevano fatto una specie di palco, con delle travi e delle tavole; sul palco venivano su a parlare, uno dopo l'altro. Io la loro lingua la capisco poco, ma si vedeva che erano arrabbiati, come se gli avessero fatto un torto. A un certo punto è venuto su uno piú vecchio, che sembrava un caporione; questo qui sembrava molto sicuro di quello che diceva, parlava calmo, pieno d'autorità, senza gridare come gli altri, e non ne aveva neanche bisogno, perché davanti a lui tutti hanno fatto silenzio. Ha fatto un discorso tranquillo, e tutti sono rimasti persuasi; alla fine ha fatto una domanda, e tutti hanno alzato la mano gridando non so che cosa; quando ha fatto la controprova, di mani non se n'è alzata neanche una. Allora il vecchio ha chiamato un ragazzo che stava in prima fila, e gli ha dato un ordine. Il ragazzo è partito di corsa, è andato al magazzino attrezzi, e è tornato in un momento tenendo in mano una delle foto del padrone e un libro.

Vicino a me c'era un collaudatore che era del posto ma

sapeva l'inglese; eravamo anche un po' in confidenza, perché i collaudatori conviene sempre tenerseli buoni: ogni santo vuole la sua candela».

Faussone aveva appena finito una porzione abbondante d'arrosto, ma ha chiamato la cameriera e se n'è fatta portare una seconda. A me interessava piú la sua storia che i suoi proverbi, ma lui ha ripetuto con metodo:

«In tutti i paesi del mondo, poco da fare, i santi vogliono le sue candele: io a quel collaudatore gli avevo regalato una canna da pesca, perché i collaudatori bisogna tenerseli buoni. Cosí lui mi ha spiegato che si trattava di una questione balorda: gli operai, da un pezzo, chiedevano che la cucina del cantiere facesse da mangiare secondo la loro religione; il padrone invece si dava delle arie da modernista, benché poi alla finitiva fosse bigotto di un'altra religione, ma quello è un paese con tante di quelle religioni che c'è da perdersi. Insomma, gli ha fatto sapere dal capo del personale che o si tenevano cara quella mensa cosí com'era, o niente mensa. C'erano stati due o tre scioperi, e il padrone non aveva fatto neanche una piega perché tanto le commesse erano magre. Allora era venuta fuori la proposta di fargli la fisica, cosí per rappresaglia».

«Come, fargli la fisica?»

Faussone mi ha spiegato pazientemente che fare la fisica è come dire fare un malefizio, mandare il malocchio addosso a qualcuno, fargli una fattura:

«... magari neanche per farlo morire: anzi, quella volta lí non volevano sicuro che morisse, perché il suo fratello piú piccolo era peggio di lui. Volevano solo fargli prendere una paura, non so, una malattia, un incidente, tanto per fargli cambiare idea, e per fargli vedere che anche loro sapevano farsi le sue ragioni.

Allora il vecchio ha preso un coltello, e ha schiodato e staccato la cornice dal ritratto. Sembrava che di quei lavori lí ci avesse una gran pratica; ha aperto il libro, ha messo il dito a occhi chiusi su una pagina, poi gli occhi li ha di nuovo aperti e ha letto nel libro qualche cosa che io non ho capito e il collaudatore neanche. Ha preso la foto, ha fatto un rotolo e l'ha schiacciato bene con le dita. Si è fatto portare un cacciavite, l'ha fatto arroventare su un fornello a spirito, e lo ha infilato nel rotolo schiacciato. Ha spianato la foto e l'ha fatta vedere, e tutti battevano le mani: la foto aveva sei pertugi bruciacchiati, uno sulla fronte, uno vicino all'occhio destro, uno all'angolo della bocca. Gli altri tre erano cascati sullo sfondo, fuori della faccia.

Allora il vecchio ha rimesso la foto nella cornice, cosí com'era, spiegazzata e bucata, e il ragazzino è partito per rimetterla a posto, e tutti sono tornati a lavorare.

Bene, a fine aprile il padrone si è ammalato. Non l'hanno detto chiaro, ma la voce è corsa subito, sa come succede. È sembrato grave fin dal principio: no, alla faccia non aveva niente, la storia è strana abbastanza anche solo cosí. La famiglia voleva metterlo sull'aereo e portarlo in Svizzera, ma non hanno fatto a tempo: aveva qualche cosa nel sangue, in dieci giorni è morto. E pensi che era un tipo robusto, che non era mai stato malato: sempre in giro per il mondo in aereo, e fra un aereo e l'altro sempre dietro alle donne, o a giocare la notte finché spuntava il sole.

La famiglia ha denunciato gli operai per omicidio, anzi, per "assassinio meditato con malizia": mi hanno detto che laggiú si dice cosí. Hanno dei tribunali, può capire, che è meglio non cascargli nelle unghie. Non hanno un codice solo, ne hanno tre, e scelgono uno o l'altro secondo che fa comodo al piú forte, o a chi paga di piú. La famiglia, dicevo, sosteneva che l'assassinio c'era stato: c'era la volontà di ammazzare, c'erano le azioni per far morire, e c'era stata la morte. L'avvocato della difesa ha risposto che le azioni non erano state quelle giuste, o caso mai erano buone solo a fargli venire qualche guaio alla pelle, non so, un'espulsione o i foruncoli: ha detto che se quella foto l'avessero tagliata in due o l'avessero bruciata con la benzina, allora sí che sarebbe stato grave. Perché pare che vada cosí, la storia della fattura, da un buco nasce un buco, da un taglio un taglio, e cosí via: a noi ci fa un po' ridere, ma loro ci credono tutti, anche i giudici, e anche gli avvocati difensori».

«Come è finito il processo?»

«Lei ha voglia di scherzare: continua ancora, e continuerà chissà fino a quando. In quel paese i processi non finiscono mai. Ma quel collaudatore che dicevo mi ha promesso di tenermi informato, e se crede io terrò informato lei, dal momento che questa storia le interessa».

È venuta la cameriera a servire la portentosa razione di formaggio che Faussone aveva ordinata: era sulla quarantina, magrolina e curva, coi capelli lisci unti di chissà cosa, e con una povera faccia da capra spaurita. Ha guardato Faussone con insistenza, e lui ha reso lo sguardo con indifferenza ostentata. Quando se n'è andata, mi ha detto:

«Sembra un po' il fante di bastoni, poveretta. Ma cosa vuole: bisogna contentarsi di quello che passa il convento».

Ha accennato al formaggio col mento, e mi ha chiesto con scarso entusiasmo se volevo favorire. Lo ha attaccato con avidità, e fra un colpo di ganascia e il successivo ha ripreso:

«Sa bene, qui, articolo ragazze, si tirano un po' verdi. Bisogna stare contenti di quello che passa il convento. Voglio dire il cantiere».

Clausura

«... Beh, è roba da non crederci: lo capisco che queste cose le è venuto voglia di scriverle. Sí, qualche cosa ne sapevo anch'io, me le raccontava mio padre, che in Germania c'era stato anche lui, ma in un'altra maniera: ogni modo, guardi, io lavori in Germania non ne ho presi mai, sono terre che non mi sono mai piaciute, e mi arrangio a parlare tante lingue, perfino un poco di arabo e di giapponese, ma di tedesco non ne so neanche una parola. Un giorno o l'altro gliela voglio raccontare, la storia di mio padre prigioniero di guerra, ma non è come la sua, è piuttosto da ridere. E neppure in prigione non ci sono mai stato, perché oggi come oggi per finire in prigione bisogna farla abbastanza grossa; eppure, vuol credere? una volta mi è successo un lavoro che per me è stato peggio che stare in prigione; e se dovessi andare in prigione sul serio, credo che non resisterei neanche due giorni. Mi spaccherei la testa contro le muraglie, oppure morirei di crepacuore, come fanno gli usignoli e i rondoni se uno cerca di tenerli in gabbia. E non creda che mi sia successo in chissà che paese lontano: mi è successo a due passi da casa nostra, in un posto che quando tira vento e l'aria è pulita si vede Superga e la Mole; ma che l'aria sia pulita, da quelle parti non capita tanto sovente.

Mi avevano chiamato, me e degli altri, per un lavoro che non era proprio niente di speciale, né come posto né come difficoltà: il posto gliel'ho già detto, ossia non gliel'ho detto tanto preciso, ma il fatto è che un po' di segreto professionale ce l'abbiamo anche noi, come i dottori e come i preti quando confessano. Quanto poi alla difficoltà, era solo un traliccio a forma di torre, alto una trentina di metri, base sei per cinque, e non ero neanche da solo; era d'autunno, non faceva né freddo né caldo, e insomma non era quasi neanche un lavoro, era un lavoro per riposarsi dagli altri lavori e per comprare di nuovo l'aria del paese; e io ne avevo bisogno, perché arrivavo fresco fresco da una brutta faccenda, dal montaggio di un ponte in India che un giorno o l'altro glielo devo proprio raccontare.

Anche come disegno non c'era niente di fuorivia, tutta carpenteria di serie, ferri a L e a T, nessuna saldatura difficile, pavimenti di grigliato in formati UNI; e il montaggio, poi, era previsto di farlo con la torre coricata per terra, cosí che piú di sei metri non c'era mai bisogno di salire e non c'era neanche da legarsi. Alla fine sarebbe poi venuta la gru per tirarla su e metterla in piedi. A cosa servisse, in un primo tempo non ci avevo neppure fatto caso: avevo visto dai disegni che doveva fare da sostegno per un impianto di chimica abbastanza complicato, con delle colonne grosse e piccole, degli scambiatori di calore e un mucchio di tubazioni. Mi avevano detto soltanto che era un impianto di distillazione, per ricuperare un acido dalle acque di scarico, che se no...»

Senza volerlo e senza saperlo, devo aver assunto un'espressione particolarmente interessata, perché Faussone si è interrotto, e in tono fra stupito e stizzito mi ha detto: «Finirà poi col dirmelo, se non è un segreto, che commercio è il suo, e che cosa è venuto a fare da queste parti»; però poi ha continuato nel suo racconto.

«Ma anche se non avevo la competenza, mi piaceva lo stesso vederlo crescere, giorno per giorno, e mi sembrava di veder crescere un bambino, voglio dire un bambino ancora da nascere, quando è ancora nella pancia di sua mamma. Si capisce che come bambino era un po' strano perché pesava sulle sessanta tonnellate solo la carpenteria, ma cresceva non cosí basta che sia, come cresce la gramigna: ve-

niva su ordinato e preciso come nei disegni, in maniera che
quando poi abbiamo montato le scalette fra piano e piano,
che erano abbastanza complicate, hanno quadrato subito
senza che ci fossero da fare dei tagli o delle giunte, e questa è una cosa che dà soddisfazione, come quando hanno
fatto il traforo del Frejus, che ci hanno messo tredici anni,
ma poi il buco francese e il buco italiano si sono incontrati
con uno sbaglio neanche di venti centimetri, tant'è vero
che gli hanno poi fatto quel monumento tutto nero in piazza Statuto, con in cima quella signora che vola.

Come le ho detto, su quel lavoro non ero solo, ben che
un lavoro come quello, se mi avessero dato tre mesi e due
manovali un po' svelti, anche da solo me la sarei cavata bene. Eravamo quattro o cinque, perché il committente aveva fretta e voleva il traliccio in piedi in venti giorni massimo. Nessuno mi aveva dato il comando della squadra, ma
fin dal primo giorno è venuto come di natura che coman-
dassi io, perché ero quello che aveva piú mestiere: che fra
noi è la sola cosa che conti, i gradi sulla manica noi non ce
li abbiamo. Con questo committente non ci ho parlato tanto, perché lui aveva sempre fretta e io anche, ma siamo subito andati d'accordo, essendo che anche lui era uno di
quei tipi che non si dànno delle arie ma sanno il fatto suo e
sono capaci di comandare senza mai dire una parola piú
forte dell'altra, che non ti fanno pesare i soldi che ti dànno, che se sbagli non si arrabbiano tanto, e che quando
sbagliano loro poi ci pensano su e ti chiedono scusa. Era
uno delle nostre parti, un ometto come lei, solo un po' piú
giovane.

Quando il traliccio è stato finito in tutti i suoi trenta
metri, ingombrava tutto il piazzale, e era goffo e un po' ridicolo come tutte le cose che sono fatte per stare in piedi
quando viceversa sono coricate: insomma faceva pena come un albero abbattuto, e ci siamo sbrigati a chiamare le
autogru perché lo mettessero diritto. Ce ne volevano due,
da tanto che era lungo, che lo agganciassero dalle due te-
state e lo facessero camminare piano piano fino sul suo

basamento di cemento armato, che era già predisposto coi suoi ancoraggi pronti; e una delle due col braccio a telescopio, che lo tirasse in piedi e poi lo calasse giú. Tutto bene, ha fatto il suo viaggio dal piazzale fino ai magazzini, per svoltare intorno all'angolo dei magazzini abbiamo dovuto tirare giú un po' di muratura ma niente di grave, quando il fondo è stato sul basamento la gru piú piccola se n'è andata a casa, e l'altra ha sfoderato tutto il suo braccio con il traliccio appeso, che a poco a poco si è messo in piedi: e anche per me, che di gru ne ho viste parecchie, è sembrato un bello spettacolo, anche perché si sentiva il motore che ronzava tutto tranquillo, come se dicesse che per lui quello era una balla da niente. Ha mollato giú il carico di precisione, coi fori giusti sugli ancoraggi, abbiamo serrato i bulloni, abbiamo bevuto una volta e ce ne siamo andati. Ma il committente mi è corso appresso: mi ha detto che aveva stima, che il lavoro piú difficile era ancora da fare, mi ha chiesto se avevo degli altri impegni e se sapevo saldare l'inossidabile, e insomma a farla corta siccome impegni non ne avevo e lui mi era simpatico, e il lavoro anche, gli ho detto di sí e lui mi ha ingaggiato come capomontatore per tutte le colonne di distillazione e per le tubazioni di servizio e di lavoro. Di servizio è come dire dove ci passano l'acqua di raffreddamento, il vapore, l'aria compressa e cosí via; di lavoro sono quelle dove passano gli acidi da lavorare: si dice cosí.

Le colonne erano quattro, tre piccole e una grossa, e quella grossa era molto grossa, ma il montaggio non era difficile. Era solo un tubo verticale di acciaio inossidabile, alta trenta metri, cioè alta come il traliccio che appunto la doveva tenere su, e col diametro di un metro: era arrivata divisa in quattro tronconi, di modo che c'erano da fare tre giunte, una flangiata e due saldate di punta, una passata interna e una esterna, perché la lamiera era da dieci millimetri. Per fare la passata interna ho dovuto farmi calare giú dalla cima del tubo, in una specie di gabbia come quelle dei pappagalli appesa a una corda, e non era tanto bello,

ma ci ho messo pochi minuti. Invece, quando ho cominciato con le tubazioni credevo di perdere la testa, perché io
veramente sarei montatore di carpenteria, e un lavoro
complicato come quello non l'avevo mai visto. Erano piú
di trecento, di tutti i calibri da un quarto fino a dieci pollici, di tutte le lunghezze, con tre, quattro, cinque gomiti,
e neanche tutti ad angolo retto, e di tutti i materiali: ce
n'era fino una di titanio, che io non sapevo neanche che
esistesse e mi ha fatto sudare sette camicie. Era quella dove passava l'acido piú concentrato. Tutte queste tubazioni
collegavano insieme la colonna grande con quelle piccole e
con gli scambiatori, ma lo schema era cosí complicato che
io lo studiavo al mattino e alla sera l'avevo dià dimenticato. Come del resto non ho mai capito bene in che maniera
tutto l'impianto dovesse poi funzionare.

La piú parte delle tubazioni erano di inossidabile, e lei
lo sa che l'inossidabile è un gran bel materiale, ma non
consente, voglio dire che a freddo non cede... Non lo sapeva? Scusi, ma io credevo che a voialtri queste cose le insegnassero a scuola. Non cede, e se lei lo scalda, poi non è
piú tanto inossidabile. In conclusione, era un gran montare, tirare, limare e poi smontare di nuovo; e quando nessuno mi vedeva, andavo giú anche col martello, perché il
martello aggiusta tutto, tanto che alla Lancia lo chiamavano "l'ingegnere". Basta, quando abbiamo finito coi tubi,
sembrava la giungla di Tarzan e si faceva fatica a passarci
in mezzo. Poi sono venuti i coibentatori a coibentare e i
verniciatori a verniciare, e tra una storia e un'altra è passato un mese.

Un giorno ero proprio in cima alla torre con la chiave a
stella per verificare il serraggio dei bulloni, e mi vedo arrivare lassú il committente, che tirava un po' l'ala perché
trenta metri è come una casa di otto piani. Aveva un pen-
nellino, un pezzo di carta e un'aria furba, e si è messo a
raccogliere la polvere dalla placca di testa della colonna
che io avevo finito di montare un mese prima. Io lo stavo
a guardare con diffidenza, e dicevo fra di me "questo è

venuto a cercare rogna". Invece no: dopo un po' mi ha chiamato, e mi ha fatto vedere che col pennello aveva spazzato nella carta un pochino di polvere grigia.

"Sa cosa è?" mi ha chiesto.

"Polvere", ho risposto io.

"Sí, ma la polvere delle strade e delle case non arriva fin qui. Questa è polvere che viene dalle stelle".

Io credevo che mi pigliasse in giro, ma poi siamo scesi, e lui mi ha fatto vedere con la lente che erano tutti pallini rotondi, e mi ha mostrato che la calamita li tirava, insomma erano di ferro. E mi ha spiegato che erano stelle cadenti che avevano finito di cadere: se uno va un po' in alto in un posto che sia pulito e isolato, ne trova sempre, basta che non ci sia pendenza e che la pioggia non le lavi via. Lei non ci crede, e neanche io sul momento non ci ho creduto; ma col mio mestiere capita sovente di trovarsi in alto in dei posti come quelli, e ho poi visto che la polvere c'è sempre, e piú anni passano, piú ce n'è, di modo che funziona come un orologio. Anzi, come una di quelle clessidre che servono per fare le uova sode; e io di quella polvere ne ho raccolta un po' in tutte le parti del mondo, e la tengo a casa in uno scatolino; voglio dire a casa delle mie zie, perché io una casa non ce l'ho. Se un giorno ci troviamo a Torino gliela faccio vedere, e se ci pensa è una faccenda malinconica, quelle stelle filanti che sembrano le comete del presepio, uno le vede e pensa un desiderio, e poi cascano giú, si raffreddano, e diventano pallini di ferro da due decimi. Ma non mi faccia perdere il filo.

Dunque, le stavo dicendo che a lavoro finito quella torre sembrava un bosco; e sembrava anche a quelle figure che si vedono nell'anticamera dei dottori, IL CORPO UMANO: una coi muscoli, una con gli ossi, una coi nervi e una con tutte le budelle. I muscoli veramente non li aveva, perché non c'era niente che si muovesse, ma tutto il resto sí, e le vene e le budelle le avevo montate io. Il budello numero uno, vorrei dire lo stomaco o l'intestino, era quella colonna grande che le ho detto. L'abbiamo riempita d'acqua

fino in cima, e dentro l'acqua abbiamo buttato giú due camion di anellini di ceramica, grossi come il pugno: l'acqua
serviva perché gli anelli calassero giú piano senza romper-
si, e gli anelli, una volta colata via l'acqua, dovevano servire a fare come un labirinto, in maniera che la miscela d'acqua e d'acido che entrava a metà colonna avesse il tempo
di separarsi bene: l'acido doveva uscire dal fondo, e l'acqua dalla parte di sopra come vapore, e doveva poi con-
densarsi in uno scambiatore e finire non so dove; del resto
gliel'ho detto che tutte quelle chimiche io non le ho capite
bene. Bisognava appunto che gli anelli non si rompessero,
si posassero piano piano gli uni sugli altri, e che alla fine
riempissero la colonna fino alla cima. Buttare giú quegli
anelli era un lavoro allegro, li tiravamo su a secchi con un
paranco elettrico e li facevamo cadere nell'acqua dal passo
d'uomo, e sembrava di essere bambini quando si fanno i
tomini con la sabbia e l'acqua e i grandi dicono fa' attenzione che ti bagni tutto; e difatti mi sono bagnato tutto,
ma faceva caldo e faceva fino piacere. Ci abbiamo messo
quasi due giorni. C'erano anche le colonne piú piccole da
riempire di anelli, e a che cosa servissero quelle non glielo
saprei proprio dire, ma è stato un lavoro di due o tre ore:
poi ho salutato, sono passato alla cassa a prendere i soldi,
e come avevo una settimana di ferie arretrate me ne sono
andato in val di Lanzo a pescare le trote.

Io quando vado in ferie l'indirizzo non lo lascio mai,
perché so bene cosa capita; e infatti torno e trovo le zie
tutte spaventate con in mano un telegramma del committente perché a loro, povere donne, basta un telegramma
per farle andare su di giri: signor Faussone pregato contat-
tarci immediatamente. Cosa vuole farci? L'ho contattato,
che poi vuol dire che gli ho telefonato ma è piú elegante, e
ho capito subito dalla voce che c'era qualche cosa che non
andava. Aveva la voce di uno che telefona per chiamare
un'ambulanza, ma non vuole fare vedere l'emozione per
non perdere lo stile: che mollassi lí tutto e andassi subito

da lui, che c'era una riunione importante. Ho cercato di sapere che razza di riunione e cosa c'entravo io, ma non ci sono riuscito perché lui insisteva che andassi subito, e sembrava che stesse per mettersi a piangere.

Prendo su e vado, e trovo un quarantotto. Lui, il committente, aveva la faccia di uno che abbia passato la notte a fare baldoria, e invece l'aveva passata vicino all'impianto che stava dando i numeri; la sera prima si vede che si era lasciato prendere dalla paura, come quando uno ha un malato in casa, e non capisce che male abbia, e allora perde la testa e telefona a sei o sette dottori mentre invece sarebbe meglio chiamarne uno solo ma buono. Lui aveva fatto venire il progettista, il costruttore delle colonne, due elettricisti che si guardavano come un cane e un gatto, il suo chimico che anche lui era in ferie ma l'indirizzo lo aveva dovuto lasciare, e uno con la pancia e la barba rossa che parlava tricolore e non si capiva che cosa c'entrasse, e poi si è saputo che era un suo amico e faceva l'avvocato; ma piú che come avvocato, credo che l'avesse chiamato perché gli facesse coraggio. Tutta questa gente stava lí ai piedi della colonna, guardava in su, andavano e venivano pestandosi i piedi uno con l'altro, cercavano di calmare il committente e facevano dei discorsi senza senso; il fatto è che anche la colonna stava facendo un discorso, e era proprio un po' come quando uno è malato e ha la febbre e dice delle goffate, ma siccome magari sta per morire tutti lo prendono sul serio.

Per malata, quella colonna doveva ben essere malata, se ne sarebbe accorto uno qualunque, e difatti me ne accorgevo perfino io che non ero della partita e il committente mi aveva fatto venire solo perché ero io che ci avevo messo dentro gli anelli. Aveva come un attacco ogni cinque minuti. Si sentiva come un ronzio leggero e tranquillo che poi man mano diventava piú forte, irregolare, come una gran bestia che gli mancasse il fiato; la colonna cominciava a vibrare, e dopo un poco entrava in risonanza anche tutto il traliccio, e sembrava proprio che venisse un terremoto, e

allora tutti facevano finta di niente, chi di legarsi una
scarpa, chi di accendersi una sigaretta, ma andavano un
po' piú lontano; poi si sentiva come un colpo di grancassa,
ma soffocato, come se venisse di sottoterra, un rumore di
risacca, voglio dire come di ghiaietta che crolli, poi piú
niente, si sentiva solo il ronzio di prima. Tutto questo ogni
cinque minuti, regolare come un orologio; e io glielo so dire perché è vero che c'entravo poco, ma fra tutti c'eravamo solo il progettista e io che avessimo conservato un po'
di calma da vedere le cose senza perdere la testa: e io piú
stavo lí e piú quell'impressione di avere per le mani una
specie di bambino malato mi veniva piú forte. Sarà perché
lo avevo visto crescere e gli ero perfino andato dentro a
saldare; sarà perché si lamentava cosí senza senso, come
uno che a parlare non sia ancora buono ma si vede che ha
male; o sarà anche perché mi capitava come al dottore, che
davanti a uno che ha male al corpo prima cosa gli mette
l'orecchio sulla schiena, e poi lo tambussa tutto e gli mette
il termometro, e io e il progettista facevamo proprio cosí.

A mettere l'orecchio su quelle lamiere, quando la crisi si
incamminava, faceva impressione: si sentiva un gran lavoro di budelle in disordine, che quasi quasi anche le mie budelle personali c'è calato poco che non si mettessero in movimento ma mi sono tenuto per via della dignità; e quanto
al termometro, si capisce che non era come i termometri
della febbre che uno se li infila in bocca o viceversa. Era
un termometro multiplo, con tanti bimetalli in tutti i punti
strategici dell'impianto, un quadrante, e una trentina di
pulsanti per scegliere il punto dove si voleva leggere la
temperatura, insomma un affare studiato bene; ma siccome il centro della colonna grande, sí, della colonna che si
era ammalata, era proprio il cuore di tutto il sistema, in
quel punto c'era anche una termocoppia apposta, che comandava un termografo, sa bene, una punta scrivente che
scrive la curva della temperatura su un rotolo millimetrato.
Ebbene, quello faceva ancora piú impressione perché ci si

vedeva sopra tutta la storia clinica, fin dalla sera che avevano avviato l'impianto.

Si vedeva l'avviamento, cioè la traccia che partiva da venti gradi e saliva in due o tre ore a ottanta, e poi un tratto tranquillo, bello piatto, per una ventina di ore. Poi c'era come un brivido, fino fino che si vedeva appena, che durava appunto cinque minuti; e da allora in poi, tutta una filza di brividi, sempre piú forti e tutti di cinque minuti giusti. Anzi, gli ultimi, cioè quelli dell'ultima notte, altro che brividi, erano delle onde di dieci o dodici gradi di scarto, che salivano ripide e cadevano a picco; e un'onda l'abbiamo presa al volo, il progettista e io, si vedeva la traccia che saliva mentre saliva anche nell'interno tutto quel rimescolio, e veniva giú di brutto appena si sentiva quel colpo di tamburo e il rumore del crollo. Il progettista, che era uno giovane ma che sapeva il fatto suo, mi ha detto che l'altro gli aveva telefonato a Milano già dalla sera prima perché voleva l'autorizzazione di spegnere tutto, ma che lui non si era fidato e aveva preferito mettersi in macchina e venire giú, perché la manovra di spegnimento non era cosí semplice e lui aveva avuto paura che il committente combinasse un guaio; adesso, però, non c'era altro da fare. Cosí, la manovra l'ha fatta lui, e in una mezz'ora tutto si è fermato, si è sentito un gran silenzio, la curva è scesa come un aereo che atterra, e a me mi pareva che tutto l'impianto tirasse un respiro di sollievo, come quando uno sta male e allora gli dànno la morfina e lui si addormenta e per un poco ha smesso di soffrire.

Io continuavo a dirglielo, che io non c'entravo niente, ma il committente ci ha fatti sedere tutti intorno a un tavolo perché ognuno dicesse la sua. Io veramente al principio di dire la mia non osavo, ma una cosa da dire ce l'avevo sí, perché gli anelli ero io che li avevo messi giú, e come ho l'orecchio abbastanza fino avevo sentito che quel rumore di budelle smosse era lo stesso rumore di quando versavamo gli anelli dai secchi giú dentro la colonna: uno scroscio come quando arriva un ribaltabile a scaricare la ghiaia,

che ronza, si alza, si alza, e poi tutto d'un colpo la ghiaia si
mette a slittare e viene giú come una valanga. Alla fine poi
questa mia idea l'ho detta sotto voce al progettista che era
seduto vicino a me, e lui si è alzato in piedi e l'ha ripetuta
con delle belle parole come se fosse stata un'idea sua, e che
secondo lui la malattia della colonna era un caso di flading;
perché sa, se uno ha propensione per darsi dell'importanza, tutte le occasioni gli vengono buone. Che la colonna
andava in flading, e bisognava aprirla, vuotarla e guardarci
dentro.

Detto fatto, tutti hanno cominciato a parlare di flading
salvo l'avvocato, che rideva da solo come uno scemo e diceva qualche cosa di nascosto al committente: forse pensava
già di fare una causa. E tutti guardavano il sottoscritto, come se fosse già inteso che l'uomo che doveva salvare la situazione ero io; e devo dire che in fondo neanche mi dispiaceva, un po' per la curiosità, un po' anche perché quella colonna che si lamentava, e che raccoglieva in cima la
polvere delle stelle, e che si faceva il suo bisogno indosso...
già, forse non glielo avevo detto, ma si vede che andava in
pressione, perché sul massimo di ogni onda di calore, dalla
guarnizione del passo d'uomo in basso si vedeva uscire una
materia maron che colava giú sul basamento: bene, insomma mi faceva pena, come uno che soffra e non sia capace
di parlare. Pena e dispetto come fanno i malati, che anche
se uno non gli vuole bene finisce col dare una mano perché
guariscano, cosí almeno non si lamentano piú.

Non sto a dirle il traffico per guardarci dentro. È venuto fuori che dentro c'erano due tonnellate d'acido che co-
stava soldi, e che in tutti i modi non si poteva mandarlo in
fogna perché avrebbe inquinato tutta la zona; e essendo
che appunto era un acido, non si poteva neppure metterlo
dentro dei serbatoi basta che sia, ma ci volevano di acciaio
inossidabile, e anche la pompa doveva essere una pompa
antiacida perché la roba bisognava scaricarla a monte dato
che non c'era la cadenza per scaricarla a gravità. Ma fra
tutti ce la siamo sbrogliata, abbiamo scaricato l'acido,

abbiamo purgato la colonna col vapore perché non puzzasse tanto, e l'abbiamo lasciata raffreddare.

A questo punto poco da fare ero di scena io. I passi d'uomo erano tre, uno in cima alla colonna, uno verso la metà e l'altro al piede: sa bene che si chiamano cosí perché sono quei buchi rotondi dove ci può passare un uomo, ci sono anche sulle caldaie delle locomotive a vapore, e non è mica detto che l'uomo ci passi tanto comodo perché hanno solo cinquanta centimetri di diametro, e io so di diversi che avevano un po' di pancia e o che non ci passavano, oppure che ci restavano piantati. Io però da quel punto di vista, lei lo vede bene, non ho mai avuto problemi. Ho seguito le istruzioni del progettista e ho cominciato a sbullonare piano piano il passo d'uomo in alto: piano perché caso mai non venissero fuori degli anelli. Scosto il flangione, tasto con un dito, poi con la mano, niente: poteva essere logico che gli anelli si fossero assestati un po' piú in giú. Tolgo il flangione, e vedo nero. Mi passano una lampada, infilo dentro la testa, e torno a vedere nero, anelli niente, come se quando li mettevo dentro me li fossi sognati: vedevo solo un pozzo che sembrava senza fondo, e solo quando ho abituato gli occhi al buio ho visto come un biancore giú in basso, che si vedeva appena appena. Abbiamo calato giú un peso attaccato a uno spago, e ha toccato a ventitre metri: tutti i nostri trenta metri di anelli si erano ridotti a sette.

C'è stato un gran parlare e discutere, e alla fine si è capito il macinato, che stavolta non era un modo di dire ma era proprio un macinato perché erano gli anelli che si erano macinati. Pensi un po' che lavoro: gliel'ho detto che erano anelli di ceramica, e che erano fragili, tanto che li abbiamo messi giú con l'acqua come ammortizzatore. Si vede che aveva cominciato a rompersene qualcuno, e le schegge a fare strato alla base della colonna; allora il vapore sforzava per farsi la via, rompeva lo strato di colpo, e il colpo rompeva gli altri anelli, e cosí di seguito. A conti fatti, e i conti li ha fatti il progettista in base alle quote degli

anelli, di interi ce ne dovevano essere rimasti pochi. E infatti, ho aperto il passo d'uomo di mezzo e ho trovato vuoto; ho aperto quello in basso, e si è vista una pappetta di
sabbia e sassetti grigi, che era tutto quello che restava della
carica di anelli; una pappetta talmente intasata che quando
ho tirato via il flangione non si è neanche mossa.

Non c'era altro che fargli il funerale. Io ne ho già visti
diversi, di questi funerali, quando si tratta di fare sparire,
di togliersi dai piedi una cosa sbagliata, che puzza come un
morto, e che se si lascia lí a marcire è come una paternale
che non finisce mai, anzi, è come una sentenza del tribunale, un promemoria a tutti quelli che ci hanno messo mano: "non scordartelo, questa coglioneria l'hai combinata
tu". Non è mica un caso che quelli che hanno piú fretta di
fare il funerale sono proprio quelli che sentono piú colpa:
e quella volta lí è stato il progettista, che è venuto da me
con l'aria disinvolta a dire che bastava un bel lavaggio con
acqua, tutta quella graniglia sarebbe venuta via in un momento, e poi avremmo messo dentro degli anelli nuovi d'i-
nossidabile, a sue spese, naturalmente. Sul lavaggio e sul
funerale il committente è stato d'accordo, ma quando ha
sentito parlare di altri anelli è diventato una bestia feroce:
che il progettista attaccasse un quadretto alla Madonna
perché lui non gli faceva causa per i danni, ma anelli mai
piú, ne studiasse una meglio, e un po' in fretta, perché lui
aveva già perso una settimana di produzione.

Io di colpe non ne avevo, ma a vedermi in giro tanta
gente di cattivo umore ero diventato malinconico anche
io, tanto piú che il tempo si era messo al brutto e invece
che autunno sembrava inverno. Poi si è subito visto che
non era un lavoro cosí svelto: si vede che quel materiale,
voglio dire gli anelli rotti, erano delle schegge ruvide, e si
erano intrecciate una con l'altra, perché l'acqua che gli get-
tavamo sopra con l'idrante usciva di sotto tale quale, bella
pulita, e tutto quel fondame non si muoveva. Il committente ha cominciato a dire che forse se si fosse calato dentro uno con una pala, ma parlava come per aria, senza

guardare negli occhi nessuno, e con una voce cosí timida che si vedeva che non ci credeva nemmeno lui. Abbiamo provato in diverse maniere, e in definitiva si è visto che il sistema migliore era quello di mandargli l'acqua per di sotto come si è sempre fatto quando uno è costipato: abbiamo avvitato l'idrante alla bocchetta di scarico della colonna, abbiamo dato tutta la pressione, per un po' non si è sentito niente, poi come un gran singhiozzo, e il materiale ha cominciato a muoversi e a uscire come un fango dal passo d'uomo; e a me pareva di essere un dottore, anzi un veterinario, perché a quel punto invece che un bambino quella colonna ammalata incominciava a sembrarmi una di quelle bestie che c'erano nei tempi dei tempi, che erano alte come una casa e poi sono morte tutte chissà perché. Forse appunto di costipazione.

Ma se non sbaglio io avevo incamminato questa storia in una maniera diversa, e poi mi sono lasciato andare. Avevo incominciato a dirle della prigione, e di quel lavoro peggio della prigione. Si capisce che se avessi saputo prima che effetto mi doveva fare, un lavoro cosí non lo avrei accettato, ma sa bene che a dire di no a un lavoro uno impara tardi, e per dire la verità io non ho ancora imparato neanche adesso, e si immagini un po' allora, che ero piú giovane, e mi avevano offerto un forfé che io pensavo già di andare due mesi in ferie con la ragazza; e poi lei deve sapere che farmi avanti quando tutti si fanno indietro a me mi è sempre piaciuto, e mi piace ancora, e loro hanno capito bene che tipo ero io. Mi hanno fatto la corte, che un altro montatore come me non lo trovavano, che avevano fiducia, che era un lavoro di responsabilità e tutto. Insomma gli ho detto di sí, ma è perché non mi rendevo conto.

Fatto sta che quel progettista, ben che era in gamba, aveva fatto una topica marca leone: l'ho capito dai discorsi che sentivo in giro, e anche dalla sua faccia. Pare che in una colonna come quella gli anelli non ci andassero, né di ceramica né in nessun'altra maniera, perché facevano ostacolo ai vapori; e che l'unica era di metterci al posto dei piatti, dei dischi forati insomma, d'acciaio inossidabile, uno ogni mezzo metro d'altezza, cioè in tutto una cinquantina... lei allora le conosce, queste colonne a piatti? sí? Ma garantito che non sa come si montano: o forse lo sa, ma non sa che effetto fa a montarle. Del resto è regolare, uno viaggia in auto e a tutto il lavoro che c'è quagliato lí dentro non ci pensa neanche; oppure fa i conti su uno di quei calcolatori che stanno in saccoccia, e prima si meraviglia ma poi fa l'abitudine e gli sembra naturale; del resto, anche a me mi sembra naturale che io decida di alzare questa mano e ecco che la mano si alza, ma appunto è solo per l'abitudine. È ben per questo che io ho caro a raccontare i miei montaggi: è perché tanti non si rendono conto. Ma torniamo ai piatti.

Ogni piatto è diviso in due, come due mezze lune che si incastrano una nell'altra: vanno fatti divisi cosí perché se fossero interi il montaggio sarebbe troppo difficile o magari impossibile. Ogni piatto appoggia su otto mensoline saldate alla parete della colonna, e il mio lavoro era proprio quello di saldare queste mensoline, a cominciare dal basso. Si va su a saldare tutto in giro, finché si arriva all'altezza della spalla: non piú su perché sa bene che è faticoso. Allora si monta il primo piatto sul primo cerchio di mensoline, ci si monta sopra con le scarpe di gomma, e come si è piú alti di mezzo metro, si salda un altro cerchio di mensoline. L'aiutante cala da sopra altri due mezzi piatti, uno se li monta un pezzo per volta sotto i piedi, e via: un giro di mensoline e un piatto, un giro e un piatto, fino alla cima. Ma la cima era alta trenta metri.

Bene, avevo fatto il tracciamento senza nessuna difficoltà, ma dopo che sono stato a due o tre metri da terra ho cominciato a sentirmi strano. Al principio credevo che fossero i vapori dell'elettrodo, ben che ci fosse un bel tiraggio; o magari la maschera, che se uno salda per tante ore di seguito bisogna che gli copra tutta la faccia, se no si scotta e gli vien via tutta la pelle. Ma poi andava sempre peggio, mi sentivo come un peso qui alla bocca della stomaco, e la gola chiusa come quando da bambini si ha voglia di piangere. Piú che tutto, mi sentivo la testa andare in giostra: mi tornavano in mente tante cose che avevo dimenticate da un pezzo, quella sorella di mia nonna che si era fatta monaca di clausura, "chi passa questa porta – non vien piú fuori né viva né morta"; e i racconti che si facevano al paese, di quello che l'avevano messo nella bara e sotterrato e poi non era morto e di notte nel camposanto batteva coi pugni per uscire. Mi sembrava anche che quel tubo diventasse sempre piú stretto e che mi soffocasse come i topi nella pancia dei serpenti, e guardavo in su e vedevo la cima lontana lontana, da raggiungerla a passetti di mezzo metro per volta, e mi veniva una gran voglia di farmi tirare fuori, ma invece resistevo perché dopo tutti i complimenti che mi avevano fatto non volevo fare una figura.

Insomma ci ho messo due giorni, ma non mi sono tirato indietro, e in cima ci sono arrivato. Però devo dirle che dopo di allora, ogni tanto, cosí all'improvviso, quel senso di topo in trappola mi ritorna: piú che tutto negli ascensori. Sul lavoro è difficile che mi capiti, perché dopo di allora i montaggi nel chiuso li lascio fare dagli altri; e mi chiamo contento che nel mio mestiere il piú delle volte si sta ai quattro venti, magari si patisce il caldo, il freddo, la pioggia e le vertigini, ma con la clausura non ci sono problemi. Quella colonna non sono piú tornato a vederla, neanche dal di fuori, e giro al largo da tutte le colonne, i tubi e i cunicoli; e sui giornali, quando ci sono quelle storie di sequestri, non le leggo neanche. Ecco. È da stupido, e io lo so che è da stupido, ma non sono piú stato buono di tornare come prima. A scuola mi avevano insegnato il concavo e il convesso: bene, io sono diventato un montatore convesso, e i lavori concavi non fanno piú per me. Ma se non lo dice in giro è meglio».

L'aiutante

«... Ma mi faccia un po' il piacere! Vuol mettere? Io no, io del mio destino non me ne sono mai lamentato, e del resto se mi lamentassi sarei una bestia, perché me lo sono scelto da me: volevo vedere dei paesi, lavorare con gusto, e non vergognarmi dei soldi che guadagno, e quello che volevo l'ho avuto. Si capisce che c'è il pro e il contro, e lei che ha famiglia lo sa bene; appunto, uno non si può fare una famiglia, e neanche degli amici. O magari uno se li fa, gli amici, ma durano quanto dura il cantiere: tre mesi, quattro, sei al massimo, poi si torna a prendere l'aereo... A proposito, qui lo chiamano il samuliòt, lo sapeva? Mi è sempre sembrato un bel nome, mi fa pensare ai cipollini di casa nostra. Sí, ai siulòt, e ai scimmiotti; ma non anticipiamo. A prendere l'aereo, le stavo dicendo, e chi s'è visto s'è visto. O non te ne importa niente, e allora vuol dire che non erano amici sul serio; o lo erano, e allora dispiace. E con le ragazze è lo stesso, anzi peggio perché non si può star senza, e vedrà che un giorno o l'altro resto panato».

Faussone mi aveva invitato a prendere il tè nella sua camera. Era monastica, e in tutto identica alla mia, fino ai dettagli: identici il paralume, il copriletto, la carta da parati, il lavabo (che anzi gocciolava proprio come il mio), la radiolina senza sintonizzatore sulla mensola, il cavastivali, perfino la ragnatela sopra l'angolo della porta. Io però la occupavo solo da pochi giorni, e lui da tre mesi: aveva attrezzato una cucinetta in un armadio a muro, aveva appeso al soffitto un salame e due ghirlande d'aglio, e appicciato

alle pareti una veduta di Torino ripresa dall'aereo e una foto della squadra granata, tutta coperta di firme. Non era
molto, come penati, ma io non avevo neppure quelli, e mi
sentivo piú a casa in camera sua che nella mia. Quando il
tè è stato pronto, me l'ha offerto con garbo ma senza vassoio, e mi ha consigliato, anzi prescritto, di aggiungerci
della vodca, almeno metà e metà: «cosí poi dorme meglio». Ma in quella foresteria sperduta si dormiva bene comunque: di notte si assaporava un silenzio totale, primigenio, rotto soltanto dal respiro del vento e dal singhiozzo di
un imprecisato uccello notturno.

   «Bene. L'amico che a lasciarlo mi ha fatto piú magone,
quando le dico chi è stato, lei fa un salto cosí. Perché prima di tutto mi ha messo nei guai mica male; secondo poi,
perché non era neppure un cristiano: appunto, era una
scimmia».

   Il salto non l'ho fatto: per un'antica abitudine al controllo, a far sí che le seconde reazioni precedano le prime,
ma anche perché il prologo di Faussone aveva smussato la
punta della sorpresa; devo averlo già detto che non è un
gran raccontatore e riesce meglio in altri campi. D'altronde non c'era poi molto da stupirsi: chi non lo sa che i piú
grandi amici degli animali, i piú bravi a comprenderli e ad
esserne compresi, sono proprio i solitari?

   «Per una volta, non era una gru. Di storie di montaggi
di gru ne avrei ancora una quantità ma poi uno finisce che
diventa noioso. Quella volta lí era un derrick. Lo sa cosa è
un derrick?»

   Non ne avevo che un'idea libresca: sapevo che sono torri in traliccio, e che servono a perforare i pozzi di petrolio,
o forse anche ad estrarre il petrolio stesso; viceversa, se
l'informazione gli poteva interessare, ero in grado di dargli
notizie precise sull'origine del nome. Il signor Derryck,
uomo esperto, coscienzioso e pio, era vissuto a Londra verso la fine del Cinquecento ed era stato per molti anni carnefice di Sua Maestà Britannica; tanto coscienzioso, e tanto innamorato della sua professione, che si studiò costan-

temente di perfezionarne gli strumenti. Verso la fine della sua carriera mise a punto una forca di modello nuovo, in traliccio, alta e snella, affinché l'appeso «alto e corto» potesse essere visto di lontano: essa venne chiamata «Derryck gallows», e poi piú brevemente «derrick». In seguito, per analogia, il nome fu esteso ad altre strutture, tutte in traliccio, destinate ad usi piú oscuri. Per questa via il signor Derryck giunse a quella particolare e rarissima forma d'immortalità che consiste nel perdere la maiuscola iniziale del proprio cognome: onore questo che è condiviso da non piú di una dozzina di uomini illustri di tutti i tempi. Continuasse pure nel suo racconto.

Faussone ha incassato senza batter ciglio la mia frivola intromissione. Aveva però assunto un'aria distante, forse messo a disagio dall'aver io usato il passato remoto come si fa quando si è interrogati di storia. Poi ha proseguito:

«Sarà ben cosí: io però avevo sempre pensato che la gente la impiccassero basta che sia. Ogni modo, quello era un derrick niente di speciale, una ventina di metri, un derrick di perforazione, di quelli che se non si trova niente uno poi li smonta e se li porta in un altro posto. A regola, nelle mie storie fa sempre o troppo caldo o troppo freddo; ebbene, quella volta lí era in una radura in mezzo a un bosco, e non faceva né freddo né caldo, ma invece pioveva tutto il tempo. Pioveva tiepido, e non si può neanche dire che facesse dispiacere, perché docce in giro non ce n'era. Uno fa che spogliarsi, con solo addosso le mutandine, come fanno quelli del paese, e se piove lascia che piova.

Come montaggio, era roba da ridere: non ci sarebbe neppure stato bisogno di un montatore con tutte le carte in regola, bastava un manovale che non patisse tanto le vertigini. Ne avevo tre, di manovali, ma che laiani, Dio bono! Magari erano denutriti, sarà benissimo, ma erano solo buoni a battere la lana dal mattino alla sera; a parlargli non rispondevano neanche, sembravano indormiti. Sta di fatto che a me mi toccava di pensare un po' a tutto: al gruppo elettrogeno, ai collegamenti, perfino a farmi un po' di cucina la sera nella baracca. Ma quello che mi preoccupava piú che tutto era quello che chiamano l'equipaggio, che io non credevo che fosse cosí complicato. Sa bene, quel traffico con tutte le pulegge e la vite senza fine, quello per far scendere la fresa frontale, che poi montare quello è un lavoro che non sarebbe neanche della mia partita. Sembra niente, ma dentro c'è tutto il coso per l'avanzamento, che è l'elettronico e si regola da sé, e i comandi per le pompe del fango; e dalla parte di sotto si avvitano i tubi d'acciaio che scendono nel pozzo uno dietro l'altro; insomma tutto un cine che di regola uno lo vede... sí appunto solo al cine, in quei film del Texas. Non per dire, è un bel lavoro anche quello; io non mi facevo l'idea, ma si va giú magari anche cinque chilometri, e neanche detto poi che il petrolio ci sia».

Dopo il tè con la vodca, poiché la storia di Faussone non accennava ancora a decollare, io ho cautamente accennato a un formaggio fermentato e a certi salamini ungheresi che stavano nella mia camera. Lui non ha fatto complimenti (non ne fa mai: dice che non è il suo stile), e cosí il tè si è andato trasformando in una merenda cenatoria, mentre la luce aranciata del tramonto virava al viola luminoso di una notte settentrionale. Contro il cielo di ponente si stagliava netta una lunga ondulazione del terreno, e al di sopra di questa, parallela e bassa, correva una nuvola sottile e nera, come se un pittore si fosse pentito di un suo tratto, e lo avesse ripetuto poco sopra. Era una nuvola strana: ne abbiamo discusso, poi Faussone mi ha convinto, era la polvere sollevata da una mandria lontana nell'aria senza vento.

«Io non saprei dirle perché tutti i lavori che ci tocca fare a noi siano sempre in dei posti balordi: o caldi, o gelati, o troppo asciutti, o che ci piove sempre, come appunto quello che sono in cammino di raccontarle. Forse è solo che noi siamo male abituati, noi dei paesi civili, e se ci capita di finire in un posto un po' fuorivia ci sembra subito la fine del mondo. E invece, dappertutto c'è gente che al suo paese ci sta bene e non farebbe cambio con noi. Questione d'abitudine.

Allora, in quel paese che le dicevo la gente non è facile farci amicizia. Noti che contro i mori io non avrei niente da dire, e da tante altre parti ne ho trovati di quelli che erano piú in gamba di noi, ma laggiú era tutta un'altra razza. Sono dei gran pelandroni e dei contastorie. L'inglese lo parlano in pochi; la loro lingua io non la capisco; vino niente, non sanno neanche cosa sia; delle loro donne sono gelosi, e parola che hanno torto, perché sono piccole, con le gambe corte, e lo stomaco che gli arriva fino qui. Mangiano delle robe che fanno fino senso, e non insisto perché stiamo facendo cena. Insomma, se le dico che laggiú il solo amico che sono riuscito a farmi è stato uno scimmiotto, mi deve credere che non avevo nessun'altra alternativa. Come scimmiotto non era neanche tanto bello, era uno di quelli con la pelliccia intorno alla testa e la faccia da cane.

Era curioso, veniva a vedermi lavorare, e mi ha subito mostrato una cosa. Le ho detto che pioveva sempre: bene, lui si sedeva a prendere la pioggia in un modo speciale, con i ginocchi sollevati, la testa sui ginocchi, e le mani intrecciate sulla testa. Ho fatto caso che in quella posizione aveva i peli pettinati tutti verso l'ingiú, di modo che non si bagnava quasi niente: l'acqua gli colava via dai gomiti e dal didietro, e la pancia e la faccia restavano asciutte. Ho provato anch'io, per riposarmi un poco fra un bullone e l'altro, e devo dire che se uno non ha il paracqua è la maniera migliore».

Credevo che scherzasse, e gli ho promesso che, se mai mi fossi trovato anch'io nudo sotto una pioggia tropicale, avrei assunto la posizione dello scimmiotto, ma ho subito colto un suo sguardo indispettito. Faussone non scherza mai; se lo fa, scherza con una pesantezza da testuggine; e non accetta scherzi altrui.

«Si annoiava. In quella stagione le femmine stanno tutte insieme in un branco, con un vecchio maschio ben piantato che le guida e gli fa l'amore a tutte, e guai se vede uno dei scimmiotti giovani che si avvicina: gli salta addosso e lo graffia. Io la capivo bene la sua situazione perché era un po' come la mia, ben che io ero senza femmine per degli altri motivi. Lei capisce che quando si è cosí, soli in due, e con la stessa malinconia, si fa presto a fare amicizia».

Un pensiero mi ha attraversato la mente: di nuovo eravamo soli in due, e con addosso la malinconia. Ero subentrato allo scimmiotto, ed ho percepito una rapida ondata di affetto per quel mio con-sorte lontano, ma non ho interrotto Faussone.

«... solo che lui non aveva un derrick da montare. Il primo giorno stava solo lí a guardare, sbadigliava, si grattava la testa e la pancia cosí, con le dita molli molli, e mi mostrava i denti: non è come i cani, per loro mostrare i denti è segno che vogliono fare amicizia, però ci ho messo qualche giorno a capirlo. Il secondo giorno faceva la ronda intorno alla cassetta dei bulloni, e siccome io non lo mandavo via ne prendeva uno in mano ogni tanto, e lo provava coi denti per vedere se era buono da mangiare. Il terzo giorno aveva già imparato che ogni bullone va col suo dado, e non si sbagliava quasi piú: il mezzo pollice col mezzo pollice, il tre ottavi col tre ottavi e cosí via. Però non ha mai capito bene che tutti i filetti sono destri. Neanche dopo non l'ha mai capito; provava cosí, come viene viene, e quando gli andava bene e il dado si invitava, allora saltava su e giú, batteva le mani per terra, faceva dei versi e sembrava contento. Lo sa che è proprio un peccato che anche noi montatori non abbiamo quattro mani come loro, e magari anche la coda? Mi faceva un'invidia da morire: quando ha preso un po' di confidenza veniva su per il traliccio come un fulmine, si attaccava alle traverse coi piedi, a testa in giú, e in quella posizione invitava i bulloni e mi faceva le smorfie.

Basta, io sarei stato tutto il giorno a guardarlo, ma c'era la scadenza, mica storie. Io mi arrangiavo di portare avanti il lavoro fra una piovata e l'altra, col poco aiuto che mi davano i miei tre manovali imbranati. Lui sí che mi avrebbe potuto aiutare, ma era come un bambino, lo prendeva come un gioco, come una dimora. Non c'era verso. Dopo qualche giorno io gli facevo segno di portarmi su le traverse giuste, e lui volava giú e poi su, e mi portava sempre soltanto quelle della cima, che erano dipinte di rosso per via degli aerei. Erano anche le piú leggere: si vede che aveva cognizione, voleva giocare ma non fare troppa fatica. Ma non creda mica, non è che i tre mori combinassero molto di piú, perché almeno lui non aveva paura di cascare.

Dài oggi dài domani sono arrivato a piazzare il gruppo di tiro, e quando ho provato i due motori lui da principio si è un poco spaventato per via del rumore e di tutte quelle rotelle che si muovevano da sole. Io a questo punto gli avevo dato un nome: lo chiamavo e lui veniva. Anche perché ogni tanto gli davo una banana, ma insomma veniva. Poi ho montato il quadro di comando, e lui stava a guardare che sembrava incantato. Quando si accendevano quei lumini rossi e verdi mi guardava come se volesse chiedermi tutti i perché, e se io non gli davo da mente piangeva come un bambino piccolo. Bene, qui, poco da dire, la colpa è stata mia. L'avevo pure visto che quel trucco dei bottoni gli piaceva un po' troppo. Vuol dire? Sono stato cosí asino che proprio l'ultima sera non ho pensato che era meglio svitare i fusibili».

Si stava avvicinando un disastro. Stavo per domandare a Faussone come avesse potuto commettere una dimenticanza cosí grave, ma mi sono trattenuto per non guastare il suo racconto. Infatti, come c'è un'arte di raccontare, solidamente codificata attraverso mille prove ed errori, cosí c'è pure un'arte dell'ascoltare, altrettanto antica e nobile, a cui tuttavia, che io sappia, non è stata mai data norma. Eppure, ogni narratore sa per esperienza che ad ogni narrazione l'ascoltatore apporta un contributo decisivo: un pubblico distratto od ostile snerva qualsiasi conferenza o lezione, un pubblico amico la conforta; ma anche l'ascoltatore singolo porta una quota di responsabilità per quell'opera d'arte che è ogni narrazione: se ne accorge bene chi racconta al telefono, e si raggela, perché gli mancano le reazioni visibili dell'ascoltatore, che in questo caso è ridotto a manifestare il suo eventuale interesse con qualche monosillabo o grugnito saltuario. È anche questa la ragione principale per cui gli scrittori, ossia coloro che raccontano ad un pubblico incorporeo, sono pochi.

«... no, non è riuscito a fracassarlo del tutto, ma ci è mancato poco. Mentre io ero lí che trafficavo con i contatti, perché sa, io non sono un elettricista, ma un montatore bisogna che si disbrogli dappertutto; e specie dopo, quando provavo i comandi, lui non perdeva una mossa. E il giorno dopo era domenica, e il lavoro era finito, e un giorno di riposo ci voleva. Insomma, quando viene il lunedí e torno sul cantiere, il traliccio era come se uno gli avesse dato una sberla: ancora in piedi, ma tutto storto, e col gancio impegnato nel basamento, come l'ancora di un bastimento. E lui era lí seduto e mi aspettava, mi aveva sentito arrivare con la moto: era tutto fiero, chissà cosa si credeva di aver fatto. Io ero ben sicuro che l'equipaggio lo avevo lasciato tirato su: ma lui doveva averlo fatto scendere, che appunto bastava premere un bottone, e il sabato me lo aveva visto fare tante volte; e poi garantito che ci aveva fatto l'altalena, anche se pesava dei bei quintali. E facendo l'altalena doveva aver mandato il gancio a chiudersi su un longherone, perché era uno di quei ganci di sicurezza, col moschettone e la molla, che se si chiudono non si riaprono piú: vede a cosa servono delle volte certe sicurezze. Alla fine, forse aveva capito che stava combinando un guaio, e aveva premuto il bottone della risalita; o forse solo cosí per caso. Tutto il traliccio si era messo in tensione, che a pensarci mi viene freddo ancora adesso; tre o quattro traverse avevano ceduto, tutta la torre si era svirgolata, e fortuna che poi era scattato l'automatico, altrimenti addio al suo boia di Londra».

«Allora non era un guasto cosí grave?» Appena formulata la domanda, dallo stesso suono trepido con cui l'avevo pronunciata, mi sono accorto che tenevo per lui, per lo scimmiotto avventuroso, che probabilmente aveva cercato di emulare i portenti che aveva visti compiere dal suo silenzioso amico uomo.

«Dipende. Quattro giorni di lavoro per le riparazioni, e un bel po' di soldi come penalità. Ma mentre io ero lí che tribolavo a raddrizzare tutto, lui aveva cambiato faccia; era mucco mucco, teneva la testa insaccata fra le spalle, guardava tutto da una parte, e se io mi avvicinavo scappava via: forse aveva paura che io lo graffiassi, come il maschio vecchio, il padrone delle femmine... Beh, cos'aspetta ancora? È finita, la storia del derrick. L'ho rimesso dritto, ho fatto fare tutte le verifiche, ho fatto le valige e me ne sono andato. Il scimmiotto, ben che aveva fatto quel guaio, avrei voluto portarmelo dietro, ma poi ho pensato che qui da noi sarebbe venuto tisico, che alla pensione non me lo tenevano, e che per le mie zie sarebbe stato un bel cadò; e del resto, vigliacco se si è piú fatto vedere».

La ragazza ardita

«No, che diamine: dove mi mandano vado, anche in Italia, si capisce, ma in Italia mi mandano di rado perché io so il mestiere troppo bene. Non pensi male, è che io mica per dire me la so sbrogliare piú o meno in tutte le situazioni, e allora preferiscono mandarmi all'estero, e in giro per l'Italia mandano i giovani, i vecchi, quelli che hanno paura che gli venga l'infarto, e i pelandroni. Del resto anch'io preferisco: per vedere il mondo, che se ne impara sempre una, e per stare lontano dal mio caposervizio».

Era domenica, l'aria era fresca e profumata di resina, il sole non tramontava mai, e noi due ci eravamo messi in cammino attraverso la foresta con l'intenzione di raggiungere il fiume prima del buio: quando cessava il fruscio del vento tra le foglie morte se ne udiva la voce poderosa e tranquilla, che sembrava venire da tutti i punti dell'orizzonte. Si sentiva anche, a intervalli, ora vicino ed ora lontano, un martellio tenue ma frenetico, come se qualcuno stesse tentando di conficcare nei tronchi dei minuscoli chiodi con dei minuscoli martelli pneumatici: Faussone mi ha spiegato che erano picchi verdi, e che ci sono anche dalle nostre parti, ma spargli è proibito. Gli ho chiesto se quel suo caposervizio era davvero cosí insopportabile da indurlo a fuggirsene a migliaia di chilometri pur di non vederlo, e lui mi ha risposto che no, che era anzi abbastanza bravo: questo termine, nel suo linguaggio, ha un significato vasto, equivalendo cumulativamente a remissivo, gentile, esperto, intelligente e coraggioso.

«... ma è uno di quelli che mostrano ai gatti a rampicare, non so se rendo l'idea. Tiene caldo, insomma: non ti lascia la tua indipendenza. E se uno sul lavoro non si sente
indipendente, addio patria, se ne va tutto il gusto, e allora
uno è meglio se va alla Fiat, almeno quando torna a casa si
mette le pantofole e va a letto con la moglie. È una tentazione, sa: è un rischio, specie se ti sbattono in certi paesi.
No, non questo: qui son rose e fiori. È una tentazione, le
dicevo, quella di mettere berta in sacco, maritarsi e farla
finita con la vita dello zingaro. Eh sí, è proprio una tentazione», ha ripetuto meditabondo.

Era chiaro che all'enunciato teorico sarebbe seguito un
esempio pratico. Infatti, dopo qualche minuto ha ripreso:

«Eh già, come le stavo dicendo, quella volta il caposervizio mi ha mandato me, in Italia, anzi, in bassa Italia,
perché sapeva che c'erano delle difficoltà. Se vuol sentire
la storia di un montaggio balordo, e io lo so che c'è gente
che gode a sentire le disgrazie degli altri, allora senta questa: perché un montaggio compagno non mi è successo mai
piú, e non glielo auguro a nessun montatore. Prima di tutto, per via del committente. Bravo anche lui, non creda,
che mi offriva dei desinari da dio, e fino un letto col baldacchino in cima, perché aveva voluto a tutti i costi che io
andassi a dormire a casa sua: ma del lavoro non ne capiva
un accidente, e lei lo sa che non c'è niente di peggio. Lui
era nei salami e si era fatto i soldi, o forse glieli aveva dati
la cassa del mezzogiorno, non glielo saprei dire; sta di fatto
che si era piantato in testa di mettersi a fare i mobili metallici. Ci sono solo i folli che credono che un cliente merlo è
meglio, perché cosí fai quello che vuoi: è tutto il contrario,
un cliente merlo non fa che darti grane. Non ha l'attrez-
zaggio, non ha le scorte, al primo guaio gli saltano i nervi e
vuole impugnare il contratto, e quando invece le cose vanno bene te la conta lunga e ti fa perdere tempo. Beh quello
almeno era cosí, e io ero come fra il martello e l'incudine,
perché dall'altra parte del telex c'era il mio caposervizio
che mi cavava il fiato. Mi faceva un telex ogni due ore, per

avere l'avanzamento del lavoro. Lei deve sapere che i caposervizio, quando hanno passato una certa età, ognuno
ha la sua mania, almeno una: e il mio ne aveva diverse. La
prima è la piú grossa, gliel'ho già detto, era quella di voler
fare tutto lui, come se un montaggio uno potesse farlo
stando seduto dietro alla scrivania, o attaccato al telefono
o alla telescrivente, si immagini un po'! Un montaggio è un
lavoro che ognuno se lo deve studiare da sé, con la sua testa, e ancora meglio con le sue mani: Perché sa, le cose, a
vederle da una poltrona oppuramente da un traliccio alto
quaranta metri, fa differenza. Ma poi ne aveva anche d'altre, di manie. I cuscinetti, per esempio; lui voleva solo
quelli svedesi, e se veniva a sapere che su un lavoro qualcuno ne aveva montati degli altri veniva di tutti i colori e saltava alto cosí, che poi invece di regola era uno tranquillo:
e sono solo storie, perché su lavori come quello che le sto
raccontando, che era poi un nastro trasportatore, lungo ma
lento e leggero, stia sicuro che tutti i cuscinetti vanno bene, anzi, andrebbero bene fino le boccole di bronzo che faceva il mio padrino, una per una, a forza di olio di gomito,
per la Diatto e la Prinetti, nella boita di via Gasometro.
Lui la chiamava cosí, ma adesso si chiama via Camerana.
   Poi, essendo che era ingegnere, aveva anche la mania
delle rotture a fatica, le vedeva dappertutto e credo che se
le sognava anche di notte. Lei che non è del ramo forse
non sa neanche che cosa sono: ebbene, sono una rarità, io
in tutta la mia carriera di rotture a fatica garantite non ne
ho viste neanche una, ma quando si spacca un pezzo, padroni, direttori, progettisti e capi officina sono sempre tutti d'accordo, loro non ne possono niente, la colpa è del
montatore, che è lontano e non si può difendere, o delle
correnti vaganti, o della fatica, e loro se ne lavano le mani,
o almeno provano. Ma non mi faccia perdere il filo: la piú
strana delle manie di quel caposervizio era questa, lui era
uno di quelli che se hanno da voltare la pagina di un libro
prima si berliccano un dito. Io mi ricordo che la mia maestra della scuola elementare, il primo giorno di scuola, ci

aveva insegnato che non bisogna per via dei microbi: si vede che la sua non glielo aveva insegnato, perché lui invece se lo leccava sempre. Bene, io ho fatto caso che si leccava il dito tutte le volte che faceva il gesto di aprire qualunque cosa: il cassetto della scrivania, una finestra, la porta della cassaforte. Una volta l'ho visto che si leccava il dito prima di aprire il cofano della Fulvia».

A questo punto mi sono accorto che non Faussone, ma io stavo perdendo il filo del racconto, fra il committente bravo ed inesperto e il caposervizio bravo e maniaco. L'ho pregato di essere piú chiaro e conciso, ma nel frattempo eravamo arrivati al fiume, e siamo rimasti per qualche attimo senza parola. Sembrava piuttosto un braccio di mare che non un fiume: scorreva con un fruscio solenne contro la nostra riva, che era un alto argine di terra friabile e rossiccia, mentre l'altra riva si intravvedeva appena. Contro la sponda si rompevano piccole onde trasparenti e pulite.

«Mah, può essere che io mi sia perso un po' nei particolari, ma le assicuro che è stato un lavoro balordo. Intanto, mica per dire, ma le maestranze del posto erano tutte cefole: forse erano bravi a menare la zappa, ma non ci metterei la mano sul fuoco, perché a me pareva che dessero piuttosto sul genere lanuto; tutti i momenti si mettevano in mutua. Ma il peggio era per il materiale: la bulloneria che si trovava su piazza, primo c'era poco assortimento, secondo faceva schifo ai cani: roba compagna non ne avevo mai vista, non dico in questo paese, che per essere grossieri non scherzano, ma neppure quella volta in Africa che le ho raccontato. E per i basamenti, stesso discorso: sembrava che le misure le avessero prese a branche; tutti i giorni la stessa musica, martello, scalpello, piccone, spaccare tutto e giú cemento a pronta. Io mi attaccavo alla telescrivente, perché anche il telefono funzionava solo quando voleva, e dopo un quarto d'ora la macchinetta si metteva a battere fitto fitto come fanno le telescriventi, che sembra che abbiano sempre fretta, anche quando scrivono delle coglionate, e sul foglio si leggeva: "Malgrado ns. raccomandazioni avete evidentemente impiegato materiale di origine sospetta", o qualche altra gofferia del genere che c'entrava come i cavoli a merenda, e io mi sentivo venire il latte ai gomiti. Guardi che non è un modo di dire, si sentono proprio i gomiti venire molli molli, e anche i ginocchi, le mani pendere e dondolare come le poppe di una vacca, e viene voglia di cambiare mestiere. A me è successo diverse volte, ma quella volta lí piú che tutte le altre, e sí che ho visto le mie. A lei non le è mai capitato?»

Eh, come no! Ho spiegato a Faussone che, almeno in tempo di pace, è quella una delle esperienze fondamentali della vita: sul lavoro e non solo sul lavoro. È probabile che, magari in altre lingue, quest'alluvione lattea, che interviene a debilitare e ad impedire l'uomo fabbro, possa venire descritta con immagini piú poetiche, ma nessuna fra quelle che io conosco è altrettanto vigorosa. Gli ho fatto notare che, per provarla, non c'è bisogno di avere un caposervizio noioso.

«Sí, ma quello, lasci perdere, avrebbe fatto scappare la pazienza a un santo. Mi creda, non è che io ci prenda gusto a leggergli la vita, perché gliel'ho detto che non era cattivo: è che mi toccava proprio nel mio punto debole, nel gusto del lavoro. Avrei avuto piú caro che mi avesse dato una multa, non so, magari una sospensione, piuttosto di quelle paroline messe lí come per caso, ma che quando poi uno ci pensa sopra si accorge che portano via il pelo. Insomma, come se tutti gli intoppi di quel lavoro, e mica solo di quello, fossero stati colpa mia, perché non avevo voluto mettere i cuscinetti svedesi, e invece io li avevo proprio messi, erano mica soldi miei, ma lui non ci credeva, oppure faceva mostra di non crederci: basta, dopo ogni telefonata mi sentivo come un criminale, e sí che in quel lavoro ci avevo messo l'anima. Ma io l'anima ce la metto in tutti i lavori, lei lo sa, anche nei piú balordi, anzi, con piú che sono balordi, tanto piú ce la metto. Per me, ogni lavoro che incammino è come un primo amore».

Nella dolce luce del tramonto avevamo preso la via del

ritorno, lungo un sentiero appena segnato nel folto della
foresta. Contro ogni sua abitudine, Faussone si era interrotto, e camminava silenzioso al mio fianco, con le mani
dietro la schiena e gli occhi fissi al suolo. L'ho visto due o
tre volte prendere fiato e aprire la bocca come se stesse per
ricominciare a parlare, ma sembrava indeciso. Ha ripreso
solo quando eravamo ormai in vista della foresteria:

«Vuole che gliene dica una? Per una volta, quel caposervizio aveva ragione. Aveva quasi ragione. Era vero che su
quel lavoro c'erano delle difficoltà, che non si trovava il
materiale, che il commendatore, sí, quello dei salami, invece di darmi una mano mi faceva perdere tempo. Era anche
vero che non c'era uno dei manovali che valesse due soldi;
ma se il lavoro veniva avanti malamente, e con tutti quei
ritardi, la colpa era anche un po' mia. Anzi, era di una ragazza».

Lui, veramente, aveva detto «'na fija», ed infatti, in
bocca sua, il termine «ragazza» avrebbe suonato come una
forzatura, ma altrettanto forzato e manierato suonerebbe
«figlia» nella presente trascrizione. La notizia, comunque,
era sorprendente: in tutti gli altri suoi racconti Faussone
aveva posto il suo vanto nel presentarsi come un refratta-
rio, un uomo dagli scarsi interessi sentimentali, uno, appunto, «che non corre appresso alle figlie», ed a cui le figlie invece corrono dietro, ma lui non se ne cura, si prende
questa o quella senza darle peso, se la tiene finché dura il
cantiere e poi la saluta e parte. Mi sono fatto attento e
teso.

«Sa, sulle ragazze di quelle terre si raccontano un mucchio di storie, che sono piccole, grasse, gelose, e buone solo a fare dei figli. Quella ragazza che le dicevo era alta come me, coi capelli castani che erano quasi rossi, dritta come
un fuso e ardita come ne ho viste poche. Portava il carrello a forche, anzi, è proprio cosí che ci siamo incontrati.
Accosto al nastro che io stavo montando c'era la pista per
i carrelli: ce ne passavano due giusti giusti. Vedo venire giú
un carrello guidato da una ragazza, con un carico di profi-

lati che sporgeva un poco, e in su venire un altro carrello vuoto, anche quello guidato da una ragazza: chiaro che incrociarsi non potevano, bisognava che uno dei due facesse marcia indietro fino a uno slargo, oppure che la ragazza dei profilati posasse il carico e lo sistemasse meglio. Niente: si piantano lí tutte e due e cominciano a dirsene di tutte le tinte. Io ho capito subito che fra di loro ci doveva essere della ruggine vecchia, e mi sono messo lí con pazienza a aspettare che avessero finito: perché anch'io dovevo passare, avevo uno di quei carrellini che si guidano dal timone, carico dei famosi cuscinetti, che Dio liberi se avesse dato il giro e il mio caposervizio lo avesse saputo.

Basta, aspetto cinque minuti, poi dieci, niente, quelle continuavano come se fossero state in piazza. Litigavano nel loro dialetto, ma si capiva quasi tutto. A un certo punto io mi sono fatto sotto, e gli ho chiesto se per piacere mi facevano passare: quella piú grande, che era poi la ragazza che le dicevo prima, si volta e mi fa tutta tranquilla: "Aspettate un momento, non abbiamo ancora finito"; poi si gira verso quell'altra, e cosí, a sangue freddo, gliene tira giú una che non mi oso di ripetergliela, ma le giuro che mi ha fatto venire i capelli all'umberta. "Ecco", mi fa "ora passate pure", e dicendo cosí se ne parte a marcia indietro a tutta velocità, facendo la barba alle colonne, e anche ai montanti del mio nastro, che io mi sentivo venire freddo. Arrivata che è stata al corridoio di testa, ha preso la curva che neanche Nichi Lauda, sempre a marcia indietro, e invece di guardarsi dietro mi guardava me. "Cristo", penso io tra di me, "questa è un diavolo scatenato": ma l'avevo già bell'e capito che tutto quel cine lo faceva per me, e poco tempo dopo ho anche capito che lo faceva apposta, a fare tanto la malgraziosa, perché era diversi giorni che mi stava lí a guardare mentre che io mettevo le mensole in bolla d'aria...»

L'espressione mi suonava strana, ed ho chiesto un chiarimento. Faussone, impermalito, mi ha spiegato in poche parole dense che la bolla d'aria è solo una livella, che ap-

punto ha dentro un liquido con una bolla d'aria. Quando
questa coincide con il contorno di riferimento, la livella è
orizzontale, e lo è anche il piano su cui la livella appoggia.

«Noi diciamo soltanto per esempio "metti quel supporto in bolla d'aria", e ci capiamo fra di noi; ma mi lasci andare avanti, perché la storia della ragazza è piú importante. Insomma, lei aveva capito me, cioè che a me mi va la
gente decisa e che sa fare il suo mestiere, e io avevo capito
che lei, alla sua maniera, mi stava dietro e cercava di attaccare discorso. Poi l'abbiamo attaccato, il discorso, non c'è
stata nessuna difficoltà, voglio dire che siamo andati a letto insieme, tutto regolare, niente di speciale; ma ecco, una
cosa gliela volevo dire: che il momento piú bello, quello
che uno si dice "questo non me lo dimentico mai piú, finché vengo vecchio, finché tiro gli ultimi", e vorrebbe che
il tempo si fermasse lí come quando un motore s'ingrippa:
bene, non è stato quando siamo andati a letto, ma prima.
È stato alla mensa della fabbrica del commendatore: ci
eravamo seduti vicini, avevamo finito di mangiare, parlavamo del piú e del meno, anzi, mi ricordo perfino che io le
stavo raccontando del mio caposervizio e della sua maniera
di aprire le porte, e ho tastato la panca alla mia destra, e
c'era la sua mano, e io l'ho toccata con la mia, e la sua non
se n'è andata e si lasciava carezzare come un gatto. Parola,
tutto il resto che è venuto dopo è stato anche abbastanza
bello, ma conta di meno».

«E adesso?»

«Ma insomma, lei vuole proprio sapere tutto», mi ha risposto Faussone, come se a chiedergli di raccontare la storia della carrellista fossi stato io. «Cosa vuole bene che le
dica: è un tira e molla. Sposarla, non la sposo: primo per il
mio mestiere, secondo perché... sí, insomma, prima di maritarsi uno bisogna che ci pensi sopra quattro volte, e pren-
dersi una ragazza come quella, brava, poco da dire, ma furba come una strega, bene, non so se mi spiego. Ma neanche
a metterci una pietra sopra e a non pensarci piú non
sono buono. Ogni tanto vado dal mio direttore e mi faccio

mandare in trasferta in quel paese, con la scusa delle revisioni. Una volta è piombata qui a Torino, in ferie, con addosso i blugins tutti stinti sui ginocchi, in compagnia di un ragazzo di quelli con la barba fino negli occhi, e me l'ha presentato senza fare una piega: e neanche io l'ho fatta, una piega; sentivo come una specie di bruciacuore, qui alla bocca dello stomaco, ma non le ho detto niente perché i patti erano quelli. Però lo sa che lei è un bel tipo a farmi contare queste storie, che fuorivia di lei non le avevo mai contate a nessuno?»

Tiresia

Di regola non va cosí: di regola è lui che entra di prepotenza, che ha qualche avventura o disavventura da raccontare, e la snocciola tutta d'un fiato, in quella sua maniera trasandata a cui ormai ho fatto l'abitudine, senza lasciarsi interrompere se non per qualche breve richiesta di spiegazioni. Cosí avviene che si tende piuttosto al monologo che al dialogo, e per di piú il monologo è appesantito dai suoi tic ripetitivi, e dal suo linguaggio, che tira sul grigio; forse è il grigio delle nebbie del nostro paese, o forse invece è quello delle lamiere e dei profilati che sono gli effettivi eroi dei suoi racconti.

Quella sera, invece, pareva che le cose si mettessero diversamente: lui aveva bevuto parecchio, e il vino, che era un brutto vino torbido, vischioso ed acidulo, lo aveva un poco alterato. Non lo aveva offuscato, e del resto (dice lui) uno che fa il suo mestiere non deve mai lasciarsi prendere di sorpresa, deve sempre stare all'erta come gli agenti segreti che si vedono al cine; non aveva velato la sua lucidità, ma lo aveva come spogliato, aveva incrinato la sua armatura di riserbo. Non lo avevo mai visto tanto taciturno, ma, stranamente, il suo silenzio avvicinava invece di allontanare.

Ha vuotato ancora un bicchiere, senza avidità né gusto, anzi, con la pervicacia amara di chi ingoia una medicina: «... ma cosí queste storie che io le racconto lei poi le scrive?» Gli ho risposto che forse sí: che non ero sazio di scrivere, che scrivere era il mio secondo mestiere, e che stavo meditando, proprio in quei giorni, se non sarebbe stato piú bello farlo diventare il mestiere primo o unico. Non era d'accordo che io le sue storie le scrivessi? Altre volte si era mostrato contento, o addirittura fiero.

«Già. Beh non ci faccia caso, sa, i giorni non sono mica tutti uguali, e oggi è una giornata rovescia, una di quelle che non ne va dritta una. C'è delle volte che uno gli va via perfino la volontà di lavorare». Ha taciuto a lungo, poi ha ripreso:

«Eh sí, c'è dei giorni che tutto va per traverso; e si ha un bel dire che uno non ci ha colpa, che il disegno è imbrogliato, che uno è stanco e che per giunta tira un vento del diavolo: tutte verità, ma quel magone che uno si sente qui, quello non glielo toglie nessuno. E allora uno si domanda magari fino delle domande che hanno nessun senso, come per esempio che cosa ci stiamo nel mondo a fare, e se uno ci pensa su non si può mica rispondere che stiamo al mondo per montare tralicci, dico bene? Insomma, quando lei tribola dodici giorni, ci mette tutti i sette sentimenti e tutte le malizie, suda, gela e cristona, e poi gli vengono dei sospetti, e cominciano a rosicare, e lei controlla, e il lavoro è fuori quadro, e quasi non ci crede perché non ci vuole credere, ma poi ricontrolla e poco da fare tutte le quote sono imballate, allora, caro lei, come la mettiamo? Allora per forza che uno cambia mentalità, e comincia a pensare che non c'è niente che valga la pena, e gli piacerebbe fare un altro lavoro, e insieme pensa che tutti i lavori sono uguali, e che anche il mondo è fuori quadro, anche se adesso andiamo sulla luna, e è sempre stato fuori quadro, e non lo raddrizza nessuno, e si figuri se lo raddrizza un montatore. Eh già, uno pensa cosí. ... Ma mi dica un po', capita anche a voialtri?»

Quanto è ostinata l'illusione ottica che ci fa sempre sembrare meno amare le cure del vicino e piú amabile il suo mestiere! Gli ho risposto che fare confronti è difficile; che tuttavia, avendo fatto anche mestieri simili al suo, gli dovevo dare atto che lavorare stando seduti, al caldo e a livello del pavimento, è un bel vantaggio; ma che, a parte questo, e supponendo che mi fosse lecito parlare a nome degli scrittori propriamente detti, le giornate balorde capitano anche a noi. Anzi: ci capitano piú sovente, perché è piú facile accertarsi se è «in bolla d'aria» una carpenteria metallica che non una pagina scritta; cosí può capitare che uno scriva con entusiasmo una pagina, o anche un libro intero, e poi si accorga che non va bene, che è pasticciato, sciocco, già scritto, mancante, eccessivo, inutile; e allora si rattristi, e gli vengano delle idee sul genere di quelle che aveva lui quella sera, e cioè mediti di cambiare mestiere, aria e pelle, e magari di mettersi a fare il montatore. Ma può anche capitare che uno scriva delle cose, appunto, pasticciate e inutili (e questo accade sovente) e non se ne accorga o non se ne voglia accorgere, il che è ben possibile, perché la carta è un materiale troppo tollerante. Le puoi scrivere sopra qualunque enormità, e non protesta mai: non fa come il legname delle armature nelle gallerie di miniera, che scricchiola quando è sovraccarico e sta per venire un crollo. Nel mestiere di scrivere la strumentazione e i segnali d'allarme sono rudimentali: non c'è neppure un equivalente affidabile della squadra e del filo a piombo. Ma se una pagina non va se ne accorge chi legge, quando ormai è troppo tardi, e allora si mette male: anche perché quella pagina è opera tua e solo tua, non hai scuse né pretesti, ne rispondi appieno.

A questo punto ho notato che Faussone, a dispetto dei fumi del vino e del suo malumore, si era fatto attento. Aveva smesso di bere, e mi guardava, lui che di solito ha una faccia gnecca, fissa, meno espressiva del fondo d'una padella, con un'aria fra maliziosa e maligna.

«Già, questo è un bel fatto. Non ci avevo mai pensato. Pensi un po', se per noi gli strumenti di controllo nessuno li avesse mai inventati, e il lavoro si dovesse mandarlo avanti cosí, a trucco e branca: ci sarebbe da venire matti».

Gli ho confermato che, in effetti, i nervi degli scrittori tendono ad essere deboli: ma è difficile decidere se i nervi si indeboliscano per causa dello scrivere, e della prima accennata mancanza di strumenti sensibili a cui delegare il giudizio sulla qualità della materia scritta, o se invece il mestiere di scrivere attragga preferenzialmente la gente predisposta alla nevrosi. È comunque attestato che diversi scrittori erano nevrastenici, o tali sono diventati (è sempre arduo decidere sulle «malattie contratte in servizio»), e che altri sono addirittura finiti in un manicomio o nei suoi equivalenti, non solo in questo secolo, ma anche molto prima; parecchi, poi, senza arrivare alla malattia conclamata, vivono male, sono tristi, bevono, fumano, non dormono piú e muoiono presto.

A Faussone il gioco del confronto fra i due mestieri incominciava a piacere; ammetterlo non sarebbe stato nel suo stile, che è sobrio e composto, ma lo si vedeva dal fatto che aveva smesso di bere, e che il suo mutismo si andava sciogliendo. Ha risposto:

«Il fatto è che di lavorare si parla tanto, ma quelli che ne parlano piú forte sono proprio quelli che non hanno mai provato. Secondo me, il fatto dei nervi che saltano, al giorno d'oggi, capita un po' a tutti, scrittori o montatori o qualunque altro commercio. Lo sa a chi non capita? Agli uscieri e ai marcatempo, quelli delle linee di montaggio; perché in manicomio ci mandano gli altri. A proposito di nervi: non creda mica che quando uno è lassú in cima, da solo, e tira vento, e il traliccio non è ancora controventato e è ballerino come una barchetta, e lei vede a terra le persone come le formiche, e con una mano sta attaccato e con l'altra mena la chiave a stella e le farebbe comodo di avere una mano numero tre per reggere il disegno e magari anche una mano numero quattro per spostare il moschettone della cintura di sicurezza; bene, le stavo dicendo, non creda mica che per i nervi sia una medicina. A dirle la verità, cosí su due piedi non le saprei dire di un montatore che sia finito in manicomio, ma so di tanti, anche miei amici, che sono venuti malati e hanno dovuto cambiare mestiere».

Ho dovuto ammettere che in effetti, sull'altro versante,

le malattie professionali sono poche: anche perché, in generale, l'orario è flessibile.

«Vorrà dire che non ce n'è nessuna, – è intervenuto lui pesantemente: – Uno non può mica ammalarsi a forza di scrivere. Tutt'al piú, se scrive con la biro, gli può venire un callo qui. E anche per gli infortuni, è meglio lasciar perdere».

Niente da dire, il punto lo aveva segnato lui: gliel'ho ammesso. Altrettanto cavallerescamente, Faussone, con un'inconsueta libertà di fantasia, è venuto fuori a dire che in fondo era come decidere se era meglio nascere maschio o femmina: la parola giusta l'avrebbe potuta dire solo uno che avesse fatto la prova in tutte e due le maniere; e a questo punto, pur rendendomi conto che si trattava di un colpo basso da parte mia, non ho potuto resistere alla tentazione di raccontargli la storia di Tiresia.

Ha mostrato un certo disagio quando gli ho riferito che Giove e Giunone, oltre che coniugi, erano anche fratello e sorella, cosa su cui di solito a scuola non si insiste, ma che in quel ménage doveva pure avere una qualche importanza. Invece ha manifestato interesse quando gli ho accennato alla famosa disputa fra di loro, se i piaceri dell'amore e del sesso fossero piú intensi per la donna o per l'uomo: stranamente, Giove attribuiva il primato alle donne, e Giunone agli uomini. Faussone ha interrotto:

«Appunto, è come dicevo prima: per decidere, ci voleva uno che avesse provato che effetto fa a essere uomo e anche a essere donna; ma uno cosí non c'è, anche se ogni tanto si legge sul giornale di quel capitano di marina che va a Casablanca a farsi fare l'operazione e poi compera quattro figli. Per me sono balle dei giornalisti».

«Probabile. Ma a quel tempo pare che l'arbitro ci fosse: era Tiresia, un sapiente di Tebe, in Grecia, a cui molti anni prima era successo un fatto strano. Era uomo, uomo come me e come lei, e una sera d'autunno, che io mi immagino umida e fosca come questa, attraversando una foresta, ha incontrato un groviglio di serpenti. Ha guardato meglio, e si è accorto che i serpenti erano solo due, ma molto lunghi e grossi: erano un maschio e una femmina (si vede che questo Tiresia era un bravo osservatore, perché a distinguere un pitone maschio da una femmina io non so proprio come si faccia, specialmente di sera, e se sono aggrovigliati, che non si vede dove finisce uno e dove incomincia l'altro), un maschio e una femmina che stavano facendo l'amore. Lui, o che fosse scandalizzato, o invidioso, o che semplicemente i due gli sbarrassero il cammino, aveva preso un bastone e aveva menato un colpo nel mucchio: bene, aveva sentito come un gran rimescolio, e da uomo si era ritrovato donna».

Faussone, a cui le nozioni di origine umanistica mettono addosso il morbino, mi ha detto sogghignando che una volta, e neanche tanto lontano dalla Grecia, cioè in Turchia, anche lui aveva incontrato in un bosco un groviglio di serpenti: ma non erano due, erano tanti, e non pitoni, ma biscie. Sembrava proprio che stessero facendo l'amore, alla sua maniera, tutti intortigliati, ma lui non aveva niente in contrario e li aveva lasciati stare: «però, adesso che la machiavella la so, quest'altra volta che mi capita quasi quasi provo anch'io».

«Dunque, questo Tiresia pare che sia rimasto donna per sette anni, e che anche come donna abbia fatto le sue prove, e che passati i sette anni abbia di nuovo incontrati i serpenti; questa volta, sapendo il trucco, la bastonata gliel'ha data a ragion veduta, e cioè per ritornare uomo. Si vede che, tutto compreso, lo riteneva più vantaggioso; tuttavia, in quell'arbitrato che le dicevo, ha dato ragione a Giove, non saprei dirle perché. Forse perché come donna si era trovato meglio, ma solo limitatamente alla faccenda del sesso e non per il resto, se no è chiaro che sarebbe rimasto donna, cioè non avrebbe dato la seconda bastonata; o forse perché pensava che a contraddire Giove non si sa mai cosa può succedere. Ma si era messo in un brutto guaio, perché Giunone si è offesa...»

«Eh già: fra moglie e marito...»

«... si è offesa e lo ha reso cieco, e Giove non ha potuto farci niente, perché pare che a quel tempo ci fosse questa regola, che i malanni che un dio combinava ai danni dei mortali, nessun altro dio, neppure Giove, li poteva cancellare. In mancanza di meglio, Giove gli ha concesso il dono di prevedere il futuro: ma, come si vede da questa storia, era troppo tardi».

Faussone giocherellava con la bottiglia e aveva un'aria vagamente seccata. «È abbastanza una bella storia. Se ne impara sempre una nuova. Ma non ho capito bene cosa c'entra: non vorrà venirmi a dire che Tiresia è lei?»

Non mi aspettavo un attacco diretto. Ho spiegato a Faussone che uno dei grandi privilegi di chi scrive è proprio quello di tenersi sull'impreciso e sul vago, di dire e non dire, di inventare a man salva, fuori di ogni regola di prudenza: tanto, sui tralicci che costruiamo noi non passano i cavi ad alta tensione, se crollano non muore nessuno, e non devono neppure resistere al vento. Siamo insomma degli irresponsabili, e non si è mai visto che uno scrittore vada sotto processo o finisca in galera perché le sue strutture si sono sfasciate. Ma gli ho anche detto che sí, forse me n'ero accorto solo raccontandogli quella storia, un po' Tiresia mi sentivo, e non solo per la duplice esperienza: in tempi lontani anch'io mi ero imbattuto negli dèi in lite fra loro; anch'io avevo incontrato i serpenti sulla mia strada, e quell'incontro mi aveva fatto mutare condizione donandomi uno strano potere di parola: ma da allora, essendo un chimico per l'occhio del mondo, e sentendomi invece sangue di scrittore nelle vene, mi pareva di avere in corpo due anime, che sono troppe. E che non stesse a sofisticare perché tutto questo paragone era stiracchiato: lavorare al limite della tolleranza, o anche fuori tolleranza, è il bello del nostro mestiere. Noi, al contrario dei montatori, quando riusciamo una tolleranza a sforzarla, a fare un accoppiamento impossibile, siamo contenti e veniamo lodati.

Faussone, a cui in altre sere io ho raccontato tutte le mie storie, non ha sollevato obiezioni né ha fatto altre domande, e del resto l'ora era ormai troppo tarda per dare fondo alla questione. Tuttavia, forte della mia condizione di esperto in entrambe le veneri, e quantunque lui fosse visibilmente insonnolito, ho cercato di chiarirgli che tutti e tre i nostri mestieri, i due miei e il suo, nei loro giorni buoni possono dare la pienezza. Il suo, e il mestiere chimico che gli somiglia, perché insegnano a essere interi, a pensare con le mani e con tutto il corpo, a non arrendersi davanti alle giornate rovescie ed alle formule che non si capiscono, perché si capiscono poi per strada; ed insegnano infine a conoscere la materia ed a tenerle testa. Il mestiere di scrivere, perché concede (di rado: ma pure concede) qualche momento di creazione, come quando in un circuito spento ad un tratto passa corrente, ed allora una lampada si accende, o un indotto si muove.

Siamo rimasti d'accordo su quanto di buono abbiamo in comune. Sul vantaggio di potersi misurare, del non dipendere da altri nel misurarsi, dello specchiarsi nella propria opera. Sul piacere del veder crescere la tua creatura, piastra su piastra, bullone dopo bullone, solida, necessaria, simmetrica e adatta allo scopo, e dopo finita la riguardi e pensi che forse vivrà più a lungo di te, e forse servirà a qualcuno che tu non conosci e che non ti conosce. Magari potrai tornare a guardarla da vecchio, e ti sembra bella, e non importa poi tanto se sembra bella solo a te, e puoi dire a te stesso «forse un altro non ci sarebbe riuscito».

Off-shore

«Sí, sono giovane, ma anch'io le ho viste grige, e sempre per via del petrolio. Non si è mai visto che il petrolio lo trovino in dei bei posti, non so, come San Remo o la Costa Brava; mai piú, sempre posti schifosi, dimenticati da Dio. Le piú brutte che ho passato le ho passate a cercare il petrolio; e oltre a tutto non è neppure che ci mettessi il cuore, perché tanto tutti lo sanno che sta per finire e non val neanche la pena. Ma sa bene com'è, quando hai fatto un contratto, dove ti mandano bisogna bene che ci vai; e poi, a dirle la franca verità, quella volta lí ci sono andato abbastanza volentieri, perché era in Alasca.

Io di libri non ne ho poi letti tanti, ma quelli di Jack London sull'Alasca me li sono letti tutti, fin da piccolo, e mica una volta sola, e mi ero fatto tutt'un'altra idea; però dopo che ci sono stato, scusi se glielo dico cosí sulla faccia, io della carta stampata ho incominciato a fidarmene poco. Insomma in Alasca io credevo di trovarci un paese tutto fatto di neve e di ghiaccio, di sole anche a mezzanotte, di cani che tirano le slitte e di miniere d'oro e magari anche di orsi e di lupi che ti corrono dietro. Era quella l'idea che me n'ero fatta, me la portavo dentro senza quasi accorgermi, e cosí quando mi hanno chiamato in ufficio e mi hanno detto che c'era da andare in Alasca a montare un impianto non ci ho pensato su due volte e ho messo la firma, anche perché c'era l'indennità della sede disagiata, e poi perché era già tre mesi che stavo in città, e a me, sa bene, stare in città non mi va. Cioè mi va per tre o quattro giorni, vado a spasso, magari anche al cine, vado a cercare una certa ragazza e la trovo, mi fa piacere rivederla e la porto a cena al Cambio e mi sento grandioso. Può anche capitare che vado a far visita a quelle due mie zie di via Lagrange che le ho detto l'altra volta...»

Non mi aveva detto di queste zie, o almeno non me le aveva descritte: avrei potuto giurarlo. Ne è nato un breve battibecco in cui ciascuno cercava garbatamente di insinuare che l'altro era stato poco attento, poi Faussone ha liquidato l'argomento alla spiccia:

«Non ha importanza. Sono due zie di chiesa, mi ricevono nel salotto buono e mi dànno i cioccolatini; una è furba e l'altra mica tanto furba. Ma gliele racconto poi quest'altra volta.

Allora le dicevo dell'Alasca, e che in città non mi trovo. Perché vede, io sono uno che non tiene il minimo. Sí, come quei motori col carburatore un po' starato, che se non stanno sempre su di giri si spengono, e allora c'è pericolo che si bruci la bobina. Dopo un po' di giorni mi vengono tutti i mali, mi sveglio di notte, mi sento come se mi dovesse venire il raffreddore e invece non arriva, mi viene come se mi dimenticassi di respirare, ho male alla testa e ai piedi, se vado in strada mi pare che tutti mi guardino, insomma mi sento sperso. Una volta sono fino andato dal dottore della mutua, ma mi ha preso in giro. E aveva ragione, perché cosa avevo lo sapevo da me, avevo voglia di partire: e allora quella volta che le dicevo ho firmato il contratto, non ho neanche fatto tante domande, mi sono contentato di sapere che era un lavoro nuovo, un progetto fatto in società con gli americani, e che le istruzioni me le avrebbero date sul cantiere. Cosí ho fatto che chiudere la valigia, perché ce l'ho sempre pronta, e ho preso l'aereo.

Niente da dire del viaggio; la faccenda del fuso orario una volta mi dava fastidio, ma adesso ci ho fatto l'abitudine, ho fatto i miei tre cambi, ho dormito in volo, e sono arrivato che ero fresco come una rosa: tutto andava per il suo verso, c'era il rappresentante che mi aspettava con una

Chrysler che non finiva mai e io mi sentivo come lo Scià di Persia. Mi ha anche portato in un ristorante a mangiare gli srimp che sarebbero poi come dei gamberi, e mi ha detto che sono la specialità del paese; ma bere niente, mi ha spiegato che lui è di una religione che non devono bere, e mi ha fatto capire cosí con le buone maniere che era meglio se non bevevo neanche io per via dell'anima: era uno gentile, ma era fatto cosí. Tra un gambero e l'altro mi ha spiegato anche il lavoro che c'era da fare, e sembrava un lavoro come ce n'è tanti: ma sa bene come sono fatti tutti i rappresentanti, a baliare la gente sono bravi, ma argomento lavoro lasciamo perdere. Una volta mi è successo che mi sono perfino attaccato con uno, appunto perché non capiva niente e al cliente gli faceva delle promesse impossibili; e sa cosa mi ha detto? Che un lavoro come il nostro si può capire bene, capire poco e capire niente; ma capirlo bene bisognerebbe essere tutti ingegneri, e piuttosto che capirlo poco è piú distinto capirlo niente, cosí uno ha sempre la scappatoia. Bel ragionamento, eh?»

Siccome ho degli amici rappresentanti, ho fatto del mio meglio per difendere la categoria: che è un incarico delicato, che spesso se sanno troppo è peggio perché fanno perdere gli affari, e cosí via, ma Faussone non ha inteso ragione:

«No, non ne ho mai visto uno che ne capisse qualche cosa, e neanche che facesse lo sforzo. Ce n'è bene di quelli che fanno finta di capire, ma sono peggio di tutti. Non me ne parli, dei rappresentanti, se vuole che andiamo d'accordo. Creda a me, sono solo buoni a baliare i clienti, a portarli al nàit e alla partita, e per noi non è che vada male perché ci portano delle volte anche noialtri, ma per la cognizione del lavoro niente da fare, son tutti compagni, mai visto uno che ne masticasse tanto cosí.

Bene, il mio uomo mi dice appunto che si tratta di finire il montaggio di un derrick, in un cantiere lontano una quarantina di chilometri, e poi di metterlo su delle barche e di portarlo nel mare, su un bassofondo mica tanto lontano.

Cosí io mi sono fatto l'idea che, per caricarlo su una barca, doveva essere un derrick niente di speciale, e quasi quasi cominciavo a arrabbiarmi perché mi avevano fatto venire a me dall'altra parte del mondo; ma non gli ho detto niente, non era colpa sua.

Era venuto notte, lui mi saluta, mi dice che verrà all'albergo a prendermi al mattino alle otto per portarmi al cantiere, e se ne va. Al mattino tutto bene, salvo il fatto che c'erano i srimp anche per colazione, ma insomma ne ho viste di peggio; tutto bene, dicevo, lui arriva alle otto, puntuale, con la sua Chrysler, e partiamo, e in un momento siamo fuori della città, perché era una città piccola. Altro che Radiosa Aurora! Non avevo mai visto un paese piú malinconico: sembrava il Séstrier fuori stagione, non so se c'è mai stato, c'era un cielo basso, sporco, che sembrava di toccarlo, anzi qualche volta si toccava proprio, perché quando la strada saliva si entrava dentro la nebbia. Tirava un'arietta fredda e umida che s'infilava sotto i vestiti e faceva venire di cattiv'umore, e nei campi intorno c'era un'erba nera, corta e dura che sembravano punte da trapano. Non si vedeva un'anima, solo delle cornacchie grosse come i tacchini: ci guardavano a passare e ballavano sui piedi senza volare via, come se ci ridessero dietro. Abbiamo passato una collina, e dall'alto della collina Mister Compton mi ha fatto vedere il cantiere, in mezzo all'aria grigia sulla riva del mare, e mi è mancato il fiato. Guardi, lei lo sa che a me le parole grosse non mi piacciono, ma eravamo ancora lontani dieci chilometri e sembrava già lí: sembrava lo scheletro di una balena, lungo e nero coricato sulla riva, già tutto arrugginito perché da quelle parti il ferro viene ruggine in un momento, e io a pensare che mi toccava metterlo in piedi in mezzo al mare mi veniva un accidente. Si fa presto a dire "vai e monta un derrick". Si ricorda l'altra volta, la volta dello scimmiotto, quando lei mi ha spiegato del boia di Londra e tutto: bene, faccia conto, quello era alto venti metri e mi sembrava già una bella altezza; ma questo, con tutto che non era ancora finito, da

coricato era già lungo un duecentocinquanta metri, come
da qui a quello steccato verde che vede laggiú, oppure da
piazza San Carlo a piazza Castello, tanto perché lei si faccia l'idea. A me il lavoro non mi spaventa, ma quella volta
mi sono detto che era arrivata l'ora.

Mentre scendevamo giú per la collina, il mister mi ha
spiegato che l'Alasca con la neve e le slitte c'è proprio, ma
molto piú a nord: lí era anche Alasca, ma una specie di
prolunga che scende giú sulla costa del Pacifico, come chi
dicesse il manico dell'Alasca vera, e difatti lo chiamano
proprio cosí, Panhandle, che vuol dire il manico della padella. E per la neve, mi ha detto che stessi pure tranquillo,
che in quella stagione un giorno o l'altro ne sarebbe venuta, ma che se non veniva tutto compreso era meglio. Sembrava che lo sapesse, quello che stava per capitare. Quanto
al derrick, ha detto che sí, era abbastanza grosso, ma appunto, era giusto per quello che avevano fatto venire dal-
l'Italia un brait gai, che modestia a parte sarei io. Era proprio uno gentile, a parte la faccenda dell'anima.

Cosí parlando, siamo scesi giú per i turniché della collina e siamo arrivati al cantiere. Lí c'era tutta la compagnia
che ci aspettava: i progettisti, l'ingegnere direttore dei lavori, una mezza dozzina di ingegnerini appena schiusi, tutti spichínglis e tutti con la barba, e la squadra dei montatori alascani, che di alascano non ce n'era neanche uno. Uno
era un pistolero grande e grosso, e mi hanno spiegato che
era un russo ortodosso, perché ce n'è ancora, fin dal tempo
che i russi hanno fatto quel bell'affare di vendere l'Alasca
agli americani. Il secondo si chiamava Di Staso, e vede che
tanto alascano non poteva essere. Il terzo mi hanno detto
che era un pellerossa, perché sono bravi a rampicare sulle
incastellature e non hanno paura di niente. Il quarto non
me lo ricordo bene: era un tipo regolare, come ce n'è dappertutto, con la faccia un po' da cottolengo.

L'ingegnere capo era uno in gamba, di quelli che parlano poco e non dicono una parola piú forte dell'altra; anzi,
a dire la verità facevo fino fatica a capire quello che diceva

perché parlava senza aprire la bocca: ma sa bene che in America glielo insegnano a scuola, che aprire la bocca non è educazione. Ogni modo era in gamba; mi ha fatto vedere il modellino in scala, mi ha presentato alla squadra scompagnata che le ho detto, e a loro gli ha detto che il montaggio lo avrei diretto io. Siamo andati a pranzo alla mensa, e non fa bisogno che le dica che anche lí c'erano i gamberi; poi mi ha consegnato il libretto con le istruzioni per il montaggio, e mi ha detto che mi lasciava due giorni per studiarlo, e che dopo mi ripresentassi al cantiere perché bisognava incominciare col lavoro. Mi ha fatto vedere sul libretto che tutte le operazioni andavano fatte a giorno fisso, qualcuna addirittura a ora fissa, per via della marea. Già, della marea: lei non capisce, vero? E neanch'io l'ho capito, lí sul momento, cosa c'entrasse la marea; l'ho capito poi dopo, e cosí anche a lei glielo racconto dopo, se lei è d'accordo».

Ero d'accordo: conviene essere sempre d'accordo con chi racconta, se no lo si intralcia e gli si fa perdere il filo. Del resto, Faussone appariva in gran forma, e a mano a mano che il racconto si dipanava, lo vedevo insaccare sempre piú la testa fra le spalle, come fa quando sta per raccontare qualcosa di grosso.

«Poi ce ne siamo andati, Compton e io: ma bisogna ancora che le dica che avevo un'impressione strana, come se quell'ufficio, quella mensa, e piú che tutto quelle facce, le avessi già viste prima, e poi ho capito che era proprio vero, era tutta roba vista al cine, non saprei dirle quando e in che film. Compton e io, le dicevo, siamo partiti per la città; io dovevo tornare all'albergo a studiare il libretto, ma dopo incamminato il lavoro l'ingegnere mi aveva detto che mi aveva riservato una camera nella foresteria del cantiere; lui diceva nel ghestrúm, e lí per lí non capivo che cosa diavolo fosse, ma non mi azzardavo di chiederglielo perché in teoria io l'inglese lo dovrei sapere.

Allora, ci siamo messi in strada con la bellissima Chrysler del mio mister; e io stavo zitto e ruminavo la storia di quel montaggio. Per un verso era un gran bel lavoro, di quelli che uno se li ricorda per un pezzo e resta contento di averli fatti; per un altro verso quella parolina della marea, e il fatto quel derrick di doverlo far navigare, mi stava un po' sullo stomaco. Perché sa, a me il mare non è mai piaciuto: si muove sempre, ci fa umido, c'è l'aria molle e marinosa, insomma non mi dà fiducia e mi fa venire le lune. A un certo punto ho visto una cosa strana: nel cielo si vedeva il sole che era un po' annebbiato, e aveva due soli piú piccoli, uno per parte. L'ho fatto vedere a Compton, e ho visto che lui diventava nervoso; difatti, poco dopo, tutto d'un colpo il cielo si è fatto scuro, ben che era ancora giorno, e in un momento ha cominciato a nevicare, e io non avevo mai visto nevicare cosí. Veniva giú fitto, prima a granini duri come la semola, poi come un polverino che entrava fino dalle prese d'aria della macchina, alla fine con dei fiocchi grossi come delle noci. Eravamo ancora sulla salita, a una dozzina di chilometri dal cantiere, e ci siamo accorti che si metteva male. Compton non ha detto niente, ha solo fatto uno o due grugniti: io guardavo il tergicristallo, sentivo che il motorino ronzava e sforzava sempre di piú, e pensavo fra me che se si fermava quello eravamo panati.

Lei, scusi, ha mai fatto una jona?»

Ho risposto che sí, e anche piú di una, ma che non vedevo il rapporto. Faussone ha ripreso:

«Anche io ne ho fatte, e tante, ma nessuna grossa come quella che ha fatto lui. Si slittava da matti, e l'unica era andare avanti in seconda, senza mai frenare né accelerare, magari lasciando che il tergicristallo si riposasse ogni tanto; invece lui vede un rettilineo, fa ancora un grugnito e dà tutto il gas. L'auto ha dato un giro, ha fatto un dietrofront netto come i soldati, e si è fermata contro la montagna con le due ruote di sinistra dentro la canaletta; il motore si è spento, ma il tergi continuava a andare su e giú come un matto, e scavava nel parabrezza come due finestrelle incorniciate di neve. Si vede che era di buona marca, o forse in quei paesi li fanno maggiorati.

Compton aveva delle scarpe da città e io degli stivaletti militari con la suola di gomma, cosí è toccato a me di scendere per vedere cosa si poteva fare. Ho trovato il cric e ho cercato di piazzarlo, avevo intenzione di sollevare il lato sinistro e poi di mettere dei sassi sotto le ruote, dentro la canaletta, e di provare a ripartire indietro verso il cantiere, dato che la macchina aveva fatto mezzo giro e si era messa in posizione di discesa, e guasti sembrava che non ce ne fossero. Ma niente da fare: si era fermata a trenta centimetri dal muraglione, in maniera che io riuscivo appena appena a infilarmi di coltello, ma quanto a mettermi giú per piazzare il cric che fosse un po' sicuro, neanche da pensarci. Intanto, di neve ne era già venuto giú due palmi, e continuava sempre peggio, e ormai era quasi buio.

Non c'era che passare la mano, mettersi lí tranquilli e aspettare che venisse giorno: la maniera di venire fuori della neve l'avremmo trovata, benzina ce n'era, potevamo lasciare acceso il motore e il riscaldamento e dormire. L'importante era di non perdere la testa, e invece Compton l'ha persa subito: piangeva e rideva, diceva che si sentiva soffocare, e che mentre c'era ancora un filo di luce io dovevo correre al cantiere a cercare soccorsi. A un certo punto mi ha perfino preso per il collo, e allora gli ho dato due pugni nello stomaco per calmarlo, e difatti si è calmato: ma io praticamente avevo paura di passargli la notte vicino, e poi lei lo sa che stare nello stretto e nel chiuso non mi piace; cosí gli ho chiesto se aveva una torcia elettrica, l'aveva, me l'ha data, e io mi sono buttato fuori.

Devo dire che per grigia era grigia. S'era levato il vento, la neve era ritornata fina e veniva tutta per traverso, si infilava per il collo e negli occhi, e facevo fatica a respirare. Ne era venuto forse un mezzo metro, ma il vento l'aveva accumulata contro il muraglione e l'auto era quasi tutta coperta; i fari erano rimasti accesi, ma anche loro erano sotto una branca di neve, e si vedeva la luce da sopra, un chiaro

smorto che sembrava che venisse dal Purgatorio. Ho bussato al vetro, ho detto a Compton che li spegnesse, che
stesse lí quieto e che sarei tornato presto, ho cercato di
stamparmi bene in mente la posizione della macchina, e mi
sono messo in cammino.

Al principio non è stata neanche tanto brutta. Pensavo
fra me che c'era poi solo da fare un dieci chilometri, anzi
meno se mi buttavo giú per le scorcie tra un turniché e l'altro; pensavo anche: "volevi l'Alasca, volevi la neve: l'hai
avuta, dovresti essere contento". Ma non ero tanto contento: quei dieci chilometri era come se fossero quaranta,
perché a ogni passo affondavo fino a mezza gamba; e anche se ero in discesa, incominciavo a sudare, mi batteva il
cuore, e un po' per la tormenta, un po' per la fatica, mi
mancava anche il fiato e tutti i momenti mi dovevo fermare. La torcia, poi, mi serviva tanto come niente: si vedeva
solo tante righe bianche coricate, e un polverino di scintille che facevano girare la testa: cosí l'ho spenta e sono andato avanti al buio. Avevo una gran fretta di arrivare al
piano, perché pensavo che una volta in piano il cantiere
non doveva essere lontano: ebbene, era una fretta stupida,
essendo che, quando al piano ci sono arrivato, mi sono accorto che non sapevo piú da che parte andare. Bussole non
ne avevo: la sola bussola, fino allora, era stata la pendenza,
e finita quella non sapevo piú cosa fare. Mi ha preso la
paura, che è una gran brutta bestia, e credo che peggio che
in quel momento non l'ho mai avuta, neanche delle altre
volte che a pensarci bene c'era molto piú rischio: ma era
per via del buio, del vento, e che ero solo in un paese in capo al mondo; e mi veniva in mente che se cadevo e sveni-
vo, la neve mi avrebbe sotterrato, e nessuno mi avrebbe
piú trovato fino a che non fosse venuto aprile e si fosse
squagliata. E pensavo anche a mio padre, che di solito non
ci penso.

Perché sa, mio padre era del '12, che era una leva di-
sgraziata. Gli è toccato di fare tutte le naie possibili, l'A-
frica, poi la Francia, l'Albania, e alla fine la Russia, e è

tornato a casa con un piede congelato e delle idee strane, e
poi è ancora stato prigioniero in Germania, ma questo glielo conto poi un'altra volta: fra parentesi, è stato proprio allora, mentre guariva del piede, che mi ha messo in fabbri-
cazione a me, me lo raccontava sempre e ci faceva degli
scherzi sopra. Insomma quella volta io mi sentivo un po'
come mio padre, che l'avevano mandato a perdersi nella neve ben che era un bravo battilastra, e lui, mi diceva,
aveva una gran voglia di sedersi giú nella neve e aspettare
di morire, ma poi invece si era fatto coraggio e aveva camminato ventiquattro giorni finché non era uscito dalla sac-
ca: cosí mi sono fatto coraggio anch'io.

   Mi sono fatto coraggio e mi sono detto che l'unica era
di ragionare. Ho ragionato cosí: se il vento aveva spinto la
neve contro la macchina e contro il muraglione, era segno
che veniva da mezzanotte, cioè dalla direzione del cantiere; non c'era che da sperare che il vento non cambiasse direzione e camminare dritto contro il vento. Magari non
avrei trovato il cantiere, ma almeno mi sarei avvicinato, e
avrei scartato il pericolo di girare in tondo come fanno le
boie panatere quando vedono la luce. Cosí ho continuato
a camminare contro vento, e ogni tanto accendevo la torcia per vedere indietro i miei passi, ma la neve li cancellava
in un momento: oltre alla neve che continuava a venire dal
cielo, si vedeva l'altra neve, quella che era sollevata dal
vento, che filava via raso terra verso il buio, e fischiava come cento serpenti. Ogni tanto guardavo anche l'orologio,
e era strano, a me mi pareva di camminare da un mese, e
invece l'orologio sembrava che non si muovesse come se il
tempo si fosse fermato. Tanto meglio per Compton, pensavo, cosí non lo troviamo duro come un merluzzo: ma garantito che anche lui lo trova lungo.

   Basta, ho avuto fortuna. Dopo un due ore che cammi-
navo, il cantiere non l'ho trovato, ma mi sono accorto che
incrociavo la ferrovia, voglio dire il raccordo di servizio: i
binari si capisce che non si vedevano, ma si vedevano quegli steccati che usano da quelle parti perché la neve non si

accumuli sulle rotaie. Avevano servito proprio niente, ma
hanno servito a me, perché sporgevano ancora un poco:
cosí, seguendo contro vento la linea degli steccati, sono arrivato al cantiere. Il resto poi è andato liscio, avevano un
cingolato fatto apposta per le emergenze, come dicono loro, e guardi che l'inglese è una lingua ben strana, perché
dalla neve non c'era un bel niente che emergesse; era un
bestione di sei tonnellate, che ha i cingoli larghi quasi un
metro e cosí non affonda nella neve e va su per delle pen-
denze anche del quaranta per cento come ridere. Il guidatore ha acceso i fari, siamo tornati su in un momento, abbiamo trovato il posto, avevamo le pale, e abbiamo tirato
fuori Compton, che era mezzo addormentato. Forse aveva
già cominciato a perniciare, ma noi lo abbiamo scosso un
poco, gli abbiamo dato un cicchetto che era contro i suoi
principî ma lui non se n'è accorto, gli abbiamo fatto un
massaggio, e dopo stava bene. Parlava poco, ma tanto era
uno che parlava sempre poco. L'auto l'abbiamo lasciata lí.

Al cantiere mi hanno arrangiato su un pagliericcio, e io
prima cosa mi sono fatto dare un'altra copia del libretto di
montaggio, perché la prima era rimasta nella Chrysler a
passare l'inverno. Ero stanco morto, e mi sono addormentato subito; ma per tutta quella notte non ho fatto che sognare della gran neve, e uno che ci camminava dentro, nella notte e nel vento, e nel sogno non si capiva se ero io oppure mio padre. Però, al mattino, appena svegliato, mi è
subito tornata in mente quell'altra emergenza che mi stava
aspettando di lí a due giorni, quella faccenda di mettere in
barca quel coso lungo uno sproposito, di portarlo in giro
fra un'isola e l'altra per ottanta miglia, e poi di metterlo in
piedi coi piedi appoggiati sul fondo del mare. Scusi sa, ma
lei mi guarda in una maniera che mi pare che non si rende
conto».

Ho rassicurato Faussone: gli ho garantito che stavo seguendo il suo racconto con interesse (il che era vero) e con
piena comprensione. Questo era un po' meno vero, perché
certe imprese per capirle bisogna farle, o almeno vederle;

lui lo ha intuito, e senza nascondere la sua impazienza ha cavato la biro, ha preso il tovagliolo di carta, e mi ha detto che mi avrebbe fatto vedere. È bravo a disegnare: ha tirato giú la sagoma del suo derrick, in scala: un trapezio, alto 250 metri, con la base maggiore di 105 e la minore di 80, e sopra questa un altro intrico di tralicci, gru e torrette; accanto ha schizzato la Mole Antonelliana, che ci faceva una magra figura, e San Pietro, che arrivava a poco piú di metà.

«Ecco, – mi ha detto indicando la base minore: – il mare arriva quasi fin qui, dopo che è in piedi; ma l'hanno costruito coricato, già montato su tre slitte, e le tre slitte su tre scivoli di cemento armato e di acciaio: tutto prima che arrivassi io. Adesso le faccio vedere anche questo. Ma il trucco piú bello, la malizia, eccola qui, la vede sul disegno. Le sei gambe non sono tutte uguali: le tre da questa parte vede che le ho fatte piú grosse. E grosse erano: tre tubi di otto metri di diametro, lunghi 130 metri, appunto, come è alto San Pietro che lo vede qui vicino. A proposito, lei lo sa che io coi preti non vado tanto d'accordo, ma si capisce che quando sono andato a Roma, a San Pietro ci sono stato, e poco da dire è un gran bel lavoro, specie se uno pensa ai mezzi che avevano allora. Bene, a San Pietro non mi è venuta voglia di pregare, neanche un poco; e invece, quando quell'arnese piano piano si è girato nell'acqua, e poi si è messo dritto da solo, e ci siamo saliti sopra tutti quanti per romperci la bottiglia, beh sí, un poco la voglia mi è venuta, peccato che non sapevo che preghiera dire, non ce n'era nessuna che venisse a taglio. Ma non anticipiamo.

Le dicevo allora che tre gambe sono piú grosse: è perché oltre che gambe sono dei galleggianti, che è studiata abbastanza bene. Ma adesso torniamo alla mia storia. Dunque, mi sono sistemato nel cantiere, e ho passato due giorni in pace a leggere il libretto, a discutere i dettagli coll'ingegnere, e a farmi asciugare i vestiti. Il terzo giorno abbiamo cominciato a lavorare.

Il primo lavoro da fare è stato quello di piazzare i marti-

netti idraulici; sono come dei cric d'auto ma piú grossi.
Non era un lavoro difficile, andava giusto bene per vedere
cosa poteva combinare quella squadra che le ho detto, l'ortodosso, Di Staso, il pellerossa e il regolare. Può immaginare che, oltre a capire male quello che io gli dicevo, si capivano anche poco fra di loro; ma insomma montatori erano, e lei deve sapere che fra noi la maniera di capirsi la troviamo sempre, magari anche solo coi gesti: ci intendiamo
a volo, e se uno è piú in gamba, l'altro stia pure sicuro che
gli dà ascolto, anche se non ha il grado. È cosí in tutto il
mondo, e tutte le volte che mi ricordo di mio padre, perché adesso è morto, penso che se le cose andassero cosí anche negli eserciti certe cose non capiterebbero, per esempio di prendere un battilastra del Canavese e sbatterlo in
Russia con le scarpe di cartone a sparare schioppettate ai
battilastra della Russia. E se le cose andassero cosí anche
nei governi, allora degli eserciti non ce ne sarebbe neanche
piú bisogno perché non ci sarebbe da fare la guerra e ci si
metterebbe d'accordo fra persone di buon senso».

Cosa va a pensare la gente quando ardisce trinciare giudizi al di fuori del proprio particolare! Ho cercato cautamente di renderlo consapevole della carica sovversiva, anzi eversiva, che si annidava dietro questo suo discorso. At-
tribuire le responsabilità in proporzione delle competenze?
Ma scherziamo? È da vedere se il sistema può essere tollerato per i montatori: figuriamoci poi per altre attività ben
piú sottili e complesse. Ma non ho incontrato difficoltà nel
ricondurlo alla sua carreggiata.

«Vede, a me non piace né comandare né essere coman-
dato. A me piace lavorare da solo, cosí è come se sotto al
lavoro finito ci mettessi la mia firma; ma lei capisce bene
che un lavoro come quello non era per un uomo solo. Cosí
ci siamo dati da fare: dopo quella gran tormenta che le ho
raccontato era tornata un po' di calma e non si andava tanto male, ma a colpi veniva giú la nebbia. Per capire ognuno
che tipo era ci ho messo un po' di tempo, perché non siamo mica fatti tutti uguali: specie poi coi forestieri.

L'ortodosso era forte come un toro. Aveva la barba fin sotto gli occhi e i capelli lunghi fin qui, però lavorava preciso e si vedeva subito che era del mestiere. Solo che non bisognava interromperlo, se no perdeva il filo, cascava dalle nuvole e doveva ricominciare tutto dal principio. Di Staso è venuto fuori che era figlio di un barese e di una tedesca, e difatti si vedeva che era un po' incrociato; quando parlava facevo piú fatica a capirlo che se fosse stato un americano d'America, ma per fortuna parlava poco. Era uno di quelli che dicono sempre di sí e poi fanno alla sua maniera: insomma bisognava starci attenti, e il suo guaio era che pativa il freddo, cosí tutti i momenti si fermava, si metteva a ballare magari anche in cima al traliccio, che mi faceva venire la pelle di gallina, e si metteva le mani sotto le ascelle. Il pellerossa era una sagoma: l'ingegnere mi ha raccontato che era di una tribú di cacciatori, e che invece di stare nella loro riserva a fare tutti quei gesti per i turisti, avevano accettato in blocco di trasferirsi nelle città per fare la pulizia delle facciate dei grattacieli; lui aveva ventidue anni, ma quel mestiere lo facevano già suo padre e suo nonno. Non è che sia la stessa cosa, per fare il montatore ci va un po' piú di cervello, ma lui cervello ne aveva. Però aveva delle abitudini strane, non guardava mai negli occhi, non muoveva mai la faccia e sembrava tutto d'un pezzo, anche se poi sul montaggio era svelto come un gatto. Anche lui parlava poco: era grazioso come il mal di pancia, e a fargli osservazione rispondeva; dava anche dei nomi ma per fortuna solo nel dialetto della sua tribú, cosí si poteva far finta di non capire e non nascevano questioni. Mi resta da dire del regolare, ma quello ho da capirlo ancora adesso. Era proprio un po' intiero, ci metteva tempo a capire le cose, ma aveva volontà e stava attento: perché lo sapeva, che non era tanto furbo, e cercava di farsi forza e di non sbagliare, e difatti in proporzione sbagliava abbastanza poco, appunto, non capivo come facesse a sbagliare cosí poco. Mi faceva pena perché gli altri gli ridevano dietro, e mi faceva tenerezza come un bambino, anche se aveva quasi quarant'anni e non era tanto bello da vedere. Sa, il vantaggio del nostro lavoro è che c'è posto anche per gente come quella, e che sul lavoro imparano quelle cose che non hanno imparato a scuola; solo che con loro ci va un po' piú di pazienza.

Come le dicevo, a piazzare i martinetti per far scivolare il traliccio verso il mare non ci andava gran che, né di fatica né di mestiere, bastava metterli in quadro e bene orizzontali; ci abbiamo messo un giorno e poi abbiamo cominciato a spingere. Ma non si immagini mica che si spingesse cosí a occhio: c'era una cabina di comando, ben riscaldata, con perfino il distributore della cocacola, la televisione in circuito chiuso e il collegamento per telefono coi serventi dei martinetti: bastava premere i bottoni e stare a vedere sulla televisione se l'allineamento si manteneva. Ah, dimenticavo, fra i martinetti e le slitte c'erano anche le celle piezometriche coi loro quadranti nella cabina, in maniera che a ogni momento si vedeva lo sforzo; e mentre io stavo in quella cabina, seduto su una poltrona, in mezzo a tutti quei trucchi, pensavo a mio padre e alle sue lastre, un colpo qui e l'altro là cosí a stima per togliere i difetti, dal mattino alla sera nell'officina nera con la stufetta a segatura, e mi veniva come un nodo qui alla gola.

Però non ho resistito tanto a stare lí dentro: a un certo momento sono scappato fuori al freddo a vedere il derrick che camminava. Non si sentiva nessun rumore, solo il vento, il ronzio delle pompe dell'olio nella centralina, e il mare che sciacquava contro i moli, a trecento metri, ma non lo potevo vedere per via della nebbia. E in mezzo alla nebbia, che si perdeva nella nebbia, si vedeva venire avanti il derrick, grosso come una montagna e lento come una lumaca. Avevo regolato la centralina come diceva il libretto, e il derrick camminava a mezzo metro al minuto: bisognava andargli vicino per vederlo muovere, ma allora faceva impressione, e io pensavo a quando una volta venivano giú gli eserciti e nessuno li poteva fermare, o a quando è venuta fuori la lava del vulcano e ha sotterrato Pompei, perché quella volta della ragazza ardita che le ho contato, una domenica siamo andati a vedere Pompei.

Scusi, ma dalla maniera che mi guarda non sono sicuro che lei abbia capito bene il lavoro. Dunque: c'era questo traliccio coricato su un fianco su tre slitte, le slitte su tre piste che discendevano fino nel mare, e diciotto martinetti che spingevano piano piano. Il traliccio era fatto in modo da galleggiare, ma per comodità di manovra era previsto di farlo scivolare sopra due pontoni, insomma dei barconi di ferro che, ancora prima che arrivassi io, li avevano riempiti d'acqua e fatti posare sul fondo del bacino, nella posizione giusta: dopo che il traliccio gli fosse arrivato sopra, bisognava pompare via l'acqua e farli tornare a galla, che si caricassero del peso del traliccio e lo reggessero fuor d'acqua, e poi rimorchiare pontoni e traliccio fino al fondale, affondare di nuovo i pontoni, raddrizzare il traliccio e farlo posare sulle sue gambe.

Tutto è andato bene, il derrick ha camminato tranquillo fino dentro il bacino, e sarebbe stata l'ora di far risalire i pontoni: ma niente da fare. Era un po' di tempo che tirava vento, aveva spazzato la nebbia, ma aveva anche cominciato a sollevare il mare. Io non è che del mare sia tanto pratico, e quello era appunto il primo lavoro che mi toccava di fare vicino al mare, anzi dentro, ma l'ingegnere lo vedevo che nuffiava l'aria come un cane da caccia, arricciava il naso e faceva dei versi come per dire che si metteva male. Infatti, al giorno del sollevamento c'erano già delle belle onde: sul manuale era previsto anche questo, niente sollevamento se le onde erano piú di due piedi, erano altro che due piedi, e allora ci siamo messi a riposo.

Siamo stati a riposo tre giorni, e non è successo niente di speciale, li abbiamo passati a bere, a dormire, a giocare a carte, e io ai miei quattro gli ho perfino insegnato la scala quaranta, perché di andare a spasso, col vento che tirava, e in quel bel panorama che le ho detto, non veniva la voglia a nessuno. Il pellerossa mi ha fatto stupire: sempre con la sua malagrazia, e senza guardarmi negli occhi, mi ha fat-

to capire che mi invitava a andare a casa sua, e che non era
tanto lontano; perché lui essendo che era un po' selvatico
non stava nella foresteria come noialtri, ma a casa sua, in
una baracchetta di legno, con la moglie. Gli altri ghignavano e io non capivo perché: ci sono andato, perché a me
piace vedere come vive la gente, e quando sono stato nella
sua baracca mi sono accorto che mi faceva segno di andare
a dormire con sua moglie. Anche sua moglie, preciso come
lui, guardava da una parte e non diceva niente, e io mi sentivo genato perché lí dentro non c'era neanche una tenda
e mancava l'intimità, e poi avevo paura. Cosí ho fatto un
discorso tutto imbarbugliato in italiano, che lui non capisse, e sono uscito. Fuori c'erano gli altri che stavano a
aspettare: allora ho capito perché ghignavano, e mi hanno
spiegato che in quella tribú costumava cosí, di offrire la
moglie ai superiori, ma che avevo fatto bene a non accettare perché loro si lavano solo con grasso di foca, e neanche
tanto sovente.

Quando il mare si è poi calmato, abbiamo cominciato a
pompare aria dentro i pontoni. Era una pompa da niente,
a bassa prevalenza, non piú grossa di quel panchetto lí, e
girava liscia: sembrava quasi impossibile che da sola potesse fare tutto il lavoro, e avesse la forza di sollevare tredici-
mila tonnellate. Pensi solo quante gru ci sarebbero volute:
invece, in due giorni, zitti zitti i pontoni sono venuti su, li
abbiamo impegnati sotto i loro supporti, francati bene, e
alla sera del secondo giorno il derrick era lí che galleggiava,
e sembrava che avesse perfino voglia di partire, ma era solo effetto del vento. Le confesso che avevo un po' di gelosia per i progettisti che l'avevano studiato, quel trucco di
far lavorare l'aria, l'acqua e il tempo: a me non sarebbe
mai venuto in mente, ma gliel'ho già detto che io con l'acqua non ho tanta confidenza, tant'è vero che non sono
neanche buono di nuotare, e un giorno o l'altro le racconto
perché.

Non sono buono di nuotare, ma non faceva differenza,
perché in un mare come quello non avrebbe nuotato nes-

suno: era color del piombo, e cosí freddo che io non capisco come ci possano vivere quei famosi gamberi che continuavano a darci alla mensa, un po' bolliti e un po' arrosto;
invece mi hanno detto che è un mare pieno di pesci. Ci siamo infilati tutti quanti le vesti di salvataggio, perché nel libretto c'erano anche questi particolari, siamo montati sui
rimorchiatori, e via verso il largo, tirandoci dietro il derrick coricato sui due pontoni come quando si porta una
vacca al mercato per la cavezza. Io era la prima volta che
andavo per mare, e non ero tranquillo, ma cercavo di fare
in modo che non si vedesse, e pensavo che una volta che
avessimo incamminato il lavoro di posizionare il derrick
mi sarei distratto e mi sarebbe passata. Anche l'ortodosso
aveva paura, invece agli altri tre non faceva nessun effetto,
salvo che Di Staso aveva un po' di mal di mare.

Le ho detto verso il largo cosí per modo di dire, ma non
era largo per niente. Di fronte a quella costa c'è tutta una
cernaia di isole e isolette, di canali che si infilano uno dentro l'altro, qualcuno poi cosí stretto che il derrick per traverso ci passava appena, e io se pensavo che cosa sarebbe
successo se avesse toccato mi veniva freddo. Fortuna che
il pilota era bravo e conosceva la strada; sono anche andato nella cabina di pilotaggio a vedere come faceva, era tutto tranquillo e parlava via radio col pilota dell'altro rimorchiatore, con una voce tutta nel naso come ce l'hanno gli
americani. Da principio credevo che combinassero fra di
loro la via da seguire, invece parlavano della partita di
baseball».

Non avevo capito bene la faccenda dei pontoni: se il
derrick era fatto per galleggiare, non si poteva vararlo direttamente in mare, senza quelle complicazioni? Faussone
mi ha guardato interdetto, poi mi ha risposto con la pazienza impaziente di chi si rivolge ad un bambino volonteroso ma un po' ritardato.

«Sa, fosse stato il lago di Avigliana forse avrebbe anche
ragione lei, ma quello era il Pacifico, e non so proprio perché quegli esploratori lo abbiano chiamato cosí, dato che

onde ne ha sempre, anche quando è calmo: o almeno, tutte le volte che l'ho visto. E un arnese lungo come quello, anche se è d'acciaio, basta poco per farlo flettere, perché non era calcolato per lavorare da coricato; un po' come noi, se uno ci pensa bene, che per dormire abbiamo bisogno che il letto sia piano. Insomma i pontoni ci volevano, se no c'era pericolo che con le onde si deformasse.

Le dicevo allora che eravamo su uno dei rimorchiatori, e che io in principio avevo un po' di paura; ma poi mi è passata, perché mi sono convinto che pericoli non ce n'erano. Sono delle gran belle macchine, i rimorchiatori; comodi no, non sono fatti per farci le crociere, ma solidi, pensati bene, senza un bullone di troppo, e a starci sopra lei ha subito l'impressione che hanno una forza straordinaria, e infatti servono per rimorchiare delle navi molto piú grosse di loro, e non c'è burrasca che li possa fermare. Dopo un po' di tempo che si navigava fra un canale e l'altro, mi sono stufato di stare lí a guardare il paesaggio, che era sempre uguale, sono sceso sotto coperta e nella sala macchine per rendermi conto, e devo dire che mi sono divertito, anche se chiamarla sala è esagerato, perché c'è appena lo spazio per girarsi: ma quelle bielle, e piú che tutto l'albero dell'elica, non me li dimentico piú; e neanche la cucina, dove tutti i padellini sono imbullonati alla parete, e il cuoco per fare da mangiare non ha neanche bisogno di muoversi perché ha tutto a portata di mano. Del resto, quando è venuto notte ci siamo fermati e ci hanno dato il rancio come sotto la naia, ma non era niente male; solo che per frutta ci hanno dato i gamberi con la marmellata. Poi, a dormire anche noi nelle cuccette; non si ballava neanche tanto, anzi giusto quello che va bene per addormentarsi.

Al mattino siamo usciti da quell'intrico di canali, e io ho tirato il fiato. C'era solo piú da fare una dozzina di miglia per trovare il posto, dove c'era già una boa con un fanale e con la radio, per trovarla anche se c'era la nebbia; e la nebbia c'era proprio. Siamo arrivati alla boa che era mezzogiorno. Lí abbiamo attaccato il derrick a delle altre boe, perché non andasse a spasso durante la manovra, e abbiamo aperto le vie d'aria dei pontoni, per farli affondare un poco e poi rimorchiarli via: dico abbiamo, ma per dire la verità io sono rimasto sul ponte, e sui pontoni c'è andato il pellerossa, che di tutti era quello che il mare gli dava meno soggezione, ma del resto è stata la questione di un momento; si è solo sentito un gran soffio, come se respirassero di sollievo, e i due pontoni si sono staccati dal derrick e i rimorchiatori li hanno portati via.

A questo punto, poco da fare, ero io di scena. Fortuna che il mare era quasi calmo: ho messo su la piú bella grinta che sono riuscito a inventare, e poi io coi miei quattro uomini siamo saliti su una barchetta e ci siamo arrampicati su per le scalette del derrick. Si trattava di fare le verifiche, e poi di togliere le sicurezze dalle valvole delle gambe di galleggiamento: sa bene come va quando uno gli tocca di fare una cosa che non gli piace, ma si fa forza, perché quando è da fare si fa; specie poi se deve farla fare anche dagli altri, e se uno degli altri ha il mal di mare, o magari se lo fa venire apposta, perché ho avuto il sospetto.

Le verifiche è stato un lavoro lungo, ma andavano bene, non c'era nessuna deformazione piú grossa di quelle previste. Per le sicurezze, non so se mi sono fatto capire: si immagini il mio derrick come una piramide tronca, eccola qui, che sta a galla su una delle facce, che è fatta di tre gambe allineate che sono i tubi di galleggiamento. Bene, bisognava appesantire la parte bassa di queste gambe, in modo che loro affondassero e la piramide desse il giro e si mettesse a piombo. Per appesantire le gambe bisognava farci entrare l'acqua del mare: erano divise in segmenti con paratie stagne, e ogni segmento aveva delle valvole per fare uscire l'aria e entrare l'acqua al momento giusto. Le valvole erano radiocomandate, ma avevano delle sicurezze, e quelle andavano tolte a mano, voglio dire a colpi di martello.

Ecco, è stato proprio in questo momento che io mi sono accorto che tutto il traliccio si stava muovendo. Era strano: il mare sembrava fermo, onde non se ne vedevano, e invece il traliccio si muoveva: su e giú, su e giú, piano piano, come una cuna per i bambini, e io ho cominciato a sentirmi lo stomaco come se mi fosse salito fin qui. Ho cercato di resistere, e forse ci sarei anche riuscito, se non mi fosse cascato l'occhio su Di Staso, attaccato a due controventature come Cristo sulla croce, che dava di stomaco dentro l'Oceano Pacifico da otto metri di altezza, e allora addio. Il lavoro l'abbiamo fatto lo stesso, ma sa, io di regola ci terrei a fare le mie cose con un po' di stile, e invece, le risparmio i particolari, ma invece che a dei gatti somigliavamo a quelle bestie che non mi ricordo piú come si chiamano, che si vedono allo zoo, hanno la faccia da cretino che ride sempre, le zampe che finiscono come con dei rampini e camminano piano piano appese ai rami degli alberi con la testa in giú: ecco, fuori del pellerossa noialtri quattro facevamo quell'effetto lí, e di fatti io vedevo quei bastardi sul rimorchiatore che invece di farci coraggio ridevano, ci facevano tutti i gesti della scimmia, e si battevano le mani sulle cosce. Ma dal suo punto di vista dovevano aver ragione: vedere lo specialista venuto apposta da capo al mondo, con la chiave a stella appesa alla vita, perché quella è per noi come la spada per i cavalieri di una volta, che viceversa fa i gattini come un bambino piccolo, doveva essere un bello spettacolo.

Fortuna che quel lavoro io lo avevo preparato bene, e ai quattro gli avevo fatto fare le esercitazioni; insomma, a parte l'eleganza, abbiamo finito con solo un quarto d'ora di ritardo sul tempo del libretto, siamo rimontati sul rimorchiatore, e a me il mal di mare è passato subito.

In cabina di comando c'era l'ingegnere col binocolo e il cronometro, davanti ai comandi radio, e lí è incominciata la cerimonia. Sembrava di essere davanti alla televisione quando si toglie l'audio. Lui schiacciava i bottoni uno per uno, come dei campanelli, ma non si sentiva niente, solo noi che respiravamo, e respiravamo come in punta di piedi. E a un certo punto si è visto il derrick che cominciava a pendere, come un bastimento quando sta per andare a fondo: anche di lontano si vedevano i vortici che facevano i piedi affondando nell'acqua, e le onde arrivavano fino a noi e scuotevano il rimorchiatore, ma rumori non se ne sentivano. Pendeva sempre di piú, la piattaforma di sopra si sollevava, finché facendo una gran schiuma si è messo in piedi, è disceso ancora un poco e si è fermato netto, come un'isola, ma era un'isola che l'avevamo fatta noi; e io non so gli altri, magari non pensavano a niente, ma io ho pensato al Padreterno quando ha fatto il mondo, dato che sia stato proprio lui, e quando ha separato il mare dall'asciutto, anche se non c'entrava poi tanto. Allora abbiamo ripreso la barca, sono arrivati anche quelli dell'altro rimorchiatore, e ci siamo arrampicati tutti sulla piattaforma; abbiamo rotto una bottiglia e abbiamo fatto un po' di baldoria, perché costuma cosí.

E adesso non vada a dirlo in giro, ma a quel momento mi è venuto come da piangere. Non per via del derrick, ma per via di mio padre; voglio dire, quel sacramento di ferro piantato in mezzo al mare mi ha fatto venire in mente un monumento balordo che una volta aveva fatto mio padre con dei suoi amici, un pezzo per volta, di domenica dopo le bocce, tutti vecchiotti, e tutti un po' strambi e un po' bevuti. Avevano tutti fatto la guerra, chi in Russia, chi in Africa, chi non so dove altro, e ne avevano basta; cosí, essendo che erano tutti piú o meno del mestiere, uno sapeva saldare, uno tirava la lima, uno batteva la lastra e cosí via, avevano combinato di fare un monumento e di regalarlo al paese, ma doveva essere un monumento all'incontrario. Di ferro invece che di bronzo, e invece che tutte le aquile e le corone di gloria e il soldato che viene avanti con la baionetta, volevano fare la statua del panettiere ignoto: sí, di quello che ha inventato la maniera di fare le pagnotte; e farla di ferro, appunto, in lamiera nera da venti decimi, saldata e imbullonata. L'hanno anche fatta, e niente da dire era bella robusta, ma come estetica non è riuscita tanto bene. Cosí il sindaco e il parroco non l'hanno voluta, e invece che in mezzo alla piazza, sta in una cantina a far la ruggine, in mezzo alle bottiglie di vino buono».

Batter la lastra

«Non erano poi tanto lontano di qui, quelle terre dove mio padre ha fatto la ritirata, ma era un'altra stagione: lui me lo raccontava, gelava fino il vino nelle borracce, e il corame delle giberne».

Ci eravamo inoltrati nel bosco, un bosco autunnale splendido di colori inattesi: l'oro verde dei larici, i cui aghi avevano appena incominciato a cadere, la porpora cupa dei faggi, e altrove il bruno caldo degli aceri e delle querce. I tronchi ormai nudi delle betulle accendevano il desiderio di accarezzarli come si fa coi gatti. Tra gli alberi, il sottobosco era basso, e le foglie morte ancora poche: il terreno era sodo ed elastico, come battuto, e suonava stranamente sotto i nostri passi. Faussone mi ha spiegato che, se non si lasciano gli alberi crescere troppo fitti, il bosco si pulisce da sé: ci pensano le bestie piccole e grosse, e mi ha fatto vedere le tracce della lepre nel fango indurito dal vento, e le galle gialle e rosse delle querce e delle rose canine, col vermino dentro addormentato. Ero un po' stupito di questa sua confidenza con le piante e con le bestie, ma lui mi ha fatto notare che non era mica nato montatore: i suoi ricordi d'infanzia piú felici erano intessuti di maroda, cioè di minuti furti agricoli, escursioni in banda alla ricerca di nidi o di funghi, zoologia autogestita, teoria e pratica delle trappole, comunione con la modesta natura canavesana sotto la specie di mirtilli, fragole, more, lamponi, asparagi selvatici: il tutto vivificato dal brivido a buon patto del divieto eluso.

«Sí, perché mio padre me la contava, – ha continuato Faussone: – Fin da bambino, avrebbe voluto che finissi in fretta i lavori della scuola e scendessi in officina con lui. Che facessi come lui, insomma, che a nove anni era già in Francia a imparare il mestiere, perché allora facevano tutti cosí, in bassa valle erano tutti magnini, e lui lo ha fatto, il mestiere, fino che è morto. Lui lo diceva, che aveva da morire col martello in mano, e è ben morto cosí, pover'uomo: ma non è poi detto che sia quella la maniera piú brutta di morire, perché ce n'è tanti che quando gli tocca smettere di lavorare gli viene l'ulcera o si mettono a bere o cominciano a parlare da per loro, e io credo che lui sarebbe stato uno di questi, ma appunto, è morto prima.

Ha mai fatto altro che batter la lastra, fuori che quando l'hanno preso prigioniero e mandato in Germania. La lastra di rame: e col rame, perché allora l'acciaio inossidabile non era ancora di moda, facevano tutto, vasi, pentole, tubi, e anche i distillatori senza il bollo della finanza per fare la grappa di contrabbando. Al mio paese, perché anch'io sono nato lí in tempo di guerra, era tutto un gran battere; piú che tutto, facevano paioli da cucina, grossi e piccoli, stagnati dentro, perché appunto magnino vuol dire stagnino, uno che fa le pentole e poi ci passa lo stagno, e c'è varie famiglie che si chiamano Magnino ancora adesso e magari non sanno piú perché.

Lei lo sa che il rame a batterlo si incrudisce...»

Lo sapevo sí: cosí parlando è venuto fuori che anch'io, pur non avendo mai battuto la lastra, avevo col rame una lunga dimestichezza, trapunta di amore e di odio, di battaglie silenziose ed accanite, di entusiasmi e stanchezze, di vittorie e sconfitte, e fertile di sempre piú affinata conoscenza, come avviene con le persone con cui si convive a lungo e di cui si prevedono le parole e le mosse. La conoscevo sí, la cedevolezza femminea del rame, metallo degli specchi, metallo di Venere; conoscevo il suo splendore caldo e il suo sapore malsano, il morbido verde-celeste dei suoi ossidi e l'azzurro vitreo dei suoi sali. Conoscevo bene, con le mani, l'incrudimento del rame, e quando l'ho detto a Faussone ci siamo sentiti un po' parenti: se maltrattato, cioè battuto, stirato, piegato, compresso, il rame fa come noi, i suoi cristalli s'ingrossano e diventa duro, crudo, ostile, Faussone direbbe «arverso». Gli ho detto che gli avrei forse saputo spiegare il meccanismo del fenomeno, ma lui mi ha risposto che non gli importava, e invece mi ha fatto notare che non va sempre cosí: alla stessa maniera che noi non siamo tutti uguali, e davanti alle difficoltà ci comportiamo diversamente, cosí c'è anche dei materiali che a batterli ci guadagnano, come il feltro e il cuoio, e come il ferro, che a martellarlo sputa fuori la scoria, si rinforza e diventa appunto ferro battuto. Io gli ho detto, a conclusione, che con le similitudini bisogna stare attenti, perché magari sono poetiche ma dimostrano poco: perciò si deve andare cauti nel ricavarne indicazioni educative-edificanti. Deve l'educatore prendere esempio dal fucinatore, che battendo rudemente il ferro gli dà nobiltà e forma, o dal vinaio, che ottiene lo stesso risultato sul vino distaccandosi da lui e conservandolo nel buio di una cantina? È meglio che la madre abbia a modello la pellicana, che si spenna e si denuda per rendere morbido il nido dei suoi nati, o l'orsa, che li incoraggia ad arrampicarsi in cima agli abeti e poi li abbandona lassú e se ne va senza voltarsi indietro? È un miglior modello didattico la tempra o il rinvenimento? Alla larga dalle analogie: hanno corrotto la medicina per millenni, e forse è colpa loro se oggi i sistemi pedagogici sono cosí numerosi, e dopo tremila anni di discussione non si sa ancora bene quale sia il migliore.

Ad ogni modo, Faussone mi ha ricordato che la lamiera di rame, incrudita (e cioè resa non piú lavorabile al martello, non piú «malleabile») dalla lavorazione, deve essere ricotta, vale a dire scaldata per qualche minuto verso gli 800° C, per riacquistare la sua cedevolezza primitiva; di conseguenza, il lavoro del magnino consiste in un'alternanza di scaldare e battere, battere e scaldare. Queste cose piú o meno le sapevo; invece, non altrettanto a lungo avevo

frequentato lo stagno, a cui sono legato unicamente da una
fugace avventura giovanile, e per di piú di carattere essen-
zialmente chimico; perciò ho ascoltato con interesse le notizie che lui mi ha fornite:

«Una volta che la pentola è fatta, il lavoro non è ancora
finito, perché se lei, tanto per dire, fa cucina in una pentola di rame nudo, alla lunga finisce che viene ammalato, lei
e la famiglia; e del resto non è detto che se mio padre è
morto che aveva solo cinquantasette anni, non sia perché
il rame ce l'aveva già che girava nel sangue. La morale è
che la pentola bisogna stagnarla all'interno, e qui non creda che sia poi cosí facile, anche se magari in teoria lei sa
come si fa: ma la teoria è una cosa e la pratica è un'altra.
Bene, a farla corta ci va prima il vetriolo, o se si ha fretta
l'acido nitrico, ma per poco tempo se no addio pentola, poi
si lava con acqua, e poi si porta via l'ossido con l'acido
cotto».

Questo termine mi era nuovo. Ho chiesto un chiarimento, e non immaginavo, cosí facendo, di ravvivare una
vecchia cicatrice: perché è risultato che Faussone cos'era
l'«acid cheuit» non lo sapeva con precisione, e non lo sapeva perché aveva rifiutato di impararlo, insomma col padre c'era stata un po' di ruggine perché lui aveva ormai di-
ciott'anni e ne aveva abbastanza di stare al paese a fare le
padelle: voleva venire a Torino e entrare alla Lancia, e difatti c'era entrato sí, ma aveva durato poco. Bene, avevano fatto questione proprio per l'acido cotto, e il padre prima si era arrabbiato, e poi era stato zitto perché aveva capito che c'era poco da fare.

«A ogni modo, si fa con l'acido muriatico, si fa cuocere
con dello zinco e col sale ammoniaco e non so che cosa
d'altro, se vuole mi posso informare; ma non vorrà mica
mettersi a stagnare le ramine, voglio sperare. Poi non è ancora finito, mentre l'acido cotto lavora bisogna tener pronto lo stagno. Stagno vergine: è qui che si vede se il magnino è un galantuomo o un lavativo. Ci vuole lo stagno vergine, cioè puro come viene dai suoi paesi, e non lo stagno

da saldare che invece è legato con il piombo: e glielo dico perché ce ne sono stati, di quelli che hanno stagnato le pentole con lo stagno da saldatore: ce ne sono stati anche al mio paese, e quando il lavoro è finito non si conosce, ma quello che capita poi al cliente, a fare cucina magari per vent'anni col piombo che passa piano piano in tutti i mangiari, glielo lascio capire da lei.

Le dicevo allora che bisogna tenere lo stagno pronto, che sia fuso ma non troppo caldo se no gli viene sopra una crosta rossa e si spreca del materiale; e sa, adesso è facile, ma a quel tempo i termometri erano roba da gran signori, e si giudicava della caloria cosí a stima, con lo sputo. Scusi, ma le cose bisogna chiamarle col loro nome: uno guardava se la saliva friggeva piano o forte o saltava addirittura indietro. A questo punto si prendono le cucce, che sono come delle filacce di canapa e non so neppure se hanno un nome in italiano, e si tira lo stagno sul rame come uno spalmerebbe il burro dentro una terrina, non so se ho reso l'idea; e appena finito si mette nell'acqua fredda, se no lo stagno invece che bello brillante resta come appannato. Vede, era un mestiere come tutti i mestieri, fatto di malizie grosse e piccole, inventate da chissà quale Faussone nei tempi dei tempi, che a dirle tutte ci andrebbe un libro, e è un libro che non lo scriverà mai nessuno e in fondo è un peccato; anzi adesso che sono passati gli anni mi rincresce di quella questione che ho fatto con mio padre, di avergli risposto e di averlo fatto stare zitto: perché lui capiva quel mestiere, fatto sempre in quella maniera e vecchio come il mondo, finiva che moriva con lui, e come io gli ho risposto che dell'acido cotto non me ne faceva niente, lui è rimasto zitto, ma si è sentito morire un poco già a quell'ora. Perché vede, il suo lavoro gli piaceva, e adesso lo capisco perché adesso a me mi piace il mio».

L'argomento era centrale, e mi sono accorto che Faussone lo sapeva. Se si escludono istanti prodigiosi e singoli che il destino ci può donare, l'amare il proprio lavoro (che purtroppo è privilegio di pochi) costituisce la migliore approssimazione concreta alla felicità sulla terra: ma questa è una verità che non molti conoscono. Questa sconfinata regione, la regione del rusco, del boulot, del job, insomma del lavoro quotidiano, è meno nota dell'Antartide, e per un triste e misterioso fenomeno avviene che ne parlano di piú, e con piú clamore, proprio coloro che meno l'hanno percorsa. Per esaltare il lavoro, nelle cerimonie ufficiali viene mobilitata una retorica insidiosa, cinicamente fondata sulla considerazione che un elogio o una medaglia costano molto meno di un aumento di paga e rendono di piú; però esiste anche una retorica di segno opposto, non cinica ma profondamente stupida, che tende a denigrarlo, a dipingerlo vile, come se del lavoro, proprio od altrui, si potesse fare a meno, non solo in Utopia ma oggi e qui: come se chi sa lavorare fosse per definizione un servo, e come se, per converso, chi lavorare non sa, o sa male, o non vuole, fosse per ciò stesso un uomo libero. È malinconicamente vero che molti lavori non sono amabili, ma è nocivo scendere in campo carichi di odio preconcetto: chi lo fa, si condanna per la vita a odiare non solo il lavoro, ma se stesso e il mondo. Si può e si deve combattere perché il frutto del lavoro rimanga nelle mani di chi lo fa, e perché il lavoro stesso non sia una pena, ma l'amore o rispettivamente l'odio per l'opera sono un dato interno, originario, che dipende molto dalla storia dell'individuo, e meno di quanto si creda dalle strutture produttive entro cui il lavoro si svolge.

Come se avesse percepito il riverbero dei miei pensieri, Faussone ha ripreso: «Lo sa qual è il mio nome di battesimo? Tino, come tanti altri: ma il mio Tino vuol dire Libertino. Mio padre veramente quando ha fatto la denuncia mi voleva chiamare Libero, e il podestà, ben che era un fascista, era suo amico e sarebbe stato d'accordo, ma col segretario comunale non c'è stato verso. Son tutte cose che mi ha raccontato poi mia madre: questo segretario diceva che nei santi non c'è, che era un nome troppo fuorivia, che lui non voleva grane, che ci andava il consenso del federale e magari anche quello di Roma: erano solo storie, si capisce, era che lui, per non saper né leggere né scrivere, nei suoi registri quella parolina "Libero" non ce la voleva. Insomma, non c'è stato nessun perdono; morale della favola, mio padre ha ripiegato su Libertino perché pover'uomo non si rendeva conto, si credeva che fosse lo stesso, che Libertino fosse come quando uno si chiama Giovanni e lo chiamano Giovannino; ma intanto Libertino io sono rimasto, e tutti quelli che gli capita di gettare un occhio sul mio passaporto o sulla mia patente mi ridono dietro. Anche perché, passa un anno passa l'altro, a girare il mondo cosí come faccio io un po' libertino lo sono poi diventato sul serio, ma questa è un'altra storia, e del resto lei se n'è già accorto da solo. Sono libertino ma non è la mia specialità. Non sono al mondo per questo, anche se poi, se lei mi chiedesse perché sono al mondo, sarei un po' imbarazzato a rispondere.

Mio padre voleva chiamarmi libero perché voleva che io fossi libero. Non è che avesse delle idee politiche, lui di politica aveva solo l'idea di non fare la guerra perché aveva provato; per lui libero voleva dire di non lavorare sotto padrone. Magari dodici ore al giorno in un'officina tutta nera di caligine e col ghiaccio d'inverno come la sua, magari da emigrante o su e giú col carrettino come gli zingari, ma non sotto padrone, non nella fabbrica, non a fare tutta la vita gli stessi gesti attaccato al convogliatore fino che uno non è piú buono a fare altro e gli dànno la liquidazione e la pensione e si siede sulle panchine. Ecco perché era contrario che io andassi alla Lancia, e sotto sotto avrebbe avuto caro che io tirassi avanti con la sua boita e mi sposassi e avessi dei bambini e gli mostrassi l'opera anche a loro. E non creda, io adesso non faccio per dire nel mio mestiere me la cavo, ma se mio padre non avesse insistito, delle volte con le buone e delle volte no, perché dopo la scuola andassi con lui a bottega a girargli la manovella della forgia e imparassi da lui, che dalla lastra di trenta decimi tirava su una mezza sfera giusta come l'oro cosí a occhio, senza neanche la scarsetta, bene, dicevo, non fosse stato di mio

padre, e mi fossi contentato di quello che mi insegnavano
a scuola, garantito che ero attaccato al convogliatore ancora adesso».

Eravamo arrivati ad una radura, e Faussone mi ha fatto
notare, come rigonfiamenti appena percettibili in superficie, i labirinti eleganti delle talpe, punteggiati dai monti-
celli conici di terra fresca espulsa durante i loro turni di
notte. Poco prima mi aveva insegnato a riconoscere i nidi
delle allodole nascosti nelle depressioni dei campi, e mi
aveva indicato un ingegnoso nido di ghiro, a forma di ma-
nicotto, seminascosto fra i rami bassi di un larice. Piú tardi, ha smesso di parlare e mi ha arrestato, ponendo il braccio sinistro davanti al mio petto come una barriera: con la
mano destra indicava un leggero fremere dell'erba, a pochi
passi dal nostro sentiero. Un serpente? No, su un tratto di
terreno battuto è emersa una curiosa piccola processione:
un porcospino avanzava cauto, con brevi arresti e riprese,
e dietro di lui, o di lei, venivano cinque cuccioli, come minuscoli vagoni a rimorchio di una locomotiva-giocattolo. Il
primo stringeva in bocca la coda della guida, ognuno degli
altri, allo stesso modo, stringeva il codino dell'antecedente. La guida si è fermata netta davanti a un grosso scara-
beo, lo ha rivoltato sul dorso con la zampina e lo ha preso
fra i denti: i piccoli hanno rotto l'allineamento e le si sono
affollati intorno; poi la guida è arretrata dietro un cespuglio, trascinandosi dietro tutti i personaggi.

Al crepuscolo il cielo velato si è fatto limpido; quasi ad
un tratto, ci siamo accorti di uno stridore lontano e mesto,
e, come avviene, ci siamo anche accorti di averlo già inteso
prima, senza porvi mente. Si ripeteva ad intervalli quasi
regolari, e non si capiva da quale direzione provenisse, ma
poi abbiamo scoperto, altissimi sopra le nostre teste, gli
stormi ordinati delle gru, uno dopo l'altro, in lunga riga
nera contro il cielo pallido, come se piangessero per aver
dovuto partire.

«... ma ha fatto a tempo a vedermi venire via dalla fabbrica e a incamminare questo mestiere che faccio adesso, e

credo che sia stato contento: non me l'ha mai detto perché non era uno che parlasse tanto, ma me l'ha fatto capire in diverse maniere, e quando ha visto che ogni tanto partivo in viaggio certamente ha avuto invidia, ma un'invidia da persona per bene, non come quando uno vorrebbe le fortune di un altro e siccome non le può avere allora gli manda degli accidenti. A lui un lavoro come il mio gli sarebbe piaciuto, anche se l'impresa ci guadagna sopra, perché almeno non ti porta via il risultato: quello resta lí, è tuo, non te lo può togliere nessuno, e lui queste cose le capiva, si vedeva dalla maniera come stava lí a guardare i suoi lambicchi dopo che li aveva finiti e lucidati. Quando venivano i clienti a portarseli via, lui gli faceva come una carezzina e si vedeva che gli dispiaceva; se non erano troppo lontani, ogni tanto prendeva la bicicletta e andava a riguardarli, con la scusa di vedere se tutto andava bene. E gli sarebbe piaciuto anche per via dei viaggi, perché ai suoi tempi si viaggiava poco, e anche lui aveva viaggiato poco, e malamente. Di quell'anno che aveva passato in Savoia come apprendista, lui diceva che si ricordava solo dei geloni, delle sberle, e delle brutte parole che gli dicevano in francese. Poi è venuta la Russia, da militare, e s'immagini un po' che viaggiare è stato quello. Invece, a lei le sembrerà strano, ma l'anno piú bello della sua vita, me l'ha detto diverse volte, è stato proprio dopo Badoglio, quando i tedeschi li hanno beccati al deposito di Milano, li hanno disarmati, impacchettati nei vagoni bestiame e spediti a lavorare in Germania. Lei si stupisce, neh? Ma avere un mestiere serve sempre.

I primi mesi ha fatto una gran cinghia, e non fa bisogno che queste cose gliele racconti a lei. La firma per andare con la repubblica e tornare in Italia, lui non l'ha voluta fare. Tutto l'inverno ha fatto picco e pala, e non era un bel vivere, anche perché vestiti niente, aveva solo indosso la roba della naia. Lui si era messo in lista come meccanico: aveva già perduto tutte le speranze quando a marzo l'hanno chiamato fuori e messo a lavorare in un'officina di tubisteria, e lí andava già un pochino meglio; ma poi è venuto fuori che cercavano dei macchinisti per le ferrovie, e lui macchinista non era, ma insomma un'idea delle caldaie ce l'aveva, e poi ha pensato che il basto del mulo si aggiusta andando per strada, e ben che non sapeva una parola di tedesco si è fatto avanti, perché quando c'è la fame uno si fa furbo. Ha avuto la fortuna che l'hanno messo alle locomotive a carbone, quelle che a quel tempo tiravano i merci e gli accelerati, e lui si era fatte due morose, una per capolinea. Non che lui fosse uno tanto ardito, ma diceva che era facile, tutti gli uomini tedeschi erano soldati e le donne ti correvano dietro. Può capire che questa storia lui non l'ha mai raccontata chiara perché quando l'han preso prigioniero lui era già sposato e aveva anche un bambino piccolo che sarei poi io: ma alla domenica venivano i suoi amici da noi a bere un bicchiere, e una frasetta qui, un risolino là, un discorso interrotto a mezzo, ci voleva poco a capire, anche perché io vedevo gli amici che ridevano largo cosí e invece mia madre con una faccia tutta tirata, che guardava da un'altra parte e rideva verde.

E io lo capisco, anche, perché è stata l'unica volta in sua vita che ha preso un po' la larga; del resto, se non si trovava le morose tedesche che facevano la borsa nera e gli portavano da mangiare, facile che sarebbe finito tisico anche lui come tanti altri, e per mia madre e per me si sarebbe messa male. Quanto a portare la locomotiva, lui diceva che è piú facile che andare in bici, bastava solo fare attenzione ai segnali, e se veniva un bombardamento frenare, piantare lí tutto e scappare nei prati. C'erano dei problemi solo quando calava la nebbia, oppure quando c'erano gli allarmi e i tedeschi la nebbia la facevano apposta.

In buona sostanza, quando arrivava al capolinea, invece che andare al dormitorio della ferrovia lui si impieniva di carbone le tasche, la borsa e la camicia per regalarlo alla morosa di turno, perché altro da regalare non ne aveva, e quella in cambio gli dava da cena, e lui al mattino ripartiva. Dopo un po' di tempo che faceva questo commercio, è

venuto a sapere che sulla stessa linea combinazione viaggiava anche un altro macchinista italiano, anche lui prigioniero militare, un meccanico di Chivasso; però questo portava i merci che camminano di notte. Si incontravano soltanto qualche volta ai capolinea, ma come erano quasi paesani hanno fatto amicizia lo stesso. Dato che quello di Chivasso non si era organizzato, e faceva la fame perché
mangiava solo la roba che gli passava la ferrovia, mio padre gli ha ceduto una delle sue morose, cosí a fondo perduto per pura amicizia, e da allora si sono sempre voluti bene. Dopo che tutti e due sono tornati, il chivassese veniva
a trovarci due o tre volte all'anno e a Natale ci portava un
tacchino: a poco per volta tutti quanti abbiamo cominciato
a considerarlo come il mio padrino, perché frattanto il mio
padrino vero, quello che faceva le boccole per la Diatto,
era morto. Insomma voleva sdebitarsi, tant'è vero che diversi anni dopo è stato lui che mi ha trovato il posto alla
Lancia e ha convinto mio padre a lasciarmi andare, e piú
tardi mi ha presentato alla prima impresa dove ho lavorato
da montatore, ben che montatore non ero ancora. È ancora vivo e anzi neanche tanto vecchio; è uno in gamba, dopo la guerra si è messo a allevare i tacchini e le galline faraone e si è fatto i soldi.

Invece mio padre si è rimesso a lavorare come prima, a
battere la lastra nella sua officina, un colpo qui e un colpo
là, nel punto preciso, perché la lastra venisse tutta dello
stesso spessore e per spianare le pieghe, lui le chiamava le
veje. Gli avevano offerto dei posti buoni nell'industria, e
piú che tutto nelle carrozzerie, che non era poi un lavoro
tanto diverso: mia madre gliela contava tutti i giorni, di
accettare, perché la paga era buona, e per via della mutua,
della pensione eccetera, ma lui non ci pensava neanche: diceva che il pane del padrone ha sette croste, e che è meglio
essere testa d'anguilla che coda di storione: perché era uno
di quelli che vanno avanti coi proverbi.

Ormai le pentole di rame stagnato non le voleva piú
nessuno perché c'erano in bottega quelle d'alluminio che

costavano di meno, e poi sono venute quelle d'acciaio inossidabile con la vernice che le bistecche non si attaccano, e soldi ne entravano pochi, ma lui di cambiare non se la sentiva e si è messo a fare gli autoclavi per gli ospedali, quelli per sterilizzare i ferri delle operazioni, sempre di rame, ma argentato invece che stagnato. È stato in quel periodo che si era messo d'accordo con i suoi amici per fare quel monumento al panettiere che le ho detto, e quando gliel'hanno rifiutato gli è rincresciuto e si è messo a bere un po' di piú. Non lavorava piú tanto, perché le ordinazioni erano poche, e a tempo perso faceva delle altre cose con una forma nuova, cosí per il piacere di farle, delle mensole, dei vasi per i fiori, ma non li vendeva, li metteva da una parte oppure li regalava.

Mia madre era brava, molto di chiesa, ma mio padre non lo trattava tanto bene. Non gli diceva niente, ma era rustica, e si vedeva che non aveva tanta stima: non si rendeva conto che quell'uomo, finito il suo lavoro, per lui era finito tutto. Non voleva che il mondo cambiasse, e siccome invece il mondo cambia, e adesso cambia in fretta, lui non aveva la volontà di tenere dietro, e cosí diventava malinconico e non aveva piú voglia di niente. Un giorno non è venuto a desinare, e mia madre l'ha trovato morto in officina: col martello in mano, l'aveva sempre detto».

Il vino e l'acqua

Non credevo, a fine settembre, di trovare sul basso Volga un caldo simile. Era domenica, e la foresteria era inabitabile: l'«Administracija» aveva installato in tutte le camere dei patetici ventilatori rumorosi ed inefficienti, ed il ricambio dell'aria era affidato unicamente alla finestrella d'angolo, grande quanto una pagina di giornale. Ho proposto a Faussone di andare al fiume, discenderlo a piedi fino alla stazione fluviale, e prendere il primo battello che fosse capitato; ha accettato e siamo partiti.

Sull'alzaia faceva quasi fresco, e l'impressione di refrigerio era rafforzata dalla inaspettata trasparenza dell'acqua e dal profumo palustre e muschiato che ne emanava. Sulla superficie del fiume spirava una brezza leggera che increspava l'acqua in onde minute, ma ad intervalli la direzione dell'aria si invertiva, ed allora sopravvenivano da terra soffi torridi odorosi di argille calcinate; simultaneamente, sotto il pelo dell'acqua ritornata alla calma si distinguevano le fattezze confuse di case rustiche sommerse. Non erano eventi remoti, mi ha spiegato Faussone, non era stata una punizione divina, né quello un villaggio di peccatori. Era semplicemente l'effetto della diga gigantesca che si intravvedeva al di là del gomito del fiume, costruita sette anni prima, e a monte della quale si era ammassato un lago, anzi un mare, lungo cinquecento chilometri. Faussone ne era fiero come se la diga l'avesse tirata su lui, mentre invece ci aveva solo montato una gru. Anche questa gru stava al centro di una storia: mi ha promesso che un giorno o l'altro me l'avrebbe raccontata.

Siamo arrivati alla stazione fluviale verso le nove. Consisteva di due corpi, uno in muratura costruito sulla riva, l'altro in tavole di legno, praticamente uno zatterone coperto, a galla sull'acqua; fra i due correva un pontile, esso pure di legno, articolato alle due estremità. Non si vedeva nessuno. Ci siamo fermati a consultare un orario, scritto in bella calligrafia ma pieno di cancellature e correzioni, che era incollato alla porta della sala d'aspetto, e poco dopo abbiamo visto arrivare una vecchina. Veniva verso di noi a piccoli passi tranquilli, senza guardarci, perché era intenta a lavorare ai ferri una maglia a due colori; ci ha oltrepassati, ha cavato da un angolo una seggiolina pieghevole, l'ha aperta vicino all'orario, si è seduta distendendo sotto di sé le pieghe della gonna, ed ha continuato a sferruzzare per qualche minuto. Poi ci ha guardati, ha sorriso, e ci ha detto che era inutile studiare quell'orario perché era scaduto.

Faussone le ha chiesto da quando, e lei ha risposto vagamente: da tre giorni, o forse anche da una settimana, e l'orario nuovo non era ancora stato definito, però i battelli andavano lo stesso. Dove volevamo andare? Con imbarazzo, Faussone ha risposto che era tutto uguale, avremmo preso un battello qualunque, purché ritornasse in serata: volevamo soltanto prendere un po' di fresco e fare una gita sul fiume. La vecchina ha annuito con gravità, e poi ci ha fornito la preziosa informazione che un battello sarebbe arrivato di lí a poco, e sarebbe ripartito subito per Dubrovka. Quanto lontano? Non tanto, un'ora di viaggio, o forse anche due: ma che cosa ce ne importava? ci ha chiesto con un altro luminoso sorriso. Forse che non eravamo in vacanza? Bene, Dubrovka era proprio il posto che ci voleva per noi, c'erano boschi, prati, ci si poteva comprare burro, formaggio e uova, e ci abitava anche sua nipote. Volevamo i biglietti di prima classe o di seconda? La bigliettaria era lei.

Ci siamo consultati ed abbiamo optato per la prima; la vecchietta ha posato il lavoro, è sparita per una porticina

ed è riapparsa dietro uno sportello; ha frugato nel cassetto
e ci ha dato i due biglietti, che anche se di prima classe costavano molto poco. Attraverso il pontile snodato ci siamo
portati sullo zatterone e ci siamo messi in attesa. Anche lo
zatterone era deserto, ma poco dopo è arrivato un giovane
alto e magro, e si è seduto sulla panchina non lontano da
noi. Era vestito semplicemente, con una giacca logora e
rappezzata sui gomiti, e una camicia aperta sul petto; non
aveva bagaglio (come noi, del resto), fumava una sigaretta
dopo l'altra, ed osservava Faussone con curiosità. «Mah?
Si sarà accorto che siamo forestieri», ha detto Faussone;
ma dopo la terza sigaretta il giovane si è avvicinato, ci ha
salutati, e gli ha rivolto la parola, naturalmente in russo.
Dopo un breve colloquio, l'ho visto impadronirsi della mano di Faussone e stringerla con calore, anzi, manovrarla
energicamente a cerchio come se fosse stata la manovella
delle vecchie auto che non avevano il motorino d'avviamento. «Garantito che io non l'avrei riconosciuto, – mi
ha detto Faussone: – è uno dei manovali che mi avevano
aiutato a montare la gru della diga, sei anni fa. Ma adesso
che ci penso mi par bene di ricordarmi, perché c'era un gelo da spaccare le pietre e lui non faceva neanche una piega;
lavorava senza i guanti e era vestito preciso come adesso».

Il russo sembrava felice come se avesse ritrovato un fratello; Faussone invece non aveva smesso il suo riserbo, e
stava a sentire il prolisso discorso dell'altro come se ascoltasse il bollettino del tempo alla radio. Parlava con foga ed
io lo seguivo con difficoltà, ma mi sono accorto che nel suo
dire ricorreva con frequenza la parola «ràsnitsa», che è fra
le poche che io conosco, e significa «differenza». «È il suo
nome, – mi ha spiegato Faussone: – si chiama proprio cosí, Differenza, e mi sta spiegando che in tutto il Basso Volga con questo nome c'è solo lui. Dev'essere un bel tipo».
Differenza, dopo aver frugato in tutte le tasche, ha cavato
fuori un tesserino unto e spiegazzato, e ha fatto vedere a
Faussone ed a me che la foto era proprio la sua, e il nome
quello, Nikolaj M. Ràsnitsa. Subito dopo ha dichiarato

che noi eravamo suoi amici, anzi suoi ospiti: infatti, per una fortunata combinazione quel giorno era il suo compleanno, e lui si preparava appunto a festeggiarlo con una gita sul fiume. Benissimo, saremmo andati insieme a Dubrovka; lui stava aspettando il battello, e sul battello c'erano due o tre suoi compaesani, anche loro per fargli festa. A me la prospettiva di un incontro russo, un po' meno formalistico di quelli che avvenivano sul lavoro, non era sgradita, ma ho visto dipingersi un velo di diffidenza sul viso di Faussone, di solito cosí poco espressivo; e poco dopo, da un angolo della bocca, mi ha soffiato: «Qui si mette male».

Il battello è arrivato, provenendo dalla parte della diga, e noi due abbiamo cavato i biglietti per il controllo; Differenza, contrariato, ci ha detto che avevamo fatto molto male a prendere i biglietti, tanto piú in quanto erano di prima classe e di andata e ritorno: non eravamo suoi ospiti? Il viaggio ce lo avrebbe offerto lui, era amico del capitano e di tutto l'equipaggio, e su quella linea il biglietto non lo pagava mai, né lui né i suoi invitati. Ci siamo imbarcati, ed anche il battello era deserto, ad eccezione dei due compari di Differenza, che stavano seduti su una delle panchine del ponte. Erano due omoni dalle facce patibolari, quali io non ne avevo mai viste da nessuna parte, né in Russia né altrove, salvo che in qualche Western all'italiana: uno era obeso, e portava i pantaloni sospesi ad una cinta serrata stretta al di sotto della pancia; l'altro era piú magro, aveva la faccia butterata dal vaiolo, e chiudeva le mascelle con gli incisivi inferiori davanti ai superiori; questa particolarità gli conferiva un aspetto da cane mastino che contrastava con gli occhi, anch'essi vagamente canini, ma di un tenero color nocciola. Tutti e due puzzavano di sudore ed erano ubriachi.

Il battello è ripartito. Differenza ha spiegato agli amici chi eravamo noi, e loro hanno detto che andava benissimo, piú si era e piú allegri si stava. Mi hanno obbligato a prendere posto fra loro due, e Faussone si è seduto accanto a

Differenza sulla panchina di fronte. L'obeso aveva con sé un pacco di carta da giornale, accuratamente legato con spago; lo ha sciolto, e dentro c'erano diverse pagnotte campagnole imbottite di lardo. Le ha offerte in giro, poi è sceso non so dove sotto il ponte, ed è risalito reggendo per il manico un secchiello di latta, palesemente un contenitore di vernice riattato; ha cavato di tasca un bicchiere d'alluminio, lo ha riempito col liquido che stava nella latta, e mi ha invitato a bere. Era un vino dolciastro e molto forte, simile al marsala, ma piú aspro e come spigoloso: per il mio gusto era decisamente cattivo, ed ho visto che anche Faussone, che è un conoscitore, non ne era entusiasta. Ma i due erano indomabili: nella latta c'erano almeno tre litri di mistura, e loro hanno dichiarato che dovevamo farla fuori tutta nel viaggio di andata, se no che compleanno sarebbe stato? E che poi, «niè stražno», niente paura, a Dubrovka ne avremmo trovato dell'altra ancora piú buona.

Nel mio scarso russo, ho cercato di difendermi: che il vino era buono ma a me bastava, che non ero abituato, che ero gravemente ammalato, al fegato, alla pancia, ma non c'è stato verso: i due, a cui si era aggiunto Differenza, hanno sfoderato una convivialità compulsiva che confinava con la minaccia, e mi è toccato bere e bere ancora. Faussone beveva anche lui, ma era meno in pericolo di me, perché tiene bene il vino, e perché, parlando meglio il russo, poteva accampare argomenti piú articolati o deviare il discorso. Non mostrava alcun segno di disagio; discorreva e beveva, ogni tanto il mio occhio sempre piú offuscato incontrava un suo sguardo clinico, ma, fosse distrazione o un deliberato intento di primato, non ha fatto per tutto il viaggio alcun tentativo di venire in mio soccorso.

A me il vino non ha mai giovato. Quel vino, in specie, mi ha affondato in una sgradevole condizione umiliata e impotente: non avevo perduto la lucidità, ma sentivo via via indebolirsi la facoltà di reggermi in piedi, per cui paventavo il momento in cui avrei dovuto alzarmi dalla panchina; percepivo la lingua sempre piú legata; soprattutto, mi si era fastidiosamente ristretto il campo visivo, ed assistevo al solenne dipanarsi delle due rive del fiume come attraverso un diaframma, o meglio come se avessi davanti agli occhi uno di quei minuscoli binocoli teatrali che usavano il secolo scorso.

Per tutti questi motivi combinati, non ho serbato una memoria precisa del tragitto. A Dubrovka le cose sono andate un po' meglio; il vino era finito, tirava un buon vento fresco con odore di fieno e di stalla, e dopo i primi passi esitanti mi sono sentito rinfrancato. Sembrava che da quelle parti fossero tutti parenti: è venuto fuori che la nipote della bigliettaria era sorella del compare butterato, era ora di pranzo ed ha voluto a tutti i costi che andassimo anche noi a mangiare da loro. Abitava col marito vicino al fiume, in una casetta di legno minuscola, dipinta di celeste, con i frontoni delle porte e delle finestre lavorati a intaglio. Davanti c'era un orticello con cavoli verdi, gialli e viola, ed il tutto faceva pensare alla dimora delle fate.

L'interno era scrupolosamente pulito. Le finestre, ed anche le porte divisorie, erano riparate da cortine di pizzo a rete, lunghe dal soffitto al pavimento, ma il soffitto non era piú alto di due metri. Ad una parete erano appese, fianco a fianco, due icone di cartone e (nello stesso formato) la fotografia di un ragazzo in divisa militare col petto costellato di medaglie. Il tavolo era coperto da una tela incerata, con sopra una zuppiera fumante, un grosso pane di segala dalla crosta scura e rugosa, quattro coperti e quattro uova sode. La nipote era una contadina robusta sulla quarantina, dalle mani rozze e dallo sguardo gentile: portava i capelli bruni coperti da un fazzoletto bianco legato sotto la gola. Accanto a lei sedeva il marito, un uomo anziano, dai corti capelli grigi appiccicati al cranio dal sudore della giornata; aveva il viso scarno ed abbronzato, ma la fronte era pallida. Di fronte, sedevano due bambini biondi, apparentemente gemelli, che sembravano impazienti di dare inizio al pranzo, ma aspettavano che i genitori ingoiassero la prima cucchiaiata; si sono affrettati a disporre altri quattro coperti per noi, di modo che siamo rimasti un po' pigiati.

Io non avevo appetito, ma per non apparire scortese ho assaggiato un poco di zuppa; la padrona mi ha rimproverato con severità materna, come si farebbe con un bambino viziato: voleva sapere da me perché «mangiavo male». Faussone, in un rapido *a parte*, mi ha spiegato che in russo dire mangiare male è tanto come dire mangiare poco, allo stesso modo come da noi si dice mangiare bene invece che mangiare tanto. Io mi sono difeso come potevo, a gesti, smorfie e parole monche, e la signora, piú discreta dei nostri due compagni di viaggio, non ha insistito.

Il battello ripartiva verso le quattro. Oltre al nostro gruppo, c'era a bordo un solo passeggero schiuso chissà di dove, un ometto smilzo e stracciato, dalla barba breve e rada ma incolta e dall'età indefinibile; aveva occhi limpidi ed insensati ed un solo orecchio: l'altro era ridotto a un brutto foro carnoso, da cui partiva una cicatrice diritta lunga fino al mento. Era anche lui amico fraterno di Differenza e degli altri due, e con noi italiani si è mostrato di ospitalità squisita: ha insistito per farci visitare il battello da prua a poppa, senza trascurare né la sentina dal soffocante puzzo di muffa, né le latrine che preferisco non descrivere. Appariva insulsamente fiero di ogni dettaglio, dal che abbiamo dedotto che fosse un marinaio in pensione, o forse un ex operaio del cantiere navale: ma parlava con un accento cosí inusitato, con una tale prevalenza delle *o* sulle *a*, che anche Faussone ha rinunciato a fargli domande, tanto in ogni modo le risposte non le avrebbe capite. I suoi amici lo chiamavano «Grafinia», «Contessa», e Differenza ha spiegato a Faussone che era veramente un conte, e che durante la rivoluzione era scappato in Persia e aveva cambiato nome, ma il suo racconto non ci è parso né chiaro né convincente.

Aveva ricominciato a fare caldo, e la riva sinistra del fiume, lungo la quale il battello navigava, era gremita di bagnanti: per lo piú erano famiglie intere, che mangiavano e bevevano, diguazzavano nell'acqua o si arrostivano al so-

le su coperte stese sulla sponda polverosa. Alcuni, uomini
e donne, portavano pudichi costumi che scendevano dal
collo fino ai ginocchi; altri erano nudi, e si aggiravano attraverso la folla con naturalezza. Il sole era ancora alto: a
bordo non c'era niente da bere, neppure acqua, e anche il
triste vino dei nostri compagni era finito. Il conte era sparito, e gli altri tre russavano, sdraiati scompostamente sulle panchine. Io ero assetato ed accaldato; ho proposto a
Faussone, una volta che fossimo sbarcati, di cercarci una
qualche spiaggia isolata, spogliarci e fare una nuotata anche noi. Faussone ha taciuto per qualche istante, poi mi ha
risposto di malumore:

«Lo sa bene che io non so nuotare. Gliel'ho detto quella
volta che le ho raccontato del derrick e dell'Alasca. E che
l'acqua mi fa impressione. E non vorrà mica che mi metta
a imparare qui, in quell'acqua che magari è pulita ma è piena di correntini, e non c'è neanche un bagnino, e poi non
sono piú tanto giovane.

Il fatto è che da piccolo nessuno mi ha insegnato, perché dalle nostre parti acqua da nuotare non ce n'è; e quel-
l'unica volta che avevo l'occasione, mi è andata male. Avevo incominciato, imparavo da solo, avevo il tempo e la
buona volontà, e mi è andata male. È stato diversi anni fa,
in Calabria, quando facevano l'autostrada, e mi avevano
mandato laggiú con il gruista, io a montare il traliccio di
varo, e lui a imparare a manovrarlo. Non lo sa che cosa è
un traliccio di varo? Neanche io non lo sapevo, a quel tempo: è una maniera intelligente di fare i ponti di cemento
armato, quelli che a vederli sembrano cosí semplici, coi piloni a sezione rettangola e sopra le travi appoggiate. Sono
semplici di figura, ma metterli su non è tanto semplice, come tutte quelle cose che il pesantore ce l'hanno in alto, come chi dicesse i campanili eccetera; si capisce che fare le
piramidi d'Egitto è un'altra cosa. Del resto, appunto, al
paese di mio padre c'era un proverbio che diceva "i ponti
e i campanili lasciali fare ai vicini", che in dialetto fa rima.

Insomma, si immagini una valle un po' stretta, una strada che la deve attraversare in quota, e i piloni già fatti, diciamo a una cinquantina di metri uno dall'altro. Sa, quelli centrali possono anche essere alti sessanta o settanta metri, cosí non è questione di tirare su le travi con una gru, a parte il fatto che mica sempre il terreno sotto è praticabile; e in quel posto che le dicevo, appunto in Calabria, non lo era proprio niente, era la foce di uno di quei loro torrenti che ci passa l'acqua solo quando piove, cioè quasi mai, ma quando passa porta via tutto. Un greto di sabbia e di rocchi, neanche pensarci di piantarci su una gru; il pilone di mezzo era già di qualche metro dentro il mare. Bisogna anche pensare che una trave di quelle non è mica uno stecchino da pulirsi i denti, è un mastangone lungo come è largo corso Stupinigi, che pesa cento o anche centocinquanta tonnellate; e io non è che nelle gru non ci abbia fiducia, perché in fondo è il mio mestiere, ma una gru che alzi cento tonnellate a settanta metri hanno ancora da inventarla. Cosí hanno inventato il traliccio di varo.

Adesso non ho qui sottomano una matita, ma lei deve immaginarsi un carrello lungo, tanto lungo che si può solo montarlo su piazza, che era appunto il mestiere che dovevo fare io; per la precisione, lungo in maniera che appoggi sempre almeno su tre piloni. Nel nostro caso, tenuto conto dello spessore dei piloni, fa poco meno di centocinquanta metri. Ecco, questo è un traliccio di varo, e lo chiamano cosí perché serve a varare le travi: dentro al traliccio ci sono due rotaie, per tutta la sua lunghezza; sulle rotaie corrono due carrelli piú piccoli e ognuno porta un argano. La trave è per terra, in qualunque posto sotto il percorso del traliccio: i due argani lo tirano su fin dentro il traliccio, e poi il traliccio cammina, si avvia piano piano come un bruco e viaggia su dei rulli che sono piazzati sulla testata dei piloni; viaggia con dentro la trave, che fa pensare a una bestia gravida, viaggia di pilone in pilone finché è arrivato al posto giusto, e lí gli argani girano a rovescio e il traliccio partorisce la trave, voglio dire che la cala giú di precisione nei suoi incastri. Io l'ho visto fare, e era un bel lavoro, di quelli che dànno soddisfazione perché si vedono le macchine lavorare liscio, senza sforzare e senza fare rumore; del resto, non so perché, ma vedere delle cose grosse che camminano piano e senza fracasso, come per esempio una nave quando parte, mi ha sempre fatto effetto, e mica solo a me, anche degli altri me lo hanno raccontato. Quando poi il ponte è finito, il traliccio si smonta, si porta via coi camion e serve per un'altra volta.

Questo che le dico sarebbe l'ideale, cioè come il lavoro avrebbe dovuto andare, mentre invece è subito partito male. Non sto a fargliela lunga, ma tutti i momenti c'era grana, a cominciare dai profilati che dovevo montare io, cioè i segmenti del traliccio che le ho detto, che non erano a specifica e abbiamo dovuti rifilarli tutti, uno per uno. Può capire che io ho protestato, anzi mi sono impuntato: sarebbe bella che uno dovesse pagare per gli sbagli degli altri, e un montatore mettersi lí a trafficare col seghetto e con la lima. Sono andato dal capocantiere e gliel'ho cantata chiara: tutti i pezzi a norma, bene accatastati per ordine a piè d'opera, se no niente Faussone, che se ne andassero a cercare un altro per le Calabrie; perché a questo mondo, se uno si lascia bagnare il naso è finito».

Io continuavo a provare la tentazione dell'acqua, rinnovata ad ogni momento dallo sciacquio delle piccole onde contro la chiglia, e dalle grida felici dei bambini russi, biondi solidi e radiosi, che si rincorrevano a nuoto e si tuffavano come lontre. Non avevo capito la correlazione fra il traliccio di varo e il suo rifiuto dell'acqua e del nuoto, e gliene ho chiesto cautamente conto. Faussone si è rabbuiato:

«Lei non mi lascia mai raccontare alla mia maniera», e si è chiuso in un silenzio corrucciato. Il rimprovero mi è sembrato (e mi sembra tuttora) del tutto fuori luogo, perché lo ho sempre lasciato parlare come voleva e per tutto il tempo che voleva, e del resto il lettore ne è testimone; ma ho taciuto per amor di pace. Il nostro doppio silenzio è stato drammaticamente interrotto. Sulla panchina accanto, il signor Differenza si è svegliato, si è stirato, si è guardato intorno sorridendo, ed ha cominciato a spogliarsi. Quando è stato in mutande, ha svegliato il suo amico obeso e gli ha consegnato il fagotto dei suoi vestiti, ci ha salutati urbanamente, ha scavalcato la ringhiera e si è buttato nel fiume. Con poche energiche bracciate si è portato fuori dal risucchio dell'elica, poi, nuotando con tutta calma su un fianco, si è diretto verso un gruppetto di case bianche da cui si dipartiva un molo di legno. L'obeso si è subito riaddormentato, e Faussone ha ripreso il racconto.

«Ecco, ha visto? Bene, a me fa rabbia, perché io non sarei buono, non sarò mai buono a fare una cosa come quella: perché il traliccio con il nuotare c'entra sí, ha solo da avere pazienza che adesso il rapporto viene fuori. Deve sapere che a me stare sui cantieri mi piace, basta che tutto fili come deve, e invece quel capocantiere mi faceva venire il nervoso perché era uno di quelli che se ne fregano, basta che gli arrivi la paga a fine mese, e non si rendono conto che se uno se ne frega troppo magari poi la paga non viene, né per lui né per gli altri. Era uno piccolino, con le mani molli, e i capelli pettinati con la brillantina e la riga in mezzo: biondi, che non sembrava neanche un calabrese, e invece sembrava un galletto da tanto che era superbo. E siccome lui mi ha risposto, io gli ho detto che andava giusto bene, se non c'era la collaborazione per me andava benissimo lo stesso, il tempo era bello, c'era il sole, c'era il mare lí a due passi, io le ferie al mare non le avevo fatte mai, bene, mi mettevo in ferie finché lui non mi avesse prontato tutti i segmenti del mio traliccio dal primo all'ultimo. Ho fatto il telegramma all'impresa, e siccome era convenienza anche per loro, mi hanno subito risposto di sí; e mi sembra che sono stato corretto, non le pare?

Per fare le ferie non mi sono neanche mosso da quel posto, per ripicca, perché volevo tenere d'occhio il cantiere, e perché tanto non c'era bisogno: mi sono messo a pensione in una casetta a neppure cento metri dai piloni di cemento. Dentro ci stava una famiglia di brava gente, anzi,

pensavo proprio a loro poco fa a Dubrovka mentre eravamo a pranzo, perché la brava gente si somiglia dappertutto, e poi lo sanno tutti che fra i russi e i calabresi non c'è
tanta differenza. Erano bravi, puliti, rispettosi e di buon
umore; il marito faceva un mestiere strano, cioè aggiustava
i buchi delle reti da pesca, la moglie teneva la casa e l'orto,
e il bambino non faceva niente, ma era simpatico lo stesso.
Io anche non facevo niente; di notte dormivo come un pa-
pa, in un silenzio che si sentivano solo le onde del mare, e
di giorno prendevo il sole come un turista, e mi ero messo
in mente che quella era l'occasione giusta per imparare a
nuotare.

Glielo dicevo prima, che lí non mi mancava niente.
Avevo tempo da vendere, nessuno che mi stesse a guardare o che mi disturbasse o che mi prendesse in giro perché
imparavo a nuotare a quasi trent'anni, il mare era tranquillo, c'era una bella spiaggetta per riposarsi, e anche sul fondo non c'erano scogli, ma solo una sabbia fina e bianca, liscia come la seta, appena appena in pendenza in maniera
che si poteva andare avanti quasi cento metri e si toccava
ancora, l'acqua arrivava solo alle spalle. Con tutto questo,
io glielo confesso che ero pieno di paura; non paura nella
testa, non so se mi spiego, ma paura nella pancia e nei ginocchi, paura insomma come ce l'hanno le bestie, ma io
sono anche un testone, lei se n'è già accorto, e allora mi sono fatto un programma. Prima cosa, dovevo farmi andar
via la paura dell'acqua; poi, dovevo convincermi che stavo
a galla, ci stanno tutti, anche i bambini, anche le bestie,
perché non dovevo starci io? Alla fine, poi dovevo imparare l'avanzamento. Non mi mancava niente, neanche la
programmazione, eppure non ero in pace come dovrebbe
essere uno che stava in vacanza; mi sentivo dentro come
qualche cosa che grattava, era tutto un po' combinato
insieme, il rosicchiamento per il lavoro che non andava
avanti, la rabbia contro quel capocantiere che non mi andava, e anche un'altra paura, che sarebbe quella di uno che
si mette in mente di fare una cosa e poi non è capace di

farla e allora perde la fiducia, cosí sarebbe meglio se non incamminasse neanche, ma siccome è testone incammina lo stesso. Adesso sono cambiato un poco, ma allora ero cosí.

Vincere la paura dell'acqua è stato il lavoro piú brutto, anzi devo dire che non l'ho vinta per niente, soltanto mi sono abituato. Ci ho messo due giorni: mi mettevo in piedi con l'acqua fino al petto, tiravo su il fiato, mi turavo il naso con le dita e poi mettevo la testa sott'acqua. Le prime volte era una morte, lo dico sul serio, mi sembrava di morire; non so se ce lo abbiano tutti, ma io avevo come un meccanismo automatico, appena avevo la testa dentro mi si chiudevano tutte le serracinesche qui nella gola, mi sentivo entrare l'acqua dentro le orecchie e mi pareva che colasse per quei due canalini fin dentro il naso, giú nel collo e nei polmoni, e mi facesse annegare. Cosí ero obbligato a alzarmi, e mi veniva quasi voglia di ringraziare il Padreterno perché ha separato l'acqua dall'asciutto, come è scritto nella Bibbia. Non era neanche una paura, era un orrore, come quando uno vede un morto all'improvviso e gli si drizzano tutti i peli: ma non anticipiamo, e insomma mi sono abituato.

Stare a galla, poi, ho visto che era una faccenda a due indritti. Avevo visto diverse volte come fanno gli altri, quando si mettono a fare il morto: ho provato anch'io, e galleggiavo, niente da dire, solo che per galleggiare mi dovevo riempire i polmoni d'aria, come quei cassoni dell'Alasca che le ho raccontato; e uno non può mica stare sempre con i polmoni pieni, viene un momento che li deve pure vuotare, e allora mi sentivo affondare come i cassoni quando è stata l'ora di rimorchiarli via, e ero obbligato a tirare calci nell'acqua piú presto che potevo, sempre con il fiato sospeso, finché sentivo la terra sotto i piedi; allora mi mettevo dritto respirando fitto fitto come un cane, e mi veniva voglia di piantare lí. Ma sa come succede quando uno incontra una difficoltà e allora gli pare come se avesse fatto una scommessa e gli spiace di perderla: a me capitava

cosí, e del resto mi succede anche sul lavoro, magari pianto
lí un lavoro facile ma non uno difficile. Tutto il guaio viene dal fatto che abbiamo le condotte dell'aria dalla parte
sbagliata: i cani, e ancora meglio le foche, che le hanno
dalla parte giusta, nuotano fin da piccoli senza fare storie
e senza che nessuno gli insegni. Cosí mi sono rassegnato,
per quella prima volta, a imparare a nuotare sulla schiena:
mi sarei contentato, anche se non mi sembrava tanto naturale, ma se uno sta in acqua sulla schiena ha il naso fuori, e
allora teoricamente respira. Da principio respiravo piccolo, in modo da non vuotare troppo i cassoni, poi ho au-
mentato la corsa poco per volta, finché mi sono convinto
che si poteva anche respirare senza affondare, o almeno
senza affondare il naso che è il piú importante. Però bastava che arrivasse un'ondina alta cosí che mi riprendeva la
paura e perdevo la bussola.

Facevo tutti i miei esperimenti, e quando mi sentivo
stanco o senza fiato andavo a riva e mi stendevo a prendere il sole vicino al pilone dell'autostrada; ci avevo anche
piantato un chiodo per appenderci i vestiti, se no si riempivano di formiche. Gliel'ho detto, erano piloni alti una
cinquantina di metri, o forse anche di piú: erano di cemento nudo, con ancora lo stampo delle casseforme. A un due
metri da terra c'era una macchia, e le prime volte non ci ho
fatto neanche caso; una notte ha piovuto, e la macchia è
venuta fuori piú scura, ma anche quella volta non ci ho fatto caso. Certo che era una macchia strana: c'era solo quella, tutto il resto del pilone era pulito, e anche gli altri piloni. Era lunga un metro, quasi divisa in due pezzi, uno lungo e uno corto, come un punto esclamativo, solo un poco
di sbieco».

Ha taciuto a lungo, strofinando le mani come se le la-
vasse. Si sentiva distinto il battito del motore, e già si distingueva in lontananza la stazione fluviale.

«Senta, non mi piace dire le bugie. Esagerare un poco
sí, specie quando racconto del mio lavoro, e credo che non
sia peccato, perché tanto chi sta a sentire si accorge subito.

Bene, un giorno mi sono accorto che per traverso della macchia c'era una crepa, e una processione di formiche che entravano e uscivano. Mi è venuta la curiosità, ho battuto con un sasso e ho sentito che suonava cavo. Ho battuto piú forte, e il cemento era solo spesso un dito e si è sfondato; e dentro c'era una testa di morto.

Mi è sembrato che mi avessero sparato negli occhi, tanto che ho perso l'equilibrio, ma era proprio lí, e mi guardava. Subito dopo mi è venuta una malattia strana, mi sono uscite delle croste qui sulla vita, che mi smangiavano, cadevano e venivano fuori delle altre: ma io sono stato quasi contento perché avevo la scusa di piantare lí tutto e tornare a casa. Cosí a nuotare non ho imparato, né allora né dopo, perché tutte le volte che mi mettevo in acqua, fosse mare, o fiume, o lago, mi venivano dei brutti pensieri».

Il ponte

«... invece, quando mi hanno proposto di andare in India, non avevo tanta propensione. Non che ne sapessi tanto, dell'India: sa bene come si fa in fretta a farsi le idee sbagliate su un paese, e siccome il mondo è grande, e è tutto fatto di paesi, e praticamente uno non lo può girare tutto, finisce che uno si riempie di idee balorde su tutti i paesi, magari anche sul suo. Tutto quello che sapevo dell'India, glielo posso dire in due parole: che fanno troppi bambini, che muoiono di fame perché hanno la religione di non mangiare le mucche, che hanno ammazzato Gandi perché era troppo bravo, che è piú grande dell'Europa e parlano non so piú quante lingue, e allora in mancanza di meglio si sono messi d'accordo di parlare inglese; e poi quella storia di Movgli il Ranocchio, che quando ero piccolo credevo che fosse vera. Ah dimenticavo il fatto del Camasutra e dei centotrentasette modi di fare l'amore, o forse sono duecentotrentasette, non mi ricordo piú bene, l'ho letto una volta su una rivista mentre aspettavo di farmi tagliare i capelli.

Insomma quasi quasi avrei preferito restare a Torino: in quel periodo stavo in via Lagrange da quelle mie due zie, qualche volta invece di andare alla pensione vado da loro perché mi trattano bene, fanno cucina apposta per me, al mattino si alzano zitte zitte per non che io mi svegli, e vanno alla prima messa e a comperarmi le micchette ancora calde del forno. Hanno solo il difetto che vorrebbero che io mi maritassi, e fin qui niente di male; ma hanno la mano pesante, e mi fanno incontrare con delle ragazze che non sono tanto il mio tipo. Non ho mai capito dove vanno a trovarle: forse nei collegi delle monache, si somigliano tutte, sembrano di cera, gli parli e non si osano neanche di levarti gli occhi in faccia: mi dànno un imbarazzo terribile, non so da che parte incominciare e divento imbranato tal quale come loro. Cosí succede che delle altre volte che vengo a Torino, con le zie mi faccio neanche vivo e vado diretto alla pensione: anche per non dare disturbo.

Le dicevo allora che era un periodo che io ero un po' stanco di girare, e malgrado questa smania delle zie sarei rimasto tranquillo volentieri; ma all'impresa me l'hanno contata soave, conoscono il mio lato debole e sanno da che parte bisogna prendermi, che era un lavoro importante, che se non ci andavo io non sapevano chi altro mandare; dài oggi e dài domani, mi telefonavano tutti i giorni, io poi gliel'ho già detto che non tengo il minimo e che in città ci sto bene solo per poco tempo, sta di fatto che a fine febbraio ho cominciato a pensare che è meglio frustare le scarpe che i lenzuoli, e al primo di marzo ero a Fiumicino che mi imbarcavo sul Boeing tutto giallo delle linee aeree pachistane.

È stato un viaggio tutto da ridere: sto per dire che l'unico viaggiatore serio ero io. Metà erano turisti tedeschi e italiani, tutti gasati fin dalla partenza all'idea di andare a vedere la danza indiana perché credevano che fosse la danza del ventre, mentre invece io poi l'ho vista e è una faccenda tutta compunta, che si balla solo con gli occhi e con le dita; l'altra metà invece erano operai pachistani che tornavano a casa dalla Germania, con le mogli e i figli piccoli, e anche loro erano contenti, perché appunto tornavano a casa a fare le ferie. C'erano anche delle operaie, anzi proprio sul sedile vicino al mio c'era una ragazza con un sari viola, il sari sarebbe quel loro vestito senza maniche, senza davanti e senza didietro, una ragazza dicevo che era una bellezza. Non so come dire, sembrava trasparente e con un chiarino dentro, e aveva degli occhi che parlavano; pec-

cato che parlava solo con gli occhi, voglio dire che sapeva
solo l'indiano e un poco di tedesco, ma io il tedesco non ho
mai voluto impararlo: se no avrei attaccato discorso volentieri, e garantito che sarebbe stata una conversazione piú
viva che con quelle ragazze delle mie zie, che sia detto senza offendere sono poi tutte piatte come se ci fosse passato
san Giuseppe. Be' sorvoliamo: anche perché, non so se capita anche a lei, ma a me le ragazze piú sono forestiere e
piú mi piacciono, perché c'è la curiosità.

    I piú allegri di tutti erano poi i bambini. Ce n'era un
bordello e mezzo, e non avevano il posto a sedere, credo
che quelle linee lí non gli facciano neanche pagare il biglietto. Erano scalzi e chiacchieravano fra di loro come
tanti passerotti, e giocavano a nascondersi sotto i sedili,
cosí ogni tanto te ne spuntava uno in mezzo alle gambe, ti
faceva un sorrisino e scappava subito via. Quando l'aereo
è stato sopra il Caucaso c'erano dei vuoti d'aria, e i passeggeri grandi chi aveva paura e chi si sentiva male. Invece loro hanno inventato un gioco nuovo: appena l'aereo virava
un poco a sinistra, e si inclinava a sinistra, loro facevano
un grido tutti insieme e si buttavano tutti a sinistra contro
i finestrini; e poi a destra lo stesso, tanto che il pilota si è
accorto che l'apparecchio sbandava e da principio non capiva perché e credeva che ci fosse un guasto; poi si è accorto che erano loro e ha chiamato la hostess e li ha fatti stare
quieti. È la hostess che me l'ha raccontato, perché il viaggio era lungo e abbiamo fatto amicizia: anche lei era bella
e aveva una perlina infilata in un'aletta del naso. Quando
ha portato il vassoio col mangiare, c'erano solo come delle
pomate bianche e gialle che facevano senso, ma pazienza,
le ho mangiate lo stesso perché lei mi guardava e io non
volevo fare il difficoltoso.

    Sa come succede quando si sta per atterrare, che i moto-
ri rallentano un poco, l'apparecchio si inclina in avanti e
sembra un grosso uccello stracco, poi scende sempre di
piú, si vedono i lumi del campo, e quando poi escono gli
alettoni e si alzano i diruttori vibra tutto e sembra come se

l'aria fosse diventata ruvida: è stato cosí anche quella volta, ma è stato un brutto atterraggio. Si vede che dalla torre non davano il consenso, perché abbiamo cominciato a girare in tondo; e o che ci fossero delle turbolenze, o che il pilota non fosse tanto bravo, o che ci fosse qualche difetto, l'aereo tremolava come se volasse sui denti di una sega, e dal finestrino io vedevo le ali che battevano come quelle degli uccelli, appunto, come se fossero snodate; e è andata avanti cosí per una ventina di minuti. Non è che io fossi preoccupato, perché lo so che delle volte succede: ma mi è tornato in mente piú tardi, quando al ponte è successo quello che è successo. Basta, come Dio ha voluto siamo atterrati, i motori si sono smorzati e hanno aperto le portiere: ebbene, quando le hanno aperte è sembrato che invece dell'aria fosse entrata in cabina dell'acqua tiepida con un odore speciale, che è poi l'odore che in India si sente dappertutto: un odore spesso, un misto d'incenso, di cannella, di sudore e di marcio. Io non avevo tanto tempo da perdere, ho recuperato la valigia e sono filato a prendere il piccolo Dakota che mi doveva portare al cantiere, e fortuna che era quasi buio perché faceva paura a vederlo; quando poi è decollato, anche senza vederlo faceva ancora piú paura, ma tanto non c'era piú niente da fare, e del resto era un viaggio corto. Sembrava le auto dei film di Ridolini: ma io vedevo che gli altri erano tranquilli, e cosí sono rimasto tranquillo anch'io.

Ero tranquillo, e contento perché stavo per arrivare, e perché si trattava di incamminare un lavoro che mi andava. Non gliel'ho ancora detto, era un gran lavoro, c'era da montare un ponte sospeso, e io ho sempre pensato che i ponti è il piú bel lavoro che sia: perché si è sicuri che non ne viene del male a nessuno, anzi del bene, perché sui ponti passano le strade e senza le strade saremmo ancora come i selvaggi; insomma perché i ponti sono come l'incontrario delle frontiere e le frontiere è dove nascono le guerre. Bene, io sui ponti la pensavo cosí, e in fondo la penso cosí ancora adesso; ma dopo che ho montato quel ponte in India,

penso anche che a me sarebbe piaciuto studiare; che se
avessi studiato probabile che avrei fatto l'ingegnere; ma se
io fossi un ingegnere, l'ultima cosa che farei sarebbe di
progettare un ponte, e l'ultimo ponte che progetterei sarebbe un ponte sospeso».

Ho fatto notare a Faussone che il suo discorso mi sembrava un po' contraddittorio, e lui mi ha confermato che
lo era; che però prima di giudicare aspettassi la fine della
storia; che succede sovente che una cosa sia buona in generale e cattiva nel particolare; e che quella volta era stato
proprio cosí.

«Il Dakota è atterrato in una maniera che non avevo
ancora mai visto, e sí che di voli ne ho fatti diversi. Quando è stato in vista del campo, il pilota è sceso raso terra,
ma invece di rallentare i motori ha dato tutto il gas facendo un fracasso del demonio; ha passato tutto il campo a
due o tre metri di altezza, ha cabrato proprio sopra le baracche, ha fatto un giro a bassa quota, e poi è atterrato facendo tre o quattro saltelli come quando si tira nell'acqua
una pietra piatta. Mi hanno spiegato che era per fare andare via gli avvoltoi, e infatti li avevo visti, mentre l'aereo
scendeva, nella luce dei riflettori, ma non avevo capito che
cosa fossero, sembravano delle vecchie accovacciate: ma
poi non mi sono piú stupito, perché in India una cosa sembra sempre che sia un'altra. A ogni modo non è che si siano spaventati: si sono spostati un poco, ballonzolando con
le ali mezze aperte, senza neanche prendere il volo, e appena l'aereo si è fermato si sono messi tutti intorno come se
aspettassero qualche cosa, solo che ogni tanto uno dava
una beccata lesta lesta al suo vicino. Sono delle gran brutte
bestie.

Ma è inutile che le stia a raccontare dell'India, non si finirebbe piú, e poi magari lei ci è stato... no? Comunque,
sono cose che si leggono sui libri; invece, come si tirano i
cavi di un ponte sospeso, nei libri non c'è, o per lo meno
non c'è l'impressione che fa. Cosí siamo arrivati all'aeroporto del cantiere, che poi era solo una piazza di terra bat-

tuta, e ci hanno messi a dormire nelle baracche. Non si stava neanche male, solo che faceva caldo; ma anche questa faccenda del caldo è meglio non insisterci, faccia conto che faceva caldo sempre, di giorno e di notte, e che da quelle parti si suda talmente tanto che uno con licenza non ha piú da andare al gabinetto. Insomma in tutta questa storia ci fa un caldo della forca e non sto piú a ripeterlo se no si perde tempo.

Il mattino dopo sono andato dal direttore dei lavori a presentarmi, era un ingegnere indiano e parlavamo inglese, e ci capivamo benissimo perché gli indiani l'inglese per conto mio lo parlano meglio degli inglesi, o almeno piú chiaro; invece gli inglesi non hanno cognizione, ti parlano in fretta e tutto masticato, e se non capisci si stupiscono e non fanno nessuno sforzo. Allora, mi ha spiegato il lavoro, e prima cosa mi ha dato una specie di veletta da mettere sotto il casco, perché da quelle parti c'è la malaria, e infatti alle finestre della baracca c'erano le zanzariere. Io ho visto che gli operai indiani del cantiere la veletta non ce l'avevano, e gli ho chiesto, e lui mi ha risposto che tanto quelli la malaria ce l'avevano già.

Quell'ingegnere era molto preoccupato; voglio dire, io al suo posto sarei stato preoccupato, ma lui, anche se lo era, non si vedeva. Parlava tutto tranquillo, e mi ha raccontato che a me mi avevano ingaggiato per tirare i cavi di sostegno del ponte sospeso; che il grosso del lavoro era già fatto, cioè a suo tempo avevano dragato il letto del fiume in cinque punti, dove si dovevano fare i cinque piloni; che era stato un lavoro balordo, perché quel fiume trascina molta sabbia, anche quando è in magra, e cosí gli riempiva gli scavi a mano a mano che li facevano; che poi avevano affondato i cassoni, e avevano mandato i minatori dentro i cassoni per scavare la roccia, e ne erano morti annegati due, ma insomma alla fine i cassoni li avevano affondati, riempiti di ghiaia e di cemento, in conclusione il lavoro sporco lo avevano già finito. A sentire questo discorso ho cominciato a preoccuparmi io, perché lui parlava dei due morti senza neanche darci peso, come se fosse una cosa naturale, e mi è sembrato di capire che quello era uno di quei posti dove uno della prudenza degli altri è meglio che non se ne fidi, e che ci metta la sua propria.

Le dicevo che al posto di quell'ingegnere io sarei stato un po' meno tranquillo: neanche due ore prima, gli avevano telefonato che stava capitando una cosa da non crederci, e cioè che, adesso che avevano finito i piloni, stava arrivando un'onda di piena e il fiume stava andando da un'altra parte; lui me l'ha detto cosí, come un altro direbbe che l'arrosto si è bruciato. Doveva proprio essere uno con le reazioni un po' lente. È arrivato un indiano col turbante e con una jeep, e lui mi ha detto tutto gentile che ci saremmo rivisti in un altro momento e che si scusava tanto; ma io ho capito che andava a vedere, gli ho chiesto di andare con lui, e lui ha fatto una smorfia che non ho capito, però mi ha detto di sí. Non saprei dire: forse perché aveva stima, forse perché un consiglio non si rifiuta mai, o anche forse solo per gentilezza, perché era uno molto gentile, ma di quelli che lasciano andare l'acqua per il suo verso. Aveva anche fantasia: mentre viaggiavamo con la jeep, e non le sto a dire che razza di strada, invece di pensare alla piena mi ha raccontato come avevano fatto per tendere le passerelle di servizio attraverso il fiume (lui li chiamava i chetuòk, i passi del gatto, ma io non credo che nessun gatto di buon senso ci sarebbe mai passato; gliene parlo poi dopo). Un altro avrebbe preso una barca, o avrebbe sparato una fiocina come quella delle balene: lui invece ha fatto venire tutti i bambini del paese lí vicino, e ha messo un premio di dieci rupíe per quello che era capace di far volare un aquilone fin sopra l'altra sponda. Un bambino c'è riuscito, lui gli ha pagato il premio, e non si è buttato via perché sono millecinquecento lire; poi allo spago dell'aquilone ha fatto annodare una cordicella piú grossa, e cosí via via fino ai cavetti d'acciaio dei chetuòk. Aveva appena finito di raccontare questa storia che siamo arrivati al ponte, e anche a lui gli è mancato il fiato.

Qui da noi non siamo abituati a pensare alla forza dei fiumi. In quel punto il fiume era largo settecento metri e faceva una curva; a me non sembrava tanto furbo fare il ponte proprio lí, ma pare che fosse obbligato perché ci doveva passare una ferrovia importante. Si vedevano i cinque piloni in mezzo alla corrente, e piú lontano gli altri piloni di avvicinamento, via via piú bassi per raccordarsi colla pianura; sui cinque piloni grossi c'erano già le torri di sostegno, alte una cinquantina di metri; e fra due dei piloni c'era già piazzato coricato un traliccio di servizio, insomma un ponte leggero, provvisorio, per montarci sopra la campata definitiva. Noi eravamo sulla sponda di destra, che era rinforzata con un argine di cemento, bello robusto, ma lí il fiume non c'era già piú: nella notte, aveva cominciato a mangiare la sponda di sinistra, dove c'era un argine uguale, e al mattino presto l'aveva sfondata.

Intorno a noi c'era un centinaio di operai indiani, e non facevano neanche una piega: stavano a guardare il fiume tutti tranquilli, seduti sui calcagni in quella loro maniera che io non resisterei due minuti, non so come facciano, si vede che a loro gli insegnano da piccoli. Quando vedevano l'ingegnere si alzavano in piedi un momento e lo salutavano mettendosi le mani cosí sullo stomaco, giunte come per pregare, facevano un piccolo inchino e tornavano a sedersi. Noi eravamo troppo in basso per vedere bene la situazione, e allora ci siamo arrampicati su per la scaletta del traliccio di sponda, e allora sí che lo spettacolo lo abbiamo visto.

Sotto di noi, come le dicevo, l'acqua non c'era piú: solo un fango nero, che cominciava già a fumare e a puzzare sotto il sole, con dentro tutta una confusione di alberi strappati, tavole, fusti vuoti e carogne di bestie. L'acqua correva tutta contro la sponda sinistra, proprio come se avesse avuto la volontà di portarla via, e difatti, mentre stavamo lí incantati a guardare senza sapere che cosa fare e che cosa dire, abbiamo visto staccarsi un pezzo di argine, lungo una decina di metri, andare a sbattere contro uno

dei piloni, rimbalzare e filare a valle sulla corrente, come
se invece che di cemento fosse stato di legno. L'acqua aveva già portato via un bel tratto della sponda sinistra, si era
infilata nella breccia e stava allagando i campi dall'altra
parte: aveva scavato un lago rotondo largo piú di cento
metri, e dentro arrivava sempre altra acqua come una bestia cattiva che volesse fare danno, girava in tondo per la
spinta che aveva, e si allargava a vista d'occhio.

Giú lungo la corrente arrivava di tutto: non solo dei rottami, ma sembravano delle isole galleggianti. Si vede che
piú a monte il fiume passava attraverso un bosco, perché
venivano giú degli alberi ancora con le foglie e le radici, e
fino dei pezzi di sponda tutti interi, che non si capiva come facessero a stare a galla, con sopra erba, terra, piante in
piedi e coricate, insomma dei pezzi di paesaggio. Viaggiavano a tutta velocità, delle volte si infilavano fra i piloni e
filavano via dall'altra parte, delle altre volte picchiavano
contro i basamenti e si spaccavano in due o tre pezzi. Si
vede proprio che i piloni erano solidi, perché contro i basamenti si era formato tutto un intreccio di tavole, di rami e
di tronchi, e si vedeva la forza che faceva l'acqua, che si
ammucchiava contro e non riusciva a portarli via, e faceva
un fracasso strano, come un tuono ma sotto terra.

Parola, io mi sono detto contento che l'ingegnere fosse
lui; ma se fossi stato io al suo posto, credo che mi sarei dato da fare un po' di piú. Non dico che lí su due piedi si potesse poi fare gran che, ma io ho avuto l'impressione che
lui, se avesse seguito il suo sentimento, si sarebbe seduto
sui calcagni anche lui come i suoi operai, e sarebbe rimasto
lí a guardare chissà fino a quando. A me sembrava che non
fosse educazione dargli dei consigli, io che ero appena arrivato a lui che era ingegnere; ma poi, visto che lui era
chiaro come il sole che non sapeva che pesci pigliare, andava su e giú per la riva senza dire niente, e insomma girava
sempre sulla stessa pianella, mi sono fatto coraggio e gli ho
detto che secondo me sarebbe stata una bella cosa fare arrivare dei sassi, dei rocchi, piú grossi che si poteva, e but-

tarli giú sulla riva sinistra: ma un po' in frettina, perché mentre noi parlavamo il fiume aveva portato via d'un colpo solo altri due lastroni dell'argine, e il vortice dentro il lago si era messo a girare ancora piú in fretta. Abbiamo fatto per salire sulla jeep, e proprio in quel momento abbiamo visto arrivare giú un gnocco di alberi, terra e ramaglie grosso senza esagerare come una casa, e rotolava come una palla; s'è infilato nella campata dove c'era il traliccio di servizio, lo ha piegato come una paglia e l'ha tirato giú nell'acqua. C'era proprio poco da fare; l'ingegnere ha detto agli operai che se ne andassero a casa, e anche noi siamo tornati alle baracche a telefonare per le pietre; ma strada facendo l'ingegnere mi ha detto, sempre tutto quieto, che tutto lí in giro non c'era altro che campi, terra nera e fango, e se io volevo una pietra grossa come una noce, dovevo andarla a cercare a almeno cento miglia lontano: come se le pietre fossero un mio capriccio, di quelli che li hanno le donne che aspettano un bambino. Insomma era un tipo gentile ma strano, sembrava che giocasse invece di lavorare, e mi faceva venire i nervi.

Lui si è messo a telefonare non ho capito bene a chi, mi è sembrato a un ufficio del governo; parlava in indiano e io non capivo niente, ma mi è sembrato che arrivasse prima la centralinista, poi la segretaria della segretaria, poi la segretaria quella giusta, e l'uomo che lui cercava non veniva mai, e alla fine è saltata la linea, insomma un poco come da noi, ma lui non ha perso la pazienza e ha ricominciato da capo. Fra una segretaria e l'altra mi ha detto che però, secondo lui, per diversi giorni lí al cantiere non avrei avuto niente di utile da fare: se volevo, che restassi pure, ma lui mi consigliava di prendere il treno e andare a Calcutta, e io ci sono andato. Non ho capito bene se questo consiglio me l'ha dato per gentilezza oppure per togliermi dai piedi; certo che io non ci ho fatto un gran guadagno. Lui per verità mi aveva subito detto che non provassi neanche a cercare una camera in albergo: mi ha dato l'indirizzo di una casa privata, che andassi pure lí perché erano suoi amici, e che mi sarei trovato bene anche per l'igiene.

Non sto a raccontarle di Calcutta: sono stati cinque giorni buttati via. C'è piú di cinque milioni di abitanti e una gran miseria, e si vede subito: pensi che appena uscito dalla stazione, e era sera, ho visto una famiglia che andava a letto, e andava a letto dentro un pezzo di tubo di cemento, un tubo nuovo di quelli per le fognature, lungo quattro metri e diametro uno: c'erano il papà la mamma e tre bambini, nel tubo avevano messo un lumino, e due pezzi di tela uno da una parte e uno dall'altra; ma erano ancora fortunati perché la gran parte dormivano cosí sul marciapiede come viene viene.

Gli amici dell'ingegnere è venuto fuori che non erano degli indiani ma dei parsi, e che lui era un medico, e con loro mi sono trovato bene: quando hanno saputo che ero italiano mi hanno fatto delle gran feste, chissà poi perché. Io i parsi non sapevo che cosa fossero, anzi neppure che esistessero, e per dire la verità non è che anche adesso io abbia le idee tanto chiare. Forse lei che è di un'altra religione sa spiegarmi...»

Ho dovuto deludere Faussone: dei parsi non sapevo praticamente nulla, salvo la faccenda macabra dei loro funerali, in cui, perché il cadavere non contamini né la terra, né l'acqua, né il fuoco, esso non viene né sepolto né sommerso né cremato, bensí dato in pasto agli avvoltoi nelle Torri del Silenzio. Ma credevo che queste torri non ci fossero piú, fin dal tempo di Salgari.

«Mai piú: ci sono ancora, me lo hanno raccontato loro, che però non sono di chiesa e mi hanno detto che loro quando muoiono si fanno sotterrare alla maniera regolare. Ci sono ancora, non a Calcutta ma a Bombay: sono quattro, ognuna con la sua squadra di avvoltoi, ma funzionano solo quattro o cinque volte all'anno. Bene, mi hanno raccontato una novità. È venuto un ingegnere tedesco con tutti i prospetti, si è fatto ricevere dai preti dei parsi, e gli ha raccontato che i loro tecnici avevano studiato una gri-

glia da mettere sul fondo delle torri: una griglia di resistenze elettriche, senza fiamma, che brucia il morto piano piano senza fare puzze e senza contaminare niente. Tra parentesi, ci voleva proprio un tedesco; ogni modo, i preti si
sono messi a discutere e sembra che discutano ancora
adesso, perché anche lí c'è i modernisti e i conservatori. Il
medico questa storia me l'ha contata ridendoci sopra, e la
moglie è venuta fuori a dire che secondo lei non se ne fa
niente, non per via della religione, ma dei chilovattora e
dell'amministrazione locale.

A Calcutta costa tutto molto poco, ma io non mi osavo
di comperare niente, e neanche di andare al cine, per via
della sporcizia e delle infezioni; stavo a casa a chiacchiera-
re con la signora parsi, che era piena d'educazione e di
buon senso, anzi adesso bisogna che mi ricordi di mandar-
le una cartolina, e mi spiegava tutto dell'India, che non si
finirebbe mai. Io però friggevo e tutti i giorni telefonavo al
cantiere, ma l'ingegnere o non c'era o non si faceva trovare. L'ho trovato poi al quinto giorno, e mi ha detto che
tornassi pure, che il fiume era in magra e si poteva incamminare il lavoro; e via che sono andato.

Mi presento all'ingegnere, che aveva sempre quella sua
aria di sognar patate, e lo trovo in mezzo al cortile delle
baracche, con intorno una cinquantina di uomini, e sembrava che mi aspettasse. Mi ha salutato alla sua maniera,
con le mani sul petto, e poi a sua volta mi presenta alla mia
maestranza: "This is mister Peraldo, your Italian fore-
man"; tutti mi fanno la riverenzina con le mani congiunte
e io resto lí come un salame. Credevo che si fosse dimenticato il mio nome, perché sa bene che i forestieri hanno
sempre difficoltà coi nomi, e a me per esempio mi pareva
che tutti gli indiani si chiamassero Sing, e pensavo che a
lui fosse capitato lo stesso. Gli ho detto che non ero Peraldo ma Faussone, e lui mi ha fatto il suo sorriso angelico e
mi ha detto: "Sorry, sa, voi europei avete tutti la stessa
faccia". Insomma a poco per volta è venuto fuori che questo ingegnere, che si chiamava Ciaitània, era pasticcione

non solo nel suo lavoro ma anche nei nomi, e che questo
mister Peraldo non se l'era sognato ma esisteva proprio,
era un assistente di Biella che combinazione doveva arrivare anche lui quella mattina, e era il responsabile dell'an-
coraggio dei cavi del ponte, e infatti è arrivato da lí a un
poco; e io sono stato contento perché trovare un compae-
sano fa sempre piacere. Come poi avesse fatto l'ingegnere
a confondermi con lui, e a dire che avevamo la stessa faccia, resta un mistero, perché io sono lungo e magro e lui
era uno tracagnotto, io ero sulla trentina e lui aveva cin-
quant'anni suonati, lui aveva i baffetti come Charlot e io
di peli già allora avevo solo piú questi pochi qui dietro, insomma se ci somigliavamo, ci somigliavamo nella piega dei
gomiti, e nel fatto che anche a lui piaceva bere e mangiare
bene; che da quelle parti non era una cosa tanto facile.

  Di incontrare un assistente biellese in un posto cosí fuori mano, non mi ha fatto neanche tanta meraviglia, perché
se uno gira il mondo, in tutti i cantoni trova un napoleta-
no che fa la pizza e un biellese che fa i muri. Una volta ne
ho incontrato uno in Olanda su un cantiere, e diceva che
Dio ha fatto il mondo, salvo l'Olanda che l'hanno fatta gli
olandesi; ma le dighe per gli olandesi le hanno fatte gli as-
sistenti biellesi, perché la macchina per fare i muri non
l'ha ancora inventata nessuno; e mi è sembrato un bel proverbio, anche se adesso non è piú tanto vero. Questo Peraldo è stata una fortuna averlo incontrato, perché aveva
girato il mondo peggio di me, e la sapeva lunga, anche se
non parlava tanto; e anche perché, non so come avesse fatto, ma aveva in baracca una bella scorta di Nebiolo, e ogni
tanto me ne offriva. Me ne offriva un poco, non tanto,
perché anche lui non era tanto grandioso e non voleva in-
taccare il capitale; e aveva anche ragione, perché il lavoro
è andato poi per le lunghe, e in questo bisogna ben dire
che tutto il mondo è paese, di lavori che finissero nei termini del preventivo io ne ho visti mica tanti.

  Mi ha portato a vedere i tunnel per gli ancoraggi: perché i cavi di quel ponte, lei capisce che sono sotto una bel-

la trazione, e allora i soliti capicorda non bastano piú. Dovevano essere ancorati in un blocco di calcestruzzo, fatto a forma di cuneo e incastrato in un tunnel inclinato ricavato dalla roccia. I tunnel erano quattro, due per ogni cavo: ma che tunnel! Erano come delle grotte. Non avevo mai visto niente che gli somigliasse, lunghi ottanta metri, larghi dieci all'entrata e quindici in fondo, con una pendenza di trenta gradi... Eh no, non faccia quella faccia, perché poi lei queste cose le scrive, e non vorrei che venissero fuori degli spropositi: o caso mai, mi scusi, ma non per colpa mia».

Ho promesso a Faussone che mi sarei attenuto con la miglior diligenza alle sue indicazioni; che in nessun caso avrei ceduto alla tentazione professionale dell'inventare, dell'abbellire e dell'arrotondare; che perciò al suo resoconto non avrei aggiunto niente, ma forse qualche cosa avrei tolto, come fa lo scultore quando ricava la forma dal blocco; e lui si è dichiarato d'accordo. Cavando dunque dal grande blocco dei dettagli tecnici che lui, non molto ordinatamente, mi ha forniti, si è delineato il profilo di un ponte lungo e snello, sostenuto da cinque torri fatte di scatole d'acciaio, ed appeso a quattro festoni di cavo d'acciaio. Ogni festone era lungo 170 metri, e ognuno dei due cavi era costituito da una mostruosa treccia di undicimila fili singoli del diametro di cinque millimetri.

«Le ho già detto quell'altra sera che per me ogni lavoro è come il primo amore: ma quella volta ho capito subito che era un amore impegnativo, uno di quelli che se uno ne viene fuori con tutte le penne vuol dire che è stato fortunato. Prima di incominciare ho passato una settimana come a scuola, a lezione dagli ingegneri: erano sei, cinque indiani e uno dell'impresa; quattro ore al mattino col quaderno degli appunti e poi tutto il pomeriggio a studiarci su: perché era proprio come il lavoro del ragno, solo che i ragni nascono che il mestiere lo sanno già, e poi se cascano cascano dal basso e non si fanno gran che, anche perché loro il filo ce l'hanno incorporato. Del resto, dopo di questo

lavoro che le sto raccontando, ogni volta che vedo un ragno nella sua ragnatela mi ritornano in mente i miei undicimila fili, anzi ventiduemila perché i cavi erano due, e
mi sento un poco suo parente, specialmente quando tira
vento.

Poi mi è toccato a me di fare la lezione ai miei uomini.
Questa volta erano indiani indiani, non come quegli alascani che le ho raccontato prima. Da principio devo con-
fessarle che non avevo fiducia, a vedermeli lí d'intorno seduti sui calcagni, o qualcun altro invece con le gambe incrociate e le ginocchia larghe, come le statue nelle loro
chiese che avevo visto a Calcutta. Mi guardavano fisso e
non facevano mai domande; ma poi, un poco alla volta, li
ho presi uno per uno e ho visto che non avevano perso una
parola, e secondo me sono piú intelligenti di noi, o forse è
che avevano paura di perdere il lavoro, perché da quelle
parti non fanno complimenti. Sono poi gente come noi,
anche se hanno il turbante e non hanno le scarpe e tutte le
mattine caschi il mondo passano due ore a pregare. Hanno
anche loro le loro grane, ce n'era uno che aveva un figlio di
sedici anni che giocava già ai dadi e lui era preoccupato
perché perdeva sempre, un altro aveva la moglie ammalata, e un altro ancora aveva sette figli ma diceva che lui non
era d'accordo col governo e l'operazione non la voleva fare, perché a lui e a sua moglie i bambini gli piacevano, e mi
ha anche fatto vedere la fotografia. Erano proprio belli, e
era bella anche sua moglie: tutte le ragazze indiane sono
belle, ma Peraldo, che era in India da un pezzo, mi ha spiegato che con loro niente da fare. Mi ha anche detto che in
città è diverso, ma c'è in giro certe malattie che è meglio
lasciar perdere; insomma alla finitiva non ho mai fatto digiuno come quella volta in India. Ma torniamo al lavoro.

Le ho già detto dei chetuòk, cioè delle passerelle, e del
trucco dell'aquilone per tirare il primo cavo. Chiaro che
non si poteva mica far volare ventiduemila aquiloni. Per tirare i cavi di un ponte sospeso c'è un sistema speciale: si
piazza un argano, e a sei o sette metri sopra ogni passerella

si tira un cavo senza fine, come una di quelle cinghie di trasmissione che usavano una volta, teso fra due carrucole una per sponda; attaccato al cavo senza fine c'è una puleggia folle, con quattro gole; dentro ogni gola si passa un'ansa del filo singolo, che viene da un grande rocchetto; e poi si mettono in moto le carrucole e si tira la puleggia da sponda a sponda; cosí, con un viaggio si tirano otto fili. Gli operai, a parte quelli che mettono su le anse e quelli che le tolgono, stanno sulla passerella, due ogni cinquanta metri, a sorvegliare che i fili non si incavallino: ma dirlo è una cosa, e farlo è un'altra.

È fortuna che gli indiani sono gente di buon comando: perché lei deve pensare che le passerelle non è come andare a spasso in via Roma. Primo, sono inclinate, perché hanno la stessa pendenza che avrà poi il cavo di sostegno; secondo, basta un filo di vento a farle ballare che è una bellezza, ma del vento avrò poi da parlargliene dopo; terzo, dato che devono essere leggere e appunto non dare presa al vento, hanno il pavimento fatto di griglia, cosí uno è meglio se non si guarda i piedi, perché se guarda vede l'acqua del fiume sotto, color del fango, con dentro degli affarini che si muovono, e visti di lassú sembrano pesciolini da frittura mentre invece sono le schiene dei coccodrilli: ma gliel'ho già detto che in India una cosa sembra sempre che sia un'altra. Peraldo mi ha contato che non ce n'è piú tanti, ma quei pochi vengono tutti dove si monta un ponte perché mangiano le immondizie della mensa, e perché aspettano che qualcuno caschi giú. L'India è un gran bel paese ma non ha delle bestie simpatiche. Anche le zanzare, a parte il fatto che attaccano la malaria, e che appunto oltre al casco uno bisogna sempre che porti la veletta come le signore di una volta, sono delle bestiacce lunghe cosí, che se uno non sta attento mollano dei morsiconi da portare via il pezzo; e mi hanno anche detto che ci sono delle farfalle che vengono di notte a succhiare il sangue mentre uno dorme, ma io veramente non le ho mai viste, e per dormire ho sempre dormito bene.

La malizia di quel lavoro di tendere i fili è che i fili bisogna che abbiano tutti la stessa tensione: e su una lunghezza come quella non è tanto facile. Facevamo due turni di sei ore, dall'alba al tramonto, ma poi abbiamo dovuto organizzare una squadra speciale che montava di notte, prima che venisse il sole, perché di giorno capita sempre che ci sono dei fili al sole, che scaldano e dilatano, e degli altri all'ombra, e allora la registrazione bisogna farla a quell'ora lí, perché tutti i fili hanno la stessa caloria: e questa registrazione poco da fare mi è sempre toccato di farla a me.

Siamo andati avanti cosí per sessanta giorni, sempre con la puleggia folle che andava avanti e indietro, e la ragnatela cresceva, bella tesa e simmetrica, e dava già l'idea della sagoma che il ponte avrebbe avuto dopo. Faceva caldo, gliel'ho già detto, anzi, le avevo anche detto che non glielo avrei piú detto, ma insomma faceva caldo; quando calava giú il sole era un sollievo, anche perché allora potevo rientrare in baracca e bere un bicchiere e cambiare parola con Peraldo. Peraldo aveva cominciato da manovale, poi era diventato muratore e poi cementista; era stato un po' dappertutto, e anche quattro anni in Congo a fare una diga, e da raccontare ne aveva, ma se mi metto a raccontarle anche le storie degli altri in piú delle mie finisce che non finisco piú.

Quando la tesatura è stata terminata, a guardare da lontano si vedevano i due cavi che andavano da una sponda all'altra coi loro quattro festoni, fini e leggeri appunto come fili di ragno: ma a guardarli da vicino erano due fasci da far paura, spessi settanta centimetri; e li abbiamo compattati con una macchina speciale, come un torchio fatto a anello che viaggia lungo il cavo e lo stringe con una forza di cento tonnellate, ma in questo io non ci ho messo mano. Era una macchina americana, l'avevano spedita fin laggiú col suo specialista americano che guardava tutti di traverso, non parlava con nessuno e non lasciava che nessuno si avvicinasse, si vede che aveva paura che gli portassero via il segreto.

A questo punto il difficile sembrava che fosse fatto; le funi verticali di sospensione le abbiamo tirate su in pochi giorni, le pescavamo coi paranchi dai pontoni che stavano sotto, e sembrava proprio di pescare delle anguille, ma erano anguille che pesavano quindici quintali l'una; e finalmente è stata l'ora di cominciare a piazzare la carreggiata, e nessuno lo poteva indovinare, ma è stato proprio lí che è cominciata l'avventura. Bisogna che le dica che, dopo il guaio di quella piena improvvisa che le ho detto, avevano fatto finta di niente ma il mio consiglio l'avevano pure seguito: mentre io ero a Calcutta avevano fatto arrivare un finimondo di camion carichi di pietroni, e come l'acqua è scesa, gli argini li hanno consolidati ben bene. Ma sa com'è la storia di quel gatto scottato, che dopo aveva paura dell'acqua fredda: per tutto il montaggio, da in cima del mio passo del gatto io l'acqua la tenevo d'occhio, e avevo anche ottenuto dall'ingegnere che mi mettesse un telefono volante a disposizione, perché pensavo che se aveva da venire un'altra piena era meglio arrivare prima; e non pensavo che il pericolo veniva da un'altra parte, e a giudicare da come sono andate le cose, non ci pensava nessuno, e neanche non ci avevano pensato i progettisti.

Io quei progettisti non li ho mai visti in faccia, non so neppure di che razza fossero, però ne ho conosciuti degli altri, e tanti, e so che ce n'è di diverse maniere. C'è il progettista elefante, quello che sta sempre dalla parte della ragione, che non guarda né l'eleganza né l'economia, che non vuole grane e mette quattro dove basta uno: e in genere è un progettista già un po' vecchiotto, e se lei ci ragiona sopra vede che è una faccenda triste. C'è il tipo rancino, invece, che sembra che ogni rivetto lo deva pagare di tasca sua. C'è il progettista pappagallo, che i progetti invece di studiarci su tira a copiarli come si fa a scuola, e non si accorge che si fa ridere dietro. C'è il progettista lumaca, voglio dire il tipo burocrate, che va piano piano, e appena lo tocchi si tira subito indietro e si nasconde dentro al suo guscio che è fatto di regolamenti: e io, senza offendere, lo chiamerei anche il progettista balengo. E alla fine c'è il progettista farfalla, e io credo proprio che i progettisti di quel ponte fossero di questo tipo qui: e è il tipo piú pericoloso, perché sono giovani, arditi e te la dànno a intendere, se gli parli di soldi e di sicurezza ti guardano come uno sputo, e tutto il loro pensiero è per la novità e per la bellezza: senza pensare che, quando un'opera è studiata bene, viene bella per conto suo. Mi scusi se mi sono sfogato, ma quando uno su un lavoro ci mette tutti i suoi sentimenti, e poi finisce come quel ponte che le sto raccontando, ebbene, dispiace. Dispiace per tanti motivi: perché uno ha perso tanto tempo, perché dopo succede sempre un putiferio con gli avvocati e il codice e i settemila accidenti, perché uno anche se non c'entra niente finisce sempre che si sente un po' di colpa; ma piú che tutto, vedere venire giú un'opera come quella, e il modo poi come è venuta giú, un pezzo per volta, come se patisse, come se resistesse, faceva male al cuore come quando muore una persona.

E proprio come quando muore una persona, che dopo tutti dicono che loro l'avevano visto, da come respirava, da come girava gli occhi, cosí anche quella volta, dopo il disastro, tutti volevano dire la sua, perfino l'indiano dell'operazione: che si vedeva benissimo, che le sospensioni erano scarse, che l'acciaio aveva delle soffiature grosse come dei fagioli, i saldatori dicevano che i montatori non sapevano montare, i gruisti dicevano che i saldatori non sapevano saldare, e tutti insieme se la prendevano con l'ingegnere e gli leggevano la vita, che dormiva in piedi e batteva la calabria e non aveva saputo organizzare il lavoro. E forse avevano ragione un po' tutti, o magari nessuno, perché anche qui è un po' come per le persone, a me è già successo tante volte, un traliccio per esempio, collaudato e stracollaudato che sembra che debba stare lí un secolo, e comincia a cioccare dopo un mese; un altro che non scommetteresti quattro soldi, niente, non fa una ruga. E se lei si mette nelle mani dei periti fa un bell'affare, ne vengono tre e dànno tre ragioni diverse, mai visto un perito che cavasse il ragno dal buco. Si capisce che se uno muore, o una struttura si sfascia, una ragione ci deve pur essere, ma non è detto che sia una sola, o se sí, che sia possibile trovarla, Ma andiamo con ordine.

Le ho detto che per tutto questo lavoro aveva sempre fatto caldo, tutti i giorni, un caldo bagnato che era difficile abituarsi, io però verso la fine mi ero abituato. Bene, a lavoro finito, che c'erano già i verniciatori arrampicati un po' dappertutto e sembravano moscerini su una ragnatela, mi sono accorto che tutto d'un colpo aveva smesso di fare caldo: il sole era già spuntato, ma invece di fare caldo come al solito, il sudore asciugava addosso e si sentiva fresco. Ero anch'io sul ponte, a metà della prima campata, e oltre al fresco ho sentito due altre cose che mi hanno fatto restare lí bloccato come un cane da caccia quando punta: ho sentito il ponte che mi vibrava sotto i piedi, e ho sentito come una musica, ma non si capiva da che parte venisse: una musica, voglio dire un suono, profondo e lontano, come quando provano l'organo in chiesa, perché da piccolo io in chiesa ci andavo; e mi sono reso conto che tutto veniva dal vento. Era il primo vento che sentivo da quando ero atterrato in India, e non era un gran vento, però era costante, come il vento che uno sente quando va in auto piano piano e tiene la mano fuori dal finestrino. Mi sono sentito inquieto, non so perché, e mi sono incamminato verso la testata: forse sarà anche questo un effetto del nostro mestiere, ma le cose che vibrano a noi ci piacciono poco. Sono arrivato al pilone di testa, mi sono voltato indietro, e mi sono sentito drizzare tutti i peli. No, non è un modo di dire, si drizzano proprio, uno per uno e tutti insieme, come se si svegliassero e volessero scappare: perché da dove ero io si vedeva tutto il ponte d'infilata, e capitava una cosa da non crederci. Era come se, sotto quel fiato di vento, anche il ponte si stesse svegliando. Sí, come uno che ha sentito un rumore, si sveglia, si scrolla un po', e si prepara a saltare giú dal letto. Tutto il ponte si scuoteva: la carreggiata scodinzolava a destra e a sinistra, e poi ha incominciato a

muoversi anche nel piano verticale, si vedevano delle onde
che correvano dal mio capo all'altro, come quando si scuo-
te una corda lenta; ma non erano piú vibrazioni, erano onde alte uno o due metri, perché ho visto uno dei verniciatori che aveva piantato lí il suo lavoro e si era messo a correre verso di me, e un po' lo vedevo e un po' non lo vedevo, come una barca nel mare quando le onde sono grosse.

Tutti sono scappati via dal ponte, anche gli indiani andavano un po' piú in fretta del solito, e c'è stato un gran
gridare e un gran disordine: nessuno sapeva che cosa fare.
Anche i cavi di sospensione si erano messi in movimento.
Sa come succede in quei momenti, che uno dice una cosa e
un altro un'altra; ma dopo qualche minuto si è visto che il
ponte, non che si fosse fermato, ma le onde si erano come
stabilizzate, andavano e rimbalzavano da un capo all'altro
sempre con la stessa cadenza. Non so chi abbia dato l'ordine, o forse è qualcuno che si è presa l'iniziativa, ma ho visto uno dei trattori del cantiere che infilava la carreggiata
del ponte rabastandosi dietro due cavi da tre pollici: forse
volevano tirarli in diagonale per frenare le oscillazioni, certo chi lo ha fatto ha avuto un bel coraggio, o meglio una
bella incoscienza, perché io non credo proprio che con
quei due cavi, anche se fossero riusciti a fissarli, si potesse
fermare una struttura come quella, pensi che la carreggiata
era larga otto metri e alta uno e mezzo, faccia un po' il
conto delle tonnellate che erano lí in giostra. Ogni modo,
non hanno fatto a tempo a fare niente, perché di lí in poi
le cose sono precipitate. Forse il vento si era rinforzato,
non saprei dire, ma verso le dieci le onde verticali erano alte quattro o cinque metri, e si sentiva tremare la terra, e il
fracasso delle sospensioni verticali che si allentavano e si
tendevano. Il trattorista ha visto la mala parata, ha mollato lí il trattore e è scappato a riva: e ha fatto bene, perché
subito dopo la carreggiata ha cominciato a torcersi come se
fosse stata di gomma, il trattore sbandava a destra e a
manca, e a un certo punto ha scavalcato il parapetto, o forse lo ha sfondato, e è finito nel fiume.

Uno dopo l'altro, si sono sentiti come dei colpi di cannone, li ho contati, erano sei, erano le sospensioni verticali che si strappavano: si strappavano netto, a livello della carreggiata, e i monconi per il contraccolpo volavano verso il cielo. Insieme, anche la carreggiata ha cominciato a svirgolarsi, a dissaldarsi, e cadeva a pezzi nel fiume; degli altri pezzi, invece, rimanevano appesi ai travi come degli stracci.

Poi è finito tutto: tutto è rimasto lí fermo, come dopo un bombardamento, e io non so che faccia avessi, ma uno lí vicino a me tremava tutto e aveva la faccia verdolina, ben che era uno di quegli indiani col turbante e la pelle scura. A conti fatti, erano andate giú due campate della carreggiata, quasi intere, e una dozzina delle sospensioni verticali; invece, i cavi principali erano a posto. Tutto era fermo come in una fotografia, salvo il fiume che continuava a correre come se niente fosse stato: eppure il vento non era caduto, anzi era piú forte di prima. Era come se qualcuno avesse voluto fare quel danno, e poi si fosse accontentato. E a me è venuta in mente un'idea stupida: ho letto in un libro che, nei tempi dei tempi, quando incominciavano un ponte ammazzavano un cristiano, anzi non un cristiano perché allora non c'erano ancora, ma insomma un uomo, e lo mettevano dentro alle fondazioni; e piú tardi invece ammazzavano una bestia; e allora il ponte non crollava. Ma appunto, era un'idea stupida.

Io poi me ne sono venuto via, tanto i cavi grossi avevano resistito, e il mio lavoro non era da rifare. Ho saputo che dopo hanno cominciato a discutere sul perché e sul percome, e che non si sono messi d'accordo, e discutono ancora adesso. Io, per conto mio, quando ho visto il piano della carreggiata che incominciava a battere su e giú, ho subito pensato a quell'atterraggio a Calcutta, e alle ali del Boeing che battevano come quelle di un uccello, e mi avevano fatto passare un brutto momento, anche se ho volato tante volte; ma insomma non saprei dire. Certo il vento c'entrava: e infatti mi hanno detto che adesso il ponte lo stanno rifacendo, ma con delle aperture nella carreggiata, per non che il vento incontri troppa resistenza.

No, di ponti sospesi non ne ho montati piú. Me ne sono venuto via, non ho salutato nessuno, solo Peraldo. Non è stata una bella storia. È stato come quando vuoi bene a una ragazza, e lei ti pianta da un giorno all'altro e tu non sai perché, e soffri, non solo perché hai perso la ragazza, ma anche la fiducia. Bene, mi passi la bottiglia che beviamo ancora una volta: tanto stasera pago io. Sí, sono tornato a Torino, e c'è calato poco che non mi mettessi nelle curve con una di quelle ragazze delle mie zie che le dicevo al principio, perché ero giú di morale e non facevo resistenza: ma questa è un'altra storia. Poi mi sono fatto una ragione».

Senza tempo

Aveva piovuto per tutta la notte, a tratti in folate silenziose di goccioline cosí minute da confondersi con la nebbia, a tratti in raffiche violente: queste tamburellavano con fracasso sulle lamiere ondulate che facevano da tetto alle baracche dei magazzini, costruite senza un piano decifrabile intorno alla foresteria. Un modesto ruscello che scorreva poco lontano si era ingrossato, e per tutta la notte la sua voce era penetrata nei miei sogni, confondendosi con le immagini di alluvione e rovina evocate dal racconto indiano di Faussone. All'alba, una pigra alba umida e grigia, ci siamo trovati assediati dal sacro fango fertile della pianura sarmatica, il fango bruno liscio e profondo che nutre il grano e inghiotte gli eserciti invasori.

Sotto le nostre finestre razzolavano i polli, avvezzi al fango come le anitre, a cui contendevano i lombrichi: Faussone non ha mancato di farmi notare che in quelle condizioni i polli nostrani sarebbero annegati; ecco confermati ancora una volta i vantaggi della specializzazione. I russi e le russe dei servizi circolavano impavidi, infilati nei loro stivali alti fino al ginocchio. Noi due abbiamo aspettato fin verso le nove che arrivassero le auto che ci dovevano condurre ai rispettivi luoghi di lavoro, poi abbiamo cominciato con le telefonate, ma verso le dieci è stato chiaro che il cortesissimo «al piú presto» con cui ci veniva risposto voleva dire «non oggi, e domani solo se avremo fortuna». Le auto erano impantanate, guaste, destinate ad altro servizio, e inoltre non ci erano mai state promesse, ha proseguito la soave voce telefonica, con la nota indifferenza russa alla plausibilità dei pretesti singoli ed alla mutua compatibità dei pretesti multipli. «Paese senza tempo», ho commentato io, e Faussone mi ha risposto: «Questione di non prendersela; del resto, non so lei, ma io sono pagato anche per questo».

Mi era rimasta in mente la storia che lui aveva lasciata in sospeso, sulla ragazza delle zie, quella che per poco non lo aveva messo nei guai: quali guai?

Faussone è stato elusivo. «Nei guai. Con una ragazza, tre volte su quattro uno si mette nei guai, specie se non sta attento fin dal principio. Non c'era comprensione, non facevamo che contraddirci, lei non mi lasciava parlare e voleva sempre dire la sua e allora io facevo lo stesso. Noti che era una in gamba e di faccia era anche abbastanza bella, ma aveva tre anni piú di me e era un po' giú di carrozzeria. Non dico, avrà avuto i suoi meriti, ma per lei ci andava un marito diverso, uno di quelli che bollano la cartolina e arrivano a ora fissa e non dicono bè. Poi alla mia età uno comincia a diventare difficile, e mica detto che ormai per me non sia troppo tardi».

Si è avvicinato alla vetrata, e mi è sembrato sopra pensiero e di umore tetro. Fuori pioveva un po' meno, ma si era levato un vento impetuoso; gli alberi agitavano i rami come se gesticolassero, e si vedevano correre raso terra dei curiosi ammassi di sterpi globosi, grossi da mezzo metro a un metro; volavano via rotolando e saltellando, modellati cosí dall'evoluzione per disseminarsi altrove: aridi e insieme tenebrosamente vivi, sembravano fuggire dalla foresta di Pier delle Vigne. Ho mormorato una vaga frase consolatoria, come si conviene, invitando a confrontare la sua età con la mia, ma lui ha ripreso a parlare come se non mi avesse sentito:

«Una volta era piú facile: non stavo mica a pensarci su due volte. Io veramente di natura ero timido, ma alla Lancia, un po' per la compagnia, un po' dopo che mi hanno messo alla manutenzione e che ho imparato a saldare, sono venuto piú ardito e ho preso sicurezza; sí, saldare è stato importante, non saprei dire perché. Forse perché non è un lavoro naturale, specialmente saldare autogeno: non viene di natura, non assomiglia a nessun altro lavoro, bisogna che la testa le mani e gli occhi imparino ciascheduno per conto suo, specie gli occhi, perché quando ti metti davanti agli occhi quello schermo per ripararti dalla luce vedi solo del nero, e nel nero il vermino acceso del cordone di saldatura che viene avanti, e deve venire avanti sempre alla stessa velocità: non vedi neanche le tue mani, ma se non fai tutto a regola, e sgarri anche di poco, invece di una saldatura fai un buco. Sta di fatto che dopo che ho preso sicurezza a saldare, ho preso sicurezza a tutto, fino alla maniera di camminare: e anche qui, la pratica che ho fatto nella bottega di mio padre, altroché se mi è venuta a taglio, perché mio padre buonanima mi aveva insegnato a fare i tubi di rame dalla lastra, allora i semilavorati non si trovavano, si prendeva la lastra, si battevano gli orli a bisello, si incavalcavano i due orli, si copriva il giunto con il borace e con graniglia di ottone, e poi si passava sulla forgia a coke, né troppo piano né troppo in fretta, se no l'ottone o che scappa fuori, o che non fonde: tutto cosí a occhio, se lo immagina che lavoro? E poi, dal tubo grosso si facevano i tubi piú piccoli alla trafila, tirando con l'argano a mano, e ricuocendo a ogni passata, roba da non crederci: ma alla fine la giunta si vedeva appena appena, solo la venatura piú chiara dell'ottone: a toccare con le dita non si sentiva niente. Adesso è un altro lavorare, si capisce, ma io ho idea che se certi lavori li insegnassero a scuola, invece di Romolo e Remo, si guadagnerebbe.

Le stavo dicendo che imparando a saldare ho imparato un po' tutto: e cosí è successo che il primo lavoro di montaggio un po' importante che mi è capitato, e era proprio un lavoro di saldatura, mi sono portato una ragazza appresso: che poi, a dire la verità, di giorno, non sapevo bene cosa farmene, e anche lei poveretta mi veniva dietro, si metteva sull'erba sotto ai tralicci, fumava una sigaretta dopo l'altra e si annoiava, e io di lassú la vedevo piccola piccola. Era un lavoro in montagna, in Val d'Aosta in un bellissimo posto, e anche la stagione era buona, era il principio di giugno: c'era da finire di montare i tralicci di una linea ad alta tensione, e poi c'era da tirare i cavi. Io avevo vent'anni, mi avevano appena dato la patente, e quando l'impresa mi ha detto di prendere il furgoncino 600 con su tutti gli attrezzi, di farmi dare l'anticipo e di partire, mi sono sentito fiero come un re. Mia madre a quel tempo era ancora viva, e stava al paese, cosí non le ho detto niente, e alle zie, si capisce, ancora meno, per non dargli un dispiacere, perché loro, questione ragazze, si credevano di avere l'esclusiva. Lei era in vacanza, era una maestra di scuola, la conoscevo solo da un mese e la portavo a ballare da Gay, ma non le è sembrato vero e ci è stata subito; non era di quei tipi che fanno delle storie.

Lei capisce che con tre faccende cosí in un colpo, la ragazza, il lavoro d'impegno e il viaggio in auto, mi sentivo fuori giri come un motore imballato: avere vent'anni allora era come averne diciassette adesso, e io guidavo come un cretino. Ben che non ero ancora tanto pratico, e poi il furgoncino tirava un po' l'ala, io cercavo di passare tutti, e di passarli facendogli la barba: e noti che a quel tempo l'autostrada non c'era ancora. La ragazza aveva paura, e io, sa come si è a quell'età, ero contento che lei avesse paura. A un certo momento la macchina ha starnutito due o tre volte e poi si è fermata: io ho aperto il cofano e mi sono messo a trafficare nel motore dandomi tutte le arie che potevo, ma per verità non ne capivo niente, e il difetto non l'ho trovato. Dopo un poco la ragazza ha perso la pazienza: io non volevo, ma lei ha fermato un motociclista della Stradale che ci desse una mano. In un momento, lui ha infilato uno stecco dentro il serbatoio e mi ha fatto vedere che non c'era piú neanche una goccia di benzina: e difatti io lo sapevo che l'indicatore era guasto, ma me n'ero dimenticato per via della ragazza. Lui se n'è andato senza fare commenti, ma io mi sono sentito un po' ridimensionato, e forse è stato un bene, perché di lí in poi ho guidato piú ragionevole e siamo arrivati senza incidenti.

Ci siamo sistemati in un alberghetto da buon patto, in due camere separate per la convenienza, poi io mi sono presentato agli uffici dell'Azienda elettrica e lei se n'è andata a spasso per conto suo. Confronto a certi altri che ho fatto dopo, e qualcuno gliel'ho già raccontato, quello non era un lavoro gran che, ma io era il mio primo lavoro fuori officina e mi sentivo pieno di entusiasmo. Mi hanno condotto a un traliccio già quasi finito, mi hanno spiegato che l'altro montatore si era messo in mutua, mi hanno dato i disegni d'insieme e i dettagli dei nodi e mi hanno piantato lí. Era un traliccio in tubolari zincati, di quelli a forma di Y: era a un'altezza sui 1800 metri, e all'ombra delle rocce c'era ancora qualche chiazza di neve, ma i prati erano già pieni di fiori; si sentiva l'acqua che scorreva e gocciolava da tutte le parti come se avesse piovuto, ma invece era il disgelo, perché di notte gelava ancora. Il traliccio era alto trenta metri; c'erano già i sollevatori piazzati, e a terra il bancone dei carpentieri che preparavano i pezzi per la saldatura. Mi hanno guardato con un'aria strana, e sul momento non ho capito perché: poi, quando hanno preso un po' piú di confidenza, è venuto fuori che il montatore di prima non era in mutua, ma in infortunio, e che insomma gli era mancato un piede, era volato giú per fortuna non tanto dall'alto, e in definitiva era in ospedale con diverse costole rotte. Hanno creduto bene di dirmelo non per farmi paura, ma perché erano gente di buon senso e vecchi del mestiere, e a vedermi cosí, tutto allegro e gridellino, con la ragazza sotto che mi guardava, e io che facevo l'erlo a venti metri di quota, senza neppure la cinta...»

Ho dovuto interrompere la narrazione per causa dell'erlo. La locuzione mi era nota («fare l'erlo» vuol dire press'a poco «mostrare baldanza», «fare il gradasso»), ma speravo che Faussone me ne spiegasse l'origine, o almeno mi chiarisse che cosa è un erlo. Non siamo andati molto lontano: lui sapeva vagamente che l'erlo è un uccello, e che appunto fa l'erlo con la sua femmina per indurla alle nozze, ma niente di piú. In seguito, e per conto mio, ho svolto qualche ricerca, da cui è risultato che l'erlo è lo Smergo Maggiore, una specie di anitra dalla bella livrea, ormai molto raro in Italia; ma nessun cacciatore ha potuto confermarmi che il suo comportamento sia cosí peculiare da giustificare la metafora che è tuttora largamente usata. Faussone ha ripreso, con un'ombra di fastidio nella voce:

«Già, perché io di cantieri ormai ne ho girati tanti, in Italia e fuori: delle volte ti sotterrano sotto i regolamenti e le precauzioni neanche tu fossi un deficiente oppure un bambino appena nato, specialmente all'estero; delle altre ti lasciano fare quello che diavolo vuoi perché tanto, anche se ti rompi la testa, l'assicurazione ti paga per nuovo: ma in tutti e due i casi, se non hai prudenza tu per conto tuo, presto o tardi finisci male, e la prudenza è piú difficile da imparare che il mestiere. Per solito si impara dopo, e è ben difficile che uno la impari senza passare dei guai: fortunato quello che i guai li passa subito e piccoli. Adesso ci sono gli ispettori dell'infortunio, che ficcano il naso dappertutto, e fanno bene; ma anche se fossero tutti dei padreterni, e sapessero i trucchi di tutti i lavori, che poi non è neanche possibile perché di lavori e di trucchi ce n'è sempre di nuovi: bene, lei crede che non capiterebbe piú niente? Sarebbe come credere che se tutti obbedissero al codice della strada non succederebbero piú incidenti d'auto: eppure mi dica se conosce un guidatore che non ha mai avuto un incidente. Ci ho pensato su tante volte: bisogna che gli incidenti non vengano, ma vengono, e bisogna imparare a stare sempre con gli occhi aperti cosí; oppuramente cambiare mestiere.

Bene, se io sono arrivato intero alla fine di quel lavoro che le dicevo, e senza neanche un livido, è proprio perché c'è un dio per i ciucchi e per gli innamorati. Ma guardi che io non ero né uno né l'altro: quello che mi importava era di fare bella figura con la ragazza che mi stava a guardare dal prato, proprio come dicono che faccia questo erlo con la

sua erla. Se ci ripenso mi viene freddo ancora adesso, e sí
che sono passati dei begli anni. Andavo su e giú per il traliccio attaccandomi alle traverse, senza passare mai per la
scaletta alla marinara, lesto come Tarzan; per fare le saldature, invece di sedermi o mettermi a cavallo, come fanno
le persone di senso, stavo in piedi, o magari anche su un
piede solo, e alé, giú col cannello, e il disegno lo guardavo
e non lo guardavo. Bisogna proprio dire che l'assistente
contrario era una brava persona, o forse non ci vedeva bene, perché quando io ho dato il lavoro per finito, lui si è arrampicato su piano piano, con un'aria da papalotto, e di
tutte le mie saldature, che saranno state piú di duecento,
me ne ha fatte rifare solo una dozzina: eppure me ne accorgevo bell'e da solo che le mie erano degli scarabocchi,
tutte grottolute e piene di soffiature, mentre lí vicino c'e-
rano quelle del montatore che si era fatto male, che sembravano ricamate; ma vede bene come è giusto il mondo,
lui che era prudente era caduto, e io che facevo il balengo
tutto il tempo non mi sono fatto niente. E bisogna anche
dire che, o le mie saldature ben che storte erano robuste, o
che il progetto era abbondoso, perché quel traliccio è ancora lí, e sí che di inverni ne ha già visti una quindicina.
Beh sí, io questa debolezza ce l'ho: non è che mi tocchi di
andare fino in India o in Alasca, ma se ho fatto un lavoro,
per il bene o per il male, e non è troppo fuori mano, ogni
tanto mi piace andarlo a trovare, come si fa con i parenti
di età, e come faceva mio padre con i suoi lambicchi; cosí,
se una festa non ho niente di meglio da fare, prendo su e
vado. Quel traliccio che le dicevo, poi, lo vado a trovare
volentieri, anche se è niente di speciale e fra tutti quelli
che passano di lí non ce n'è uno che gli getti un occhio:
perché è stato in sostanza il mio primo lavoro, e anche per
via di quella ragazza che mi ero portato appresso.

    Io sulle prime credevo che fosse una ragazza un po' stra-
na, perché non avevo esperienza e non sapevo che tutte le
ragazze sono strane, o per un verso o per un altro, e se una
non è strana vuol dire che è ancora piú strana delle altre,

appunto perché è fuori quota, non so se mi spiego. Era una
della Calabria, voglio dire che i suoi erano arrivati dalla
Calabria, ma lei le scuole le aveva fatte qui da noi, e che
venisse da quelle terre si capiva solo un poco dai capelli e
dal colorito, e perché era un po' piccola: dal parlare non si
conosceva. Per venire in montagna con me aveva avuto da
dire con i suoi, ma non tanto, perché erano sette figli e uno
piú uno meno non ci facevano neanche caso, e poi era la
piú grande e era maestra, cosí aveva abbastanza indipendenza. Le dicevo che mi era sembrata strana, ma piú che
altro era strana la situazione, perché anche lei era la prima
volta che prendeva il volo fuori della famiglia e fuori della
città, e per giunta io l'avevo portata in dei posti dove lei
non c'era mai stata, e si faceva meraviglia di tutto, a cominciare dalla neve d'estate e del cine che facevo io per
farle impressione. Basta, la prima sera lassú non me la di-
menticherò mai.
   Era fuori stagione, in quell'albergo c'eravamo solo noi
due, e io mi sentivo il padrone del mondo. Abbiamo ordinato un desinare da gran signori, perché, magari lei non
tanto, ma io, dopo quella giornata passata all'aperto e tutte
le mie ginnastiche, avevo un appetito da suonatori; e abbiamo anche bevuto parecchio. Io il vino lo tengo bene, e
del resto lei lo sa, ma lei, tra il sole che aveva preso, e il vino che non c'era abituata, e il fatto di essere noi due soli lí
come in un deserto, e la poca gente che c'era non ci conosceva, e quell'aria fina: sta di fatto che le era venuto il fou
rire, parlava a ruota libera mentre invece per solito era abbastanza riservata, e piú che tutto era sbafumata da fare
impressione; io credo perfino che avesse qualche lineetta
di febbre, perché a chi non ci ha l'abitudine il sole fa quel-
l'effetto lí. Insomma a farla corta dopo cena abbiamo fatto
due passi fuori, che c'era ancora un po' di chiaro, ma faceva
già fresco e lei si vedeva bene che non aveva il piede sicuro,
o forse anche faceva finta, si attaccava tutta a me e diceva
che aveva voglia di andare a dormire. Cosí l'ho portata
a letto, non nel suo, si capisce, perché la storia delle due

camere era solo per l'occhio del mondo, come se poi lassú
ci fosse stato qualcuno che guardava i casi nostri. E non fa
neppure bisogno che io le stia a raccontare di quella notte,
perché lei se lo immagina da solo e del resto queste cose
uno se ne ha bisogno non ha nessuna difficoltà a documen-
tarsi.

In tre giorni di lavoro io avevo finito con le saldature, e
come anche tutti gli altri tralicci erano pronti, era ora di
cominciare a tendere i cavi. Sa, a vederli dal basso sembrano fili da cucire, ma sono di rame, sui dieci millimetri, insomma mica tanto maneggevoli. Certo che in confronto
con quell'altra tesatura in India che le ho raccontato questo era un lavoro piú semplice, ma bisogna contare intanto
che era il mio primo lavoro, e poi che la tensione va regola-
ta precisa, specie per i due cavi laterali, quelli che sono appesi di fuori delle due branche dell'Y, altrimenti è tutta la
base del traliccio che va in torsione. Ma non abbia paura,
questa è una storia senza incidenti, salvo quello del montatore che era venuto prima di me; e neanche incidenti dopo
non ne sono venuti, voglio dire al traliccio, che infatti è
ancora lassú che sembra nuovo, come le ho già raccontato.
Perché sa, fra un elettrodotto e un ponte sospeso, come
quello famoso in India, c'è una bella differenza, per il fatto
che sui ponti ci passa la gente e sugli elettrodotti solo i chilovattora; insomma gli elettrodotti sono un po' come i libri
che scrive lei, che saranno magari bellissimi, ma insomma
se viceversa fossero un po' scarsi, parlando con licenza non
muore nessuno e ci rimette solo l'utente che li ha compe-
rati.

Tendere i cavi, a regola, non sarebbe stato della mia
partita, e avrei dovuto tornare, ma io, dopo che avevo finito di saldare e mi avevano dato il collaudo, son filato negli
uffici e mi sono offerto come tenditore, perché cosí la storia con la ragazza sarebbe andata avanti ancora qualche
giorno. Devo dire che a quell'epoca avevo una faccia di
bronzo che adesso non me la sogno neanche: non saprei dire perché, forse è soltanto che in quella occasione ne avevo

bisogno, e che la funzione sviluppa l'organo. Sta di fatto
che hanno telefonato a Torino, si sono messi d'accordo e
mi hanno prolungato l'ingaggio; non è che io fossi piú furbo di loro, è che veramente la squadra erano tutte leccie, e
uno in piú, modestia a parte abbastanza robusto, gli facea
comodo. Bene, vuol credere? Io non mi rendevo conto,
ma, almeno come si faceva a quel tempo, era proprio un lavoro da bestie, che al confronto il lavoro della Lancia era
di signorine. Sa, il cavo di rame è pesante, è rigido e insieme è delicato, perché è fatto a treccia, e se fregando sui
sassi si lesiona uno dei fili, addio, si disfa tutto come quando si smagliano le calze, e bisogna scartare diversi metri e
fare due giunte, sempre che il committente sia d'accordo:
e in tutte le maniere vien fuori un brutto lavoro. E allora,
perché non freghi sul terreno, bisogna tenerlo alto e tirare
ben forte che non si spanci, e svolgere la bobina dal di sopra invece che dal di sotto, appunto per guadagnare altezza; insomma la nostra squadra, che poi esclusi i presenti
era una dozzina di riformati, mi faceva venire in mente
Volga Volga, con la differenza che invece che fino alla
morte si tirava solo fino alle sei di sera. Io mi facevo coraggio pensando alla ragazza, ma intanto ogni giorno che passava mi venivano sempre piú vesciche sulle mani, che per
stare poi con la ragazza erano una noia, ma mi dava ancora
piú noia farmi vedere da lei attaccato al cavo come un asino al carretto. Ho cercato di farmi mettere con i sollevatori, cioè con quelli che tirano su da terra la testata di cavo e
la piazzano attaccata agli isolatori, ma non c'è stato verso,
sa bene, quando un lavoro è comodo e ben pagato nasce
subito la camorra. Niente: mi è toccato andare avanti col
volgavolga per tutta la settimana, e gli ultimi due giorni
era in salita e il cavo oltre che le mani mi sgarognava la
spalla.

   Mentre che io ruscavo, la ragazza andava in giro per il
paese a parlare con la gente, e una bella sera mi ha detto
qual era il suo programma per il week-end. Io veramente,
soltanto il fatto che un programma pur che sia lo avesse

fatto lei mentre che io stavo attaccato al cavo, mi faceva girare un po' l'anima ma ho fatto finta di niente per cavalleria; o almeno ho cercato di far finta di niente, ma la ragazza rideva e diceva che si vedeva dalla maniera che mi grattavo il naso. Avevo anche poi delle ragioni piú buone, e cioè che dopo sei giorni di quel lavoro attaccato ai cavi avevo piú voglia di dormire che di arrampicarmi su per le montagne: o magari di fare l'amore, ma sempre a letto insomma. Invece no; le avevano riempito la testa con la faccenda della natura, e che in una valle vicino a quella dell'elettrodotto c'era un posto fantastico dove si vedevano i ghiacciai e gli stambecchi e le montagne della Svizzera e perfino le morene che io non ho mai capito cosa siano e credevo che fossero dei pesci buoni da mangiare. Insomma a farla corta lei ha capito subito qual è il mio lato debole, che è quello dell'onore: un po' per scherzo e un po' sul serio mi ha dato del patamollo e del pelandrone, perché ben che fosse delle Calabrie il nostro parlare lo ha imparato fin da bambina, sta di fatto che il sabato, subito dopo la sirena del cantiere, lei mi ha forato con lo spillo tutte le vesciche nuove della giornata, mi ha messo la tintura di iodio sulla farlecca che avevo sulla spalla, abbiamo fatto su i sacchi e siamo partiti.

Guardi, non lo so neanche io perché sto a raccontarle questa storia. Forse è per via di questo paese, di questa pioggia che non finisce mai e delle macchine che non ci vengono a prendere: è per via del contrasto, insomma. Sí, perché poi aveva ragione lei, la ragazza: era veramente un bel paesaggio. E anche per un altro contrasto, a pensarci bene, fra avere vent'anni e averne trentacinque, e fra fare una cosa per la prima volta e farla quando si è fatta l'abitudine; ma dirle queste cose a lei, che di anni ne ha parecchi piú di me, ho idea che non faccia neanche bisogno.

Lei si era informata, come le avevo detto, e aveva deciso che il nostro viaggio di nozze (lei diceva proprio cosí, ma io non ero tanto convinto) lo dovevamo fare a un bivacco fisso che adesso non mi ricordo neppure il nome, pe-

rò il posto è difficile che me lo dimentichi, e anche la notte
che ci abbiamo passata; non perché ci abbiamo fatto l'a-
more, ma per il contorno. Adesso mi hanno detto che li
mettono giú con gli elicotteri, ma a quel tempo questi bivacchi fissi non erano gran che, e la piú parte delle persone, anche quelli che dormono nella biglietteria di Porta
Nuova, se li obbligassero a dormire lí dentro farebbero re-
clamo. Erano come delle mezze botti di lamiera, di due
metri per due, con una portina per entrare come quella dei
gatti e dentro soltanto un materasso di crine, qualche coperta, una stufetta grossa come una scatola di scarpe, e se
andava bene un po' di pane secco lasciato lí da quelli che ci
erano passati prima. Essendo appunto che avevano la forma di un mezzo cilindro erano alti un metro piú o meno, e
bisognava entrarci a quattro gambe; sul tetto c'erano delle
bandelle di rame che servivano da parafulmine, ma soprattutto come controventature perché la tempesta non portasse via tutto, e anche, piantata dritta, una pala col manico lungo piú di due metri, perché sporgesse dalla neve nelle mezze stagioni e facesse da segnale, e serviva appunto
anche a spalare la neve quando il bivacco rimaneva coperto.

Per l'acqua non c'era problemi: quel bivacco era montato su uno sprone di roccia alto due metri sopra un ghiacciaio in piano. Io avevo una gran voglia di andarci a spasso sopra, ma la ragazza mi ha detto che era pericoloso per
via dei crepacci, e che anzi se uno finiva in un crepaccio
non venivano neppure a tirarlo su perché tanto si sapeva
già che era colpa sua, e poi del resto non valeva neanche la
pena perché il piú delle volte uno arriva in fondo che è già
bell'e morto per i colpi e per lo sbordimento, e se non è
morto muore di freddo prima che arrivino i soccorsi. Le
avevano spiegato cosí giú a valle nell'ufficio delle guide; se
poi sia tutto vero o no io non glielo saprei garantire, perché a vedere due merli come noi avranno magari preso le
loro precauzioni. Le dicevo che per l'acqua non c'erano
problemi, perché faceva caldo da parecchie settimane, la

neve sul ghiacciaio si era sciolta, il ghiaccio era rimasto nudo, e nel ghiaccio l'acqua aveva scavato come dei canaletti verdolini, una quantità, tutti paralleli come se li avessero fatti a tratteggio. Vede che per trovare delle cose strane tante volte non c'è bisogno di andare in Alasca. E anche l'acqua che gli correva dentro aveva un gusto che non avevo mai sentito prima, e che non glielo saprei spiegare, perché sa bene che i gusti e gli odori è difficile spiegarli fuori che con degli esempi, come chi dicesse odore d'aglio o gusto di salame; ma direi proprio che quell'acqua aveva gusto di cielo, e difatti veniva dal cielo dritta dritta.

Neanche per il mangiare c'erano problemi, perché c'eravamo portati dietro tutto quello che ci voleva e poi abbiamo raccolto della legna per la strada e abbiamo perfino acceso un fuoco e fatto cucina come costumava una volta; e quando è venuto notte, ci siamo accorti di avere sopra la testa un cielo come io non l'avevo mai visto e neppure sognato, talmente pieno di stelle che mi sembrava fino fuori tolleranza, voglio dire che per due come noi, gente di città, un montatore e una maestra, era un'esagerazione e un lusso sprecato. Come si è folli a vent'anni! Pensi che abbiamo passato quasi metà della notte a domandarci perché le stelle sono tante cosí, a cosa servono, da quanto tempo ci sono, e anche a cosa serviamo noi e cosí via, e cosa succede dopo morti, insomma delle domande che per uno con la testa sul collo non hanno nessun senso, specie per un montatore. E la seconda metà della notte l'abbiamo passata come lei s'immagina, ma in un silenzio cosí completo, e in un buio cosí spesso, che ci sembrava di essere in un altro mondo e avevamo quasi paura, anche perché ogni tanto si sentivano dei rumori che non si capivano, come dei tuoni lontani o come un muro che si diroccasse: lontani ma profondi, che facevano tremolare la roccia sotto le nostre schiene.

Ma poi, a un certo punto della notte, si è cominciato a sentire un rumore diverso, e quello sí che mi ha fatto venire paura senza piú nessun quasi, paura secca, tanto che io

mi sono messo le scarpe e ho fatto per andare fuori a vedere che cosa c'era, ma con cosí poca convinzione che quando la ragazza mi ha detto in un soffio "no, no, lascia stare
che prendi freddo" ho subito fatto marcia indietro e mi sono rimesso sotto la coperta. Sembrava una sega, ma una
sega coi denti radi e spuntati, che cercasse di segare la lamiera del bivacco, e il bivacco faceva da cassa armonica e
ne veniva fuori un rabadan mai sentito. Raschiava alla
stracca, uno o due colpi e poi silenzio e poi di nuovo un
colpo o due; fra una raschiata e l'altra si sentiva dei sbuffi
e come dei colpi di tosse. Morale della favola, con la scusa
del freddo siamo rimasti chiusi lí dentro fino a quando si è
visto un filino di luce tutto intorno alla porta: anche perché quel rumore di sega non si sentiva piú, soltanto i soffi
e sempre piú piano. Sono uscito fuori, e c'era uno stam-
becco stravaccato contro la parete del bivacco: era grosso
ma sembrava malato, era brutto, tutto spelacchiato, perdeva le bave e tossiva. Forse stava per morire, e ci ha fatto
pena a pensare che avesse voluto svegliarci perché lo aiu-
tassimo, o che avesse voluto venire a morire vicino a noi.

Vuol dire? È stato come un segnale, come se grattando
con i corni contro la lamiera avesse voluto dirci una cosa.
Con quella ragazza io credevo che fosse un principio, e invece era una fine. Tutta quella giornata non abbiamo piú
saputo cosa dirci; e poi, dopo che siamo tornati a Torino,
io le telefonavo e le facevo delle proposte, e lei non diceva
di no, ma consentiva con un'aria da lasciami stare che ci
voleva poco a capire. Non so, si vede che ne aveva trovato
uno piú giusto di me, magari appunto uno di quelli che
bollano la cartolina: e mica detto che non abbia avuto ragione, considerato la vita che faccio io. Per esempio, adesso sarebbe sola».

Si è spalancata la porta, ed insieme con una folata di
aria odorosa di funghi è entrato un autista infagottato in
una tuta impermeabile lucida di pioggia: sembrava un pa-

lombaro. Ci ha fatto capire che la macchina era arrivata e ci aspettava fuori, davanti al cancello. Due? Non due, una, ma molto grande. Gli abbiamo spiegato che dovevamo andare da due parti diverse, ma ha detto che non aveva importanza: avrebbe accompagnato prima me e poi lui, o viceversa, a nostra scelta. Davanti al cancello non abbiamo trovato una macchina, bensí un pullman da turismo, con cinquanta posti, tutto per noi: saremmo arrivati ai rispettivi posti di lavoro, lui con due ore di ritardo, e io con almeno tre. «Paese senza tempo», ha ripetuto Faussone.

La coppia conica

«... perché lei non deve mica credere che certi truschini si combinino solo a casa nostra, e che soltanto noialtri siamo bravi a imbrogliare la gente e a non farci imbrogliare noi. E poi, io non so quanto ha viaggiato lei, ma io ho viaggiato parecchio, e ho visto che non bisogna neanche credere che i paesi siano come ce li hanno insegnati a scuola e come vengono fuori dalle storielle, sa bene, tutti gli inglesi distinti, i francesi blagueur, i tedeschi tutti d'un pezzo, e gli svizzeri onesti. Eh, ci vuol altro: tutto il mondo è paese».

In pochi giorni la stagione era precipitata; di fuori nevicava asciutto e duro: ogni tanto una folata di vento proiettava contro i vetri della mensa come una manciata di minuscoli chicchi di grandine. Attraverso il velo del nevischio si intravvedeva tutto intorno l'assedio nero della foresta. Ho cercato senza successo di interrompere Faussone per protestare la mia innocenza: non ho viaggiato quanto lui, ma certamente quanto basta per distinguere la vanità dei luoghi comuni su cui si fonda la geografia popolare. Niente da fare: arrestare un racconto di Faussone è come arrestare un'onda di marea. Ormai era lanciato, e non era difficile distinguere, dietro i panneggiamenti del prologo, la corpulenza della storia che si andava delineando. Avevamo finito il caffè, che era detestabile, come in tutti i paesi (mi aveva precisato Faussone) dove l'accento della parola «caffè» cade sulla prima sillaba, e gli ho offerto una sigaretta, dimenticando che lui non è fumatore, e che io stesso, la sera prima, mi ero accorto che stavo fumando trop-po, e avevo fatto voto solenne di non fumare piú; ma via, cosa vuoi fare dopo un caffè come quello, e in una sera come quella?

«Tutto il mondo è paese, come le stavo dicendo. Anche questo paese qui: perché è proprio qui che la storia mi è successa; no, non adesso, sei o sette anni fa. Si ricorda del viaggio in vaporetto, di Differenza, di quel vino, di quel lago che era quasi un mare, e della diga che le ho fatto vedere di lontano? Bisogna che una domenica ci andiamo, avrei caro di mostrargliela perché è un gran bel lavoro. Questi qui hanno la mano un po' pesante, ma per i lavori grossi sono piú bravi di noi, poco da dire. Bene, la gru piú grossa del cantiere sono io che l'ho montata: voglio dire, sono io che ho organizzato il montaggio, perché è una di quelle che si montano da sole, vengono su da terra come un fungo, che è abbastanza un bello spettacolo. Mi scusi se ci torno ogni tanto, su questa faccenda del montare le gru; ormai lei lo sa bene, io sono uno di quelli che il suo mestiere gli piace. Anche se delle volte è scomodo: proprio quella volta lí, per esempio, che il montaggio l'abbiamo fatto di gennaio, lavorando anche le domeniche, e gelava tutto, fino il grasso dei cavi, che bisognava farlo venire molle col vapore. A un certo momento si era anche formato del ghiaccio sul traliccio, spesso due dita e duro come il ferro, e non si riusciva piú a far scorrere uno dentro l'altro gli elementi della torre; cioè, per scorrere scorrevano, ma arrivati in cima non avevano piú lo scodimento».

In generale, la parlata di Faussone mi riesce chiara, ma non sapevo che cosa fosse lo scodimento. Gliel'ho chiesto, e Faussone mi ha spiegato che manca lo scodimento quando un oggetto allungato passa sí in un condotto rettilineo, ma arrivato a una curva o ad un angolo si pianta, cioè non scode piú. Quella volta, per ripristinare lo scodimento previsto dal manuale di montaggio, avevano dovuto picconare via il ghiaccio centimetro per centimetro: un lavoro da galline.

«Insomma, bene o male siamo arrivati al giorno del collaudo. Piú male che bene, come le ho detto; ma sul lavoro, e mica solo sul lavoro, se non ci fossero delle difficoltà ci sarebbe poi meno gusto dopo a raccontare; e raccontare, lei lo sa, anzi, me lo ha perfino detto, è una delle gioie della vita. Io non sono nato ieri, e il collaudo si capisce che me l'ero già fatto prima, pezzo per pezzo, per conto mio: tutti i movimenti andavano da dio, e anche la prova di carico, niente da dire. Il giorno del collaudo è sempre un po' come una festa: mi sono fatta la barba bella liscia, mi sono data la brillantina (beh sí, qui dietro: un pochi mi sono rimasti), mi sono messa la giacca di velluto e mi sono trovato sul piazzale, bell'e pronto, una buona mezz'ora prima dell'ora che avevamo combinato.

Arriva l'interprete, arriva l'ingegnere capo, arriva una di quelle loro vecchiette che non capisci mai cosa c'entrino, ficcano il naso dappertutto, ti fanno delle domande senza senso, si scarabocchiano il tuo nome su un pezzetto di carta, ti guardano con diffidenza, e poi si seggono in un angolo e si mettono a fare la calza. Arriva anche l'ingegnere della diga, che era poi una ingegneressa: simpatica, brava come il sole, con due spalle cosí e il naso rotto come un boxeur. Ci eravamo trovati diverse volte alla mensa e avevamo perfino fatto un po' amicizia: aveva un marito buono a niente, tre figli che mi ha fatto vedere la fotografia, e lei, prima di prendere la laurea, guidava il trattore nei colcos. A tavola faceva impressione: mangiava come un leone, e prima di mangiare buttava giú cento grammi di vodca senza fare una piega. A me la gente cosí mi piace. Sono arrivati anche diversi pelandroni che non ho capito chi fossero: avevano già la piomba alla mattina buonora, uno aveva un pintone di liquore, e continuavano a bere per conto loro.

Alla fine è arrivato il collaudatore. Era un ometto tutto nero, vestito di nero, sulla quarantina, con una spalla piú alta dell'altra e una faccia da non aver digerito. Non sembrava neanche un russo: sembrava un gatto ramito, sí, uno di quei gatti che prendono il vizio di mangiare le lucertole, e allora non crescono, vengono malinconici, non si lustrano piú il pelo, e invece di miagolare fanno hhhh. Ma sono quasi tutti cosí, i collaudatori: non è un mestiere allegro, se uno non ha un po' di cattiveria non è un buon collaudatore, e se la cattiveria non ce l'ha gli viene col tempo, perché quando tutti ti guardano male la vita non è facile. Eppure ci vogliono anche loro, lo capisco anch'io, alla stessa maniera che ci vogliono i purganti.

Allora lui arriva, tutti fanno silenzio, lui dà la corrente, si arrampica su su per la scaletta e si chiude nella cabina, perché a quel tempo nelle gru tutti i comandi erano ancora nella cabina. Adesso? Adesso sono a terra, per via dei fulmini. Si chiude nella cabina, grida giú di fare largo, e tutti si allontanano. Prova la traslazione e tutto va bene. Sposta il carrello sul braccio: va via bello latino come una barca sul lago. Fa agganciare una tonnellata e tira su: perfetto, come se il pesantore neanche lo sentisse. Poi prova la rotazione, e succede il finimondo: il braccio, che è poi un bel braccio lungo piú di trenta metri, gira tutto a scatti, con degli stridori di ferro da far piangere il cuore. Sa bene, quando si sente il materiale che lavora male, che punta, che gratta, e ti dà una pena che neanche un cristiano. Fa tre o quattro scatti, e poi si ferma di colpo, e tutta la struttura trema, e oscilla da destra a sinistra e da sinistra a destra come se dicesse che no, per carità, cosí non si può andare.

Io ho fatto che prendere la corsa su per la scaletta, e intanto gridavo a quello lassú che per l'amor di Dio non si muovesse, non cercasse di fare altre manovre. Arrivo in cima, e le giuro che sembrava di essere in un mare in tempesta; e vedo il mio ometto tutto tranquillo, seduto sul seggiolino, che stava già scrivendo il suo verbale sul libretto. Io il russo allora lo sapevo poco, e lui l'italiano non lo sapeva niente; ci siamo arrangiati con un po' di inglese, ma lei capisce che fra la cabina che continuava a ballare, lo sbordimento, e l'affare della lingua, ne è venuta fuori una di-

scussione balorda. Lui continuava a dire niet, niet, che la
macchina era capút, e che lui il collaudo non me lo dava; io
cercavo di spiegargli che prima di mettere giú il verbale volevo rendermi conto con un po' di calma, a bocce ferme. A
questo punto io avevo già i miei sospetti: primo, perché
glielo ho già detto, il giorno prima avevo fatto le mie prove
e tutto era andato bene; secondo, perché mi ero accorto da
un pezzo che c'erano in giro certi francesi, che era aperto
un appalto per altre tre gru uguali a quella, e sapevo che la
gara per quella gru noialtri l'avevamo vinta per un soffio,
e che i secondi erano stati proprio i francesi.

Sa, non è per il padrone. A me del padrone non me ne
fa mica tanto, basta che mi paghi quello ch'è giusto, e che
coi montaggi mi lasci fare alla mia maniera. No, è per via
del lavoro: mettere su una macchina come quella, lavorarci
dietro con le mani e con la testa per dei giorni, vederla crescere cosí, alta e dritta, forte e sottile come un albero, e
che poi non cammini, è una pena: è come una donna incinta che le nasca un figlio storto o deficiente, non so se rendo l'idea».

La rendeva, l'idea. Nell'ascoltare Faussone, si andava
coagulando dentro di me un abbozzo di ipotesi, che non
ho ulteriormente elaborato e che sottopongo qui al lettore:
il termine «libertà» ha notoriamente molti sensi, ma forse
il tipo di libertà piú accessibile, piú goduto soggettivamente, e piú utile al consorzio umano, coincide con l'essere
competenti nel proprio lavoro, e quindi nel provare piacere a svolgerlo.

«Ogni modo: io ho aspettato che lui calasse giú, e poi
mi sono messo a guardare bene come stavano le cose. C'e-
ra sicuramente qualche cosa che non andava nella coppia
conica... cos'ha da ridere?»

Non ridevo: sorridevo soltanto, senza rendermene conto. Non avevo piú avuto niente a che fare con le coppie co-
niche fin da quando, a tredici anni, avevo smesso di giocare col Meccano, e il ricordo di quel gioco-lavoro solitario e

intento, e di quella minuscola coppia conica di lucido ottone fresato, mi aveva intenerito per un istante.

«Sa, sono una roba molto piú delicata degli ingranaggi
cilindrici. Anche piú difficili da montare, e se uno sbaglia
il tipo di grasso, grippano che è una bellezza. Del resto,
non so, a me non è mai successo, ma fare un lavoro senza
niente di difficile, dove tutto vada sempre per diritto, de-
v'essere una bella noia, e alla lunga fa diventare stupidi. Io
credo che gli uomini siano fatti come i gatti, e scusi se torno sui gatti ma è per via della professione. Se non sanno
cosa fare, se non hanno topi da prendere, si graffiano tra
di loro, scappano sui tetti, oppure si arrampicano sugli alberi e magari poi gnaulano perché non sono piú buoni a
scendere. Io credo proprio che per vivere contenti bisogna
per forza avere qualche cosa da fare, ma che non sia troppo facile; oppure qualche cosa da desiderare, ma non un
desiderio cosí per aria, qualche cosa che uno abbia la speranza di arrivarci.

Ma torniamo alla coppia conica: cinque minuti e ho subito capito l'antifona. L'allineamento, capisce? Proprio il
punto piú delicato, perché una coppia conica è come chi
dicesse il cuore di una gru, e l'allineamento è... insomma,
senza allineamento una coppia dopo due giri è da buttare a
rottame. Non sto a fargliela tanto lunga: lí su c'era stato
qualcuno, qualcuno del mestiere; e aveva riforato uno per
uno tutti i pertugi del supporto, e aveva rimontato il basamento della coppia che sembrava dritto, e invece era sfalsa-
to. Un lavoro da artista, che se non fosse del fatto che volevano fregarmi me gli avrei fino fatto i complimenti: ma invece ero arrabbiato come una bestia. Si capisce che erano
stati i francesi, non so se proprio con le loro mani oppure
con l'aiuto di qualcuno, magari giusto il mio collaudatore,
quello che aveva tutta quella fretta di fare il verbale.

... Ma sí, certo, la denuncia, i testimoni, la perizia, la
querela: ma intanto resta sempre come un'ombra, come
una macchia d'unto, che è difficile togliersela di dosso.
Adesso sono passati dei begli anni, ma la causa è ancora in

cammino: ottanta pagine di perizia dell'Istituto Tecnologico di Sverdlovsk, con le deformazioni, le fotografie, le radiografie e tutto. Come crede che finirà, lei? Io lo so già, come finisce, quando le cose di ferro diventano cose di carta: storta, finisce».

Acciughe (1)

Ho sollevato la bocca dal piatto, dicendo fra me «tu vuoi ch'io rinnovelli»: le ultime parole di Faussone mi avevano punto sul vivo. Era proprio quello, l'Istituto Tecnologico di Sverdlovsk, il mio avversario del momento, quello che mi aveva strappato alla fabbrica, al laboratorio, alla amata-odiata scrivania, per scaraventarmi laggiú. Come Faussone, anch'io stavo sotto l'ombra minacciosa di un incartamento in due lingue; anch'io ero approdato là in veste di accusato. Avevo anzi l'impressione che quell'episodio fosse in qualche modo una displuviale, un punto singolare del mio itinerario terreno: e del resto, un curioso destino vuole che in quel paese grande e strano abbiano luogo le svolte della mia vita.

Poiché la veste di accusato è scomoda, sarebbe stata quella la mia ultima avventura di chimico. Poi basta: con nostalgia, ma senza ripensamenti, avrei scelto l'altra strada, dal momento che ne avevo la facoltà ed ancora me ne sentivo la forza; la strada del narratore di storie. Storie mie finché ne avevo nel sacco, poi storie d'altri, rubate, rapinate, estorte o avute in dono, per esempio appunto le sue; o anche storie di tutti e di nessuno, storie per aria, dipinte su un velo, purché un senso ce l'avessero per me, o potessero regalare al lettore un momento di stupore o di riso. C'è chi ha detto che la vita comincia a quarant'anni: bene, per me sarebbe cominciata, o ricominciata, a cinquantacinque. Del resto, non è detto che l'aver trascorso piú di trent'anni nel mestiere di cucire insieme lunghe molecole presumibilmente utili al prossimo, e nel mestiere parallelo di convincere il prossimo che le mie molecole gli erano effettivamente utili, non insegni nulla sul modo di cucire insieme parole e idee, o sulle proprietà generali e speciali dei tuoi colleghi uomini.

Dopo qualche esitazione, e dietro mia rinnovata richiesta, Faussone mi ha dichiarato libero di raccontare le sue storie, ed è cosí che questo libro è nato. Quanto alla perizia di Sverdlovsk, mi ha guardato con cauta curiosità: «Cosí, è qui per una grana. Non se la prenda; voglio dire, non se la prenda troppo, se no non riesce a combinare niente. Capita anche nelle migliori famiglie, di fare una topica, o di dover arrangiare la topica di qualchedun altro; e poi, un mestiere senza grane io non so neanche immaginarmelo. Cioè sí, ci sono anche quelli, ma non sono mestieri, sono come le vacche alla pastura, ma quelle almeno fanno il latte, e del resto poi le ammazzano. O come i vecchietti che giocano alle bocce in piazza d'armi e che parlano da per loro. Me la racconti, la sua grana; stavolta tocca a lei, visto che io delle mie gliene ho già raccontate diverse: cosí faccio il confronto. E poi, a sentire le rogne degli altri uno si dimentica le sue».

Io gli ho detto:

«Il mio mestiere vero, quello che ho studiato a scuola e che mi ha dato da vivere fino ad oggi, è il mestiere del chimico. Non so se lei ne ha un'idea chiara, ma assomiglia un poco al suo: solo che noi montiamo e smontiamo delle costruzioni molto piccole. Ci dividiamo in due rami principali, quelli che montano e quelli che smontano, e gli uni e gli altri siamo come dei ciechi con le dita sensibili. Dico come dei ciechi, perché appunto, le cose che noi manipoliamo sono troppo piccole per essere viste, anche coi microscopi piú potenti; e allora abbiamo inventato diversi trucchi intelligenti per riconoscerle senza vederle. Qui bisogna che lei pensi una cosa, che per esempio un cieco non ha difficoltà a dirle quanti mattoni ci sono su una tavola, in che posizione sono e a che distanza fra loro; ma se invece di

mattoni fossero dei grani di riso, o peggio ancora delle sfere da cuscinetti, lei capisce che il cieco sarebbe imbarazzato a dire dove sono, perché appena li tocca si spostano: ecco, noi siamo cosí. Tante volte, poi, noi abbiamo l'impressione di essere non solo dei ciechi, ma degli elefanti ciechi
davanti al banchetto di un orologiaio, perché le nostre dita
sono troppo grossolane di fronte a quei cosetti che dobbiamo attaccare o staccare.

Quelli che smontano, cioè i chimici analisti, devono essere capaci di smontare una struttura pezzo per pezzo senza danneggiarla, o almeno senza danneggiarla troppo; di
allineare i pezzi smontati sul bancone, sempre senza vederli, di riconoscerli uno per uno, e poi di dire in che ordine
erano attaccati insieme. Oggigiorno hanno dei begli strumenti che gli abbreviano il lavoro, ma una volta si faceva
tutto a mano, e ci voleva una pazienza da non credere.

Io però ho sempre fatto il chimico montatore, uno di
quelli che fanno le sintesi, ossia che costruiscono delle
strutture su misura. Mi dànno un modellino, come fosse
questo».

Qui, come piú volte aveva fatto Faussone per spiegarmi
i suoi tralicci, ho preso anch'io un tovagliolo di carta, e ho
scarabocchiato un disegno press'a poco cosí:

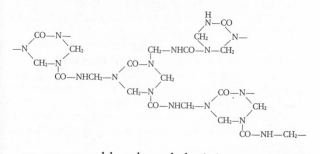

«... oppure qualche volta me lo faccio io stesso, e poi mi
devo arrangiare. Con un po' di esperienza, è facile distinguere fin dal principio le strutture che possono stare in

piedi da quelle che cascano o che vanno subito a pezzi, o da quelle altre che sono possibili solo sulla carta. Ma siamo sempre dei ciechi, anche nel caso migliore, cioè che la struttura sia semplice e stabile: ciechi, e non abbiamo quelle pinzette che sovente ci capita di sognare di notte, come uno che ha sete sogna le sorgenti, e che ci permetterebbero di prendere un segmento, di tenerlo ben stretto e diritto, e di incollarlo nel verso giusto sul segmento che è già montato. Se quelle pinzette le avessimo (e non è detto che un giorno non le avremo) saremmo già riusciti a fare delle cose graziose che fin adesso le ha solo fatte il Padreterno, per esempio a montare non dico un ranocchio o una libellula, ma almeno un microbo o il semino di una muffa.

Ma per adesso non le abbiamo, e in conclusione siamo dei montatori primitivi. Siamo, appunto, come degli elefanti a cui venga consegnata una scatoletta chiusa con dentro tutti i pezzi di un orologio; noi siamo molto forti e pazienti, e scuotiamo la scatoletta in tutti i sensi e con tutte le nostre forze: magari la scaldiamo anche, perché scaldare è un altro modo di scuotere. Bene, qualche volta, se l'orologio non è di un modello troppo complicato, a furia di scuotere, a montarlo si riesce; ma lei capisce che è piú ragionevole arrivarci a poco per volta, montando prima due pezzi solo, poi il terzo e cosí via. Ci va piú pazienza, ma di fatto si arriva prima: il piú delle volte facciamo appunto cosí.

Come vede, siete piú fortunati voialtri, che le vostre strutture ve le vedete crescere sotto le mani e sotto gli occhi, verificandole a mano a mano che vengono su: e se sbagliate ci va poco a correggere. È vero che noi abbiamo un vantaggio: ogni nostro montaggio non porta a un traliccio solo, ma a tanti in una volta. Proprio tanti, un numero che lei non se lo può immaginare, un numero di venticinque o ventisei cifre. Se non fosse cosí, chiaro che...»

«Chiaro che potreste andare a cantare in un altro cortile, – ha completato Faussone. – Vada avanti, che se ne impara sempre una nuova».

«Potremmo andare a cantare in un altro cortile, e delle volte, infatti, ci andiamo: per esempio, quando le cose vanno storte, e i nostri minuscoli tralicci non vengono tutti uguali; o magari tutti uguali, ma con un dettaglio non previsto dal modello, e noi non ce ne accorgiamo subito, perché siamo ciechi. Se ne accorge prima il cliente. Ecco, è proprio per questo che io sono qui: non per scrivere delle storie. Le storie, caso mai, sono un sottoprodotto, almeno per adesso. Sono qui con in tasca una lettera di protesta per fornitura di merce non conforme a quanto pattuito. Se abbiamo ragione noi, tutto bene, e mi pagano perfino il viaggio; se hanno ragione loro, sono seicento tonnellate che dobbiamo sostituirgli, piú i danni, perché sarà colpa nostra se una certa fabbrica non riuscirà a raggiungere la quota prevista dal piano.

Io sono un chimico montatore, questo glie l'ho già detto, ma non le ho detto che sono specialista di vernici. Non è una specialità che me la sia scelta io, per qualche motivo personale: è solo che dopo la guerra avevo bisogno di lavorare, bisogno urgente, ho trovato posto in una fabbrica di vernici, e ho pensato "fai che ti basti"; ma poi il lavoro non mi dispiaceva, ho finito con lo specializzarmi, e in definitiva ci sono rimasto. Mi sono accorto abbastanza presto che fare vernici è un mestiere strano: in sostanza, vuol dire fabbricare delle pellicole, cioè delle pelli artificiali, che però devono avere molte delle qualità della nostra pelle naturale, e guardi che non è poco, perché la pelle è un prodotto pregiato. Anche le nostre pelli chimiche devono avere delle qualità che fanno contrasto: devono essere flessibili e insieme resistere alle ferite; devono aderire alla carne, cioè al fondo, ma la sporcizia non deve aderirci su; devono avere dei bei colori delicati e insieme resistere alla luce; devono essere allo stesso tempo permeabili all'acqua e impermeabili, e questo appunto è talmente contraddittorio che neanche la nostra pelle è soddisfacente, nel senso che in effetti resiste abbastanza bene alla pioggia e all'acqua del mare, cioè non si restringe, non gonfia e non ci si scioglie dentro, però se uno insiste gli vengono i reumatismi: è segno che un po' d'acqua passa pure attraverso, e del resto almeno il sudore deve passare per forza, ma solo da dentro verso fuori. Vede che non è semplice.

Mi avevano incaricato di progettare una vernice per l'interno delle scatole di conserva, da esportare (la vernice, non le scatole) in questo paese. Come pelle, le garantisco che avrebbe dovuto essere una pelle eccellente: doveva aderire alla lamiera stagnata, resistere alla sterilizzazione a 120°C, piegarsi senza screpolare su un mandrino cosí e cosí, resistere all'abrasione se provata con un apparecchio che non sto a descriverle; ma soprattutto, doveva resistere a tutta una serie di aggressivi che di solito nei nostri laboratori non si vedono, e cioè alle acciughe, all'aceto, al sugo di limone, ai pomodori (non doveva assorbire il colorante rosso), alla salamoia, all'olio e cosí via. Non doveva assumere gli odori di queste mercanzie, e non cedergli nessun odore: ma per accettare queste caratteristiche ci si accontentava del naso del collaudatore. Finalmente, doveva potersi applicare con certe macchine continue, dove da una parte entra il foglio di lamiera svolgendosi dal rotolo, riceve la vernice da una specie di rullo inchiostratore, passa in forno per la cottura, e si avvolge sul rotolo di spedizione; in queste condizioni, doveva dare un rivestimento liscio e lucido, di un color giallo oro compreso fra due campioni di colore allegati al capitolato di fornitura. Mi segue?»

«Si capisce», ha risposto Faussone in tono quasi offeso. Può essere che invece non mi segua il lettore, qui ed altrove, dove è questione di mandrini, di molecole, di cuscinetti a sfere e di capicorda; bene, non so che farci, mi scuso ma sinonimi non ce n'è. Se, come è probabile, ha accettato a suo tempo i libri di mare dell'Ottocento, avrà pure digerito i bompressi e i palischermi: dunque si faccia animo, lavori di fantasia o consulti un dizionario. Gli potrà venire utile, dato che viviamo in un mondo di molecole e di cuscinetti.

«Le dico subito che non mi si chiedeva di fare un'invenzione: di vernici cosí ne esiste già un bel numero, ma bisognava curare i dettagli perché il prodotto passasse tutte le prove previste, in specie per il tempo di cottura, che doveva essere piuttosto corto. In sostanza, si trattava di progettare una specie di cerotto a base di un tessuto di media compattezza, con le maglie non troppo serrate perché conservasse una certa elasticità, ma neanche troppo aperte, se no le acciughe e il pomodoro avrebbero potuto attraversarle. Doveva poi avere molti gancetti robusti per infeltrirsi con se stesso e per abbarbicarsi alla lamiera durante la cottura, ma perderli dopo la cottura stessa, perché se no avrebbero potuto trattenere colori, odori o sapori. Va da sé che non avrebbe dovuto contenere componenti tossici. Vede, è cosí che noi chimici ragioniamo: cerchiamo di farvi il verso, come quel suo aiutante scimmiotto. Ci costruiamo in mente un modellino meccanico, pur sapendo che è grossolano e puerile, e lo seguiamo fin che si può, ma sempre con una vecchia invidia per voialtri uomini dei cinque sensi, che combattete fra cielo e terra contro vecchi nemici, e lavorate sui centimetri e sui metri invece che sulle nostre salsiccette e reticelle invisibili. La nostra stanchezza è diversa dalla vostra. Non sta nel filo della schiena, ma piú in su; non viene dopo una giornata faticosa, ma quando uno ha cercato di capire e non è riuscito. Di solito non guarisce col sonno. Sí, ce l'ho addosso stasera; per questo gliene parlo.

Dunque, tutto andava bene; abbiamo mandato il campione all'Ente Statale, abbiamo aspettato sette mesi e la risposta è stata positiva. Abbiamo mandato un fusto di prova qui allo stabilimento, abbiamo aspettato altri nove mesi, ed è arrivata la lettera di accettazione, l'omologazione e un ordine di trecento tonnellate; subito dopo, chissà perché, un altro ordine, con una firma diversa, per altre trecento, quest'ultimo urgentissimo. Probabilmente non era che un duplicato del primo, nato da qualche pasticcio burocratico; ad ogni modo era regolare, ed era proprio quello che ci voleva per tirare su il fatturato dell'anno. Eravamo tutti diventati molto gentili, e per i corridoi e i capannoni della fabbrica non si vedeva altro che dei gran sorrisi: seicento tonnellate di una vernice non difficile da produrre, tutta della stessa qualità, e con un prezzo niente male.

Noi siamo gente coscienziosa: di ogni lotto prelevavamo religiosamente un campione e lo collaudavamo in laboratorio, per essere sicuri che i provini resistessero a tutti gli articoli che le ho detto. Il nostro laboratorio si era riempito di odori nuovi e gradevoli, e il bancone dei collaudi sembrava la bottega di un droghiere. Tutto andava bene, noi ci sentivamo in una botte di ferro, e ogni venerdí, quando partiva la flotta dei camion che portava i fusti a Genova per l'imbarco, facevamo una piccola festa, utilizzando anche i viveri destinati al collaudo "perché non andassero a male".

Poi c'è stato il primo allarme: un telex cortese, in cui ci invitavano a ripetere la prova della resistenza alle acciughe su un certo lotto già imbarcato. La ragazza dei collaudi ha fatto una risatina e mi ha detto che avrebbe ripetuto la prova immediatamente, ma che era sicurissima dei suoi risultati, quella vernice avrebbe resistito anche ai pescicani; io però sapevo come vanno queste cose, e ho cominciato a sentire dei crampi allo stomaco».

La faccia di Faussone si è increspata in un inaspettato sorriso triste: «Eh già: a me invece viene male qui a destra, credo che sia il fegato. Ma per me un uomo che non abbia mai avuto un collaudo negativo non è un uomo, è come se fosse rimasto alla prima comunione. Poco da dire, sono degli affari che io li conosco bene; lí sul momento fanno star male, ma se uno non li prova non matura. È un po' come i quattro presi a scuola».

«Io lo sapevo, come vanno queste cose. Due giorni, poi è arrivato un altro telex, e questo non era gentile per niente. Quel lotto non resisteva alle acciughe, e neppure quelli successivi che erano arrivati nel frattempo; dovevamo mandare subito, per via aerea, mille chili di vernice sicura,

se no, blocco dei pagamenti e citazione per danni. Qui la
febbre ha cominciato a salire, e il laboratorio a riempirsi di
acciughe: italiane, grosse e piccole, spagnole, portoghesi,
norvegesi; e due etti li abbiamo lasciati andare a male apposta, per vedere che effetto facevano sulla lamiera verni-
ciata. Lei capisce che eravamo tutti abbastanza bravi in
fatto di vernici, ma nessuno di noi era uno specialista in
acciughe. Preparavamo provini su provini, come dei matti,
centinaia di provini al giorno, li mettevamo a contatto con
acciughe di tutti i mari, ma non capitava niente, da noi
tutto andava bene. Poi ci è venuto in mente che forse le
acciughe sovietiche erano piú aggressive di quelle nostrane. Abbiamo subito fatto un telex, e dopo sette giorni il
campione era sul banco: avevano fatto le cose in grande,
era una latta di trenta chili mentre invece trenta grammi
sarebbero bastati, forse era una confezione per i collegi o
per le forze armate. E devo dire che erano ottime, perché
le abbiamo anche assaggiate: ma niente, neanche loro, nessun effetto su nessuno dei provini, neppure su quelli preparati nei modi piú maligni in modo da riprodurre le condizioni piú sfavorevoli, poco cotti, a spessore scarso, piega-
ti prima del collaudo.

Intanto era arrivata la perizia di Sverdlovsk, quella che
le dicevo prima. Ce l'ho di sopra, in camera mia, nel cassetto del tavolino, e parola mia mi sembra che puzzi. No,
non di acciughe: che puzzi fuori dal cassetto, che ammorbi
l'aria, specie di notte, perché di notte faccio dei sogni strani. Forse è colpa mia, che me la prendo troppo...»

Faussone si è mostrato comprensivo. Mi ha interrotto
per ordinare due vodche alla ragazza che sonnecchiava
dietro il bancone: mi ha spiegato che era vodca speciale,
distillata di contrabbando, e infatti aveva un aroma inso-
lito, non sgradevole, su cui ho preferito non indagare.

«Beva, che le fa bene. Si capisce che lei se la prende: è
naturale. Quando uno mette la sua firma su qualche cosa,
non importa se è una cambiale o una gru o un'acciuga... mi
scusi, volevo dire una vernice, bisogna bene che ne rispon-

da. Beva, che cosí dorme bene stanotte, non sogna i provini, e domani vedrà che si sveglia senza il mal di testa: questa è roba di borsa nera, però è genuina. Intanto mi racconti come è finita».

«Non è finita, e neanche io me la sento di dire come finisce e quando finisce. Sono qui da dodici giorni, e non so quanto ci resterò; tutte le mattine mi mandano a prendere, delle volte con una macchina di rappresentanza, delle volte con una Pobieda; mi portano nel laboratorio e poi non capita niente. Viene l'interprete e si scusa, o manca il tecnologo, o manca la corrente, o tutto il personale è convocato per una riunione. Non che siano sgarbati con me, ma sembra che si dimentichino che io ci sono. Col tecnologo fino adesso non ho parlato per piú di mezz'ora: mi ha fatto vedere i loro provini, e mi ci sto rompendo la testa, perché non hanno niente a che fare con i nostri; i nostri sono lisci e puliti, questi invece hanno tanti piccoli grumi. È chiaro che è successo qualche cosa durante il viaggio, ma non riesco a immaginare che cosa; oppure c'è qualche cosa che non va nei loro collaudi, ma sa bene che dare la colpa agli altri, e specialmente ai clienti, è cattiva politica. Ho detto al tecnologo che vorrei assistere al ciclo completo, alla preparazione dei provini, dal principio alla fine; mi è sembrato contrariato, mi ha detto che andava bene, però poi non si è fatto piú vedere. Invece del tecnologo, mi tocca parlare con una donna terribile. La signora Kondratova è piccola, grassa, anziana, con una faccia distrutta, e non c'è verso di tenerla sull'argomento. Invece che di vernici, mi ha parlato tutto il tempo della sua storia, è una storia tremenda, era a Leningrado durante l'assedio, le sono morti al fronte il marito e due figli, e lei lavorava in fabbrica a tornire proiettili, con dieci gradi sotto zero. Mi fa molta pena, ma anche rabbia, perché fra quattro giorni mi scade il visto, e come faccio a tornare in Italia senza aver concluso niente, e soprattutto senza aver capito niente?»

«Lei glielo ha detto, a quella donna, che le scade il visto?» mi ha chiesto Faussone.

«No, non credo che lei abbia niente a che fare, col mio visto».

«Mi dia da mente, glielo dica. Da come lei me lo racconta, deve essere una abbastanza importante, e quando scade un visto, questi qui si dànno subito da fare, perché se no sono loro che restano nelle curve. Provi: provare non fa peccato, e lei non rischia niente».

Aveva ragione. Al solo annuncio della prossima scadenza del mio visto di soggiorno, è avvenuto intorno a me un mutamento sorprendente, come nel finale delle comiche di un tempo. Tutti, e la Kondratova per prima, hanno bruscamente accelerato le loro mosse e le loro parole, si sono fatti comprensivi e collaborativi, il laboratorio mi ha aperto le porte, ed il preparatore dei provini si è messo a mia piena disposizione.

Il tempo che mi rimaneva non era molto, ed ho chiesto prima di tutto di esaminare il contenuto degli ultimi fusti arrivati. Non è stato facile identificarli, ma in mezza giornata ci sono riuscito; abbiamo preparato i provini con tutte le cure del caso, sono risultati lisci e lucenti, e dopo la notte passata in connubio con le acciughe il loro aspetto non era cambiato. Si poteva concludere che: o la vernice si alterava nelle condizioni locali di magazzinaggio, oppure che capitava qualcosa nel corso del prelievo fatto dai russi. Il mattino della partenza ho ancora fatto in tempo ad esaminare uno dei fusti piú anziani: venivano fuori dei provini sospetti, striati e granulosi, ma ormai mancava il tempo di approfondire. La mia richiesta di proroga era stata respinta: Faussone è venuto a salutarmi alla stazione, e ci siamo lasciati con la promessa reciproca di ritrovarci, sul posto o a Torino; ma piú probabilmente sul posto. Infatti, lui ne aveva ancora per diversi mesi: insieme con un gruppo di montatori russi, stava mettendo a punto uno di quei loro escavatori colossali, alti come una casa di tre piani, che si spostano su qualunque terreno camminando su quattro enormi zampe come sauri preistorici; e io dovevo sistemare due o tre faccende in fabbrica, ma senza dubbio sarei ritornato entro un mese al massimo. La Kondratova mi aveva detto che per un mese, bene o male, sarebbero andati avanti lo stesso: proprio quel giorno aveva avuto comunicazione che, in un'altra fabbrica di scatolame, si stava usando una vernice tedesca, che a quanto pare non dava inconvenienti; mentre si cercava di chiarire l'incidente, ne avrebbero fatto arrivare urgentemente un quantitativo. Tuttavia con una inconseguenza che mi ha sorpreso, ha insistito perché io tornassi al piú presto possibile: «tutto compreso», la nostra vernice era preferibile. Da parte sua, avrebbe fatto tutto quanto poteva per farmi avere un nuovo visto prorogabile a piacere.

Faussone mi ha pregato, già che andavo a Torino, di consegnare alle sue zie un pacco e una lettera, facendogli le sue scuse: lui avrebbe passato i Santi sul posto. Il pacco era leggero ma voluminoso, la lettera non era che un biglietto, e portava segnato l'indirizzo nella grafia chiara, meticolosa e leggermente sofisticata di chi ha studiato il disegno. Mi ha raccomandato di non perdere il documento valutario relativo al contenuto del pacco, e ci siamo lasciati.

Le zie

Le zie di Faussone abitavano in una vecchia casa di via Lagrange, di soli due piani, rinserrata tra edifici piú recenti (ma altrettanto trascurati) alti almeno il triplo. La facciata era modesta, di un colore terroso indefinito, su cui risaltavano, ormai appena distinguibili, false finestre e falsi balconcini dipinti in rosso mattone. La scala B che io cercavo era in fondo al cortile: mi sono soffermato ad osservare il cortile, mentre due massaie mi guardavano con sospetto dai rispettivi ballatoi. La corte ed il portico di ingresso erano in acciottolato, e sotto il portico correvano due carraie in lastre di pietra di Luserna, solcate e logorate dal passaggio di generazioni di carri. In un angolo era un lavatoio fuori uso: era stato riempito di terra e vi era stato piantato un salice piangente. In un altro angolo c'era un mucchio di sabbia, evidentemente scaricata lí per qualche lavoro di riparazione e poi dimenticata: la pioggia l'aveva erosa in forme che ricordavano le Dolomiti, e i gatti vi avevano scavato varie comode cucce. Di fronte era la porta di legno di un'antica latrina, macerata in basso dall'umidità e dalle esalazioni alcaline, piú in alto ricoperta di una vernice bigia che si era contratta sul fondo piú scuro assumendo l'aspetto della pelle di coccodrillo. I due ballatoi correvano lungo tre lati, interrotti soltanto da cancelli rugginosi che si prolungavano fuori delle ringhiere in punte a ferro di lancia. Ad otto metri dalla via congestionata e pretenziosa, si respirava in quel cortile un vago odore clau-

strale, insieme col fascino dimesso delle cose un tempo utili, e poi lungamente abbandonate.

Ho trovato al secondo piano la targa che cercavo: Od-
denino Gallo. Dunque sorelle della madre, non del padre:
o forse zie alla lontana, o nel senso vago del termine. Sono
venute ad aprirmi tutte e due, ed al primo sguardo ho notato fra loro quella falsa rassomiglianza che spesso ed assurdamente ravvisiamo fra due persone, per quanto diverse, che veniamo a conoscere nella stessa sorte ed allo stesso
tempo. No, in realtà non si somigliavano molto: nulla al di
là di una indefinibile aria di famiglia, dell'ossatura solida e
della decorosa modestia delle vesti. Una aveva i capelli
bianchi, l'altra castani scuri. Tinti? No, non tinti: da vicino si distinguevano alcuni pochi fili bianchi sulle tempie
che facevano fede. Hanno ritirato il pacco, mi hanno rin-
graziato e mi hanno fatto sedere su un piccolo divano a
due posti, piuttosto consunto e di una forma che non avevo mai visto: quasi diviso in due da un strozzatura, e con
le due metà disposte fra loro ad angolo retto. Sull'altro posto del divano si è seduta la sorella castana; la sorella bianca, su una poltroncina di fronte.

«Permette che apra la lettera? Sa, Tino scrive cosí poco... eh già, infatti, guardi qua: "Carissime zie, approfitto
della cortesia di un amico per farvi pervenire questo rega-
lino, saluti affettuosi e baci da chi sempre vi ricorda, e sono il vostro Tino", punto e basta. Non gli viene il mal di
testa di sicuro. Cosí lei è un suo amico, non è vero?

Le ho spiegato che proprio amico no, se non altro per la
differenza di età, ma ci eravamo trovati in quei paesi lontani, avevamo passato insieme tante sere, insomma ci eravamo fatta buona compagnia, e lui mi aveva raccontato
molte cose interessanti. Ho colto un rapido sguardo della
sorella bianca alla sorella bruna:

«Davvero? – ha risposto questa: – Sa, con noi parla cosí poco...»

Ho cercato di rimediare al fallo: laggiú svaghi ce n'erano pochi, anzi nessuno, e a trovarsi fra due italiani in mez-

zo a tanti forestieri veniva naturale di parlare. Del resto, lui mi raccontava quasi soltanto del suo lavoro. Come è buona usanza, cercavo di rivolgermi volta a volta ad entrambe le donne, ma non era facile. La zia bianca raramente puntava lo sguardo verso di me; per lo piú guardava in terra, oppure, anche se io mi volgevo verso di lei, teneva gli occhi fissi in quelli della sorella bruna; le poche volte che prendeva la parola, si rivolgeva alla sorella, come se lei parlasse una lingua che io non avrei potuto capire, e la bruna dovesse fare da interprete. Quando invece era la bruna a parlare, la bianca la guardava fissamente, col busto leggermente piegato verso di lei, come se la volesse sorvegliare e stesse pronta a coglierla in difetto.

La bruna era loquace e di umore gaio: in breve ho saputo molto di lei, che era vedova senza figli, che aveva sessantatre anni e la sorella sessantasei, che si chiamava Teresa, e la bianca Mentina che voleva dire Clementina; che il suo povero marito era stato motorista abilitato nella marina mercantile, ma poi al tempo di guerra l'avevano imbarcato sui caccia ed era sparito nell'Adriatico, al principio del '43, proprio l'anno che era nato Tino. Erano appena sposati; invece Mentina non si era mai sposata.

«... ma mi dica di Tino; sta bene, no? Non prende freddo, su per le impalcature? E per il mangiare? Già lei lo avrà visto, il tipo che è lui. Ha proprio le mani d'oro: è sempre stato cosí, sa, anche da ragazzo, quando c'era un rubinetto che perdeva, o un guasto alla Singer, o la radio che faceva le scariche, lui metteva tutto a posto in un momento. Però c'era anche il rovescio della medaglia, nel senso che quando lui studiava, aveva sempre bisogno di avere in mano qualche affarino da smontare e rimontare, e sa bene, smontare è facile e rimontare mica tanto. Ma poi ha imparato, e di malanni non ne ha fatti piú». Le avevo davanti agli occhi, le mani di Faussone: lunghe, solide e veloci, molto piú espressive del suo viso. Avevano illustrato e chiarito i suoi racconti imitando volta a volta la pala, la chiave inglese, il martello; avevano disegnato nell'aria

stantia della mensa aziendale le catenarie eleganti del ponte sospeso e le guglie dei derrick, venendo a soccorso della
parola quando questa andava in stallo. Mi avevano richiamato alla mente lontane letture darwiniane, sulla mano ar-
tefice che, fabbricando strumenti e curvando la materia,
ha tratto dal torpore il cervello umano, e che ancora lo guida stimola e tira come fa il cane col padrone cieco.

«Per noi è come un figlio, pensi che ha vissuto otto anni
in questa casa, e che ancora adesso...»

«Sette, non otto», ha corretto Mentina, con inesplicabile durezza e senza guardarmi. Teresa ha proseguito senza rilevare:

«... e bisogna dire che di fastidi ce ne ha dati pochi, almeno finché è rimasto alla Lancia, cioè finché ha fatto una
vita un po' regolare. Adesso, si capisce che guadagna di
piú, ma mi dica, le pare che uno possa andare avanti cosí
per tutta la vita? Cosí, come un uccello sul ramo, che oggi
è qui e domani chissà dove, un po' a cuocere nel deserto e
un po' in mezzo alla neve? E senza parlare poi della fatica...»

«... e del pericolo di lavorare in cima a quelle torri, che
a me solo a pensarci mi viene il capogiro», ha aggiunto
Mentina, come se rimproverasse la sorella e la tenesse responsabile.

«Io spero che passando gli anni si calmerà un poco, ma
per adesso, niente da fare: deve vederlo, quando è qui a
Torino, dopo due o tre giorni sembra un leone in gabbia,
qui in casa non si fa piú quasi vedere, e ho fino il sospetto
che delle volte vada diretto in una pensione e con noi due
non si faccia neanche vivo. Garantito che, ben che è robusto, se va avanti cosí finisce che si rovina lo stomaco. Qui
da noi non c'è verso di ottenere che venga a mangiare in
orario, che si segga a tavola tranquillo e mandi giú qualche
cosa di caldo e di sostanza: sembra che sia seduto sui chiodi, un panino, un pezzo di formaggio e via, e ritorna alla
sera che noi due siamo già addormentate, perché noi andiamo a dormire presto».

«E sí che a noi, fargli dei mangiarini un po' curati ci farebbe piacere, perché per noi non vale neanche la pena, e lui è il solo nipote che abbiamo, e tempo ne abbiamo tanto...»

Oramai la configurazione si era stabilizzata, non senza un certo disagio da parte mia. Teresa parlava guardando me; Mentina interveniva guardando Teresa, ed io stavo ad ascoltare tenendo d'occhio prevalentemente Mentina, e percepivo in lei un'acrimonia mal definibile. Non capivo se era rivolta contro di me, o contro la sorella, o contro il nipote lontano, o contro il destino di quest'ultimo, che non mi sembrava poi cosí degno di commiserazione. Stavo ravvisando nelle due sorelle un esempio di quella divergenza e polarizzazione che spesso si osserva nelle coppie, non necessariamente di coniugi. All'inizio della convivenza, le differenze fra il membro tendenzialmente prodigo e l'avaro, fra l'ordinato e il disordinato, fra il sedentario e il giramondo, fra il loquace e il taciturno, possono essere esigue, ma col passare degli anni si accentuano fino ad una specializzazione precisa. Si tratta forse in alcuni casi di un rifiuto della competizione diretta, per cui quando un membro accenna a dominare in un determinato campo, l'altro, invece di combattere su questo, se ne sceglie un altro, contiguo o lontano; in altri casi avviene che l'uno dei membri cerchi, consapevolmente o no, di compensare col suo comportamento le carenze dell'altro, come quando la moglie di un contemplativo o di un pigro è costretta ad occuparsi attivamente di cose pratiche. Un'analoga differenziazione si è stabilizzata in molte specie animali, in cui ad esempio il maschio è esclusivamente cacciatore e la femmina ha il monopolio della cura della prole. Allo stesso modo la zia Teresa si era specializzata nei contatti col mondo e la zia Mentina si era arroccata nella casa: una agli affari esteri e l'altra agli interni, evidentemente non senza invidie, attriti e critiche reciproche.

Ho cercato di rassicurare le due signore:

«No, per il mangiare non c'è da preoccuparsi. Io l'ho vi-

sto come vive Tino: sul lavoro, un orario bisogna seguirlo
per forza, in qualunque paese uno vada a finire; e stiano
pure tranquille che più uno va lontano dai paesi civili, più
uno è sicuro di mangiare roba sana. Magari strana, ma sana, e così non si rovina la salute. Del resto, a quanto ho visto io, Tino ha una salute da fare invidia, non è vero?»

«È vero, sí, sí, – è intervenuta Mentina: – Non ha mai
niente, sta sempre bene. Mai che abbia bisogno di niente.
Non ha bisogno di nessuno». Era proprio trasparente, la
povera zia Mentina: lei sí, aveva bisogno che qualcuno
avesse bisogno di lei; Tino in specie.

Zia Teresa mi ha offerto del liquore e degli amaretti, e
mi ha chiesto il permesso di aprire il pacco che avevo portato dalla Russia. Conteneva due colli di pelliccia, uno
bianco e uno bruno: non me ne intendo molto, ma ho avuto l'impressione che non si trattasse di pellicce di gran pre-
gio; probabilmente erano articoli dei magazzini Beriozhka,
quasi obbligatori per il turista che visita Mosca in tre
giorni.

«Che meraviglia! E lei è stato ben gentile a portarli fin
qui. Ci spiace tanto per il disturbo: poteva almeno telefonare, e saremmo venute noi a prenderle. Chissà quanto
avrà speso, quel figliolo: che poi, per noi, è roba troppo fina, forse lui si crede che noi andiamo ancora a spasso in
via Roma. Ebbene, perché no? Sarebbe una occasione per
riprendere l'abitudine: no, Mentina? Non siamo mica ancora decrepite».

«Parla poco, Tino, ma ha sentimento. In questo, è tutto sua madre. A vederlo cosí, è rustico, ma è solo apparenza».

Ho annuito per educazione, ma sapevo di mentire. Non
era solo apparenza, la rusticheria di Faussone: forse non
era nata con lui, che forse un tempo era stato diverso, ma
era ormai reale, acquisita, ribadita da innumerevoli duel-
li con l'avversario che è duro per definizione, il ferro dei
suoi profilati e dei suoi bulloni, quello che non perdona
mai i tuoi errori e spesso li dilata in colpe. Era diverso, il

mio uomo, quale io avevo imparato a conoscerlo, dal personaggio che le due buone zie («una furba e l'altra mica tanto furba») avevano costruito per farne oggetto del loro amore tiepidamente ricambiato. Il loro ritiro-romitaggio di via Lagrange, immune ai decenni, acconciamente rappresentato dalla *causeuse* in cui io sedevo, era un cattivo osservatorio. Anche se Faussone avesse acconsentito a parlare un poco di piú, in nessun modo sarebbe riuscito a far rivivere fra quelle tappezzerie le sue sconfitte e le sue vittorie, le sue paure e le sue invenzioni.

«Quello che ci vorrebbe, per Tino, – ha detto Teresa, – sarebbe una brava ragazza: non è d'accordo anche lei? Noi ci abbiamo pensato Dio sa quante volte, e tante volte abbiamo anche provato. E sembrerebbe anche facile, perché anche lui è bravo, è un lavoratore, non è brutto, non ha vizi, e guadagna anche bene. Vuol credere? li facciamo incontrare, si vedono, si parlano, escono insieme due o tre volte, poi la ragazza viene qui e si mette a piangere: finito. E non si capisce mai che cosa è successo; lui, garantito che non parla, e loro, ognuna racconta una storia diversa. Che lui è orso, che l'ha fatta camminare sei chilometri senza dire una parola, che si dà delle arie, insomma un disastro, che oramai si è saputo, se ne parla in giro, e noi non ci osiamo neppure piú di combinargli degli altri incontri. Eppure, lui al suo avvenire magari non ci pensa, ma noi sí, perché abbiamo qualche anno piú di lui, e sappiamo cosa vuol dire vivere da soli; e sappiamo anche, che per stare con qualcuno ci vuole una fissa dimora. Se no, uno finisce che diventa selvatico: quanti se ne incontrano, specie alla domenica, e si conoscono subito, e ogni volta che ne vedo uno penso a Tino e mi viene la malinconia. Ma lei, non so, una sera che siate un po' in confidenza, come capita fra uomini: una parolina non gliela direbbe?»

Ho promesso di sí, ed ancora una volta mi sono sentito mentire. Non gli avrei detto nessuna parolina, non gli avrei dato consigli, non avrei cercato in nessun modo di influire su di lui, di contribuire a costruirgli un futuro, di stornare il futuro che lui stesso si stava costruendo, o il destino per lui. Solo un amore oscuro, carnale, antico, come quello delle zie, poteva presumere di sapere quali effetti sarebbero scaturiti dalle cause, a quale metamorfosi sarebbe andato incontro il montatore Tino Faussone legato ad una donna e ad una «fissa dimora». È già difficile per il chimico antivedere, all'infuori dell'esperienza, l'interazione fra due molecole semplici; del tutto impossibile predire cosa avverrà all'incontro di due molecole moderatamente complesse. Che predire sull'incontro di due esseri umani? O delle reazioni di un individuo davanti ad una situazione nuova? Nulla: nulla di sicuro, nulla di probabile, nulla di onesto. Meglio sbagliare per omissione che per commissione: meglio astenersi dal governare il destino degli altri, dal momento che è già cosí difficile ed incerto pilotare il proprio.

Non mi è stato agevole prendere congedo dalle due signore. Trovavano sempre nuovi argomenti di conversazione, e manovravano in modo da intercettare il cammino che cercavo di aprirmi verso la porta d'ingresso. Si è udito il rombo di un reattore di linea, e dalla finestra del tinello, contro il cielo ormai scuro, si è visto il pulsare delle luci di posizione.

«Ogni volta che ne passa uno io penso a lui, che non ha paura di cascare, – ha detto la zia Teresa: – E pensare che noi non siamo mai state a Milano, e una volta sola a Genova per vedere il mare!»

Acciughe (II)

«Sono tanto brave, niente da dire, solo che qualche volta tengono un po' caldo. Grazie per il pacco, spero che non abbia avuto da perdere troppo tempo. Cosí martedí parte anche lei? Col samoliotto? Bene, cosí facciamo il viaggio insieme: tanto, fino a Mosca la strada è la stessa».

Era una strada lunga e complicata, e sono stato contento di poterne fare una parte in compagnia, anche perché Faussone, che l'ha percorsa molte volte, la conosce meglio di me: soprattutto, ne conosce meglio le scorciatoie. Ero anche contento perché la mia battaglia contro le acciughe si era risolta sostanzialmente a mio vantaggio.

Piovigginava; secondo le intese, un'auto della fabbrica avrebbe dovuto aspettarci sul piazzale, e condurci fino all'aeroporto, che era lontano una quarantina di chilometri. Sono passate le otto, poi le otto e mezza; il piazzale era pieno di fango e non si vedeva nessuno. Verso le nove è arrivato un furgone, ne è sceso il conducente, e ci ha chiesto:

«Siete in tre?»

«No, siamo in due», ha risposto Faussone.

«Siete francesi?»

«No, siamo italiani».

«Dovete andare alla stazione?»

«No, dobbiamo andare all'aeroporto».

Il conducente, che era un giovane erculeo dal viso radioso, ha concluso lapidariamente: «Allora salite»; ha caricato i nostri bagagli ed è partito. La strada era interrotta da vaste pozzanghere: lui la doveva conoscere bene, per-

ché in alcune penetrava senza rallentare, altre le aggirava
con precauzione.

«Sono contento anch'io, – mi ha detto Faussone: – primo perché di queste terre cominciavo ad averne un po' basta; secondo, perché a quel bestione laggiú, alla escavatrice
con le gambe, io ci tenevo, e l'ho vista montata e finita;
non ha ancora incominciato a lavorare, ma insomma l'ho
lasciata in buone mani. E la sua storia, quella delle scatole
per i pesci, come è poi andata?»

«È andata bene: alla lunga avevamo ragione noi, ma
non è stata una storia bella. È stata piuttosto una storia
stupida; non una di quelle che fa piacere raccontarle, perché a raccontarla uno si accorge che è stato stupido a non
capire le cose prima».

«Non se la prenda tanto, – mi ha risposto Faussone: –
Le storie di lavoro sono quasi tutte cosí; anzi, tutte le storie dove è questione di capire qualche cosa. Succede lo
stesso quando uno finisce di leggere un libro giallo, che si
batte la mano sulla fronte e dice "eh già", ma è solo un'impressione; è che nella vita le cose non sono mai tanto semplici. Semplici sono i problemi che fanno fare a scuola. Allora?»

«Allora sono rimasto a Torino per piú di un mese, ho ri-
fatto tutti i controlli, e me ne sono tornato qui sicuro di
avere le carte in regola. Però ho trovato i russi che invece
erano sicuri che le carte in regola ce le avevano loro; avevano esaminato parecchie dozzine di fusti, e secondo loro
almeno un fusto ogni cinque era difettoso, cioè dava dei
provini granulosi; e una cosa certa era che tutti i provini
granulosi, e soltanto quelli, non resistevano alle acciughe.
Il tecnologo mi trattava con la pazienza corta che si ha coi
tonti: aveva fatto lui personalmente una scoperta...»

«Alla larga dai clienti che fanno le scoperte: sono peggio
dei muli».

«No no, aveva scoperto un fatto che per me era grave.
Sa, io ero convinto che ci fosse un fattore locale: sospetta-
vo che la granulosità venisse dal lamierino dei provini, o

dai pennelli che loro usavano per stendere la vernice; lui
mi ha messo alle corde, aveva trovato il modo di dimo-
strarmi che i grumi c'erano già nella vernice. Ha preso
il viscosimetro... non è uno strumento complicato, è una
coppa cilindrica col fondo conico, che termina in basso in
un ugello calibrato; si tappa l'ugello con un dito, si riempie
di vernice, si lascia che vengano a galla le bolle d'aria, poi
si toglie il dito e insieme si fa partire un contasecondi. Il
tempo che ci vuole perché la coppa si svuoti è una misura
della viscosità: è un controllo importante, perché una vernice non deve cambiare viscosità stando a magazzino.

Bene, il tecnologo aveva scoperto che si potevano distinguere i fusti difettosi anche senza applicare la vernice
sui provini. Bastava osservare con attenzione il filo di vernice che colava dall'ugello del viscosimetro: se il fusto era
buono, il filo scendeva liscio e fermo che sembrava di vetro; se il fusto era cattivo, il filo aveva come delle interruzioni, degli scatti: tre, quattro, o anche di piú per ogni misura. Dunque, i grumi c'erano già nella vernice, diceva lui;
e io mi sentivo come Cristo sulla croce, e gli rispondevo
che non si vedevano in nessun altro modo, infatti la vernice era bella limpida, sia prima della misura, sia dopo».

Faussone mi ha interrotto: «Scusi, sa, ma mi pare che
avesse ragione lui: se una cosa si vede, è segno che c'è».

«Certo: ma sa bene, il torto è una bestia cosí brutta che
nessuno se la vuol prendere in casa. Davanti a quel filino
dorato che colava a scatti, come se mi volesse prendere in
giro, io mi sentivo il sangue montare alla testa, e nella testa
mi sentivo girare un mucchio di idee confuse. Per un verso, pensavo ai miei controlli fatti a Torino, che erano andati cosí bene. Per un altro verso, pensavo che una vernice
è una roba piú complicata di quanto uno si immagini. Io
ho degli amici ingegneri che mi hanno spiegato che è già
difficile essere sicuri di quello che farà alla lunga un mattone o una molla a spirale: bene, creda a me che ne ho fatto
l'esperimento per tanti anni, le vernici assomigliano piú
a noi altri che ai mattoni. Nascono, diventano vecchie e

muoiono come noi, e quando sono vecchie diventano balorde; e anche da giovani sono piene di inganni, e sono
perfino capaci di raccontare le bugie, di far finta di essere
quello che non sono, malate quando sono sane, sane quando sono malate. Si fa presto a dire che dalle stesse cause
devono venir fuori gli stessi effetti: questa è un'invenzione
di tutti quelli che le cose non le fanno ma le fanno fare.
Provi un po' a parlarne con un contadino, o con un maestro di scuola, o con un medico, o peggio che tutto con un
politico: se sono onesti e intelligenti, si metteranno a ridere».

All'improvviso, ci siamo sentiti proiettati verso l'alto,
fino a battere col capo nel cielo della vettura. Il guidatore
si era trovato davanti ad un passaggio a livello chiuso, aveva sterzato bruscamente sulla sua destra infilandosi di
sghembo in un fosso, era uscito di strada, e adesso stava
navigando parallelamente ai binari in un campo arato di
fresco: si è voltato gioiosamente verso di noi, non per accertarsi della nostra integrità, ma per gridarci una frase
che io non ho capito.

«Dice che si fa piú in fretta cosí», ha tradotto Faussone
con aria poco persuasa. Poco dopo, il guidatore ci ha mostrato con fierezza un altro passaggio a livello chiuso, ci ha
fatto un gesto come a dire «Avete visto?», e di slancio si è
inerpicato su per una scarpata rimettendosi sulla strada. «I
russi sono cosí, – mi ha mormorato Faussone: – o noiosi, o
matti. Meno male che l'aeroporto è vicino».

«Il mio, quel tecnologo, non era né matto né noioso: era
uno come me, che recitava la sua parte e cercava di fare il
suo dovere: era solo un po' troppo innamorato della sua
scoperta del viscosimetro: ma devo ammettere che per tutti questi giorni passati non me la sono sentita di volergli
bene come vorrebbe la Bibbia. Avevo bisogno di prendere
tempo per chiarirmi le idee, e l'ho pregato di consentirmi
un programma di controllo completo. Ormai tutti i tremila
fusti della nostra fornitura erano nei loro magazzini, nu-
merati progressivamente: gli ho chiesto di ricollaudarli in

contradditorio, se non tutti, almeno uno ogni tre. Era un lavoro stupido e lungo (e infatti ci ho passato quattordici giorni), ma non vedevo un'altra via d'uscita.

Preparavamo provini per otto ore al giorno, centinaia di provini; quelli ruvidi non li provavamo neanche, quelli lisci li mettevamo di notte sotto le acciughe: tenevano tutti. Dopo quattro o cinque giorni di lavoro, mi è sembrato di intravvedere una certa regolarità, che però non riuscivo a spiegarmi e che non spiegava niente: sembrava che ci fossero dei giorni buoni e dei giorni cattivi, voglio dire dei giorni lisci e dei giorni granulosi. Ma non era faccenda ben netta, nei giorni lisci c'erano sempre dei provini granulosi, e nei giorni granulosi un buon numero di provini lisci».

Eravamo entrati nell'aeroporto; il nostro accompagnatore ci ha salutati, ha voltato la vettura con un gran stridore di gomme, come se avesse una fretta straordinaria, ed è ripartito in un lampo. Seguendo con lo sguardo il furgone che volava via fra due cortine di fango, Faussone ha brontolato: «La madre dei balenghi è sempre gravida: anche da queste parti». Poi si è rivolto a me: «Scusi, aspetti un momento a raccontare il resto. Mi interessa, ma adesso dobbiamo passar dogana. Mi interessa, perché una volta anch'io ho avuto per le mani una gru che certi giorni andava in blocco e certi no; ma poi si è capito, e non era niente di fuorivia, era solo l'umidità».

Ci siamo messi nella coda per la dogana, ma è subito arrivata una donnetta di mezza età che parlava inglese abbastanza bene, e che ci ha fatti passare in testa alla fila senza che nessuno protestasse: ero stupito, ma Faussone mi ha spiegato che eravamo stati riconosciuti per stranieri; anzi, forse la fabbrica aveva segnalato per telefono la nostra presenza. Siamo passati in un attimo, avremmo potuto esportare una mitragliatrice o un chilo di eroina. Solo a me, il doganiere ha domandato se avevo dei libri; ne avevo uno, in inglese, sulla vita dei delfini, e lui, perplesso, mi ha chiesto perché lo avevo, dove lo avevo comprato, se ero inglese e specialista in pesci. Non lo ero? allora come mai lo possedevo, e perché lo volevo portare in Italia? Sentite le mie risposte, si è consultato con un suo superiore e poi mi ha lasciato passare.

L'aereo era già sulla pista di decollo, e i posti erano quasi tutti occupati; era un piccolo turboelica, ed il suo interno presentava un aspetto casalingo. C'erano intere famiglie, evidentemente contadine; bambini addormentati in braccio alle madri; cesti di frutta e verdura un po' dappertutto, e in un angolo tre polli vivi legati insieme per le zampe. Non c'era, o era stata eliminata, la tramezza di separazione fra la cabina di pilotaggio e lo spazio destinato ai passeggeri; i due piloti, in attesa di ricevere il segnale di via libera, mangiucchiavano semi di girasole e chiacchieravano con la hostess e (via radio) con qualcuno nella torre di controllo. La hostess era una bella ragazza, molto giovane, solida e pallida; non era in uniforme, indossava un abitino nero e portava uno scialle viola avvolto negligentemente intorno alle spalle. Dopo qualche tempo ha dato un'occhiata all'orologio da polso, è venuta fra i passeggeri, ha salutato due o tre conoscenti, e ha detto che si chiamava Vjera Filíppovna e che era lei la nostra hostess. Parlava con voce dimessa e in tono famigliare, senza l'enfasi meccanica in uso fra le sue colleghe. Ha poi continuato dicendo che saremmo partiti fra pochi minuti o forse fra mezz'ora, e che il volo sarebbe durato un'ora e mezza o magari anche due. Che ci allacciassimo per favore le cinture di sicurezza, e non fumassimo fino al decollo. Ha tirato fuori dalla borsetta un fascio di lunghe bustine di plastica trasparente, e ha detto: «Se qualcuno ha in tasca una penna stilografica, la metta qui dentro».

«Perché? – ha chiesto un passeggero: – Forse che questo apparecchio non è pressurizzato?»

«Sí, un pochino è pressurizzato, cittadino; ma seguite ugualmente il mio consiglio. Del resto, le stilografiche spesso perdono inchiostro anche a terra, lo sanno tutti».

L'aereo è decollato, ed io ho ripreso il mio racconto.

«Come le stavo dicendo, c'erano, all'ingrosso, dei gior-

ni buoni e dei giorni cattivi: e poi, in generale, erano peggiori i provini fatti al mattino di quelli fatti al pomeriggio.
Io passavo i giorni a fare provini, e le sere a pensarci su, e
non ne venivo a capo; quando mi telefonavano da Torino
per sapere come andavano le cose, venivo tutto rosso per
la vergogna, facevo promesse, tiravo in lungo, e mi sembrava di remare, voglio dire, di remare in una barca legata
a un palo, che uno fatica come una bestia e non va avanti
di un centimetro. Ci pensavo su di sera, e anche di notte,
perché non dormivo; ogni tanto accendevo la luce e mi
mettevo a leggere il libro dei delfini per far passare le ore.

Una notte, invece di leggere quel libro, mi sono messo a
rileggere il mio diario. Non era proprio un diario, erano
appunti che prendevo giorno per giorno, è un'abitudine
che viene a tutti quelli che fanno un lavoro un po' complicato: specie quando passano gli anni, e uno non si fida piú
tanto della sua memoria. Per non dare sospetti, non scrivevo niente durante la giornata, ma mettevo giú gli appunti
e le mie osservazioni alla sera, appena ritornavo nella foresteria: che, tra parentesi, era una gran tristezza. Bene, a ri-
leggerli era ancora piú triste, perché veramente non veniva
fuori un costrutto. C'era solo una regolarità, ma non poteva essere altro che un caso: i giorni peggiori erano quelli
che si faceva viva la signora Kondratova, sí, quella che le
erano morti in guerra i figli e il marito, si ricorda? Forse
erano le disgrazie che aveva avute, ma sta di fatto che poveretta stava sullo stomaco non solo a me ma a tutti. Avevo annotato i giorni che veniva per via di quella faccenda
del visto, perché era lei che se ne occupava, o insomma che
avrebbe dovuto occuparsene, ma invece mi raccontava i
suoi guai lontani e vicini e mi faceva perdere tempo sul lavoro. Mi prendeva anche un po' in giro per la storia delle
acciughe: non credo che fosse cattiva, forse non si rendeva
conto che ero io a pagare di persona, ma certo non era una
che facesse piacere averla vicino: a ogni modo, io non sono
uno di quelli che credono nel malocchio, e non potevo ammettere che le disgrazie della Kondratova potessero diven-

tare grumi nella vernice. Del resto, con le sue mani non toccava niente; non veniva tutti i giorni, ma quando veniva arrivava presto, e come prima cosa sgridava tutti quelli del laboratorio perché secondo lei non era abbastanza pulito.

Ecco, è stata proprio la faccenda della pulizia a mettermi sulla strada giusta. È abbastanza vero che la notte porta consiglio, ma lo porta solo se uno non dorme bene, e se la sua testa non va in vacanza ma continua a marciare. In quella notte mi pareva di essere al cinematografo e che dessero un brutto film: oltre che brutto, era anche guasto, tutti i momenti si interrompeva e ricominciava da capo, e il primo personaggio che veniva in scena era proprio la Kondratova. Entrava in laboratorio, mi salutava, faceva la solita predica della pulizia, poi il film si strappava: che cosa capitava dopo? Bene, dopo non so quante interruzioni, la sequenza è andata avanti di qualche inquadratura e si è vista la donna che mandava una delle ragazze a prendere degli stracci; quegli stracci si vedevano da vicino, in primo piano, e invece che stracci qualunque erano di un tessuto rado e bianco che sembrava quello delle bende da ospedale. Sa come succede, non è che fosse un sogno miracoloso, è probabile che io abbia proprio visto la scena, ma ero distratto, forse in quel momento stavo pensando ad altro, o la Kondratova mi stava raccontando la storia di Leningrado e dell'assedio. Devo aver registrato il ricordo senza rendermene conto.

Il mattino dopo la Kondratova non c'era; io ho fatto finta di niente, e appena entrato ho messo il naso dentro il cassone degli stracci. Erano proprio bende, bende e filacce. A forza di gesti, di insistenze e di intuizione, dalle spiegazioni del tecnologo ho ricavato che era materiale di medicazione scartato al collaudo. Si vedeva bene che l'uomo faceva il tonto, e approfittava delle difficoltà di linguaggio; non mi ci è voluto molto a capire che era roba procurata illegalmente, forse con qualche baratto o per via di amicizie. Forse l'assegnazione mensile di stracci era mancata o tardava, e lui si era arrangiato: a fin di bene, naturalmente.

Quel giorno era un giorno di sole, il primo dopo una settimana di nuvole: onestamente, penso che se il sole fosse venuto fuori prima anch'io avrei capito prima il fatto dei provini granulosi. Ho preso uno straccio dal cassone e l'ho scosso due o tre volte; un momento dopo, nell'angolo opposto del laboratorio, un raggio di sole che era quasi invisibile si è riempito di bruscolini luminosi, che si accendevano e spegnevano come fanno le lucciole a maggio. Ora lei deve sapere (o forse gliel'ho già detto) che le vernici sono una razza permalosa, specie per quanto riguarda i peli, e in generale per tutto quello che vola per aria: a un mio collega è toccato di pagare parecchi soldi a un proprietario perché facesse tagliare un filare di pioppi a seicento metri dalla fabbrica, altrimenti a maggio quei fiocchi con dentro i semi, che sono cosí graziosi e volano lontano, andavano a finire nei lotti di vernice in fase di macinazione e glieli rovinavano; e non servivano a niente zanzariere e moscaruole, perché i fiocchi entravano da tutte le fenditure dei serramenti, si raccoglievano di notte negli angoli morti, e al mattino, appena entravano in funzione le ventole di aerazione, giravano per aria come impazziti. E a me è successo un guaio coi moscerini dell'aceto. Non so se lei li conosce, gli scienziati gli vogliono bene perché hanno i cromosomi molto grossi; anzi, pare che quasi tutto quello che si sa oggi sull'eredità, i biologi lo abbiano imparato sulla loro pelle, facendoli incrociare fra di loro in tutte le maniere possibili, tagliuzzandoli, iniettandoli, affamandoli e dandogli da mangiare delle cose strane: dove si vede che tante volte mettersi in vista è pericoloso. Li hanno chiamati Drosofile, e anche loro sono belli, con gli occhi rossi, non piú lunghi di tre millimetri, e non fanno male a nessuno, anzi, magari contro voglia ci hanno fatto del bene.

A queste bestioline piace l'aceto, non saprei dirle perché; per essere precisi, gli piace l'acido acetico che sta dentro l'aceto. Sentono il suo odore a distanze da non crederci, arrivano da tutte le parti come una nuvola, per esempio sul mosto, che infatti qualche traccia d'acido acetico la contiene; se poi trovano dell'aceto scoperto sembrano ubriachi, volano in cerchio fitto fitto tutto intorno, e tante volte ci vanno a finire dentro e annegano».

«Eh già: tanto va la gatta al lardo...» ha commentato Faussone.

«Come naso... si fa per dire, perché il naso non ce l'hanno, e gli odori li sentono con le antenne. Come naso, dicevo, ci battono come niente, e battono anche i cani, perché sentono l'acido anche quando è combinato, per esempio nell'acetato di etile o di butile, che sono solventi delle vernici alla nitro. Bene, avevamo una nitro per unghie di un colore fuori serie, ci avevamo messo due giorni per metterla a tinta, e la stavamo passando al mulino a tre cilindri; non saprei dire come mai, forse era la loro stagione, o avevano piú fame del solito, o si erano passati la parola: ma sono arrivati a sciami, si andavano a posare sui cilindri mentre giravano e rimanevano macinati anche loro dentro alla vernice. Ce ne siamo accorti solo alla fine della macinazione, non c'è stato verso di filtrarla, e per non buttarla via l'abbiamo dovuta recuperare in un'antiruggine, che cosí è venuta fuori di un bel colore rosé. Bene, scusi se ho perso un po' il filo.

In conclusione, a questo punto io mi sentivo in piena rimonta. Ho esposto al tecnologo la mia supposizione, che nel mio cuore era ormai una certezza, tanto che avrei addirittura chiesto il permesso di telefonare la notizia alla fabbrica in Italia. Ma il tecnologo non cedeva: aveva visto lui con i suoi occhi diversi campioni di vernice, appena prelevati dai fusti, che scendevano dal viscosimetro a guizzi. Come avrebbero avuto il tempo di catturare per aria i filamenti degli stracci? Per lui era chiaro: i filamenti potevano entrarci o non entrarci, ma i grumi c'erano già nei fusti di fornitura.

Bisognava dimostrargli (e anche dimostrare a me stesso) che non era vero, e che in ogni grumo c'era un filamento. Avevano un microscopio? Ce l'avevano, uno da esercita-

zioni con solo duecento ingrandimenti, ma per quello che
volevo fare io bastavano; aveva anche il polarizzatore e l'a-
nalizzatore».

Faussone mi ha interrotto. «Momento. Finché sono
stato io a raccontarle le storie del mio mestiere, lei lo deve
ammettere, io non ho mai profittato. Capisco che oggi lei
è contento, ma anche lei non deve approfittarsene. Deve
raccontare le cose in una maniera che si capiscano, se no
non è piú gioco. O non è che lei è già dall'altra parte, di
quelli che scrivono e poi quello che legge si arrangia, tanto
ormai il libro lo ha già comprato?»

Aveva ragione, e io mi ero lasciato trascinare. D'altra
parte, avevo fretta di concludere il mio racconto, perché
Vjera Filíppovna era già venuta fra i passeggeri ad annun-
ciare che, secondo lei, saremmo atterrati a Mosca entro
venti o trenta minuti. Cosí mi sono limitato a spiegargli
che ci sono molecole lunghe e molecole corte; che solo con
le molecole lunghe, sia la natura sia l'uomo, riescono a costruire dei filamenti tenaci; che in questi filamenti, di lana,
o di cotone, o di nailon, o di seta e cosí via, le molecole sono orientate per il lungo, e grossolanamente parallele; e
che il polarizzatore e l'analizzatore sono appunto strumenti che permettono di rivelare questo parallelismo, anche su
un pezzetto di filamento appena visibile al microscopio. Se
le molecole sono orientate, cioè se si tratta di una fibra, si
vedono dei bei colori; se sono disposte alla rinfusa non si
vede niente. Faussone ha fatto un grugnito, a indicare che
potevo continuare.

«Ho anche trovato in un cassetto dei bei cucchiaini di
vetro, di quelli che si usano per le pesate di precisione: volevo dimostrare al tecnologo che dentro ogni grumo che
usciva dal viscosimetro c'era un filamento, e che dove non
c'erano filamenti anche i grumi non c'erano. Ho fatto fare
pulizia dappertutto con degli stracci bagnati, ho fatto eli-
minare il cassone, e nel pomeriggio ho incominciato la mia
caccia: dovevo acchiappare al volo il grumo col cucchiaino
mentre scendeva dal viscosimetro, e portarlo sotto il mi-

croscopio. Credo che potrebbe diventare uno sport, una specie di tiro al piattello che si può fare anche in casa; ma non era divertente esercitarmi sotto quattro o cinque paia di occhi diffidenti. Per dieci o venti minuti non ho concluso niente; arrivavo sempre troppo tardi, quando il grumo era già passato; oppure, spinto dal nervosismo, facevo scattare il cucchiaino addosso a un grumo immaginario. Poi ho imparato che era importante mettersi seduti comodi, avere una illuminazione forte, e tenere il cucchiaio molto vicino al filo di vernice. Ho portato sotto il microscopio il primo grumo che sono riuscito a catturare, e il filamento c'era; l'ho confrontato con un altro filamento che avevo staccato apposta dalle bende: benissimo, erano identici, cotone uno e cotone l'altro.

Il giorno dopo, che sarebbe ieri, ero diventato bravo, e avevo anche insegnato il trucco a una delle ragazze; non c'erano più dubbi, ogni grumo conteneva un filamento. Che poi i filamenti facessero da quinta colonna per l'attacco delle acciughe sulla vernice, si spiegava abbastanza bene, perché le fibre di cotone sono porose, e potevano ben funzionare come un canaletto: ma i russi non mi hanno chiesto altro, hanno firmato il mio protocollo liberatorio, e mi hanno congedato con un nuovo ordine di vernice in tasca. Tra parentesi: anche senza sapere tanto il russo, ho capito che, con un pretesto o un altro, l'ordine me lo avrebbero dato comunque, perché la vernice tedesca di cui mi aveva parlato la Kondratova il mese prima era chiaro che, quanto a grumi e acciughe, si comportava come la nostra. E la scoperta del tecnologo, quella che mi aveva tanto preoccupato, è venuto poi fuori che aveva una causa addirittura ridicola: fra una misura e l'altra, invece di lavare il viscosimetro con solvente e poi asciugarlo, lo pulivano direttamente con le filacce del cassone, di modo che, in fatto di grumi, il viscosimetro stesso era il peggior focolaio d'infezione».

Siamo atterrati a Mosca, abbiamo recuperato i bagagli e siamo saliti sull'autobus che ci doveva portare all'albergo in città. Ero piuttosto deluso dal mio tentativo di ritorsione: Faussone aveva seguito il mio racconto col suo solito viso inespressivo, senza quasi interrompermi e senza fare domande. Ma doveva seguire un suo filo di pensiero, perché dopo un lungo silenzio mi ha detto:

«Cosí lei vuole proprio chiudere bottega? Io, scusi sa, ma al suo posto ci penserei su bene. Guardi che fare delle cose che si toccano con le mani è un vantaggio; uno fa i confronti e capisce quanto vale. Sbaglia, si corregge, e la volta dopo non sbaglia piú. Ma lei è piú anziano di me, e forse nella vita ne ha già viste abbastanza».

... Naturalmente mi mancava il Capitano MacWhirr. Appena l'ho raffigurato, mi sono accorto che era l'uomo che faceva per me. Non voglio dire che io abbia mai visto il Capitano MacWhirr in carne ed ossa, o che io mi sia trovato in contatto con la sua pedanteria e la sua indomabilità. MacWhirr non è il frutto di un incontro di poche ore, o settimane, o mesi: è il prodotto di vent'anni di vita, della mia propria vita. L'invenzione cosciente ha avuto poco a che fare con lui. Se anche fosse vero che il Capitano MacWhirr non ha mai camminato o respirato su questa terra (il che, per conto mio, è estremamente difficile da credere), posso tuttavia assicurare ai lettori che egli è perfettamente autentico.

J. CONRAD, dalla Nota a *Tifone*.

Se non ora, quando?

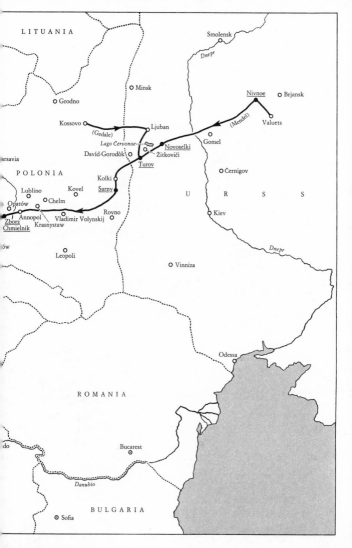

Capitolo primo

Luglio 1943

– Al mio paese, di orologi ce n'erano pochi. Ce n'era uno sul campanile, ma era fermo da non so quanti anni, forse fin dalla rivoluzione: io non l'ho mai visto camminare, e mio padre diceva che neanche lui. Non aveva orologio neppure il campanaro.

– Allora come faceva a suonare le campane all'ora giusta?

– Sentiva l'ora alla radio, e si regolava col sole e con la luna. Del resto, non suonava tutte le ore, ma solo quelle importanti. Due anni prima che scoppiasse la guerra si era rotta la corda della campana: si era strappata in alto, la scaletta era fradicia, il campanaro era vecchio e aveva paura di arrampicarsi fino lassú per mettere una corda nuova. Da allora in poi ha segnato le ore sparando in aria col fucile da caccia: uno, due, tre, quattro spari. È andato avanti cosí finché sono venuti i tedeschi; il fucile glielo hanno preso, e il paese è rimasto senza ore.

– Sparava anche di notte, il tuo campanaro?

– No, ma di notte non aveva mai suonato neanche le campane. Di notte si dormiva, e non c'era bisogno di sentire le ore. L'unico che ci teneva veramente era il rabbino: lui l'ora giusta la doveva conoscere per sapere quando cominciava e finiva il Sabato. Ma delle campane non ne aveva bisogno, aveva una pendola e una sveglia; quando andavano d'accordo era gentile, quando non andavano d'accordo si vedeva subito, perché diventava litigioso e batteva i bambini sulle dita con il righello. Quando sono stato piú

grande mi chiamava perché le facessi andare d'accordo. Sí,
ero orologiaio, patentato; è proprio per questo che quelli
del distretto mi hanno messo in artiglieria. Avevo giusto il
torace che ci voleva, non un centimetro di piú. Avevo il
mio laboratorio, piccolo ma non ci mancava niente. Non
riparavo solo orologi, ero bravo a riparare un po' di tutto,
anche le radio e i trattori, purché non avessero guasti troppo difficili. Ero il meccanico del Kolchoz, e il mio lavoro
mi piaceva. Gli orologi li riparavo in privato, a tempo perso: erano pochi, ma tutti avevano il fucile, e io riparavo
anche i fucili. E se vuoi sapere come si chiama, questo paese, si chiama Strelka, come chissà quanti altri paesi; e se
vuoi sapere dov'è, sappi che non è lontano da qui, anzi
era, perché questa Strelka non c'è piú. Metà dei paesani si
sono sparsi per la campagna e per il bosco, e l'altra metà
stanno in una fossa, e non ci stanno stretti, perché tanti
erano morti già prima. In una fossa, sí; e l'hanno dovuta
scavare loro, gli ebrei di Strelka; ma dentro la fossa ci sono
anche i cristiani, e adesso fra loro non c'è piú tanta differenza. E sappi che io che ti parlo, io Mendel l'orologiaio
che riparava i trattori del Kolchoz, avevo una moglie, e sta
nella fossa anche lei; e che mi chiamo contento di non aver
avuto figli. E sappi ancora che questo paese che non c'è
piú io l'ho maledetto molte volte, perché era un paese di
anitre e di capre, e c'era la chiesa e la sinagoga ma non c'e-
ra il cinematografo; e adesso a pensarlo mi sembra il Giardino dell'Eden e mi taglierei una mano perché il tempo
camminasse all'indietro e tutto tornasse come prima.

Leonid stava a sentire senza osare interrompere. Si era
tolti gli stivali e le pezze da piedi, e li aveva messi fuori al
sole ad asciugare. Arrotolò due sigarette, una per sé e una
per Mendel, poi cavò di tasca i cerini, ma erano umidi, e
ne dovette sfregare tre prima che il quarto si accendesse.
Mendel lo osservò con calma. Era di statura media, di
membra piuttosto nervose che robuste; aveva capelli neri
lisci, un viso ovale, abbronzato, non sgradevole benché
ispido di barba, naso breve e diritto, e due occhi scuri,

intensi, leggermente sporgenti, da cui Mendel non riusciva a staccare lo sguardo. Irrequieti, ora fissi ed ora sfuggenti, pieni di richiesta. Occhi di creditore, pensò: o di chi si sente in credito. Ma chi non si sente in credito?

Gli chiese: – Perché ti sei fermato proprio qui?

– Per caso, cosí: ho visto un fienile. E poi per la tua faccia.

– Che cos'ha la mia faccia di diverso dalle altre?

– Appunto, non ha niente di diverso –. Il ragazzo tentò un riso imbarazzato. – È una faccia come tante, che dà fiducia. Tu non sei moscovita, ma se girassi per Mosca i forestieri ti fermerebbero per chiederti la strada.

– ... E farebbero male: se io fossi cosí bravo a trovare le strade non sarei rimasto qui. Guarda che non ti posso offrire molto, né per la pancia né per lo spirito. Mi chiamo Mendel, e Mendel sta per Menachém, che vuol dire «consolatore», ma non ho mai consolato nessuno.

Fumarono per qualche minuto in silenzio. Mendel aveva cavato di tasca un coltellino, aveva raccolto da terra un ciotolo, ci sputava sopra a intervalli e ci affilava contro la lama; ogni tanto ne controllava il filo provandolo sull'unghia del pollice. Quando fu soddisfatto, incominciò a tagliarsi le altre unghie, manovrando il coltellino come se fosse una sega. Quando tutte e dieci furono tagliate, Leonid gli offerse un'altra sigaretta: Mendel rifiutò.

– No, grazie. Io veramente non dovrei fumare, ma quando trovo tabacco fumo. Cosa vuoi che un uomo faccia, quando gli tocca vivere come un lupo?

– Perché non dovresti fumare?

– Per via dei polmoni. O dei bronchi, non ti saprei dire. Come se fumare o non fumare avesse importanza quando tutto il mondo ti crolla intorno. Su, dammi questa sigaretta, è dall'autunno che io sono qui, e forse è la terza volta che trovo da fumare. C'è un villaggio, a quattro chilometri; si chiama Valuets, ha il bosco tutto intorno, e i contadini sono brava gente, ma tabacco non ne hanno, e neanche sale. Per cento grammi di sale ti dànno una dozzina di uova, o anche un pollo.

Leonid tacque per qualche istante, come se fosse indeciso, poi si alzò, scalzo com'era entrò nel fienile, ne uscí con lo zaino e prese a frugarci dentro. – Ecco, – disse poi brevemente, mostrando a Mendel due pacchetti di sale greggio. – Venti polli, se le tue quotazioni sono giuste.

Mendel tese la mano, afferrò i pacchi e li soppesò con aria di approvazione. – Da dove viene?

– Da lontano. È venuta l'estate, e la ventriera dell'esercito non mi serviva piú, ecco da dove viene. Il commercio non muore mai, neppure dove muore l'erba e la gente. Ci sono posti dove hanno il sale, altri dove hanno il tabacco, e altri dove non hanno niente. Anch'io vengo di lontano. Sono sei mesi che vivo giorno per giorno, e che cammino senza sapere dove voglio andare; cammino per camminare, cammino perché cammino.

– Cosí tu vieni da Mosca? – chiese Mendel.

– Vengo da Mosca e da cento altri posti. Vengo da una scuola, dove ho imparato a fare il contabile, e poi l'ho subito dimenticato. Vengo dalla Lubjanka, perché a sedici anni ho rubato e mi hanno messo dentro per otto mesi: già, un orologio ho rubato, vedi che siamo quasi confratelli. Vengo da Vladimir, dal corso dei paracadutisti, perché quando uno è contabile lo mettono nei paracadutisti. Vengo da Laptevo, vicino a Smolensk, dove mi hanno paracadutato in mezzo ai tedeschi. E vengo dal Lager di Smolensk, perché sono scappato: sono scappato a gennaio, e da allora non ho fatto che camminare. Scusami, collega, sono stanco, ho male ai piedi, ho caldo e vorrei dormire. Ma prima vorrei sapere dove siamo.

– Te l'ho detto, siamo vicino a Valuets: è un villaggio a tre giorni di cammino da Brjansk. È un posto tranquillo, la ferrovia è a trenta chilometri, il bosco è fitto e le strade sono piene di fango, o di polvere, o di neve, secondo la stagione: posti come questi ai tedeschi non piacciono, ci vengono solo per portare via il bestiame, e neanche tanto spesso. Vieni, andiamo a fare il bagno.

Leonid si alzò e si accinse a rimettersi gli stivali, ma Mendel lo fermò: – No, non al fiume: non si sa mai, e del resto è lontano. Qui dietro, dietro il fienile –. Gli mostrò l'installazione: una baracchetta di tavole, un serbatoio di lamiera sopra il tetto dove l'acqua si intiepidiva al sole, una piccola stufa per l'inverno, fatta d'argilla indurita al fuoco. Non mancava neppure la rosa della doccia, che Mendel aveva ricavata da una scatola di conserva sforacchiata e collegata al serbatoio mediante un tubo di lamiera.
– Tutto fatto con le mie mani. Senza spendere un rublo, e senza l'aiuto di nessuno.

– Lo sa, la gente del villaggio, che tu sei qui?

– Lo sa e non lo sa. Al villaggio ci vado meno che posso, arrivando ogni volta da una direzione diversa. Aggiusto le loro macchine, parlo il meno possibile, mi faccio pagare in pane e in uova e me ne vado. Me ne vado di notte: non credo che nessuno mi abbia mai seguito. Su, spogliati. Sapone non ne ho, almeno per adesso: ci si aggiusta con la cenere, è là in quel barattolo, mescolata con sabbia di fiume. È meglio che niente, e dicono che ammazzi i pidocchi meglio del sapone medicato che ti dànno nell'esercito. A proposito...

– No, non ne ho, non avere paura. Sono mesi che viaggio da solo.

– Dài, spogliati e dammi la camicia. Non è il caso di offendersi. Avrai pure dormito in qualche pagliaio o fienile, e loro sono una razza paziente, che sa aspettare. Come noi, insomma, sia fatta la debita distinzione fra l'uomo e il pidocchio.

Mendel esaminò la camicia da conoscitore, cucitura per cucitura. – Bene, è *kòscher*, niente da dire. Ti avrei accolto ugualmente, ma senza pidocchi ti accolgo piú volentieri. Vai pure tu per primo sotto la doccia: io l'ho già fatta stamattina.

Considerò da vicino il corpo magro dell'ospite: – Come mai non sei circonciso?

Leonid eluse la domanda:

– E tu come ti sei accorto che sono ebreo anch'io?

– Dall'accento jiddisch non ci si lava in dieci acque, – citò Mendel. – Ad ogni modo, sei il benvenuto, perché sono stanco di stare solo. Resta, se vuoi: anche se sei moscovita, e hai studiato, e sei scappato chissà di dove, e hai rubato un orologio, e non mi vuoi raccontare la tua storia. Sei mio ospite. È fortuna che tu mi abbia trovato. Avrei dovuto anch'io fare quattro porte alla mia casa, una per ogni parete, come aveva fatto Abramo.

– Perché quattro porte?

– Perché i viandanti non stentassero a trovare l'ingresso.

– E tu, queste storie dove le hai imparate?

– Questa è nel Talmud, da qualche parte della Mishnàh.

– Allora vedi che anche tu hai studiato!

– Da bambino ero allievo di quel rabbino che ti ho detto. Ma adesso sta nella fossa anche lui, e io ho dimenticato quasi tutto. Ricordo solo i proverbi e le favole.

Leonid tacque un poco, poi disse:

– Non ho detto che non ti voglio raccontare la mia storia. Ho solo detto che sono stanco e ho sonno –. Sbadigliò e si avviò alla baracca della doccia.

Alle quattro del mattino era già giorno, ma i due non si svegliarono che due o tre ore piú tardi. Durante la notte il cielo si era velato, piovigginava, e da ponente arrivavano lunghe folate di vento, come onde del mare, annunciandosi di lontano col fruscio delle foglie e lo scricchiolio dei rami. Si alzarono freschi e riposati. Mendel non aveva piú molto da nascondere:

– Certo. Sono un disperso anch'io, non un disertore. Disperso fin dal luglio del '42. Uno dei centomila, duecentomila dispersi: c'è da vergognarsi di essere dispersi? E forse che si possono contare i dispersi? Se si potesse, non sarebbero dispersi; si contano i vivi e i morti, i dispersi non sono né vivi né morti e non si possono contare. Sono come i fantasmi.

– Non so se a voialtri paracadutisti vi insegnino come si fa a buttarsi giú. A noi avevano insegnato tutto, tutti i pezzi grossi e piccoli dell'Armata Rossa, prima sui disegni e sulle fotografie, che sembrava di essere tornati a scuola, e poi dal vero, dei bestioni da far paura. Bene, quando mi hanno trasferito sul fronte con la mia compagnia era tutto diverso e non si capiva piú niente: non c'erano due pezzi uguali. Ce n'era di russi della prima guerra mondiale, di tedeschi e di austriaci, perfino qualcuno che veniva dalla Turchia, e ti puoi immaginare la confusione che nasceva per le munizioni. Era giusto un anno fa, la mia postazione era sulle colline, a metà strada fra Kursk e Kharkov. Il capopezzo ero io, benché fossi ebreo e orologiaio, e il pezzo non era della prima guerra mondiale ma della seconda, e non era russo ma tedesco; sí, era un 150/27 dei nazisti che era rimasto lí chissà perché, forse perché si era guastato, fin dall'ottobre del '41 quando i tedeschi avevano fatto la grande avanzata. Sai, una volta piazzato non è facile spostare un arnese come quello. Me l'hanno affidato all'ultimo momento, quando la terra aveva già cominciato a tremare tutto intorno e il fumo nascondeva il sole, e ci voleva coraggio non dico per sparare giusto ma anche solo per restare lí. E come fai a sparare giusto se nessuno ti dà i dati di puntamento, e tu non li puoi chiedere perché il telefono è saltato, e del resto a chi li chiederesti quando vedi che tutto è tornato nel caos, e il cielo è cosí nero che non sai piú se è giorno o notte, e la terra ti scoppia tutto intorno, e senti come una valanga che sta per seppellirti ma nessuno ti dice da dove verrà, e allora non sai neppure da che parte scappare.

– I tre serventi sono scappati, e forse hanno fatto bene, non te lo potrei dire perché di loro non ho saputo piú nul-

la. Io no: non che volessi darmi prigioniero, ma la nostra
regola è che un artigliere non deve lasciare la sua arma al
nemico; cosí, invece di correre via sono rimasto sul posto,
a studiare il modo migliore di sabotare il pezzo. Certo guastare una macchina è piú facile che aggiustarla, ma anche
per guastare un cannone in maniera che non possa piú essere riparato ci vuole intelligenza, perché ogni pezzo ha il
suo punto debole. Insomma, l'idea di scappare non mi piaceva. Non è che io sia un eroe, non mi è mai venuto in
mente di essere un eroe, ma tu lo sai, un ebreo in mezzo ai
russi dev'essere due volte piú bravo dei russi, se no gli dicono subito che è un vigliacco. E pensavo anche che se io
non riuscivo a sabotare il pezzo, i tedeschi lo avrebbero
voltato ancora una volta, e ci avrebbero sparato addosso.

– Per fortuna ci hanno pensato loro stessi. Mentre io
stavo armeggiando, con la testa che pensava al sabotaggio
e le gambe che mi volevano portare via, è arrivata una granata tedesca, si è infilata nella terra molle proprio sotto
l'affusto ed è esplosa. Il pezzo ha fatto un salto ed è rica-
duto su un fianco, e credo che nessuno lo raddrizzerà mai
piú. Credo anche che sia stato proprio lui a salvarmi la pelle, perché ha intercettato tutte le schegge della granata.
Solo una, non so come, mi ha ferito di striscio qui, vedi?
sulla fronte e in mezzo ai capelli. Ha sanguinato molto, ma
io non sono svenuto, e il taglio è poi guarito da sé.

– Allora mi sono messo a camminare…

– Da che parte? – interruppe Leonid. Mendel rispose
risentito: – Come da che parte! Ho cercato di ricongiun-
germi con i nostri; e del resto tu non sei il tribunale militare. Te l'ho detto, il cielo era tutto nero di fumo, e non c'e-
ra modo di orientarsi. E la guerra è soprattutto una gran
confusione, sul campo e anche nella testa della gente: molte volte non si capisce neppure chi ha vinto e chi ha perso,
lo decidono poi dopo i generali e quelli che scrivono i libri
di storia. Era cosí, era tutto confuso, anch'io ero confuso,
il bombardamento continuava ed è venuta la notte. Ero

mezzo assordato e tutto coperto di sangue, e credevo che la mia ferita fosse piú grave di quanto era veramente.

– Mi sono messo in cammino, e credevo di andare dalla parte giusta, cioè di allontanarmi dal fronte e di andare verso le nostre linee. Infatti, a mano a mano che procedevo il fracasso diminuiva. Ho camminato tutta la notte, da principio vedevo altri soldati che camminavano, poi piú nessuno. Ogni tanto si sentiva il fischio di una granata che arrivava, e io mi appiattivo a terra, in un solco, dietro un sasso. Al fronte si impara presto, ci si accorge di una infossatura là dove un borghese vede solo un campo piatto come un lago gelato. Incominciava a fare giorno, ed ecco, ho sentito crescere un rumore nuovo, e la terra ricominciava a tremare. Non capivo che cosa fosse, era una vibrazione, un rombo continuo; mi sono guardato intorno per cercare un nascondiglio, ma c'erano solo campi falciati e terra incolta, senza una siepe, senza un muro. E invece di un riparo ho visto una cosa che non avevo mai vista, benché fossi in guerra da un anno. Parallela al mio cammino c'era una ferrovia, io non me n'ero accorto prima, e sulla ferrovia al primo momento mi è sembrato che camminasse una fila di chiatte, come quelle dei fiumi. Poi ho capito, io avevo sbagliato direzione, ero dalla parte tedesca del fronte, e quello era un treno corazzato tedesco: andava verso il fronte, e invece che un treno di vagoni mi è sembrato un treno di montagne; e ti sembrerà strano, ti sembrerà stupido, o ti sembrerà addirittura una bestemmia, perché io non so come la pensi tu su queste cose, ma a me è venuta in mente la benedizione che diceva mio nonno quando sentiva il tuono, «la tua forza e la tua potenza riempiono l'universo». Eh, sono cose incomprensibili, perché i treni corazzati li hanno fatti i tedeschi, ma i tedeschi li ha fatti Dio; e perché li ha fatti? O perché ha permesso che il Satàn li facesse? Per i nostri peccati? E se un uomo non ha peccati? O una donna? e che peccati aveva mia moglie? O che forse una donna come mia moglie deve morire e giacere in una fossa con cento altre donne, e con i bambini, per i peccati

di qualcun altro, magari per i peccati stessi dei tedeschi
che le hanno mitragliate sull'orlo della fossa?

– Ecco, scusami, mi sono lasciato trascinare, ma vedi, è
quasi un anno che rimugino queste cose e non ne vengo a
capo; è quasi un anno che non parlo con un essere umano,
perché un disperso è meglio se non parla: può solo parlare
con un altro disperso.

Aveva smesso di piovigginare, e dalla terra non semina-
ta si era levato un profumo tenue di funghi e di muschio.
Si sentiva la musica di pace delle gocce di pioggia che cadevano di foglia in foglia, e dalle foglie al suolo, come se la
guerra non ci fosse, non ci fosse mai stata. Ad un tratto,
sulla musica delle gocce si sovrappose un suono diverso:
una voce umana, una voce dolce, infantile, la voce di una
bambina che cantava. Si nascosero dietro un cespuglio e la
videro: cacciava pigramente avanti a sé un piccolo gregge
di capre, era scalza e magra, infagottata in un giaccone militare che le arrivava alle ginocchia. Aveva un fazzoletto
legato sotto la gola ed un visetto smunto e gentile, abbronzato dal sole. Cantava con tristezza, nel tono artefatto e
nasale dei contadini, ed avanzava indolente verso di loro,
seguendo le sue capre piuttosto che guidandole.

I due soldati si scambiarono uno sguardo: non c'era rimedio, non avrebbero potuto abbandonare il loro nascondiglio senza che la bambina li vedesse; e li avrebbe visti comunque, perché veniva diritta verso di loro. Mendel si alzò in piedi e Leonid lo imitò; la bambina si fermò di netto,
piú stupita che spaventata, poi prese la corsa, sorpassò le
sue capre, le radunò e le sospinse indietro, in direzione del
villaggio. Non aveva detto una parola.

Mendel tacque per qualche istante: – Finito; niente da
fare. Ecco cosa vuol dire vivere come i lupi. Peccato, proprio adesso che tu eri arrivato; ma ora è peggio perché siamo in due. Non capitava da mesi. Una bambina, ed è finito. Forse si è spaventata a vederci, eppure noi non siamo
un pericolo per lei; invece è lei un pericolo per noi, perché
è una bambina e parlerà. E se la minacciassimo perché stia

zitta, parlerà ancora di piú. Parlerà, e dirà che ci ha visti, e
i tedeschi della guarnigione ci verranno a cercare: fra un'o-
ra, o fra un giorno, o fra dieci, ma verranno. E se non verranno i tedeschi, o prima che arrivino i tedeschi, verranno
i contadini, o i banditi. Peccato, collega. Sei arrivato nel
momento sbagliato. Su, dammi una mano, qui si fa trasloco. Mi rincresce per l'installazione, bisognerà ricominciare
tutto daccapo. Fortuna che è estate.

Non era un grande trasloco; tutti i beni di Mendel stavano comodamente nel suo zaino militare, comprese le
scorte di viveri. Ma quando il bagaglio fu pronto, Leonid
si accorse che Mendel esitava a mettersi in cammino: indu-
giava, come incerto fra due scelte.

– Che c'è? Hai dimenticato qualche cosa?

Mendel non rispose: si era riseduto su un ceppo e si
grattava la testa. Poi si alzò con decisione, sfilò dallo zaino
la corta pala da trincea, e disse a Leonid: – Su, vieni con
me. No, gli zaini li lasciamo qui, sono pesanti, li riprende-
remo dopo.

Si avviarono per il bosco, dapprima su un sentiero ben
segnato, poi in mezzo al folto. Mendel sembrava orientarsi
su qualche segno noto a lui solo, e parlava camminando,
senza voltarsi, e senza accertarsi che Leonid lo seguisse e
lo ascoltasse.

– Vedi, non aver scelta è un vantaggio. Io non ho scelta: mi devo fidare di te per forza, e del resto sono stufo di
vivere da solo. Io la mia storia te l'ho raccontata, e tu non
hai voglia di raccontarmi la tua. Pazienza, avrai le tue buone ragioni. Sei scappato da un Lager: lo capisco bene che
non hai voglia di parlare. Per i tedeschi sei un evaso, oltre
che un russo e oltre che un ebreo. Per i russi sei un disertore, e sei anche sospetto di essere una spia. Magari lo sei. La
faccia non ce l'hai, ma se tutte le spie avessero la faccia da
spia non potrebbero fare le spie. Non ho scelta, mi devo fidare, e allora devi sapere che laggiú a sinistra c'è una grande quercia, quella che si vede piú di lontano; che accanto
alla quercia c'è una betulla svuotata dal fulmine; e che in

mezzo alle radici della betulla c'è un fucile mitragliatore e
una pistola. Non è un miracolo, ce li ho messi io. Un soldato che si fa disarmare è un vigliacco, ma un soldato che si
porta le armi indosso nelle retrovie dei tedeschi è un cretino. Ecco, ci siamo, scava tu, dal momento che sei il piú
giovane. E scusami per il «vigliacco», non era detto per te;
lo capisco bene anch'io, che cosa vuol dire cadere col paracadute dentro le linee dei nemici.

Leonid scavò in silenzio per pochi minuti, e le armi vennero fuori, involte in un telo da tenda impregnato d'olio.

– Aspettiamo qui fin che venga notte? – chiese Leonid.

– Meglio di no, altrimenti rischiamo che venga qualcuno e ci porti via gli zaini.

Tornarono al fienile e Mendel smontò il mitragliatore in
modo che stesse nello zaino. Aspettarono la notte dormendo, poi si misero in strada verso ponente.

Si fermarono per riposarsi dopo tre ore di cammino.

– Stanco, eh, moscovita? – chiese Mendel. Leonid ne-
gò, ma senza convinzione. – Non è stanchezza, è che non
sono abituato al tuo passo. Al corso di addestramento si
facevano le marce, e ci hanno anche spiegato come si vive
in un bosco, come ci si orienta, il muschio sui tronchi, la
stella polare e come ci si scava una tana: ma era tutta teoria, gli istruttori erano moscoviti anche loro. E neanche
sono abituato a camminare fuori delle strade.

– Bene, imparerai qui. Neanche io sono nato in mezzo
ai boschi, ma poi ho imparato. L'unico bosco della storia
di Israele è il Paradiso Terrestre, e sai bene com'è finito;
poi basta, per seimila anni. Eh sí, quando c'è la guerra è
tutto diverso, bisogna rassegnarsi a diventare diversi anche noi, e forse non ci farà male. Poi il bosco d'estate è un
amico, ha le foglie per nasconderti, e ti dà perfino qualche
cosa da mangiare.

Ripresero il cammino, sempre verso ponente. Era l'ordine di Mosca, che entrambi conoscevano: i dispersi che

venivano sorpassati dal fronte dovevano evitare la cattura, addentrarsi nel territorio occupato dai tedeschi e nascondersi. Camminarono a lungo, dapprima al vago chiarore delle stelle, dopo la mezzanotte al lume di luna. Il terreno era sodo e insieme soffice, non risuonava sotto i passi e non impediva il cammino. Il vento era caduto, non muoveva una foglia ed il silenzio era totale, rotto soltanto a intervalli dal frullo di un volo o dal verso mesto di qualche lontano uccello notturno. Verso l'alba l'aria si fece fresca, pregna del respiro umido della foresta addormentata. Guadarono due rivi, ne attraversarono un terzo grazie a una passerella provvidenziale ed inesplicabile: per tutta la notte non avevano ravvisato altra traccia umana. Ne trovarono una appena fu fatto giorno. Si era levata una nebbia lattea, bassa, come viscida: in alcuni tratti arrivava appena al ginocchio, ma era cosí opaca che nascondeva il terreno e ai due uomini sembrava di guadare una palude; altrove era piú alta del capo, e intralciava l'orientamento. Leonid inciampò in un ramo caduto, lo raccolse, e si stupí nel notare che era stato troncato di netto, come con un colpo di scure. Poco dopo si accorsero che il terreno era coperto da brandelli di corteccia e da frammenti di foglie e di legno: sopra il loro capo la foresta appariva potata brutalmente, rami e vette decapitati come da un gigantesco colpo di falce; piú avanzavano sul loro cammino, piú il livello del taglio si avvicinava al suolo, videro alberelli stroncati a mezza altezza, lamiere e rottami metallici, e poi lui, il mostro venuto dal cielo. Era un caccia tedesco, un bimotore Heinkel, che giaceva inclinato su un fianco in mezzo agli alberi tormentati. Aveva perso le ali ma non il carrello, e le due eliche mostravano le pale piegate e contorte come se fossero state di cera. Sul timone di direzione era dipinta in nero la croce uncinata, orgogliosa e orrenda, e accanto ad essa, l'uno sotto l'altro, otto profili che Leonid non faticò ad interpretare, tre caccia francesi, un ricognitore britannico e quattro trasporti sovietici, gli avversari che il tedesco aveva abbattuti prima di cadere a sua vol-

ta. Doveva essersi schiantato diversi mesi prima, perché
sui solchi che aveva arato nel terriccio avevano già incominciato a ricrescere le erbe e gli arbusti del sottobosco.

– È la nostra buona stella, – disse Mendel: – Che cosa
vorresti di meglio come bivacco? almeno per qualche giorno? Prima era lui il padrone del cielo, adesso i suoi padroni
siamo noi –. Non fu difficile forzare il portello della cabina di pilotaggio; i due vi penetrarono, e si dedicarono con
curiosità allegra a farne l'inventario. C'era un cagnolino di
pezza, unto e floscio, a cui qualcuno aveva applicato intorno al collo un collarino di pelliccia bruna: una mascotte,
che evidentemente non aveva funzionato. Un mazzolino
di fiori finti. Quattro o cinque istantanee, le solite istantanee che si portano addosso i soldati di tutti i paesi: un uomo e una donna in un parco, un uomo e una donna a una
fiera di villaggio. Un piccolo dizionario tedesco-russo:
– Chissà perché se lo portava in volo, – si domandò Mendel. – Forse prevedeva quello che gli sarebbe successo, –
rispose Leonid, – il paracadute non c'è piú, forse lui si è
buttato, è qui in giro, disperso come noi, e il dizionario gli
sarà venuto utile –. Ma guardarono meglio, e videro che il
libretto non era stato stampato in Germania, bensí a Leningrado: strano.

A misura che l'inventario procedeva, quell'aereo diventava sempre piú strano. Due delle fotografie rappresenta-
vano un giovane snello nella divisa della Luftwaffe insieme
con una ragazza piccola e grassoccia, con le trecce brune;
le altre tre mostravano invece un giovane in borghese, at-
ticciato e muscoloso, dal viso largo e dagli zigomi alti, ed
anche la sua ragazza era diversa, bruna anche lei, ma con i
capelli tagliati corti e col naso camuso. In una di queste tre
il giovane portava una camicia a ricami geometrici, e si distingueva sullo sfondo una piazza e un edificio a logge, dalle finestre a sesto acuto, fittamente arabescato: non sembrava proprio un ambiente tedesco.

La radio di bordo era stata asportata, e nel vano delle
bombe non c'erano bombe. C'erano invece tre pani di se-

gala raffermi, parecchie bottiglie piene, e un volantino in
lingua bielorussa che invitava i cittadini della Russia Bianca ad arruolarsi nei reparti di polizia organizzati dai tedeschi, e le cittadine a presentarsi agli uffici dell'Organizzazione Todt: avrebbero guadagnato una buona paga lavorando per la Grande Germania, nemica del bolscevismo ed
amica sincera di tutti i russi. C'era un numero abbastanza
recente della «Bielorussia Nuova», il giornale che i tedeschi stampavano in bielorusso a Minsk: portava la data di
sabato 26 giugno 1943, e vi si poteva leggere l'orario delle
messe alla cattedrale e una serie di decreti relativi allo
smembramento dei kolchoz ed alla ripartizione delle terre
ai contadini. C'era una scacchiera, opera di mani pazienti
e rozze, ricavata da un largo lembo di corteccia di betulla:
le caselle nere erano state ottenute asportando lo strato su-
perficiale candido. C'era anche un paio di stivali, altrettanto rozzi, che Leonid e Mendel rigirarono a lungo fra le
mani senza capire di quale materiale fossero fatti: no, non
era cuoio, l'inquilino dell'aereo aveva tagliato via il rivestimento di finta pelle dei sedili e l'aveva cucito a grossi punti con cavetto elettrico trovato fra i rottami. Bel lavoro,
apprezzò Mendel, ma che fare ora, dal momento che l'al-
loggio era già occupato? – Ci nascondiamo e lo aspettiamo; vedremo che tipo è, poi decideremo.

L'inquilino arrivò verso sera, con passo cauto; era lui
l'ometto muscoloso delle fotografie. Aveva indosso pantaloni militari, una giacca di pelle di pecora, e il berretto
quadrato bianco e nero degli usbechi. Dalle spalle robuste
gli pendeva una bisaccia, da cui cavò un coniglio vivo. Lo
uccise con un colpo del taglio della mano sulla nuca, lo
sventrò, e incominciò a scuoiarlo fischiettando. Mendel e
Leonid, troppo vicini, non osavano parlare per paura di essere uditi. Leonid, che si era sfilato lo zaino, lo socchiuse e
indicò a Mendel i pacchetti di sale; Mendel capí a volo, e a
sua volta indicò il mitragliatore: potevano farsi vivi.

L'usbeco, al vederli sorgere in mezzo ai cespugli, non
diede segno di sorpresa. Depose il coniglio e il coltello e li

accolse con diffidenza cerimoniosa. Non era cosí giovane come appariva dalle fotografie, doveva avere una quarantina d'anni. Aveva una bella voce di basso, educata e morbida, ma parlava il russo con incertezze ed errori, e con una lentezza irritante. Non che esitasse nella scelta delle parole: arrestava il discorso ad ogni frase, o a mezza frase, senza tensione né impazienza, come se il discorso stesso avesse cessato di interessargli e ritenesse superfluo arrivare alla conclusione; poi, inopinatamente, riprendeva a parlare. Peiami, si chiamava: Peiami Nasimovič. Pausa. Nome strano, certo, ma anche il suo paese era strano. Pausa. Strano per i russi, e i russi erano strani per gli usbechi. Lunga pausa, che non accennava a finire. Un disperso? sicuro, era anche lui un disperso, un soldato dell'Armata Rossa. Disperso da piú di un anno, quasi da due. No, non sempre nell'aereo: in giro per le isbe dei contadini, un po' a lavorare nei kolchoz, un po' aggregato a qualche gruppo di imboscati, un po' con qualche ragazza. Quella della foto? No, quella era la moglie, lontana, lontana senza fine, tremila chilometri, di là del fronte, di là del Caspio, di là del mar d'Aral.

Posto nell'aereo? Che giudicassero loro stessi: non ce n'era molto. Una notte sí, stringendosi un poco; forse anche due, per cortesia, per ospitalità. Ma sarebbero stati male in tre. Leonid parlò rapidamente in jiddisch a Mendel: la faccenda si poteva concludere per le vie spicce. No, rispose Mendel senza muovere il capo e senza mutare l'espressione del viso: di ucciderlo non se la sentiva, e se lo avessero cacciato lui poteva denunciarli. E d'altronde un aereo abbattuto non era una sistemazione ideale né definitiva.

– Ho già ucciso anche troppo. Non uccido un uomo per un posto su un aereo che non vola.

– Ne uccideresti uno se l'aereo volasse? Se ti portasse a casa?

– Quale casa? – disse Mendel: Leonid non rispose.

L'usbeco non aveva capito il dialogo, ma aveva riconosciuto la musica aspra del jiddisch:

– Ebrei, vero? Per me è lo stesso, ebrei, russi, turchi, tedeschi –. Pausa. – Uno non mangia piú di un altro quando è vivo, e non puzza piú di un altro quando è morto. C'erano ebrei anche al mio paese, bravi a fare commercio, un po' meno bravi a fare la guerra. Anch'io del resto; e allora, che ragione ci sarebbe di fare la guerra fra noi?

Il coniglio era ormai scuoiato. L'usbeco mise da parte la pelle, scalcò la bestia con la baionetta appoggiandosi su un ceppo e prese a farla rosolare su una lamiera dell'aereo che aveva piegata alla meglio in forma di padella. Non aveva messo né grasso né sale.

– Te lo mangi tutto? – chiese Leonid.

– È un coniglio magro.

– Ti servirebbe del sale?

– Mi servirebbe.

– Ecco il sale, – disse Leonid, cavando un pacchetto dallo zaino, – sale contro coniglio: un buon affare per tutti.

Contrattarono a lungo su quanto sale valesse mezzo coniglio. Peiami, pur senza mai perdere la calma, era un negoziatore instancabile, sempre pronto a rilanciare nuovi argomenti: il mercanteggiare lo divertiva come un gioco e lo esaltava come un esercizio cavalleresco. Fece presente che il coniglio nutre anche senza sale, mentre il sale senza coniglio non nutre. Che il suo coniglio era magro, e perciò piú pregiato, perché il grasso di coniglio è nocivo ai reni. Che lui era momentaneamente sprovvisto di sale, ma che nella zona la quotazione era bassa, sale ce n'era in abbondanza, i russi lo buttavano giú coi paracadute a quelli delle bande: loro due non dovevano approfittare della scarsità in cui lui casualmente si trovava, se andavano verso Gomel avrebbero trovato sale in tutte le isbe, a quotazioni disastrose. Infine, per puro interesse culturale e curiosità delle usanze altrui, si informò:

– Voi mangiate coniglio? Gli ebrei di Samarcanda non lo mangiano: per loro è come il porco.

– Noi siamo ebrei speciali; siamo ebrei affamati, – disse Leonid.

– Anch'io sono un usbeco speciale.

Concluso l'affare, vennero fuori da un nascondiglio mele, fette di rapa arrostite, formaggio e fragole di bosco. I tre cenarono, legati dall'amicizia a fior di pelle che nasce dalle contrattazioni; alla fine Peiami andò nella carlinga a prendere la vodka. Era samogòn, spiegò: vodka selvaggia, casalinga, distillata dai contadini; molto piú robusta di quella dello Stato. Peiami precisò che lui era un usbeco speciale perché, quantunque mussulmano, la vodka gli piaceva molto; e poi, perché gli usbechi sono un popolo bellicoso, e lui invece non aveva voglia di fare la guerra:

– Se nessuno mi viene a cercare, io resto qui a mettere trappole ai conigli finché la guerra finisce. Se vengono i tedeschi, vado coi tedeschi. Se vengono i russi, vado coi russi. Se vengono i partigiani, vado coi partigiani.

A Mendel sarebbe piaciuto sapere qualcosa di piú sui partigiani e sulle bande a cui i russi buttavano il sale. Cercò inutilmente di cavar fuori altre notizie dall'usbeco: ormai aveva bevuto troppo, o riteneva imprudente parlare dell'argomento, o veramente non ne sapeva nulla di piú. Del resto il samogòn era veramente poderoso, quasi un narcotico. Mendel e Leonid, che non erano grandi bevitori, e che non bevevano alcoolici da un pezzo, si sdraiarono nella cabina dell'aereo e si addormentarono prima dell'imbrunire. L'usbeco rimase all'aperto piú a lungo; rigovernò le stoviglie (e cioè la sua padella fuori ordinanza) prima con sabbia e poi con acqua, fumò la pipa, bevve ancora, e infine si coricò anche lui, spingendo da parte i due ebrei che non si svegliarono. Alle undici, verso ponente, il cielo era ancora leggermente luminoso.

Alle tre del mattino faceva già chiaro: la luce entrava in abbondanza non solo dai due oblò, ma anche dalle crepe delle lamiere sconquassate dall'urto dell'aereo contro i tronchi e il suolo. Mendel era dolorosamente sveglio: gli doleva la testa e aveva la gola arida; «colpa del samogòn», pensò, ma non era solo il samogòn. Non riusciva a staccare la mente dall'accenno che aveva fatto l'usbeco alle bande nascoste nei boschi. Non che fosse per lui una notizia in tutto nuova: ne aveva sentito parlare, ed anche spesso; aveva visto, affissi alle capanne dei villaggi, i manifesti tedeschi bilingui, in cui si offriva denaro a chi denunciava un bandito, e si minacciavano pene a chi li favoreggiava. Aveva anche visto, piú di una volta, gli impiccati spaventosi, ragazzi e ragazze, con il capo brutalmente slogato dallo strappo della corda, gli occhi vitrei e le mani legate dietro la schiena: portavano al petto cartelli scritti in russo, «sono ritornato al mio paese», o altre parole di scherno. Sapeva tutto questo, e sapeva anche che un soldato dell'Armata Rossa, quale lui era, ed era fiero di essere, se si trova disperso deve darsi alla macchia e continuare a combattere. E insieme era stanco di combattere: stanco, vuoto, svuotato della moglie, del paese, degli amici. Non sentiva piú in petto il vigore del giovane e del soldato, bensí stanchezza, vuotezza, e desiderio di un nulla bianco e tranquillo, come una nevicata d'inverno. Aveva provato la sete della vendetta, non l'aveva appagata, e la sete si era attenuata fino a spegnersi. Era stanco della guerra e della vita, e sentiva corrergli per le vene, invece del sangue rosso del soldato, il sangue pallido della stirpe da cui sapeva di discendere, sarti, mercanti, osti, violinisti di villaggio, miti patriarchi prolifici e rabbini visionari. Era stanco anche di camminare e di nascondersi, stanco di essere Mendel: quale Mendel? Chi è Mendel figlio di Nachman? Mendel Nachmanovič, alla maniera russa, come era scritto sul ruolino del plotone, o Mendel ben Nackman, come a suo tempo, nel 1915, aveva scritto sul registro di Strelka il rabbino dei due orologi?

Eppure sentiva che non avrebbe potuto continuare a vivere cosí. Qualcosa nelle parole e nei gesti dell'usbeco gli aveva fatto intuire che lui, sui partigiani dei boschi, ne

sapeva piú di quanto volesse fare apparire. Qualcosa sapeva, e Mendel sentiva in fondo all'anima, in un angolo male
esplorato dell'anima, una spinta, uno stimolo, come una
molla compressa: una cosa da fare, da fare subito, in quello
stesso giorno la cui luce già lo aveva strappato al sonno del
samogòn. Doveva sentire dall'usbeco dove stavano e chi
erano queste bande, e doveva decidere. Doveva scegliere,
e la scelta era difficile; da una parte c'era la sua stanchezza
vecchia di mille anni, la sua paura, il ribrezzo delle armi
che pure aveva sepolte e portate con sé: dall'altra c'era poco. C'era quella piccola molla compressa, che forse era
quella che sulla «Pravda» veniva chiamata il «senso dell'o-
nore e del dovere», ma che forse sarebbe stato piú appropriato descrivere come un muto bisogno di decenza. Di
tutto questo non parlò con Leonid, che nel frattempo si
era svegliato. Attese che si svegliasse l'usbeco e gli pose alcune domande precise.

Le sue risposte, molto precise non furono. Bande, sí: ce
n'erano, o ce n'erano state; di partigiani o di banditi, lui
non avrebbe potuto dire, nessuno lo avrebbe potuto dire.
Armate, certo, ma armate contro chi? Bande fantasma,
bande nuvola: oggi qui a far saltare una ferrovia, domani a
quaranta chilometri a saccheggiare i silos di un kolchoz; e
mai le stesse facce. Facce di russi, di ucraini, di polacchi,
di mongoli venuti chissà di dove; ebrei, anche, sí, qualcuno; e donne, e una girandola di uniformi. Sovietici rivestiti
dai tedeschi, nella divisa della polizia; sovietici tutti stracciati, con la divisa dell'Armata Rossa; perfino qualche disertore tedesco... Quanti? Chi sa! Cinquanta qui, trecento
là, gruppi che si formavano e si disfacevano, alleanze, litigi
e qualche sparatoria.

Mendel insistette: dunque, qualcosa lui Peiami sapeva.
Sapeva e non sapeva, rispose Peiami; queste erano cose
che sapevano tutti. Lui aveva avuto un solo contatto, mesi
prima, con una banda di gente abbastanza per bene. A
Nivnoe, in mezzo alle paludi, al confine con la Russia
Bianca. Per affari: aveva venduto l'impianto radio dell'ae-

reo, e secondo lui era anche stato un buon affare, perché
l'apparecchiatura era a pezzi e non pensava proprio che
quella gente sarebbe stata in grado di rimetterla in ordine.
Lo avevano pagato bene, con due forme di formaggio e
quattro scatolette di aspirina, perché era ancora inverno
e lui soffriva di reumatismi. Aveva poi fatto un secondo
viaggio in aprile: si era portato dietro il paracadute del tedesco morto. Sí, quando lui era arrivato lí, il pilota c'era
ancora, morto da chissà quanti giorni, già tutto mangiato
dai corvi e dai topi; aveva avuto un brutto lavoro per fare
un po' di pulizia e d'ordine nella cabina di pilotaggio. Si
era portato via il paracadute, ma a Nivnoe aveva trovato
altra gente, altre facce, altri capi, che non avevano fatto
tanti complimenti, gli avevano portato via il paracadute e
lo avevano pagato in rubli. Una vera presa in giro; che cosa
se ne poteva fare, lui, dei rubli? E con quel paracadute si
potevano fare almeno una ventina di camicie. Insomma,
un affare disastroso, a parte anche il viaggio: perché fino a
Nivnoe erano tre o quattro giorni di marcia. No, non ci
era piú ritornato; anche perché gli avevano detto che stavano per trasferirsi altrove, chissà dove, non lo sapevano
ancora o non glielo avevano voluto dire. Erano stati loro
che gli avevano regalato il dizionario tedesco: ne avevano
un pacco intero, si vede che a Mosca ne avevano stampati
in abbondanza.

Ecco, era tutto quello che lui sapeva delle bande, oltre
naturalmente al fatto del sale. Sale ne avevano, glielo man-
davano con i paracadute, e non sale soltanto; appunto,
proprio per questo avevano valutato cosí poco il paracadute del tedesco, benché fosse fatto di tela piú fine. Insomma, mettersi nel commercio è sempre un rischio, ma diventa un rischio grave quando non si conoscono le condizioni del mercato; e che mercato è un bosco, dove non sai
neppure se hai dei vicini, e che gente sono, e di cosa hanno
bisogno?

– Ad ogni modo, voi siete miei ospiti. Non penso che
vogliate continuare subito il vostro cammino; fermatevi

qui, fate i vostri piani, e ripartite domani piú tranquilli.
Sempre che non abbiate ragioni di avere fretta. Dividerete
la mia giornata: voi vi riposerete, e io per un giorno non
sarò solo.

Li accompagnò in giro per il bosco, lungo sentieri appena segnati, a controllare le trappole, ma conigli non ce n'e-
rano. C'era una donnola, mezza strozzata dal cappio ma
ancora viva; anzi, talmente viva che era difficile difendersi
dai suoi morsi convulsi. L'usbeco si sfilò i calzoni, li rim-
boccò per raddoppiarne lo spessore, vi infilò le mani come
in due guanti, e liberò la creatura, che si dileguò rapida attraverso il sottobosco, flessibile come un serpente. – Se
uno ha proprio fame si mangiano anche quelle, – disse
Peiami con malinconia. – Al mio paese, questi problemi
non c'erano; anche il piú povero, almeno di formaggio si
poteva saziare, tutti i giorni della settimana. La carestia
noi non l'abbiamo mai conosciuta, neanche negli anni piú
brutti, quando in città si mangiavano i topi. E invece qui è
diverso, non è facile togliersi la fame; secondo le stagioni,
si trovano funghi, rane, lumache, uccelli di passo, ma non
tutte le stagioni sono buone; si può andare ai villaggi, certo, ma non a mani vuote: e ci vuole anche attenzione, perché sparano facilmente.

A un centinaio di metri dall'aereo mostrò loro la tomba
del tedesco. Aveva fatto un buon lavoro, una fossa profonda piú di un metro, niente sassi perché nella zona non si
trovavano, ma una copertura di tronchetti, un tumulo di
terra battuta, e perfino la croce con su inciso il nome, Bap-
tist Kipp: lo aveva ricavato dal piastrino militare.

– Perché tanta pena per seppellire un infedele? E per di
piú tedesco? – chiese Leonid.

– Perché non ritorni, – rispose l'usbeco: – E poi perché
le giornate sono lunghe, e bisogna pure occuparle in qualche modo. A me piace giocare a scacchi, e sono anche abbastanza bravo. Al mio paese non mi batteva nessuno. Bene, qui mi sono fatto i pezzi intagliati nel legno, e la scacchiera di scorza di betulla, ma giocare da soli è insipido.
Invento problemi, ma è come fare l'amore da soli.

Mendel disse che anche a lui piaceva giocare: c'erano ancora molte ore di luce, perché non fare una partita? L'usbeco accettò, ma quando furono arrivati all'aereo espresse il desiderio che la prima partita la giocassero loro due, Mendel e Leonid. Perché? Per cortesia di ospite, disse Peiami, ma era chiaro che voleva invece farsi un'idea di come giocavano i due futuri avversari. Era uno di quelli che giocano per vincere.

I pezzi bianchi toccarono a Leonid, ed erano proprio bianchi e ancora odorosi di legno fresco. I neri invece erano di varie tonalità di bruno, abbrustoliti, affumicati; gli uni e gli altri erano poco stabili, anche perché la scacchiera non era ben piana, bensí ondulata e piena di asperità e di scalini. Leonid aprí di dama, ma si vide presto che non conosceva lo svolgimento normale dell'apertura, e si trovò in difficoltà, con un pedone di meno e i pezzi sviluppati male. Mormorò qualcosa a proposito del gioco, e Mendel gli rispose nello stesso tono sommesso, ma in jiddisch: – Tienilo d'occhio anche tu, non si sa mai. Il mitra e la pistola sono nella cabina. Scacco al re –. Era uno scacco insidioso, col re dei bianchi malamente insaccato dietro i pedoni. Leonid sacrificò un alfiere in un futile tentativo di difesa e Mendel annunciò il matto in tre mosse. Leonid inclinò il suo re in segno di resa e di omaggio al vincitore, ma Mendel disse: – No, andiamo fino alla fine –. Leonid comprese: Peiami doveva essere accontentato, non c'era alcun pericolo che si allontanasse, stava seguendo la partita con l'attenzione professionale e sanguinaria degli affezionati alle corride; era meglio non privarlo dello spettacolo del colpo di grazia. Venne il colpo di grazia, e l'usbeco sfidò Leonid, che accettò malvolentieri.

L'usbeco aprí provocatoriamente con il pedone d'alfiere di donna: i suoi occhi, dalla cornea di un bianco talmente puro da sconfinare nell'azzurro, erano ancora piú provocatori. Giocava con gesti esibiti e grotteschi, avanzando ad ogni mossa la spalla ed il braccio come se il pezzo che spostava avesse pesato una dozzina di chili; lo abbatteva sulla

scacchiera come per piantarvelo dentro, o lo girava pre-
mendolo come per avvitarlo. Leonid si trovò subito a disagio, sia per questa mimica, sia per l'evidente superiorità
dell'avversario: era chiaro, Peiami non voleva altro che to-
glierlo di mezzo il piú presto possibile per cimentarsi contro Mendel. Muoveva con rapidità insolente, senza attar-
darsi a meditare i tratti, e manifestando sgarbata impazienza davanti alle esitazioni di Leonid. Gli diede il matto
in meno di dieci minuti.

   – A noi due, – disse subito a Mendel, con un'aria cosí
risoluta che questi si sentí a un tempo divertito e inquieto.
Anche Mendel, questa volta, giocava per vincere, come se
la posta in gioco fosse stata una montagna d'oro, o la vita sicura, o l'eterna felicità. Percepiva confusamente di
giocare non per sé solo, ma come campione di qualcosa o
qualcuno. Aprí attento e prudente, imponendosi di non lasciarsi innervosire dal comportamento dell'altro: il quale,
d'altronde, abbandonò presto le sue gesticolazioni distur-
batrici per concentrarsi anche lui sulla scacchiera. Mendel
era riflessivo, Peiami tendeva invece a un gioco temerario
e lampeggiante: dietro ad ogni suo tratto, Mendel stentava
a capire se si nascondesse un piano meditato, o il desiderio
di stupire, o l'audacia fantasiosa dell'uomo di ventura. Dopo una ventina di tratti nessuno dei due aveva avuto per-
dite, la situazione era equilibrata, la scacchiera era spaven-
tosamente confusa, e Mendel si accorse che si stava diver-
tendo. Perse deliberatamente un tempo, al puro scopo di
indurre l'usbeco a rivelare le sue intenzioni, e vide che l'altro si innervosiva: adesso era lui che esitava davanti ai
tratti, guardando Mendel negli occhi come per leggervi
dentro un segreto. L'usbeco fece un tratto che si rivelò immediatamente disastroso, chiese di rifarlo, e Mendel glielo
permise; poi si alzò in piedi, si scosse come un cane uscito
dall'acqua, e senza parlare si avviò verso l'aereo. Mendel
fece un cenno a Leonid, che comprese, lo seguí da vicino
ed entrò dietro di lui nella cabina; ma l'usbeco non pensava alle armi, era solo venuto a prendere il samogòn.

Bevvero tutti e tre, mentre il cielo incominciava già ad oscurarsi e si era levato il vento fresco del tramonto. Mendel si sentiva strano, fuori del tempo e del luogo. Quel gioco intento e serio si collegava nel suo ricordo a tempi e luoghi e persone intensamente diversi; a suo padre che gli aveva insegnato le regole, lo aveva vinto facilmente per due anni, con stento per altri due, e poi aveva accettato le sconfitte senza disagio; agli amici, ebrei e russi, che davanti alla scacchiera si erano educati con lui all'astuzia e alla pazienza; al calore quieto della casa perduta.

Probabilmente l'usbeco aveva bevuto troppo. Quando si fu riseduto davanti ai pezzi, scatenò un'interminabile serie di cambi da cui emerse una situazione alleggerita e decantata: lui con un pedone di meno, Mendel padrone della grande diagonale e sicuramente arroccato. L'usbeco ribevve, perfezionò la propria catastrofe con un assurdo tentativo di contrattacco, si diede sconfitto, e dichiarò che pretendeva la rivincita; era stato debole, lo sapeva che quando si gioca non si deve bere, aveva ceduto al vizio come un bambino. Oramai era troppo buio, ma voleva la rivincita: domani mattina, subito, appena fatto giorno. Salutò, salí incespicando la scaletta a pioli tutta sconnessa che portava alla cabina, e dopo cinque minuti russava già.

I due tacquero per qualche istante. Sul fruscio delle fronde, scosse dalla brezza, si sovrapponevano suoni meno familiari: fremiti d'insetti o di piccoli animali, scricchiolii, un coro lontano di rane. Mendel disse:

– Non è questo, il compagno di viaggio di cui abbiamo bisogno, vero?

– Non abbiamo bisogno di un compagno di viaggio, – disse Leonid, ancora imbronciato per la sconfitta.

– È da vedersi; comunque, è tempo di rimettersi in cammino, prima che sia notte profonda.

Attesero che il russare dell'usbeco si fosse fatto regolare, ripresero gli zaini dalla cabina e si misero in via. Per precauzione, si avviarono dapprima verso sud, poi fecero una brusca conversione e procedettero verso nord-ovest: ma il terreno era asciutto e non conservava le impronte.

Capitolo secondo

Luglio-agosto 1943

Mendel voleva andare a Nivnoe, dietro alle notizie vaghe ricavate dall'usbeco; Leonid non voleva andare in nessun luogo, o per meglio dire non sapeva dove voleva andare, e non sapeva neppure se voleva andare da qualche parte, o fare qualsiasi cosa. Non che rifiutasse le proposte di Mendel, o che si ribellasse alle sue decisioni, ma esercitava un sottile attrito passivo contro ogni spinta attiva: come la polvere negli orologi, pensava Mendel fra sé. Avrà preso polvere, anche se è giovane: è stupido dire che i giovani sono forti. Molte cose si capiscono meglio a trent'anni che a venti, e allora si sopportano anche meglio. Del resto, lui Mendel, se gli avessero chiesto quanti anni aveva, e se avesse voluto rispondere in piena sincerità, come avrebbe dovuto rispondere? Ventotto anni sui documenti, pochi di piú sulle giunture, sui polmoni e sul cuore, ma sulla schiena una montagna, piú di Noè e di Matusalemme. Sí, piú di loro, dal momento che Matusalemme aveva generato Lamec a centottantasette anni suonati, e Noè ne aveva cinquecento quando aveva messo al mondo Sem, Cam e Jafet, e seicento quando aveva costruito l'arca, e qualcuno ancora in piú quando si era ubriacato per la prima volta; e secondo l'opinione del rabbino dai due orologi, proprio in quella occasione avrebbe avuto l'intenzione di generare un quarto figlio, se non fosse successa quella brutta storia con Cam. No, lui Mendel, orologiaio in giro per i boschi, era piú vecchio di loro. Non desiderava piú generare figli né piantare vigne né costruire arche, neppure se il Signore glielo avesse ordinato; ma non sembrava che il Signore, fino allora, si fosse molto curato di salvare lui e i suoi. Forse perché lui non era giusto quanto Noè.

Gli pesavano i silenzi di Leonid. Leonid, istintivamente, gli piaceva: gli sembrava uno di cui ci si può fidare; ma la sua passività lo infastidiva. Quando un orologio è impolverato, è segno che è molto vecchio, oppure che la scatola non è stagna; allora bisogna smontarlo tutto e lavarlo pezzo per pezzo con benzina leggera. Leonid non era vecchio; dunque la sua scatola doveva avere delle fessure. Che genere di benzina ci sarebbe voluta per lavare gli ingranaggi di Leonid?

Aveva tentato più volte di farlo parlare. Ne aveva cavato brandelli, tasselli di un mosaico da ricomporre pazientemente dopo, a incastro, come in certi giochi dei bambini. Il Lager dei tedeschi: va bene, gradevole non doveva essere stato, ma ci era rimasto poco tempo e non ci aveva rimesso la salute; aveva anzi avuto fortuna, perché non lo voleva ammettere? Se quelli si fossero accorti di avere fra le mani un paracadutista ebreo, per lui non sarebbe finita così. Avere fortuna è una buona cosa, è una garanzia per l'avvenire; rinnegare la propria fortuna è una bestemmia. L'orologio rubato e la prigione: Dio Signore, aveva peccato, aveva espiato. Magari tutti i peccatori avessero la fortuna di espiare, di mettere i conti in pareggio. Ci doveva essere altro, in corpo a Leonid, una cicatrice interna, una lividura, forse un alone dolente intorno a un viso umano, a un ritratto: a Mendel venivano in mente le grandi fotografie ovali del secolo scorso, con le solenni immagini degli antenati al centro di un'aureola grigia e indistinta. Si trattava della sua famiglia, Mendel se ne era convinto, non in base alle risposte di Leonid, che erano brevi e spazientite, ma in base ai suoi silenzi. Già, il mosaico da ricomporre era fatto per buona parte di tasselli neri: di risposte evasive, nulle, o addirittura insolenti. Ci voleva pazienza, a poco a poco il quadro si sarebbe definito: ora, Mendel era un uomo paziente. Si esaminava, notte dopo notte nel cammi-

no, frustrato dai rifiuti e dalle parate iraconde e convulse
del suo compagno di strada: non c'era dubbio, lui Mendel
non era uomo dalle molte virtú, ma la pazienza ce l'aveva;
bene, chi ha pazienza la usi.

Per arrivare alle paludi di Nivnoe non bastarono i tre
giorni a cui aveva accennato l'usbeco. Mendel e Leonid ce
ne impiegarono sei, o meglio sei notti, perché di giorno
preferivano fermarsi a riposare. Attraversarono strade
e sentieri deserti, una ferrovia (doveva essere il tronco
Gomel-Brjansk, calcolò Mendel), radure, vari ruscelli dalle
acque limpide e basse, sollievo alla loro sete ed ai loro piedi
stanchi. Evitavano i villaggi e le fattorie: questo li obbliga-
va a lunghe deviazioni, ma avevano forse fretta?

In questo modo, spostandosi solo col buio ed aggirando
i luoghi abitati, incontravano poche persone, pastori, contadini nei campi, viandanti attardati, che non si curavano
di loro. Un incontro tuttavia non lo poterono evitare; il
quarto giorno, alle prime luci dell'alba, mentre seguivano
una carrareccia, si dovettero infilare in una trincea che
tagliava una ondulazione del terreno: dall'altra estremità
della trincea avanzava un carretto trainato da un cavallo vecchio e stanco, e guidato da un uomo di mezza età.
Mendel impugnò la pistola. Il carrettiere portava al braccio la fascia azzurra degli ausiliari ucraini; Mendel gli
chiese:

– Che cosa porti?
– Farina, lo vedi?
– Dove la porti?
– Ai tedeschi. Al magazzino di Mglin.
– Scendi e vattene. Sí, vattene: prosegui a piedi.

L'ucraino scosse le spalle; non doveva essere nuovo ad
avventure di quel genere. – Che cosa devo dire?

– Quello che vuoi. Che ti hanno fermato i banditi.

L'ucraino se ne andò. Sul carro c'erano sei sacchi di farina e un fagotto d'erba falciata di fresco. Mendel aveva
riposto la pistola ed appariva perplesso,

– Che cosa intendi fare, adesso? – chiese Leonid.

– Non lo so. Non so cosa faremo, ma quello che volevo
fare era giusto. Volevo prendere partito, come quando uno
si taglia un ponte alle spalle, e non sa se è giusto o sbagliato, ma dopo che ha deciso il ponte non c'è piú e lui non ha
piú scelte, tornare indietro non può piú. Su, stacchiamo il
cavallo e vediamo quanti sacchi può portare.

– Perché non teniamo anche il carro?

– Perché d'ora in avanti ci cercheranno, e dovremo evitare le strade.

Il cavallo non prometteva di rendersi molto utile. Teneva il capo e le orecchie basse, ed aveva sul dorso piaghe
umide coperte da mosche e tafani. Con pezzi di corda trovati sul carro, fecero in modo da appendergli addosso due
dei sacchi: di piú non sarebbe stato sensato. Sopra i sacchi,
che pendevano malamente sulle costole scarne della bestia,
sistemarono il fagotto d'erba.

– E il carretto? E gli altri sacchi?

– Li nascondiamo, meglio che si può.

Non fu facile, ma infine ci riuscirono, ancora prima che
fosse giorno pieno: il carretto in una forra piena di rovi, e
i sacchi sotto il carretto. Poi si rimisero in cammino abbandonando la strada, e tirandosi dietro il cavallo, pigro e restio, e per di piú ingombrante per il carico mal disposto,
che si impigliava continuamente nei rami bassi. Camminarono a lungo in silenzio, poi Leonid disse:

– Io non so che cosa voglio, ma so di non saperlo. Anche tu non sai cosa vuoi, e invece credi di saperlo.

Mendel, che era davanti e tirava il cavallo per la cavezza, non si voltò e non rispose, ma poco dopo Leonid lo attaccò nuovamente:

– Al tuo paese non c'era il cinematografo. Neppure cavalli c'erano?

– C'erano, ma io non ho mai dovuto occuparmene. Facevo un altro mestiere.

– Facevo anch'io un altro mestiere, ma un cavallo come
quello non porta un carico cosí, o non lo porta a lungo. Lo
vedrebbe chiunque.

C'era poco da obiettare, e del resto era ormai troppo chiaro per proseguire. Si fermarono nel folto presso un ruscello, abbeverarono il cavallo, lo legarono a un tronco, gli diedero l'erba da mangiare e si addormentarono. Quando si svegliarono, a metà pomeriggio, il fagotto era finito, il cavallo aveva brucato i pochi arbusti che si trovavano alla sua portata, e tirava sulla corda per arrivare un po' piú lontano; doveva proprio avere una gran fame. Peccato che i sacchi contenessero farina e non biada: provarono a mettergli davanti un po' di farina, ma la bestia si impiastricciò il muso fino agli occhi e poi cominciò a tossire minacciando di soffocare. Dovettero lavarle la bocca e le froge nel ruscello, poi si rimisero in cammino. Si sentiva nell'aria un odore nuovo, fresco e dolciastro: le paludi non dovevano essere lontane.

A mezza giornata di cammino da Nivnoe si imbatterono in una contadina anziana e decisero di attaccare discorso. Il cavallo? La donna lo considerò con occhio esperto:

– Eh, povera bestia. Non vale certo molto, è vecchio, stanco, ha fame, e mi sembra anche ammalato. Per la farina è un altro discorso, ma io offerte non ne posso fare perché non ho niente da offrire.

Non doveva essere una sciocca. Squadrò i due con occhio altrettanto esperto; quindi, come in risposta a una domanda sottintesa, aggiunse:

– Non abbiate paura, ce n'è tanti come voi da queste parti. Forse anche troppi, ma i tedeschi qui sono pochi e poco pericolosi. Quanto al cavallo e alla farina, ve l'ho detto, io non ho niente da darvi, ma ne posso parlare con l'anziano del paese: sempre che siate d'accordo.

Mendel aveva fretta di liberarsi dell'animale; a loro serviva poco o niente, ed anzi, sembrava che con la sua sola presenza stimolasse il malumore di Leonid, il suo spirito critico e la sua voglia di litigare. Si consultò brevemente con lui. No, niente intermediari, era chiaro che la donna avrebbe cercato di fare la sua cresta sull'affare, grossa o

piccola. Ma entrambi provavano diffidenza ad entrare nel-
l'abitato.

– Va bene, – disse Mendel. – Vedi di combinarci un
appuntamento con questo anziano, a metà strada, in qualche luogo appartato: è possibile? – Era possibile, disse la
donna.

L'anziano arrivò puntuale, al tramonto, in un capanno
che la contadina aveva indicato. Era sulla sessantina, di
poche parole, canuto e solido. Sí, lui, o per meglio dire il
villaggio, era solvibile: avevano uova, lardo, sale e mele,
ma il cavallo valeva poco

– Non c'è solo il cavallo, – disse Mendel. – C'è anche
un carretto e sei sacchi di farina; due qui e altri quattro nascosti poco lontano insieme col carretto.

– L'affare non è chiaro, – disse l'anziano: – Il cavallo e
due sacchi si vedono, ma quanto valgono un carro e quattro sacchi che sono nascosti nel bosco, e tu non sai dove, e
non sai neppure bene se esistono? Quanto vale un tesoro
sulla luna?

Leonid fece un passo avanti e intervenne con durezza:

– Valgono quanto vale la nostra parola e la nostra faccia, e se tu non...

L'anziano lo guardò senza perdere la calma; Mendel posò la mano sulla spalla di Leonid e si interpose:

– Fra persone ragionevoli si finisce sempre con l'intendersi. Vedi, la merce è vicina alla strada, presto o tardi
qualcuno la troverà, se la porterà via gratis e sarà un danno
per noi e per voi; e se ricomincerà a piovere, la farina non
resisterà molto tempo. E noi siamo di passaggio; abbiamo
fretta di proseguire.

L'anziano aveva occhi piccoli e scaltri. Li puntò successivamente sul cavallo, sui sacchi e su Mendel, e disse:

– È brutto avere fretta e dovere andare piano. Se tenete il cavallo, andrete piano come lui. Se lo vendete, e non
vendete i due sacchi, con mezzo quintale ciascuno sulle
spalle non andrete né in fretta né lontano: tutt'al piú an-

drete a contrattare con qualcun altro. Non avete molte
scelte.

Mendel colse uno sguardo di Leonid, rapido ma carico
di gioia maligna: era la rivincita della sconfitta agli scacchi.
Gli argomenti dell'anziano erano forti, e lui avrebbe fatto
meglio a non parlare della loro fretta. Non c'era che ripie-
gare:

– Va bene, vecchio. Veniamo al concreto. Quanto offri
per quello che vedi? Per un quintale di farina e il cavallo?

Il vecchio si grattò la testa spostando il berretto sugli
occhi:

– Uhm, del cavallo è meglio non parlare. Non vale
niente, nemmeno come carne da macello. Forse solo la pelle, se conciata a dovere. Quanto alla farina, non si sa da
dove viene: non me l'avete detto, potreste anche dirmelo,
e io potrei crederci o no; chi fa commercio ha il diritto di
dire bugie. Può essere russa o tedesca, comprata o rubata.
Io non voglio saperne nulla, e vi offro in cambio otto chili
di lardo e una treccia di tabacco, prendere o lasciare; è roba che non pesa troppo, ve la potete portare dietro senza
fatica.

– Facciamo dieci, – disse Mendel.

– Dieci chili, ma allora senza tabacco.

– Dieci chili, e il tabacco per la pelle del cavallo.

– Nove chili e il tabacco, – disse il vecchio.

– Va bene. E quanto offri per la roba che non si vede?
Due quintali di farina e il carro?

Il vecchio spinse il berretto ancora piú basso:

– Non offro niente. La roba che non si vede è come se
non ci fosse. Se c'è, la troviamo anche se tu non dici dov'è;
e se anche lo dici, e dici la verità, magari andiamo e non
troviamo piú niente. C'è tanta gente in giro per la foresta;
e non solo gente, anche volpi, topi, corvi: lo hai detto tu
stesso, che qualcuno la può trovare. Se ti facessi un'offerta, al villaggio mi riderebbero dietro.

Mendel ebbe un'idea:

– Ti faccio una proposta: una notizia contro un'altra

notizia, roba che non si vede contro altra roba che non si vede. Noi ti diciamo dov'è il carro e tu ci dici... insomma, per strada abbiamo colto certe voci, che a Nivnoe, o vicino a Nivnoe, o nelle paludi, c'è o c'è stata certa gente...

Il vecchio rialzò la visiera del berretto e guardò Mendel fisso negli occhi, cosa che non aveva ancora fatto fino a quel momento. Mendel insistette:

– È un buon affare, no? Non ti costa niente: è come se il carro e la farina te li regalassimo; perché ci sono proprio, non ti stiamo imbrogliando, parola di soldato.

Con sorpresa di Mendel e Leonid, l'anziano si fece piú sciolto, quasi loquace. Sí, un gruppo c'era, c'era stato: una banda. Cinquanta uomini, o forse anche cento, del luogo e non del luogo. Alcuni, una mezza dozzina, erano ragazzi del suo villaggio: meglio darsi alla macchia che finire in Germania, non è vero? Armati, sí, e anche in gamba, delle volte un po' troppo. Ma erano partiti, da pochi giorni, con le armi, i bagagli e qualche bestia. Che fossero partiti era meglio per tutti. Verso dove? No, questo lui non lo sapeva con certezza, non aveva visto niente; qualcuno però li aveva visti in cammino, e sembrava che marciassero in direzione di Gomel o di Žlobin. Se loro due prendevano il sentiero di Žurbin, era una scorciatoia; forse avrebbero potuto raggiungerli. Se ne andò, tornò dopo mezz'ora con il lardo, il tabacco e una stadera, affinché i due potessero controllare che il peso era giusto. A controllo ultimato, Mendel gli spiegò con precisione dove era nascosto il carro. Inaspettatamente, il vecchio cavò dalla bisaccia una dozzina di uova sode: disse che era un di piú, un regalo che faceva loro, perché erano persone simpatiche; ed anche un indennizzo, perché sarebbe stato suo dovere d'ospitalità offrire loro da dormire, ma il consiglio del villaggio si era opposto. Li guidò fino al sentiero e si congedò, tirandosi dietro il cavallo con i due sacchi.

– Se non ci avesse riconosciuti per ebrei, stanotte avremmo dormito in un letto, – borbottò Leonid.

– Può darsi, ma anche se ce l'avesse offerto, è da ve-

dere se avremmo fatto bene a accettare. Non sappiamo
niente di questo villaggio, che gente ci vive, cosa pensano,
se hanno solo paura o se lavorano per i tedeschi. Non so, è
solo un'impressione, ma mi sarei fidato di piú della vecchietta che di questo anziano: piú che un amico mi è parso
un mezzo amico. Aveva fretta di liberarsi di noi; per questo ci ha dato le uova e ci ha insegnato la strada. E del resto, ormai abbiamo preso una decisione, non è vero?

– Quale decisione? – domandò Leonid ostile.

– Di raggiungere la banda, no?

– È una decisione che hai preso tu. Non mi hai chiesto
niente.

– Non c'era bisogno di chiedere. Sono giorni che se ne
parla, e tu sei sempre stato zitto.

– E adesso non sto piú zitto. Se vuoi andare con la banda, ci vai da solo. Io di guerra ne ho abbastanza. Tu hai le
armi e io ho il lardo: a me va bene cosí. Me ne torno al villaggio, e un letto lo trovo, e non per una notte sola.

Mendel si voltò e si fermò di netto. Non era preparato a
far fronte alla collera; tanto meno alla collera di un debole,
e in Leonid sentiva un debole. Neppure era preparato al-
l'uragano di parole che Leonid, fino allora cosí silenzioso,
gli soffiava sulla faccia.

– Basta: basta! Ti ho incontrato nel bosco, ma non ti
ho sposato. Ho creduto che tu ne avessi abbastanza quanto me: mi sono sbagliato, pazienza. Ma per me basta, non
faccio un passo di piú. Vacci tu nelle paludi: hai avuto paura a dormire nel villaggio, e adesso mi vuoi portare con
gente che non sai neppure che lingua parlino, e se ci vogliano con loro, e da dove vengano e dove vadano. Io sono
di Mosca, ma le braccia le ho buone, e la testa anche; di fame non muoio piuttosto vado a lavorare in un kolchoz, o
nelle fabbriche dei tedeschi. Non faccio piú un passo e non
sparo piú un colpo, mai piú. Non è giusto, non è giusto che
uno… E poi neanche tu sai quello che vuoi: te l'ho già detto, credi di saperlo e non lo sai. Fai l'eroe, ma anche tu
vuoi quello che voglio io, una casa, un letto, una donna,

una vita che abbia un senso, una famiglia, un paese che sia il tuo paese. Vuoi andare coi partigiani, credi di volerlo, ma non sai quello che vuoi e quello che fai, me ne sono accorto con la faccenda del cavallo. Sei uno che racconta bugie a se stesso. Sei uno come me. Sei un nebech, un disgraziato e un meschugge –. Leonid si piegò lentamente su se stesso e si sedette a terra, come se avesse sputato l'anima e non avesse piú la forza di reggersi sulle gambe.

Mendel era rimasto in piedi, piú incuriosito e sorpreso che incollerito. Si accorse che aspettava quello sfogo da parecchio tempo. Lasciò a Leonid il tempo di calmarsi un poco, poi sedette accanto a lui. Gli toccò la spalla, ma il ragazzo si ritrasse di scatto come se lo avesse toccato un ferro rovente. *Nebech* è un uomo dappoco, inerme, inutile, da commiserarsi, un quasi-non-uomo, e *meschugge* significa matto, ma Mendel non si sentiva offeso, né tanto meno in vena di restituire l'offesa. Si stava invece domandando perché Leonid, la cui lingua madre era il russo, si fosse servito del jiddisch, che parlava con stento, in quella occasione: ma il jiddisch, tutti lo sanno, è un immenso serbatoio di insolenze pittoresche, ridicole o sanguinose, ognuna con la sua sfumatura specifica: poteva essere una spiegazione. «Un ebreo ti dà un pugno sul naso e poi grida aiuto», pensò, ma non enunciò il proverbio ad alta voce. Disse invece, con una voce cosí calma che ne stupí lui stesso: – Si capisce: neanche per me è una scelta facile, ma credo che sia la migliore. Un uomo deve pesare bene le sue scelte –. Ed aggiunse con intenzione: – ... e anche le sue parole –. Leonid non rispose.

Era ormai quasi buio; Mendel avrebbe preferito camminare di notte, ma quel sentiero era disagevole e mal segnato. Propose di bivaccare sul posto, dal momento che la sera era tiepida e la notte corta; Leonid accettò con un cenno del capo. Si avvolsero nelle coperte, e Mendel era già quasi addormentato quando Leonid, come se continuasse un discorso iniziato da tempo, prese a un tratto a dire:

– Mio padre era ebreo, ma non era credente. Era nelle ferrovie, poi è stato accettato nel Partito. Ha fatto la guer-

ra del '20 contro i bianchi. E poi mi ha messo al mondo, e
poi lo hanno mandato in prigione, e poi alle isole Solovki,
e non è piú tornato. Ecco come stanno le cose. Era già stato nelle prigioni dello Zar, prima che io nascessi, ma da
quelle era tornato. Lo hanno mandato alle Solovki perché
dicevano che aveva sabotato la ferrovia: che se i treni non
partivano era colpa sua. Ecco.

Detto questo, Leonid si girò sull'altro fianco voltando
la schiena a Mendel, come se l'argomento fosse concluso.
Mendel pensò che quella era una strana maniera di scusarsi, e subito dopo convenne con se stesso che era tuttavia
una maniera di scusarsi. Lasciò passare qualche minuto, e
poi chiese timidamente a Leonid: – E tua madre? – Leonid grugní: – Adesso lasciami stare. Per favore lasciami
stare. Per questa volta basta –. Tacque e non si mosse piú,
ma Mendel si accorse bene che non dormiva: fingeva soltanto. Insistere perché continuasse era inutile, anzi nocivo; come raccogliere un fungo appena spuntato. Gli si impedisce di crescere, e non si porta a casa niente.

Camminarono per due settimane, a volte di giorno , a
volte di notte, con la pioggia e col sole. Leonid non parlò
piú, né per raccontare né per dissentire: accettava cupo le
decisioni di Mendel, come un servo svogliato. Incontrarono poca gente, un villaggio bruciato, e tracce sempre piú
abbondanti della banda che li precedeva: ceneri dei fuochi
di bivacco ai margini della pista, orme nel fango essiccato,
avanzi di cucina, qualche coccio e qualche straccio; quella
gente non prendeva molte precauzioni per non farsi notare. Sul luogo di una sosta notarono addirittura un albero
tempestato di pallottole: qualcuno si doveva essere eserci-
tato al tiro al bersaglio, forse avevano fatto una gara. Raramente furono costretti a domandare indicazioni alla gente
del luogo; sí, erano passati di lí, diretti dalla tale parte.
Sbandati, o disertori, o partigiani, o banditi, a seconda dei
punti di vista; comunque, ed a parere di tutti, gente che

faceva la sua strada senza dare troppi fastidi né pretendere troppo dai contadini.

Li raggiunsero una sera: li videro e li sentirono quasi allo stesso tempo. Mendel e Leonid si trovavano sulla sommità di una collina: videro le anse pigre di un grande fiume, senza dubbio il Dnepr, e poco lontano dalla sponda, a tre o quattro chilometri da loro, brillava un fuoco. Iniziarono la discesa, ed udirono spari, disordinati, di fucile e di pistola; videro lampi rossi, seguiti dai colpi piú sordi delle granate a mano. Un combattimento? E contro chi? E allora perché il fuoco? O una lite, una rissa fra due fazioni? Ma in una pausa fra gli spari distinsero il suono di una fisarmonica e grida e richiami allegri: non era una battaglia ma una festa.

Si avvicinarono cautamente. Non c'erano sentinelle, nessuno li fermò. Intorno al fuoco c'era una trentina di uomini barbuti, giovani e meno giovani, vestiti in molti modi diversi, vistosamente armati. La fisarmonica suonava una canzone dal ritmo alacre, alcuni lo accompagnavano battendo le mani, altri ballavano con furia, con tutte le armi addosso, piroettando sui tacchi, in piedi e accovacciati. Qualcuno doveva averli visti; una voce impastata ma tonante gridò assurdamente: – Siete tedeschi?

– Siamo russi, – risposero i due.

– Allora venite. Mangiate, bevete e ballate! La guerra è finita! – Seguí, in funzione di punto esclamativo, una lunga raffica di parabellum, sgranata contro il cielo arrossato dal fuoco e dal fumo. La stessa voce, improvvisamente incollerita e rivolta nella direzione opposta, riprese: – Stiooopka, cretino, figlio d'un corvo, porta bottiglie e gavette, non lo vedi che abbiamo ospiti?

Era oramai scuro, ma si intravedeva che l'accampamento, assai sommario, si condensava intorno a tre centri: il fuoco, attorno a cui era un andirivieni chiassoso di uomini in festa; una grossa tenda, davanti alla quale dormicchiavano due cavalli legati a due cavicchi; piú in disparte, tre o quattro giovani silenziosi che armeggiavano intorno a qualche cosa.

L'uomo dalla voce tonante venne loro incontro tenendo in mano una bottiglia di vodka. Era un giovane colosso biondo, con i capelli tagliati a spazzola e con la barba arricciata che gli arrivava fino a mezzo il petto. Aveva un bel viso ovale dai tratti regolari eppure fortemente segnati, ed era ubriaco al punto che stentava a reggersi in piedi: sull'uniforme dell'Armata Rossa che indossava non portava gradi.

– Alla vostra salute, – disse, bevendo un sorso dal collo della bottiglia. – Salute a voi, chiunque siate –. Poi porse la vodka ai due, che bevvero e restituirono il brindisi. – Stiopka, scemo, lumacone, arrivi con questa zuppa? – Poi continuò, rivolgendosi a loro con un sorriso radioso e candido: – Bisogna perdonarlo, forse ha bevuto un po' troppo, ma è un bravo compagno. Anche coraggioso, tenuto conto che è un cuoco; ma svelto no, eh no, non è tanto svelto. Oh, eccolo qui. Speriamo che la zuppa non si sia freddata per strada. Su, mangiate, poi andiamo a sentire se ci sono altre notizie.

Contrariamente all'opinione del colosso, Stiopka non appariva né tanto lento né tanto sciocco. – No, Venjamín Ivanovič, non si riesce proprio. Hanno provato un po' tutti, a turno, ma la voce è sempre piú debole. Non si capisce piú niente, si sentono solo le scariche.

– Sono dei buoni a nulla, che li porti via il diavolo! Proprio oggi dovevano guastarla! Giudicate voi stessi: la guerra finisce, da un momento all'altro deve venire fuori Stalin a dire che andiamo tutti a casa, e questi figli di puttana mandano la radio kaputt... Ma come, voi non sapete niente? Gli americani sono sbarcati in Italia, noi abbiamo ripreso Kursk, e Mussolini è in prigione. È in prigione, sí, come un merlo in gabbia; lo ha messo in prigione il re. Su, compagni, bevete ancora una volta: alla pace!

Leonid bevve, Mendel fece mostra di bere, poi seguirono Venjamín al posto radio. – È proprio la radio dell'usbe-

co! – disse a Leonid Mendel, che alla luce delle lanterne
aveva visto le targhette dell'apparecchio: – Ma è chiaro
che con batterie come queste non poteva andare avanti tanto tempo. È già un miracolo che abbia durato fino
adesso –. Mendel riuscí ad interporsi fra Venjamín, che
continuava a tempestare improperi e futili minacce, e i tre
ragazzi addetti alla ricezione. Ne nacque un'arruffata discussione tecnica che si trascinò per parecchi minuti, spesso interrotta dalle intemperanze di Venjamín e di altri barbuti che erano venuti a curiosare e a dire il loro parere.
– Di radio, io ne capisco poco, ma questi non ne capiscono proprio niente, – borbottò Mendel a Leonid. Alla fine
prese corpo la proposta di provare a sostituire l'elettrolita
delle batterie con acqua e sale. Venjamín la fece subito
sua, convocò Stiopka , diede ordini confusi: venne l'acqua
e il sale, l'operazione fu compiuta fra visi intenti, in un'atmosfera di attesa religiosa, e le batterie furono nuovamente connesse, ma la radio diffuse soltanto una stupida musi-
chetta per pochi secondi e poi ammutolí definitivamente.
Venjamín era diventato di cattivo umore e se la prendeva
con tutti. Si rivolse a Leonid, come se lo vedesse per la prima volta:
    – E voi due, da dove saltate fuori? Russi? Proprio russi
non sembrate; ma oggi ci passiamo su, anche se avete sfasciato la radio, perché oggi è un giorno di festa –. Mendel
disse a Leonid: – Vedremo domani, quando gli sarà passata la sbornia, ma mi pare che non si metta tanto bene.
    Furono svegliati l'indomani dai rumori pacifici del cam-
po. I cavalli stavano pascolando sulla riva del fiume, uomini nudi si lavavano o diguazzavano nell'acqua bassa, altri
si rammendavano i panni o facevano il bucato, altri ancora
stavano sdraiati al sole, e nessuno sembrava curarsi di loro
due. Erano in maggior parte russi, ma si sentivano anche
grida e canti in lingue che Mendel non riuscí a individua-
re. A mattina avanzata venne Stiopka a cercarli:
    – Mi vorreste aiutare? C'è un malato, là dentro la tenda;

si lamenta, ha la febbre, e io non so che cosa fare. Volete venire con me?

– Ma noi non siamo medici... – obiettò Leonid.

– Neanch'io sono medico, e neppure infermiere, ma sono il piú anziano della banda; e poi ho perso le armi quando abbiamo fatto l'assalto alla stazione di Klintsy, e allora mi fanno fare un po' di tutto, ma in battaglia non mi mandano piú. Faccio anche la guida, perché questi posti li conosco bene, meglio di tutti, meglio di Venja stesso; facevo già la guida nel 1918, per i partigiani rossi, proprio da queste parti, e non c'è sentiero, guado o strada che io non abbia percorso dozzine di volte. Insomma, mi dànno anche da curare i malati, e voi mi dovreste aiutare: ha la febbre, e la pancia dura come una tavola di legno.

Mendel disse: – Non capisco perché insisti proprio con noi. Io non me ne intendo piú di un altro.

Stiopka fece una faccia imbarazzata:

– È perché... dicono che voialtri, fin dai secoli lontani, siate bravi a...

– Noialtri non siamo diversi da voi. I nostri medici sono bravi quanto i vostri, non piú e non meno, e un ebreo che non sia medico, e curi un malato, rischia di farlo morire tanto quanto un cristiano. Tutto quello che ti posso dire, è che io sono un artigliere, e di gente con la pancia aperta ne ho vista anche troppa, dopo i bombardamenti, e chi ha la pancia aperta non deve bere: ma questa è un'altra storia.

Leonid intervenne:

– Mi pare che il vostro capo sia un tipo in gamba: perché non lasci fare a lui? Ci sarà pure un paese o un villaggio nelle vicinanze; il malato portatelo là, starà certo meglio che qui nel campo, e un medico finirà col trovarsi.

Stiopka scosse le spalle:

– Venjamín Ivanovič è in gamba per altre cose. È coraggioso come un demonio, sa molti trucchi e altri li inventa, sa farsi rispettare e anche temere, non è mai sfiduciato, ed è forte come un orso: ma è bravo solo per la battaglia. E poi gli piace bere, e quando beve cambia umore da un momento all'altro.

Seguirono Stiopka al giaciglio del malato, per non scontentarlo. Era un tartaro che aveva disertato dalla polizia tedesca, e ancora ne vestiva la divisa. A Mendel non parve tanto grave: aveva bensí il ventre un po' teso, ma non provava dolore alla palpazione, ed anche la febbre non doveva essere molto alta. Il suo stato di nutrizione era buono; Mendel cercò di rassicurare Stiopka, gli consigliò di tenerlo a digiuno per un giorno e di non dargli medicine.

– Nessun pericolo, – disse Stiopka, – medicine non ce n'è. Avevamo un po' di aspirina ma l'abbiamo finita.

Uscendo dalla tenda si imbatterono in Venjamín. Era irriconoscibile: non era piú né l'ospite facilone, ubriaco di vodka e di vittoria, né il grosso bambino deluso per la radio guasta. Era un esemplare umano temibile, un giovane guerriero dalle movenze pronte e precise, dal viso intelligente e dallo sguardo intenso ma illeggibile. – Un'aquila, – pensò Mendel fra sé, – bisognerà stare in guardia.

– Venite con me, – disse Venjamín con autorità tranquilla. Si appartò con loro in un angolo della tenda, e chiese loro chi fossero, da dove venissero e dove andassero; parlava con la voce sommessa e sicura di chi sa di essere obbedito.

– Io sono artigliere, questo è un paracadutista. Siamo dispersi, ci siamo trovati per caso nei boschi di Brjansk. Abbiamo avuto notizia di questa banda, vi abbiamo cercati e vi abbiamo raggiunti.

– Da chi avete avuto notizia?

– Dall'usbeco che ti ha venduto la radio.

– Perché ci avete inseguiti?

Mendel esitò per un istante:

– Perché vorremmo entrare nella banda.

– Siete armati?

– Sí: un fucile mitragliatore, una pistola tedesca e un po' di munizioni.

Senza cambiare tono, Venjamín si rivolse a Leonid:

– E tu, perché non parli?

Leonid rispose con imbarazzo che lasciava parlare Mendel perché era il piú anziano, e perché le armi erano sue.

– Le armi non sono sue, – disse Venjamín: – Le armi sono di tutti: le armi sono di chi le sa usare –. Tacque per un momento, come se aspettasse una reazione; ma anche Leonid e Mendel rimasero silenziosi. Poi riprese:

– Perché volete venire in banda? Rispondete separatamente. Tu?

Leonid, preso alla sprovvista, si sentiva la lingua legata. Aveva l'impressione di essere retrocesso alle interrogazioni scolastiche; peggio ancora, all'interrogatorio umiliante che aveva subito quando lo avevano arrestato e rinchiuso alla Lubjanka. Mormorò qualcosa sui doveri del soldato e sul desiderio di riabilitarsi dalla condizione di disperso.

– Tu sei stato prigioniero dei tedeschi, – disse Venjamín.

– Come lo sai? – intervenne Mendel sorpreso.

– Le domande le faccio io. Ma glielo si vede in faccia. E tu, artigliere: perché vuoi venire con noi?

Mendel si sentiva pesato come su una bilancia, e irritato di essere pesato. Rispose:

– Perché sono disperso da un anno. Perché sono stanco di vivere come un lupo. Perché ho un conto mio da saldare. Perché credo che la nostra guerra sia giusta.

La voce di Venjamín si fece ancora piú sommessa:

– Ci avete trovati ieri in un giorno strano, bello e brutto. Un giorno bello, perché la notizia che avete sentita è vera, la radio l'ha ripetuta due volte, Mussolini è caduto. Ma non è detto che la guerra finirà presto; ieri sera ce lo siamo gridati nelle orecchie l'uno con l'altro, ciascuno convinceva gli altri, e ciascuno era pronto a farsi convincere, perché la speranza è contagiosa come il colera. Ieri sera eravamo in vacanza, ma noi i tedeschi li conosciamo: stanotte ci ho ripensato, e credo che la guerra durerà ancora a lungo. E ieri è stato anche un giorno brutto perché la radio si è guastata. È piú grave di quanto voi pensiate: una banda senza radio è una banda orfana, sorda e muta. Senza la radio noi non sappiamo dov'è il fronte, e a Mosca non sanno dove siamo noi, e non possiamo chiamare gli aerei per i lanci: tutto viene attraverso la radio, le medicine, il grano, le armi, perfino la vodka. Con le notizie della radio arriva anche il coraggio. E siccome senza grano non si vive, quando manca bisogna prenderlo ai contadini, cosí una banda senza radio diventa una banda di banditi. Queste cose è bene che voi le sappiate, e che ci pensiate sopra prima di decidere. Ed è bene che sappiate anche qualche altra cosa. Che otto mesi fa eravamo cento, e adesso siamo meno di quaranta. Che nella nostra guerra non c'è mai un giorno uguale a un altro: si è un po' ricchi e un po'poveri, un giorno sazi e un giorno affamati. E che non è una guerra per chi ha i nervi deboli: veniamo di lontano e andiamo lontano, e i deboli sono morti o se ne sono andati. Pensateci sopra; e prima di darvi una risposta ci penserò sopra anch'io.

Si udí uno squillo metallico. La zuppa di mezzogiorno era pronta, e Stiopka aveva suonato l'adunata battendo con un sasso contro un pezzo di rotaia appeso a un ramo. Tutti si misero in fila davanti alla marmitta, anche Venja, Mendel e Leonid, e Stiopka fece la distribuzione. Quasi tutti avevano finito di mangiare, e molti si erano già stesi al sole a fumare, quando dalla sponda venne una voce che gridava: – Arrivano tronchi! – Arrivavano, infatti, navigando lenti sul filo della corrente: grossi tronchi senza rami, sparsi, alla spicciolata. Venjamín si avvicinò all'acqua e si fece attento. Domandò a Stiopka:

– Da dove vengono?

– Di solito vengono dal molo di Smolensk, trecento chilometri piú a monte; si è sempre fatto cosí, costa meno che mandarli per ferrovia. Vanno giú in Ucraina, per armare le miniere.

– Si è sempre fatto cosí, ma adesso le miniere lavorano per i tedeschi, – disse Venjamín fregandosi il mento. In quel momento, alla svolta del fiume, apparve qualcosa di

piú grosso: era un convoglio di zattere legate in fila fra loro, forse una decina, che comparivano una dopo l'altra da
dietro una lingua di terra boscosa. – Bisogna acchiapparle,
– disse Venjamín.

– È un mestiere che io non ho mai fatto, ma l'ho visto
fare, – disse Stiopka: – Piú giú, a un chilometro, c'è un ramo morto; se facciamo svelti, arriviamo in tempo. Ma ci
vogliono degli spuntoni.

In un attimo Venja fu padrone della situazione. Lasciò
dieci uomini di guardia al campo, mandò altri dieci con le
scuri ad abbattere e diramare alberelli, e scese rapidamente lungo la riva con quelli che rimanevano, fra cui Leonid
e Mendel. Arrivarono al ramo morto prima del legname, e
poco dopo giunsero i dieci con gli spuntoni, ma il convoglio era già in vista. – Presto, chi è il piú bravo a nuotare?
Tu, Volodia! – Ma Volodia, fosse un vero impedimento o
cattiva volontà, non riuscí a liberarsi in tempo degli stivali:
stava accocolato a terra tutto contorto, congestionato in
viso dallo sforzo, e Venja si spazientí. – Buono a nulla,
fannullone! Su, dammi quel legno –. In un attimo fu scalzo e nudo. Un po' a guado, un po' nuotando con una mano
sola, attraversò l'acqua morta, ma quando ebbe raggiunto
la punta erbosa che separava i due rami del fiume, il convoglio di zattere la stava già sorpassando. Lo si udí be-
stemmiare e lo si vide riimmergersi nella corrente; altri uomini lo seguirono con altri spuntoni. Nuotò veloce incontro alle zattere, perse le prime, riuscí a salire sull'ultima, e
subito manovrò con la pertica in modo da deviarla sulla
punta erbosa, dove si arenò nella melma: ma si vide subito
che non vi sarebbe rimasta a lungo, le altre zattere, trascinate mollemente dalla corrente, tiravano sull'ormeggio, e
un solo uomo non avrebbe potuto resistere. Senza fiato,
Venja gridò agli uomini di salire ciascuno su una delle zattere; puntando forte ciascuno con la sua pertica sul fondo
fangoso, riuscirono ad allontanare il convoglio dalla sponda, a risalire la corrente, ad aggirare la punta, ed a spingere
trionfalmente il legname nell'acqua ferma del ramo morto.

– Va bene cosí, – disse Venjamín rivestendosi, – vedremo, magari lo tireremo poi a riva e gli daremo fuoco; basta che non vada alle miniere. Torniamo al campo.

Nella breve marcia di ritorno, Mendel gli si affiancò e si complimentò con lui. – Lo so bene, per i tedeschi non è stato un gran danno –, rispose Venjamín. – Ma per gente come questa, non c'è niente di peggio che l'inazione. E niente di meglio che l'esempio. Asciugatevi, voi due, e poi venite da me alla tenda.

Nella tenda, Venjamín entrò subito in argomento:

– Ci ho pensato sopra, e non è facile. Vedete, a modo nostro noi siamo degli specialisti: conosciamo questa zona, siamo allenati. Avervi con noi sarebbe una responsabilità. Ammetto che voi siate buoni combattenti; noi, vedete, piú che combattenti siamo gente di retroguardia, siamo guastatori, diversionisti. Ognuno di noi ha i suoi compiti, che non si imparano in pochi giorni. E poi...

– Stamattina non parlavi cosí, – disse Mendel. Venja abbassò gli occhi.

– No, non parlavo cosí. Ecco, io non ho niente contro di voi; ho avuto amici ebrei fin da bambino, altri li ho avuti come compagni a Voronež, al centro di addestramento, e so che siete gente come tutti gli altri, né meglio né peggio, anzi, forse anche un po' piú...

– A me basta cosí, – disse Leonid. – Se non ci vuoi ce ne andiamo, e sarà meglio per tutti. Non ci metteremo in ginocchio per...

Mendel lo interruppe:

– Io però voglio sapere da te che cosa è accaduto fra questa mattina e adesso.

– Niente. Non è accaduto niente, nessun fatto. È solo successo che ho sentito gente parlare, e che...

– Siamo soldati, tu e io. Portiamo la stessa divisa, e io voglio sapere da te chi ha parlato e che cosa è stato detto.

– Non ti dirò chi ha parlato: non ha parlato uno solo. Per me, io vi accetterei, ma non posso impedire ai miei uomini di parlare; e non so se avreste le spalle sicure. Qui c'è gente di diverse idee, e svelta di mano.

Mendel insistette: voleva sapere, parola per parola, quello che Venjamín aveva sentito, e Venjamín glielo ripeté, col viso di chi sputa un boccone di cibo guasto:

– Dicono che a loro gli ebrei piacciono poco, e ancora meno quando sono armati.

Intervenne Leonid:

– Noi ce ne andiamo, e tu dirai a quei tuoi uomini che a Varsavia, in aprile, gli ebrei armati hanno resistito ai tedeschi piú a lungo dell'Armata Rossa nel '41. E non erano neppure bene armati, e avevano fame, e combattevano in mezzo ai morti, e non avevano alleati.

– Come sai queste cose? – chiese Venjamín.

– Varsavia non è cosí lontana, e le notizie corrono anche senza la radio.

Venjamín uscí dalla tenda, parlò sottovoce con Stiopka e con Volodja, poi rientrò e disse:

– Le armi ve le dovrei togliere, e invece non ve le tolgo. Avete visto chi siamo e dove siamo, non vi dovrei lasciare partire, e invece vi lascio partire: un giorno con noi è stato poco, ma forse quello che avete visto vi servirà. Partite, tenete gli occhi aperti, e andate a Novoselki.

– Perché a Novoselki? Dov'è Novoselki?

– Nell'ansa dello Ptič, centoventi chilometri a ponente, in mezzo alle paludi di Polessia. Pare che là ci sia un villaggio di ebrei armati, uomini e donne. Ce ne hanno parlato i guardaboschi, quelli girano dappertutto e sanno tutto, sono il nostro telegrafo e il nostro giornale. Forse là le vostre armi vi saranno utili. Con noi non potete restare.

Mendel e Leonid si congedarono, attraversarono il Dnepr su una zattera fatta di quattro tronchi legati insieme, e ripresero la strada.

Camminarono per dieci giorni. Il tempo si era guastato, pioveva spesso, ora in rovesci improvvisi, ore in uno spol-

verio fine e penetrante che era quasi una nebbia; i sentieri
erano fangosi, e i boschi emanavano un odore pungente di
funghi che faceva già presagire l'autunno. I viveri incominciavano a scarseggiare; dovettero fermarsi di notte
presso le rade fattorie a disseppellire patate e barbabietole.
Nel bosco c'erano mirtilli e fragole in abbondanza, ma dopo una o due ore di raccolta la fame cresceva invece di di-
minuire; la fame e l'irritazione di Leonid:

– Questa è roba buona per scolari in vacanza. Solletica
lo stomaco invece di riempirlo.

Mendel rimuginava tra sé le notizie apprese al campo di
Venjamín. Che peso potevano avere? Raccontate cosí, senza un commento, senza una valutazione globale, erano ir-
ritanti come i mirtilli, e lasciavano la mente altrettanto af-
famata. Mussolini in prigione, e il re ritornato al potere.
Che cosa è un re? Una specie di Zar, bigotto e corrotto,
una cosa di altri tempi, un personaggio di fiaba con alama-
ri, pennacchio e spadino, arrogante e vile; invece questo re
d'Italia doveva essere un alleato, un amico, dal momento
che aveva fatto catturare Mussolini. Era un peccato che in
Germania non ci fosse piú il Kaiser, se no forse la guerra
avrebbe potuto finire davvero, come diceva Venjamín da
ubriaco. Che in Italia fosse caduto il fascismo era certo
una buona notizia, ma che importanza poteva avere? Era
difficile farsene un'idea: negli articoli della Pravda l'Italia
fascista era stata descritta volta a volta come un avversario
pericoloso e infido, o come uno spregevole sciacallo nel-
l'ombra della belva tedesca; di certo, i soldati italiani sul
Don avevano resistito poco, erano male equipaggiati e male armati e non avevano voglia di combattere, questo lo sapevano tutti. Forse anche loro ne avevano abbastanza di
Mussolini, e il re aveva seguito la volontà del popolo, ma
in Germania non c'erano re, c'era solo Hitler: era meglio
non farsi illusioni.

Se un re è un personaggio da favola, un re d'Italia è due
volte da favola, perché l'Italia stessa è favola. Era impossibile farsene un'immagine concreta. Come si può conden-

sare nella stessa immagine il Vesuvio e le gondole, Pompei
e la Fiat, il teatro della Scala e le caricature di Mussolini
che si vedevano sul *Krokodíl*, quella specie di bandito da
strada con la mascella da iena, il fez col fiocco, il pancione
da capitalista e il coltello in mano? Eppure era stato proprio quel re che... mah, impossibile capire. Mendel avrebbe dato un patrimonio per avere una radio, ma era un puro
modo di dire: da barattare non avevano piú niente, salvo il
mitra e la pistola, e quelli era meglio tenerli.

Chissà se c'erano ebrei in Italia. Se sí, dovevano essere
ebrei strani: come puoi figurarti un ebreo in gondola o
in cima al Vesuvio? Ma ci dovevano pure essere, ci sono
ebrei perfino in India e in Cina, e non è detto che ci stiano
male. È da vedere se avevano ragione i sionisti di Kiev e di
Kharkov, che predicavano che gli ebrei stanno bene solo
in Terra d'Israele, e che dovrebbero partire dall'Italia, dalla Russia, dall'India e dalla Cina e radunarsi tutti laggiú, a
coltivare gli aranci, a imparare l'ebraico e a ballare la Hora
tutti in cerchio.

Forse per la stanchezza, forse per l'umidità, la cicatrice
fra i capelli di Mendel aveva cominciato a prudere. Gli stivali di Leonid si erano scuciti, e i suoi piedi diguazzavano
nell'acqua e nel fango. Mendel sentiva alle spalle la presenza negativa di Leonid, il peso del suo silenzio: lo impediva-
no nel cammino piú del fango. Non era piú solo il fango
della pioggia, il fango fertile che viene dal cielo, e va accettato alla sua stagione: a mano a mano che avanzano verso
ponente si imbattevano sempre piú spesso in un fango diverso, permanente, padrone dei luoghi, che veniva dalla
terra e non dal cielo. Il bosco si era diradato, si incontravano radure estese, ma senza traccia di opera umana. La terra non era piú nera né argillosa, bensí di un pallore di cadavere; benché umida, era magra, sabbiosa, e sembrava gemere acqua dal suo stesso grembo. Pure non era sterile: ali-
mentava aiuole di canne, piante succulente che Mendel
non aveva mai visto, e vasti cuscini di arbusti dalle foglie
appiccicose, proni a terra come se annoiati del cielo. Si

affondava nel terreno, o nelle foglie marcite, fino al mal-
leolo: Leonid si tolse gli stivali ormai inutili, e presto Mendel lo imitò; i suoi tenevano ancora bene, ma era peccato
consumarli.

Al settimo giorno di cammino divenne un problema trovare un lembo di terra asciutta per passare la notte, benché la pioggia fosse cessata. All'ottavo giorno si fece difficile anche mantenere la direzione: non avevano bussola, il
cielo schiariva di rado, e il sentiero era interrotto sempre
piú spesso da specchi d'acqua poco profondi, che tuttavia
li costringevano a deviazioni snervanti. Era acqua ferma,
limpida, dall'odore di torba, su cui galleggiavano foglie
spesse e rotonde, fiori carnosi e qualche nido di uccello. Vi
cercarono invano le uova: non c'erano uova, solo frammenti di guscio e piume macerate. Trovarono invece rane,
in abbondanza: rane adulte grosse un palmo, girini, e ghirlande vischiose di uova di rana. Ne catturarono diverse
senza difficoltà, le arrostirono su stecchi e le mangiarono,
Leonid con l'avidità ferina del ventenne affamato, Mendel
stupito di percepire in sé la traccia della repulsione atavi-
ca per le carni vietate.

– Come in Egitto al tempo di Mosè, – disse Mendel
tanto per avviare un discorso. – Ma non ho mai capito come potessero essere una piaga: gli egiziani avrebbero potuto mangiarle, come facciamo noi.

– Le rane erano una piaga? – domandò Leonid masticando.

– La seconda piaga: *Dàm, Tzefardéa'*; *tzefardéa'* sono le
rane.

– E qual era la prima?

– Dàm, il sangue, – rispose Mendel.

– Il sangue lo abbiamo avuto, – disse Leonid sopra pensiero. – E le altre? quelle che vengono dopo?

Per aiutare la memoria, Mendel prese a canticchiare la
filastrocca che si recita a Pasqua per divertire i bambini:
«dàm, tzefardéa', kiním, 'arov...»; poi tradusse in russo:
sangue, rane, pidocchi, belve, scabbia, peste, grandine,

cavallette... Ma si interruppe prima di finire l'elenco per
chiedere a Leonid: – Tu, da bambino, non hai mai fatto
Pasqua?

Si pentí subito della domanda. Pur senza smettere di
mangiare, Leonid aveva distolto il viso da lui, e il suo
sguardo si era fatto fisso e torvo. Dopo qualche minuto,
con apparente incoerenza, disse:

– Quando hanno mandato mio padre alle Solovki, mia
madre non lo ha aspettato. Non lo ha aspettato molto tempo. Mi ha messo in un orfanotrofio, è andata a vivere con
un altro, e di me non si è piú occupata. Mi veniva a trovare due o tre volte all'anno, con quell'altro. Era un ferroviere anche lui, e parlava sempre sottovoce. Forse aveva
paura di finire anche lui alle isole; aveva paura di tutto. A
quanto ne so, stanno ancora insieme. E io adesso ne ho abbastanza. Abbastanza di camminare verso non si sa dove.
Abbastanza di sangue e di rane, e vorrei fermarmi, e vorrei morire.

Mendel non rispose: si rendeva conto che il suo compagno non era di quelli che si guariscono con le parole; forse
nessuno che avesse sulla schiena una storia come la sua sarebbe guarito a parole. Eppure si sentiva in debito verso di
lui, in colpa, in mancanza, come se si vedesse qualcuno che
annega in poca acqua e non chiama aiuto, e siccome non
chiama aiuto lo si lasciasse affondare. Per aiutarlo, bisognava capirlo, per capirlo bisognava che lui parlasse, e lui
non parlava che cosí, quattro parole e poi silenzio, con lo
sguardo che sfuggiva il suo sguardo. Era pronto a ferire e
pronto a essere ferito. Se lui Mendel avesse provato a forzare la mano? Poteva essere pericoloso: come quando si
imbocca male una vite nel bullone e si sente la resistenza;
se si sforza col cacciavite, il filetto si spana e la vite è da
gettare. Se invece si ha pazienza e si ricomincia da capo, si
avvita tutta senza fatica, e poi rimane ben salda. Ci vuole
pazienza, anche per chi non ce l'ha. Specialmente per chi
non ce l'ha. Per chi l'ha persa. Per chi non l'ha mai avuta.
Per chi non ha mai avuto il tempo e l'argilla per costruir-

sela. Stava per rispondergli: «Se davvero vuoi morire, non
ti mancherà l'occasione»; invece gli disse: – Dormiamo.
Almeno stasera abbiamo la pancia piena.

Al nono giorno di cammino il sentiero era praticamente scomparso: lo si poteva riconoscere a tratti, sulle lingue
di sabbia che correvano tortuose fra gli stagni, e questi si
facevano sempre piú ampi e confluivano fra loro. Il bosco
si era ridotto a macchie isolate, e l'orizzonte che li circondava non era mai stato cosí vasto, in tutto il loro viaggio.
Vasto e triste, intriso dell'intenso odore funereo dei giun-
cheti; sulle acque immobili si specchiavano nitide le nuvole rotonde, bianche, immobili nel cielo. Allo sciacquio dei
passi dei due uomini qualche anitra si involava dai canne-
ti schiamazzando, ma Mendel non volle sparare, per non
sprecare colpi e per non segnalare la loro presenza. Si pro-
filò un edificio di legno. Quando lo ebbero raggiunto, videro che era un mulino ad acqua, abbandonato e semidi-
strutto; la ruota a pale arrugginita pescava in un'acqua
melmosa che si faceva strada in meandri attraverso le paludi. Doveva essere lo Ptič: Novoselki non poteva essere
lontana.

Dall'altra parte del fiume il terreno era piú solido: si distingueva in lontananza una modesta altura rivestita di alberi scuri, querce od ontani. Trovarono una vecchia pista
di boscaioli, invasa da rovi e foglie morte. Mendel si rimise
gli stivali, Leonid rimase scalzo, con le sole pezze da piedi
a protezione contro le spine. Dopo mezz'ora di cammino
esclamò: – Toh! vieni a vedere! – Mendel si volse e gli vide in mano una bambola: una povera bamboletta rosa, nuda, mutilata di una gamba. La accostò al naso, e percepí un
odore dell'infanzia, l'odore patetico della canfora, della
celluloide; per un attimo, evocate con violenza brutale, le
sue sorelle, l'amichetta delle sorelle che sarebbe diventata
sua moglie, Strelka, la fossa. Tacque, trangugiò, poi disse
a Leonid con voce piana: – Queste cose non si trovano nei
boschi.

Sulla destra della pista c'era una radura, e nella radura

videro un uomo. Era alto, magro, pallido e stretto di spalle; quando si accorse di loro cercò goffamente di scappare o di nascondersi: gli diedero una voce e lui li lasciò avvicinare. Era vestito di stracci e portava ai piedi un paio di sandali ricavati da copertoni d'auto; teneva in mano un fagotto d'erbe. Non sembrava un contadino. Gli domandarono:

– È qui il paese degli ebrei?

– Qui non c'è nessun paese, – rispose l'uomo.

– Ma tu non sei ebreo?

– Sono un profugo, – disse; ma l'accento lo tradiva.

Leonid mostrò la bambola: – E questa, da dove viene?

Lo sguardo dell'uomo si spostò di un piccolo angolo: qualcuno stava avvicinandosi, alle spalle di Leonid. Era una bambina, bruna e minuta; gli prese la bambola dalle mani, dicendo tutta seria: – È mia. Sei stato bravo a trovarla.

Capitolo terzo

Agosto-novembre 1943

Non era probabilmente un paese: era una «repubblica delle paludi», spiegò l'uomo a Mendel, non senza fierezza. Era piuttosto un accampamento, un asilo e una fortezza, e loro due sarebbero stati i benvenuti, perché le braccia buone a lavorare non erano molte e gli uomini capaci di usare le armi erano ancora di meno. Si chiamava Adam; poiché stava per annottare, chiamò a sé i bambini che cercavano erbe ai margini della radura, ed invitò Mendel e Leonid a seguirlo. I bambini, maschi e femmine, erano una dozzina, dai cinque ai dodici anni, e ognuno aveva raccolto un fagottino di erbe divise in fascetti. – Da noi, tutti si devono rendere utili, anche i bambini. Ci sono erbe per guarire le malattie, altre buone da mangiare, crude o cotte: erbe, bacche e radici. Gli abbiamo insegnato a distinguerle; eh no, qui non gli insegniamo molto d'altro.

Si misero in cammino. I bambini guardavano i due soldati con curiosità diffidente: non rivolsero loro alcuna domanda, e neppure parlavano fra loro. Erano animaletti timidi e selvaggi, dagli occhi senza quiete; senza che Adam glielo avesse ordinato, si disposero spontaneamente in fila per due e si incamminarono verso l'altura seguendo una traccia che sembravano conoscere bene. Anche loro calzavano sandali ritagliati da copertoni; gli abiti erano vecchi indumenti militari, laceri e fuori misura. La bambina che aveva ritrovato la sua bambola se la teneva stretta contro il petto come per difenderla, ma non le parlava e neppure la guardava: si guardava ai lati, con scatti inquieti da uccello.

Adam, invece, aveva una gran voglia di parlare e di ascoltare. Aveva cinquantacinque anni, era il piú anziano del campo, e perciò era incaricato di badare ai bambini: le donne c'erano sí, ma poche, e buone per mestieri piú pesanti; una era sua figlia. Prima di rispondere alle domande, volle sapere lui la storia dei due nuovi arrivati: Mendel lo accontentò volentieri e diffusamente, Leonid invece se la cavò con poche parole. Lui Adam veniva di lontano: era stato operaio tessile a Minsk, attivo nel Bund, nell'organizzazione sindacale ebraica, fin da quando aveva sedici anni. Aveva fatto in tempo ad assaggiare le prigioni dello Zar, che tuttavia non lo avevano salvato dal fronte della prima guerra mondiale. Ma un buddista è un menscevico, e come menscevico era stato processato e nuovamente imprigionato nel 1930: non era stato bello, lo avevano messo in celle gelate e in altre torride e senz'acqua, volevano che confessasse di essere stato corrotto dagli stranieri. Aveva resistito a due interrogatori e poi si era tagliato le vene. Lo avevano ricucito perché doveva confessare: lo avevano tenuto due settimane senza concedergli un'ora di sonno, e allora aveva confessato tutto quello che i giudici volevano. Aveva fatto ancora un paio d'anni di prigione e altri tre al confino, a Vologda, a mezza strada fra Mosca e Arcangelo: era meglio che in carcere, lavorava in un kolchoz, ed era appunto lí che aveva imparato a conoscere le erbe buone da mangiare. Sono molte di piú di quanto sappiano i cittadini: ecco dunque che anche dal confino può venire qualche cosa di buono. D'estate le erbe sono importanti, un po' di sostanza ce l'hanno anche loro, anche se si mangiano senza condimento. Certo l'inverno è un'altra cosa: all'inverno era meglio non pensare.

Scontato il confino, lo avevano rimandato a casa, ma era venuta la guerra e i tedeschi erano arrivati a Minsk in pochi giorni. Ecco, Adam si sentiva un peso sulla coscienza, perché lui, e gli anziani come lui, che avevano conosciuto i tedeschi nell'altra guerra, avevano cercato di tranquillizzare tutti: i tedeschi erano bravi soldati ma gente

civile, perché nascondersi o scappare? Tutt'al piú avrebbero ridato le terre ai contadini. Invece, a Minsk *quei* tedeschi avevano fatto una cosa che lui non poteva raccontare.
Non poteva e non voleva e non doveva. – È la prima regola della nostra repubblica. Se continuassimo a raccontarci
fra noi quello che abbiamo visto diventeremmo matti, e
invece dobbiamo per forza essere tutti intelligenti, anche
i bambini. Oltre a conoscere le erbe, gli insegniamo a dire
le bugie; perché abbiamo nemici da tutte le parti, non solo
i tedeschi.

Mentre cosí parlava, erano arrivati all'accampamento.
In realtà sarebbe stato difficile definirlo con una sola parola, perché era un qualcosa che Mendel non aveva mai visto
né avrebbe ritenuto possibile; in ogni caso, assai piú asilo
che fortezza. Sull'altura che avevano intravisto di lontano,
e che non emergeva dalla pianura piú di una ventina di
metri, era un vecchio monastero, nascosto nel fitto degli
alberi. Era costituito da un edificio in mattoni disposto su
tre lati di un quadrato e su due piani fuori terra; sui due
angoli sorgevano due torrette tozze, di cui non reggeva
quanto restava di una cella campanaria, e l'altra, diroccata
e ricostruita in legno, doveva essere stata usata come torre
di guardia. Poco discosto, di fronte al lato libero del quadrato, era il rustico del monastero, un corpo fatto di tronchi appena sgrossati, dal grande portone carraio e dalle finestre minuscole.

Piú che nascosto dagli alberi, il monastero ne sembrava
assediato. Delle sue tre ali, una sola era integra; le altre
due portavano segni di distruzioni antiche e recenti. Il tetto, originariamente in tegole, era sfondato in piú tratti, ed
era stato riparato alla meglio con paglia e canne; anche i
muri perimetrali mostravano grosse brecce attraverso le
quali si vedevano i locali interni colmi di macerie. Il tutto
doveva essere stato abbandonato da decine di anni, forse
fin dal tempo della guerra civile, perché ontani, querce e
salici erano cresciuti a ridosso delle pareti, ed alcuni addi-

rittura all'interno, mettendo radici nei cumuli di detriti e
cercando la luce attraverso i vuoti del tetto.

Era ormai quasi scuro. Adam fece attendere i due all'e-
sterno, nella corte invasa da erbacce scalpicciate; ritornò
poco dopo e li introdusse in una camerata dal pavimento
coperto di paglia e steli di girasole, dove già aspettava molta gente, seduta e coricata. Arrivarono anche i bambini, e
a tutti fu distribuita nella semioscurità una minestra di erbe. Non c'erano luci; due donne prepararono i bambini
per la notte; venne ancora Adam, e raccomandò ai due
nuovi venuti di non accendere fiammiferi. Mendel e Leonid si sentivano custoditi e protetti. Erano stanchi; solo
per qualche minuto furono coscienti del sussurrare dei loro
vicini, poi caddero nell'incoscienza del sonno.

Mendel si risvegliò al mattino con l'impressione allegra-
inquieta di trovarsi in un altro mondo e in un'altra epoca:
forse in mezzo al deserto, in marcia per quarant'anni verso
il paese promesso, forse entro le mura di Gerusalemme as-
sediata dai Romani, forse invece nell'arca di Noè. Nella
camerata, oltre a loro due, non erano rimasti che due uomini e una donna, tutti e tre di mezza età, che sembravano
ammalati: non parlavano russo né jiddisch, bensí un dialetto polacco. Bambini, forse gli stessi della sera avanti, si affacciavano all'uscio, incuriositi ma silenziosi; entrò una ragazza, piccola e smilza, con un mitragliatore a tracolla, vide i due estranei ed uscí subito senza fare domande. Si
sentiva intorno un tramestio sommesso, come di topi in un
solaio: brevi richiami, un battere di martello, il cigolio di
una catena di pozzo, il canto rauco di un galletto. L'aria
che entrava dalle finestre aperte, insieme con il fiato umido delle paludi e del bosco, trascinava altri sentori aspri ed
inconsueti, di drogheria, di bruciaticcio, di retrobottega e
di miseria.

Venne Adam poco dopo e li invitò a seguirlo: Dov, il capo, li aspettava. Li aspettava al Comando, precisò con orgoglio, ossia in una cameretta dalle pareti rivestite di tavole d'abete, occupata per metà dalla stufa in muratura, al

cuore della grossa capanna che era stata il rustico del monastero. Sulla stufa ed accanto ad essa erano tre giacigli, e presso la porta era un tavolo di assi inchiodate e non piallate: non c'era altro. Anche la sedia su cui Dov sedeva appariva solida ma rozza, opera di mani esperte ma poco aiutate dagli attrezzi. Dov era di mezza età, basso di statura ma di ossa robuste e di spalle larghe: senza essere propriamente gobbo, aveva la schiena curva e portava il capo chino come se reggesse un carico; perciò guardava i suoi interlocutori dal basso verso l'alto, come al di sopra del bordo di occhiali inesistenti. I suoi capelli, che dovevano essere stati biondi, erano quasi bianchi ma ancora folti: li portava accuratamente pettinati, con una scriminatura diritta. Aveva mani grosse e forti; quando parlava le teneva immobili, pendenti dagli avambracci, e le guardava ogni tanto come se non fossero sue. Aveva viso quadrato, occhi fermi, tratti onesti, logori ed energici, parola lenta. Fece sedere i due sul giaciglio che stava accanto alla stufa e disse cosí:

– Vi avrei accolti in ogni caso, ma è fortuna che siate soldati: gente che viene qui per trovare protezione ne abbiamo già troppa. Vengono anche da lontano, a cercare la sicurezza. Non hanno torto, è il posto piú sicuro che un ebreo possa trovare nel raggio di mille chilometri, ma questo non vuol dire che sia un posto sicuro. Non lo è affatto: siamo deboli, male armati, non siamo in condizioni di difenderci da un attacco serio. Siamo anche troppi: anzi, non sappiamo neppure quanti siamo, momento per momento. Ogni giorno c'è gente che arriva e parte. Oggi siamo una cinquantina; non tutti ebrei, ci sono anche due o tre famiglie di contadini polacchi: i nazionalisti ucraini gli hanno rubato le scorte e il bestiame e gli hanno incendiato le case, erano terrorizzati e sono venuti qui. Gli ebrei vengono dai ghetti, o sono scappati dai campi di lavoro forzato dei tedeschi. Ognuno di loro ha una storia spaventosa alle spalle; ci sono vecchi, donne, bambini ed ammalati. Solo una dozzina di giovani sa usare le armi.

– Che armi avete? – chiese Mendel.

– Poche. Una dozzina di granate a mano, poche pistole e fucili mitragliatori. Una mitragliatrice pesante con munizioni per cinque minuti di fuoco. Per nostra fortuna, finora i tedeschi qui si sono visti di rado; le loro truppe migliori sono risucchiate dal fronte, che è lontano centinaia di chilometri: da queste parti c'è solo qualche presidio disseminato qua e là, a requisire gli approvvigionamenti e la mano d'opera e a sorvegliare le strade e le ferrovie. Sono piú pericolosi gli ucraini; i tedeschi li hanno inquadrati e armati, e li indottrinano: come se ce ne fosse bisogno! Hanno sempre considerato i polacchi e gli ebrei come i loro nemici naturali.

– La miglior protezione che il campo abbia sono le paludi. Ce n'è per decine di chilometri, in tutte le direzioni, e per attraversarle bisogna conoscerle bene: in alcune l'acqua arriva al ginocchio, ma in altre è piú alta di un uomo, e i guadi sono pochi e difficili da trovare. Ai tedeschi non piacciono, perché nelle paludi la guerra lampo non si fa: ci si impantanano perfino i carri armati, tanto peggio quanto piú sono pesanti.

– ... ma d'inverno geleranno!

– D'inverno è il terrore. D'inverno il bosco e la palude diventano nostri nemici, i peggiori nemici della gente nascosta. Gli alberi perdono le foglie, ed è come rimanere nudi: gli aerei di ricognizione possono vedere tutto quello che accade. Le paludi gelano e non sono piú una barriera. Sulla neve si possono leggere le orme. E dal freddo ci si può difendere solo col fuoco, ma ogni fuoco fa fumo, e il fumo si vede di lontano.

– E non vi ho ancora parlato del cibo. Anche per il cibo non abbiamo certezza. Qualcosa viene dai contadini, ottenuto con le maniere buone o altrimenti; ma i villaggi sono poveri e sono lontani, e ci pensano a spogliarli i tedeschi e i banditi. Qualcosa viene dai partigiani, che però d'inverno hanno gli stessi nostri problemi: ma qualche volta ricevono rifornimenti coi paracadute, e allora qualche cosa arriva fino a noi. Qualcosa, infine, viene dal bosco, erbe, rane, carpe, funghi, bacche, ma solo d'estate; d'inverno niente. D'inverno è il terrore e la fame.

– Non c'è modo di avere contatti migliori con i partigiani?

– Finora abbiamo solo avuto contatti irregolari. Del resto, che cosa c'è di piú irregolare della partisanka? Sono stato con loro, fino all'altro inverno: poi mi hanno riformato, perché per loro ero vecchio, e poi ero stato ferito e non potevo piú correre. Le bande della zona sono come gocce di mercurio: si fondono, si scindono, si riuniscono; vengono distrutte e se ne formano di nuove. Le piú grosse e stabili hanno la radio e tengono i contatti con la Grande Terra...

– Che cosa è la Grande Terra?

– La chiamiamo cosí anche noi: è il territorio sovietico di là dal fronte, quello non occupato dai nazisti. La radio è come il sangue, grazie alla radio ricevono ordini, rinforzi, istruttori, armi, viveri. Non solo con i paracadute; quando è possibile, gli aerei della Grande Terra atterrano in zona partigiana, scaricano uomini e merci, caricano ammalati e feriti e ripartono. Qui invece le cose vanno meglio d'inverno, perché per gli aerei ci vuole un aeroporto, o almeno un tratto di terreno piano e sgombro; ma un terreno cosí si vede bene dall'alto, e i tedeschi, appena lo hanno visto, si affrettano a buttarci le bombe e a renderlo impraticabile. Invece, d'inverno qualunque lago o palude o fiume può servire, purché il ghiaccio sia abbastanza spesso.

– Ma non dovete pensare a un servizio regolare. Non tutti i lanci e gli atterraggi vanno a buon fine, e non tutte le bande sono disposte a dividere le loro cose con noi. Molti capibanda ci considerano bocche inutili perché non combattiamo. Proprio per questo dobbiamo dimostrarci utili, e questo si può fare in diversi modi. In primo luogo, qui chiunque è in grado di camminare e di sparare deve considerarsi un partigiano, contribuire alla difesa, e se i partigiani lo richiedono deve unirsi a loro. In effetti, fra le

bande e il monastero c'è uno scambio continuo, e il monastero stesso, finché i tedeschi non lo scopriranno, è un discreto rifugio anche per i partigiani feriti o stanchi. Ma si
può anche fare altro, e noi lo facciamo. Rattoppiamo i loro
vestiti, laviamo la biancheria, conciamo pelli con la corteccia di quercia, e con le pelli facciamo stivali: sí, è l'odore
dei bagni di concia questo che sentite. E con la corteccia di
betulla fabbrichiamo la pece perché il cuoio degli stivali re-
sti morbido e resista all'acqua. Tu hai un mestiere? – chiese rivolto a Mendel.

   – Di mestiere sono orologiaio, ma facevo il meccanico
in un kolchoz.

   – Bene, un lavoro te lo troviamo subito. E tu, moscovita?

   – Ho studiato da contabile.

   – Questo ci serve un po' meno, – rise Dov. – Tenere la
contabilità mi piacerebbe, ma non si può. Non si riesce
neppure a contare la gente che va e che viene. Qui arrivano ebrei scampati per miracolo ai massacri delle SS; arrivano contadini in cerca di protezione; arriva gente dubbia
con cui dobbiamo stare attenti. Potrebbero anche essere spie, che possiamo farci? Non c'è da fidarsi delle loro
facce, come io adesso mi fido delle vostre: un servizio segreto non ce l'abbiamo. Molti arrivano qui, altri partono
o muoiono. Partono i giovani, col mio permesso o senza:
preferiscono aggregarsi stabilmente ai partigiani, piuttosto
che vegetare in questa repubblica nella fame e nella paura.
Muoiono i vecchi e i malati; ma muore anche gente giovane e sana, di disperazione. La disperazione è peggio della
malattia: ti viene addosso nei giorni di attesa, quando
mancano le notizie e i contatti, quando si annunciano movimenti di truppe tedesche o di mercenari ucraini e ungheresi: aspettare è mortale come la dissenteria. Contro la disperazione ci sono solo due difese, lavorare e combattere,
ma non sempre bastano. Ce n'è anche una terza, che è di
raccontarci delle bugie uno con l'altro: ci caschiamo tutti.
Bene, il discorso è finito; è una bella cosa che siate arrivati

armati, ma se aveste portato una ricetrasmittente sarebbe
stato meglio. Pazienza, non si può avere tutto, neppure a
Novoselki.

Entrarono subito nei turni di guardia; era il servizio piú
importante della comunità, ed allo scopo servivano bene le
due vecchie torrette del monastero. Di regola, ogni rifugiato valido doveva fare dodici ore di lavoro, otto di riposo
e quattro di guardia, divise in due turni di due ore; questo
comportava complicazioni, ma Dov teneva un orario preciso ed esigeva che fosse rispettato. La notte stessa Mendel montò di guardia con la ragazza smilza che aveva intravista nel dormitorio, ognuno nella sua torretta; seppe da
lei che si chiamava Line, ma poco di piú. Smontando, le
chiese: – Ho uno strappo nei pantaloni. Per favore, me lo
potresti rammendare? – Line rispose asciutta: – Ti darò
ago e filo, poi ti arrangi: io non ho tempo –. Alzò la lanterna e guardò Mendel in viso, con un'attenzione quasi insolente: – Dove ti sei fatta quella cicatrice? – Mendel rispose: – Al fronte, – e Line non insistette e se ne andò a
dormire. Leonid, invece, si era trovato in coppia con Ber,
occhialuto ed ancora quasi bambino, anche lui avaro di parole.

Il lavoro nella conceria, a cui entrambi furono avviati, si
svolgeva in mezzo a fumi disgustosi, in un silenzio interrotto solo dallo sciacquio dei tini e da brevi sussurri. Con
visi chiusi, uomini e donne raschiavano le pelli per elimi-
nare il carniccio e il pelo: erano pelli di coniglio, di cane, di
gatto, di capra. Niente andava sprecato, i residui carnosi
delle pelli piú recenti venivano messi accuratamente da
parte per servire come ingrasso. Altri facevano bollire cor-
tecce d'alberi o tendevano le pelli su telai di legno.

Si adattarono presto a quel genere di vita ed a quell'ordine ossessivo e paradossale, che sembrava mantenuto da
ciascuno con lo sforzo e l'ostinazione di ogni minuto. Non
c'erano pasti comunitari: a metà giornata ed alla sera ci

si metteva in fila davanti alle marmitte della cucina, poi ognuno si rincantucciava a consumare in silenzio quanto aveva ricevuto: per lo piú una magra zuppa d'erbe con qualche pezzo di patata, raramente un po' di carne o di formaggio, una cucchiaiata di mirtilli, un bicchiere di latte.

Adam, forse appunto perché era il piú anziano, era l'unico che non avesse dimenticato il piacere di raccontare:

– Dov? È uno che non si tira indietro. Guai se non ci fosse lui a comporre i litigi. Ha visto le sue, Dov, e viene di lontano. Viene da un villaggio sperduto sull'altipiano della Siberia Centrale, non ne ricordo mai il nome: ci avevano deportato il suo nonno nichilista, ancora al tempo degli zar, laggiú è nato suo padre, e laggiú è nato anche lui. Quando è scoppiata la guerra lo hanno mobilitato nei servizi dell'aviazione. È caduto prigioniero subito, nel luglio del '41; i tedeschi li hanno rinchiusi in un Lager che era soltanto un ettaro di terreno circondato da filo spinato, e dentro niente, né baracche né tettoie, solo diecimila soldati stremati, feriti, pazzi di sete e di fame. Nella confusione non lo hanno riconosciuto come ebreo, cosí non lo hanno ucciso. Dopo qualche giorno lo hanno caricato con un migliaio di altri su una tradotta; lui si è accorto che le tavole del pavimento del suo vagone erano fradice, le ha sfondate a calci e si è lasciato cadere dal treno in corsa: lui solo, gli altri ottanta del vagone non ne hanno avuto il coraggio. Si è rotta una gamba, ma è riuscito ugualmente ad allontanarsi dalla ferrovia e a raggiungere una casa di contadini che lo hanno ospitato per diversi mesi senza denunciarlo, e gli hanno perfino rimesso in sesto la gamba. Appena ha potuto camminare è andato coi partigiani, ma nell'inverno scorso è stato ferito a un ginocchio, e da allora zoppica. I partigiani lo hanno aiutato, e si è sistemato qui con un pugno di altri ebrei. È un siberiano dalla testa dura, in pochi mesi lui e gli altri hanno trasformato questo monastero, che era un mucchio di macerie, in un luogo dove si può vivere.

Per tutto agosto, nella repubblica delle paludi non avvenne alcun fatto notevole. Giunsero da Ozariči nove dispersi dell'Armata Rossa che di loro iniziativa avevano incendiato e saccheggiato un deposito tedesco. Portavano due muli carichi di sacchi di patate, quattro moschetti italiani, venti granate a mano e una notizia che valeva quanto tutto il resto insieme: i russi avevano ripreso Kharkov. Fra i cittadini di Novoselki si accese subito una discussione appassionata, quanto lontana fosse Kharkov: chi diceva cinquecento, chi seicento, chi ottocento chilometri. Questi ultimi accusavano i primi di essere degli illusi; i primi trattavano gli ultimi da disfattisti, anzi, da traditori.

Gli uomini di Ozariči si erano trascinato dietro anche un medico, e un medico, per Novoselki, sarebbe stato prezioso; ma questo, un capitano ebreo sulla quarantina, era molto malato. Aveva la febbre, nelle ultime tappe si era trascinato a stento, e a tratti aveva dovuto farsi caricare sul mulo. Appena arrivato al monastero, dovette coricarsi perché non si reggeva piú in piedi; sul viso gli erano comparse chiazze violacee, e parlava a stento, solo con le labbra, come se avesse la lingua paralizzata. Si fece la diagnosi da sé: disse che aveva il tifo petecchiale, che stava per morire e che desiderava solo non contagiare nessuno e morire in pace. Dov gli chiese come poteva essere curato, e lui rispose che cure non ce n'erano; chiese un po' d'acqua, poi non parlò piú. Lo fecero sdraiare a terra, fuori dell'edificio, e lo coprirono con una coperta: il mattino dopo era morto. Fu sepolto con precauzione per evitare il contatto; Ber, il giovane dagli occhiali, che era studente di un'accademia rabbinica, venne a dire il Kaddísch sulla sua tomba. Che fare per evitare il contagio? O forse il tifo era trasmesso solo dai pidocchi? Nessuno lo sapeva; a buon conto, Dov fece bruciare tutti gli oggetti che erano venuti a contatto col malato, compresa la preziosa coperta.

Venne settembre, caddero le prime piogge, le prime foglie cominciarono a ingiallire. Mendel si accorse che qualcosa stava cambiando in Leonid. Agli inizi del loro sog-

giorno a Novoselki non si era scostato dalla sua condotta
abituale, fatta di lunghi silenzi corrucciati e di scoppi di
collera rivolti esclusivamente contro di lui: come se fosse
stato Mendel a fare il patto coi tedeschi, a scatenare la
guerra, a spargere il terrore nel paese. Come se proprio
Mendel lo avesse messo nei paracadutisti e lo avesse sbale-
strato in mezzo ai pantani. Ma adesso Leonid cercava
Mendel sempre piú di rado, anzi, sembrava che evitasse di
incontrarsi con lui, e quando ad evitarlo non riusciva, si
studiava di non guardarlo negli occhi. Venne un giorno in
cui Mendel non lo vide piú intorno ai tini di concia: gli fu
detto che non sopportava piú l'odore, e che aveva pregato
Dov di trasferirlo al locale dove Line e altre due ragazze
distillavano il legno di betulla per farne catrame. Venne un
altro giorno in cui Dov si lagnò con Mendel perché il suo
amico non si era presentato al lavoro, e questa era una
mancanza grave, che Dov non si spiegava. Mendel gli rispose che lui non era responsabile di quanto Leonid faceva
o non faceva, ma mentre diceva cosí percepiva come un
prurito intorno al cuore, perché si era accorto che le parole
che gli erano uscite di bocca erano quelle che aveva dette
Caino quando il Signore gli aveva chiesto conto di Abele.
Che sciocchezza! Forse che Leonid era suo fratello? Nessun fratello: era uno sventurato come lui e come tutti, un
trovatello raccattato per strada. Certo che no, Mendel non
era il suo custode, e tanto meno aveva sparso il suo sangue.
Non lo aveva ucciso in mezzo al suo campo. Eppure il prurito persisteva: forse è proprio cosí, forse ognuno di noi è
il Caino di qualche Abele, lo abbatte in mezzo al suo campo senza saperlo, per mezzo delle cose che gli fa, delle cose
che gli dice, e delle cose che gli dovrebbe dire e non gli
dice.

Mendel disse a Dov che Leonid aveva avuto una vita
difficile, ma Dov gli rispose con una sola sillaba, guardan-
dolo fisso negli occhi: – Nu? – A Novoselki quella non era
una giustificazione. Chi non aveva alle spalle una vita difficile? Non c'erano scuse per la *partisanščina*, disse Dov

con durezza. Che cos'era la partisanščina? L'anarchia partigiana, gli spiegò Dov: la mancanza di disciplina. Un pericolo grave. Essere fuori legge non vuol dire non avere legge. Per salvarsi dalla morte fascista bisogna accettare una
disciplina piú rigida ancora di quella imposta dai fascisti:
piú rigida ma piú giusta, perché volontaria. Chi non si sente di accettarla è libero di andarsene. Che Mendel e Leonid ci pensassero. Anzi, ci avrebbero dovuto pensare subito, perché c'era un lavoro da fare per loro: un lavoro urgente, importante, e neanche tanto pericoloso. Era arrivato l'ordine di sabotare una ferrovia. Bene, era proprio il lavoro giusto per loro, per acquistare la cittadinanza della
repubblica; del resto, era quella l'usanza partigiana, ai
nuovi arrivati si chiedeva di fare il lavoro di prova, come
quando si entra in fabbrica.

Il giorno dopo Dov convocò anche Leonid ed entrò nei
particolari:

– È saltata la linea Brest-Rovno-Kiev, quella che ali-
mentava il fronte tedesco dell'Ucraina meridionale. D'ora
in avanti, tutto il traffico di guerra passerà per Brest-
Gomel: ecco, questa linea corre a sud di Novoselki, a una
trentina di chilometri; è a un solo binario. Bisogna inter-
romperla al piú presto. È questo il lavoro che dovete fare:
avete qualche idea?

– Avete dell'esplosivo? – chiese Mendel.

– Ne abbiamo, ma poco e poco adatto: lo abbiamo ricavato da qualche obice che si è piantato nella palude e non
è esploso.

Leonid lo interruppe, lanciando un'occhiata insolente a
Mendel:

– Permetti, capo: per questi lavori l'esplosivo fa piú
male che bene. Sabotare le ferrovie è un mestiere che io
conosco: al corso dei paracadutisti ci hanno spiegato tutti
i sistemi. È molto meglio una chiave inglese, è piú sicura,
non fa fracasso e non lascia traccia.

– Al vostro corso, – chiese Mendel stizzito, – vi hanno
insegnato anche la pratica, o solo la teoria?

– Di questa faccenda, la responsabilità me la prendo io.
Tu, per una volta, pensa ai fatti tuoi.

– Va bene, – rispose Mendel scandendo le parole; –
non ho niente in contrario. Io sono piú bravo a riparare le
cose che a farle saltare in aria.

Dov stava a sentire, con l'aria di divertirsi al battibecco:

– Un momento, – disse; – sarebbe bene accoppiare il
sabotaggio dei binari con il deragliamento di un treno; un
guasto alle rotaie si ripara in poche ore, invece un treno ro-
vesciato, oltre ad essere una perdita secca, ingombra la linea per diversi giorni. Questo però lo sanno anche i tedeschi: da un po' di tempo, se il convoglio è importante, gli
fanno viaggiare davanti un carrello staffetta.

Ci fu una breve discussione tecnica fra Dov e Leonid,
da cui scaturí il piano definitivo. Sarebbe stato imprudente
sabotare la ferrovia nel tratto vicino a Koptseviči, cioè
quello direttamente a sud di Novoselki: sarebbe stato come mettere la Gestapo sulle tracce del rifugio. Meglio andare piú lontano; nei pressi di Žitkoviči, a cinquanta chilometri verso ovest, la ferrovia attraversa un canale su un
ponte: ecco, il luogo piú vantaggioso è quello.

– Preparatevi, – disse Dov, – partirete fra due ore.
Avrete una guida pratica dei luoghi. Non portate armi. Sul
modo di interrompere i binari, mettetevi voi d'accordo; se
tu Leonid hai imparato qualche malizia, tanto meglio. Mi
raccomando, niente litigi durante la missione. Le chiavi inglesi le stanno preparando alla forgia; due, della misura
giusta.

Di una guida come quella, Mendel ne avrebbe fatto a
meno volentieri, ma che realmente fosse pratico della zona, e in specie dei guadi, era fuori discussione. Si chiamava
Karlis, era léttone, aveva ventidue anni, era alto, magro,
biondo, e si muoveva con agilità silenziosa. Come mai, essendo nato cosí lontano, conosceva tanto bene le paludi
della Polessia? Aveva imparato a conoscerle sotto i tede-

schi, rispose Karlis, che parlava il russo piuttosto male. Nel suo paese preferivano i tedeschi ai russi, anche lui li preferiva, almeno all'inizio. Era passato dalla loro parte, e loro gli avevano insegnato come si fa la caccia ai partigiani. Sí, proprio in quelle terre: ci era stato quasi un anno, le conosceva palmo a palmo. Ma lui non era stupido, dopo Stalingrado aveva capito che i tedeschi la guerra l'avrebbero perduta ed aveva disertato un'altra volta: fece un mezzo sorriso, in cerca di consenso. Meglio stare sempre dalla parte di chi vince, non è vero? Però adesso doveva stare attento a non cadere nelle mani né di Hitler né di Stalin. Per questo si era rifugiato a Novoselki? gli chiese Leonid. Per questo, sicuro: lui, personalmente, non aveva nulla contro gli ebrei.

– Dobbiamo stare attenti anche noi, – sussurrò Mendel a Leonid, – questo ha sulle mani il Dàm Israél, il sangue di Israele.

Karlis rifece il suo sorriso storto: – È inutile che parliate jiddisch: io lo capisco, e capisco anche il tedesco.

– Cosí tu pensi che gli ebrei di Novoselki saranno i vincitori? – chiese Mendel.

– Non ho detto questo, – rispose il léttone. – Attenti, qui l'acqua si fa profonda. Teniamoci piú sulla destra.

Uscirono dagli acquitrini all'alba, e proseguirono ancora per qualche ora su pascoli e terreni incolti. Riposarono fino al primo pomeriggio, e raggiunsero la ferrovia a notte alta. Secondo Karlis avrebbero dovuto seguirla verso ponente per otto o dieci chilometri prima di incrociare il canale; era prudente non camminare sulla massicciata, bensí tenersi paralleli ai binari a qualche centinaio di metri, senza perderli di vista. C'era la luna: facilitava la marcia, ma se non ci fosse stata i tre sarebbero stati piú tranquilli. Erano ormai stanchi; tuttavia, Leonid forzava il passo e tendeva a portarsi in testa. Invece, il léttone manovrava in modo da rimanere ultimo; questo irritava Mendel, che a un certo punto gli disse seccamente: – Tu cammina. Ultimo resto io.

Leonid avvistò il ponte al levar del sole. Non era l'ora piú opportuna per cominciare il lavoro, ma non si vedeva anima viva, e il ponte, che del resto era lungo solo pochi metri, non era sorvegliato. Si vedeva bene che Leonid ambiva ad avere la direzione della faccenda: dava ordini con voce sommessa ma concitata e nervosa. Aiutato da Mendel, sbullonò le ganasce al punto di giunzione dei due binari, quasi all'imbocco del ponte, e poi tutte le viti che collegavano le piastre alle traversine: il legno era fradicio e le viti uscivano facilmente. Karlis aveva offerto blandamente di collaborare, ma poi si accontentò di sorvegliare che nessuno si avvicinasse. Quando le due rotaie furono libere, Leonid non le spostò, ma le legò con una corda disposta trasversalmente e lunga una trentina di metri: purtroppo a Novoselki non ce n'era una piú lunga. Il tratto libero della corda fu sepolto con terriccio e sterpi. Finito, disse Leonid con fierezza; ora non c'era che aspettare il treno. Lasciar passare la staffetta, e poi, proprio davanti alla locomotiva, tirare la corda per spostare le rotaie. Non troppo presto, se no il conducente si sarebbe potuto accorgere del guasto.

Trascorsero tutta la giornata dormendo a turno: verso sera, nel silenzio della campagna, si sentí il rumore del treno. Si aggrapparono tutti e tre all'estremità della corda e si sdraiarono fra gli arbusti per non essere visti. Non c'era alcuna staffetta; il convoglio era composto di una trentina di carri merci chiusi, ed avanzava rapidamente, ma in vista del ponte cominciò a rallentare. Mendel provò improvvisamente un intenso desiderio di pregare, ma lo represse, poiché nessuna delle preghiere della sua infanzia si adattava alla situazione, e neppure era sicuro che l'Eterno, benedetto Egli sia, avesse giurisdizione sulle ferrovie. Il treno procedeva ormai lentamente quando si trovò davanti alla tratta sconnessa. – Adesso – ordinò Leonid: i tre balzarono in piedi e tirarono a strattoni sulla corda. Incontrarono una resistenza non prevista, poi qualcosa cedette e la corda obbedí ai loro sforzi convulsi: ma non di molto, non piú di una spanna.

La locomotiva stridette in una brusca frenata, e dalle ruote scaturirono scintille: il conducente doveva aver visto qualcosa e dato il controvapore, ma troppo tardi. Il carrello anteriore cadde dalle rotaie sul ghiaione della massicciata, motrice e vagoni avanzarono ancora di una decina di metri per lo slancio, in un fracasso assordante ed in una nuvola di polvere, poi tutto si fermò. La locomotiva era impegnata sul ponte solo con l'avantreno ed era leggermente inclinata; doveva aver toccato la spalletta, e da qualche tubo spaccato usciva un getto di vapore, con un sibilo da forare le orecchie, tanto che i tre uomini non riuscivano a scambiare parola. Leonid, pallido come un cadavere, faceva cenno agli altri due di seguirlo verso il primo vagone: forse in cerca di preda. Pazzesco! Lungo il convoglio si vedevano correre su e giú profili umani. Mendel si impose; aiutato da Karlis, trascinò a forza Leonid verso il boschetto piú vicino. Si guardarono in faccia, ansimando; un mezzo deragliamento, un mezzo successo. La motrice in avaria, ma non distrutta; la linea interrotta, ma riparabile in pochi giorni; il ponte e i vagoni quasi intatti. Leonid malediceva se stesso, avrebbe dovuto prevedere che al ponte il treno avrebbe rallentato. Se avessero interrotto i binari un chilometro piú in là, il danno sarebbe stato dieci volte maggiore.

Gli uomini della scorta, non piú di mezza dozzina, si affaccendavano intorno alla locomotiva, senza curarsi di cercare gli autori del guasto. I tre attesero nascosti che venisse buio, poi si avvicinarono senza fretta sulla via del ritorno. Leonid appariva abbattuto, e Mendel cercò di ridargli animo: la colpa non era sua, mancavano i mezzi, e in qualche modo il treno era pure stato arrestato. Leonid tacque a lungo, volgendogli la schiena; poi disse:

– Tu non capisci. Era un regalo.

– Un regalo? A chi?

– A Line: alla ragazza col mitra, sí, a quella che monta di guardia con te. È la mia donna, dall'altra notte. Il treno era un regalo per lei.

Mendel ebbe voglia di ridere e di piangere. Stava per dire a Leonid che Novoselki non era il luogo per una storia d'amore, ma poi si trattenne. Proseguirono in silenzio; a metà notte si accorsero che Karlis era rimasto indietro e si fermarono ad aspettarlo. Passò un'ora e Karlis non ricomparve: se n'era andato. I due ripresero la via nelle tenebre sempre piú fitte.

Giunti al campo, fecero il loro rapporto, e Dov li ascoltò senza fare commenti né esprimere giudizi: sapeva come andavano quelle imprese. La fuga di Karlis era un guaio, ma non poteva essere prevista né evitata, e del resto non era il primo caso; Novoselki non era un Lager, chi voleva se ne andava. Avrebbe parlato? La taglia della polizia era attraente, dieci rubli per ogni testa di ebreo denunciato: i tedeschi sono gente generosa. D'altra parte, coi tedeschi stessi Karlis aveva certi conti in sospeso, e poi al monastero era sempre stato trattato bene, e infine aveva altri modi per guadagnarsi il pane. In ogni caso, non c'era rimedio: solo stare all'erta, soprattutto nei primi giorni, e se c'era un attacco, difendersi.

Non venne alcun attacco; venne invece, verso la metà di settembre, portata dai misteriosi informatori di Dov, la notizia che l'Italia aveva capitolato, e mise il campo in subbuglio. Le notizie di guerra, invariabilmente trionfali, erano un lineamento fondamentale di Novoselki. Non passava settimana senza che gli Alleati sbarcassero in Grecia, o Hitler morisse assassinato, o gli americani liquidassero i giapponesi con una nuova arma portentosa. Ogni annunzio entrava poi in circuito affannoso, veniva adornato, arricchito di particolari, e diventava per giorni un presidio contro l'angoscia; i pochi che rifiutavano di crederlo erano guardati con disprezzo. Poi svaniva, veniva dimenticato senza lasciare traccia, in modo che la notizia successiva era accettata senza riserve.

Ma questa volta era diverso, l'annunzio della capitolazione era confermato da due fonti, veniva da Radio Mosca, ed era stato avallato da Dov in persona, che di solito era scettico. I commenti erano convulsi, non si parlava d'altro. Dunque le forze dell'Asse erano dimezzate. Dunque la guerra sarebbe finita entro un mese, due al massimo. Era impossibile che gli Alleati non approfittassero della situazione: non erano già sbarcati in Italia? Per le loro armate l'Italia non poteva essere che un passo, in tre giorni sarebbero arrivati al confine e sarebbero penetrati nel cuore della Germania. Quale confine? La geografia dell'Europa veniva ricostruita appassionatamente, attraverso ricordi scolastici e leggendari. Pavel, l'unico cittadino delle paludi che in Italia ci fosse materialmente stato, sedeva come un oracolo al centro di un capannello continuamente rinnovato.

Pavel Jurevič Levinski teneva molto al suo patronimico, e meno al suo cognome troppo rivelatore: lui era un russo ebreo, non un ebreo russo. A trentacinque anni aveva già alle spalle una carriera molteplice: era stato sollevatore di pesi, poi attore dilettante e professionista, cantante, e perfino, per qualche mese, annunciatore alla Radio di Leningrado. Gli piaceva giocare a carte e ai dadi, gli piaceva il vino, e all'occorrenza bestemmiava come un cosacco. Nella comunità smunta di Novoselki spiccava per il suo aspetto atletico: nessuno capiva come da quelle razioni di fame Pavel potesse ricavare alimento per i suoi muscoli. Era di media statura, compatto, sanguigno. La barba, che portava rasa, gli arrivava fino sotto gli occhi, e cresceva cosí rapida che poche ore dopo il passaggio del rasoio già gli stendeva sul viso un'ombra nero-azzurra. Capelli e sopracciglia erano neri e cespugliosi. Aveva una vera voce da russo, profonda morbida e sonora, ma quando aveva finito di parlare o cantare la bocca gli si richiudeva dura, come una tagliola d'acciaio. Il suo viso era a forti rilievi, come a monti e valli; rilevati gli zigomi, incavato il canaletto che dal setto nasale porta al labbro superiore; segnata da due risalti carnosi l'inserzione del canaletto con il labbro. Aveva denti forti ed occhi da incantatore. Con quegli occhi, e con le mani che aveva corte e pesanti, faceva svanire i dolori alle giunture, il mal di schiena, e qualche volta, per poche ore, anche la fame e la paura. Aveva scarsa propensione per la disciplina, ma al monastero godeva di una tacita impunità.

I suoi ascoltatori lo tempestavano di domande sull'Italia.

– Ma certo, che ci sono stato. Diversi anni fa, con la famosa tournée del Teatro Ebraico di Mosca. Io ero Geremia, il profeta di sventure: venivo in scena con un giogo sulle spalle, a profetizzare la deportazione degli ebrei a Babilonia, e muggivo come un bue. Avevo una parrucca viola, ero tutto imbottito per sembrare ancora piú grosso, e avevo le scarpe con la suola spessa un palmo, perché un profeta è alto di statura. Recitavamo in ebraico e in jiddisch: gli italiani, a Milano, a Venezia, a Roma, a Napoli, non capivano una parola e applaudivano come impazziti.

– Cosí tu l'Italia l'hai proprio vista coi tuoi occhi? – gli chiese Ber, l'allievo rabbino.

– Certamente: dal treno. Tutta l'Italia è lunga come da Leningrado a Kiev, si va in un giorno dalle Alpi alla Sicilia: adesso che l'esercito italiano si è arreso, gli Alleati arriveranno alla frontiera tedesca in un baleno. Del resto, anche prima di arrendersi, gli italiani non sono mai stati fascisti sul serio, tant'è vero che Mussolini stesso aveva fatto venire a Roma il Teatro di Mosca, e i soldati italiani in Ucraina non hanno fatto resistenza. L'Italia è un bellissimo paese, con mari, laghi e montagne, tutto verde e fiorito. La gente è cortese e amichevole, sono ben vestiti ma un po' ladri: insomma, è un paese strano, molto diverso dalla Russia.

Ma i confini? Fin dove sarebbero arrivati gli Alleati? Qui si vide che Pavel Jurevič non aveva le idee chiare, si ricordava vagamente di Tarvisio, ma non sapeva piú se al di là c'era la Germania o la Jugoslavia o l'Ungheria. Si ricordava invece di una ragazza dagli occhi neri con cui aveva passato una notte a Milano, ma questo episodio ai suoi ascoltatori non interessava.

Passò ottobre, il freddo incominciò a farsi sentire, e lo spirito collettivo a declinare. Giungevano notizie contraddittorie: i russi avevano ripreso Smolensk, ma i tedeschi non erano crollati. Si combatteva in Italia, ma non al confine, non alle Alpi: si parlava di sbarchi alleati in paesi mai sentiti. Possibile che inglesi e americani, con tutto il loro petrolio e il loro oro, non fossero capaci di dare ai tedeschi il colpo di clava definitivo? E l'Eterno, benedetto Egli sia, perché se ne stava nascosto dietro le nuvole grige della Polessia invece di soccorrere il Suo popolo? «Tu ci hai scelti fra tutte le nazioni»: perché proprio noi? Perché prospera l'empio, perché la strage degli indifesi, perché la fame, le fosse comuni, il tifo, e il lanciafiamme delle SS nelle tane stipate di bambini atterriti? E perché ungheresi, polacchi, ucraini, lituani, tartari, devono rapinare e massacrare gli ebrei, strappargli le ultime armi dalle mani, invece di unirsi a loro contro il nemico comune?

Ed ecco arrivare l'inverno, amico ed alleato delle armate russe, nemico crudele per i sequestrati di Novoselki. Il vento della Siberia aveva già steso un velo di ghiaccio trasparente sulla faccia nera delle paludi: presto si sarebbe consolidato ed avrebbe retto il peso dei cacciatori d'uomini. Le tracce dei passi sulla neve si sarebbero potute leggere dall'aria, o anche da terra, come si leggono i rotoli della Scrittura. La legna non mancava, ma ogni focolare era una spia; le colonne di fumo che salivano dai camini del monastero sarebbero state visibili a decine di chilometri, a segnalare come un indice teso verso la terra: «le vittime del sacrificio sono qui». Dov dispose che di giorno tutti i cittadini esenti da servizi vivessero riuniti in un solo locale e dormissero a notte nella stessa camerata. Si doveva accendere un fuoco solo; la tubazione del camino doveva essere deviata in modo da far capo fra i rami di una grande quercia che cresceva rasente il muro, cosí la fuliggine si sarebbe fermata sui rami invece di annerire la neve tutto intorno. Tutto questo avrebbe servito? sarebbe bastato? Forse sí o forse no, ma era importante che tutti facessero qualche cosa per il bene comune, che tutti avessero la sensazione che qualcosa veniva decisa e fatta. Conciatori e ciabattini pre-

sero a confezionare stivali di tutte le misure usando tutte
le pelli che i contadini erano disposti a cedere, anche pelli
di cane e di gatto: rozzi stivali barbarici cuciti con lo spago
e col pelo all'interno. Non soltanto per uso locale; Dov
mandò una missione a Rovnoe, un villaggio di ucraini di
confessione battista, a barattare una partita di stivali contro viveri e lana. Anche i battisti erano disprezzati e perseguitati, sia dai tedeschi sia dai russi; avevano buoni rapporti con gli ebrei.

Gli ambasciatori tornarono da Rovnoe pochi giorni dopo, con un discreto carico di merce e con un messaggio per
Dov. Era firmato da Gedale, il comandante leggendario,
quello che aveva guidato la rivolta del ghetto di Kossovo,
e la cui vita era stata salvata da un violino. Dov, che considerava ormai Mendel come il suo luogotenente, gli lesse il
messaggio e lo discusse con lui. Conteneva due punti: in
primo luogo, Gedale faceva sapere a Dov che nel ghetto di
Soligorsk ormai decimato i tedeschi avevano fatto affigge-
re un decreto di «amnistia», steso nel loro gergo cinicamente eufemistico: le «Umsiedlungen», i trasferimenti
forzati (li chiamavano trasferimenti!) erano sospesi a tempo indeterminato; gli ebrei che si nascondevano nella
zona, e in specie gli artigiani, erano invitati a rientrare
nel ghetto, non sarebbero stati puniti per la loro fuga ed
avrebbero ricevuto le carte annonarie. Che Dov, in vista
dell'inverno, si regolasse nel modo che riteneva piú saggio.

In secondo luogo, Gedale invitava Dov a una partita di
caccia. Una caccia ai cacciatori: era un'occasione unica. Il
conte Daraganov, già grande proprietario terriero, era tornato sulle sue terre al seguito dei tedeschi, e offriva loro
una partita di caccia nella sua tenuta sulle sponde del lago
Červonoe, a un giorno di cammino da Novoselki. Ci sarebbe stata una dozzina di alti ufficiali della Wehrmacht;
la notizia era certa, veniva da un ucraino che collaborava
coi partigiani e che era stato scelto come battitore. La banda a cui Gedale temporaneamente apparteneva era forte e
bene organizzata, composta per buona parte da volontari

dell'inverno 1941, cioè dall'aristocrazia partigiana sovietica. Gedale pensava che una partecipazione ebraica alla caccia sarebbe stata gradita, opportuna, e forse anche ricompensata con armi od altro.

Sul primo punto, Dov si riserbò di decidere piú tardi; sul secondo, la sua scelta fu immediata. Era importante dimostrare ai russi che anche gli ebrei sapevano combattere e lo desideravano. Mendel si offerse come volontario: era soldato, sapeva sparare. Dov ci pensò su per qualche istante; no, né Mendel né Leonid, proprio perché erano combattenti esercitati. L'azione proposta da Gedale era importante sotto l'aspetto della propaganda, era una beffa, ma militarmente non significava molto ed era pericolosa. La logica partigiana era spietata, prescriveva che gli uomini migliori venissero tenuti da parte per le operazioni serie, per le divisioni, l'offesa e la difesa. Avrebbe mandato Ber e Vadim, due nebech, due sprovveduti: proprio perché erano sprovveduti. – Pensi che io abbia le mani sporche? Le ho; come tutti quelli che devono scegliere.

Ber, il ragazzo occhialuto che era di turno con Leonid, e Vadim, partirono baldanzosi; Vadim, un giovane imprudente, loquace e distratto, addirittura con allegra fierezza: – Bucheremo quelle pance coperte di medaglie! – Non avevano con sé che una pistola e due granate a mano ciascuno. Ritornò Vadim da solo, dopo due giorni, terreo e sfinito, con una spalla trapassata, a raccontare l'impresa. Non era stato un gioco, era stato un macello, una confusione. Sparavano tutti contro tutti, fischiavano proiettili da tutte le direzioni. Avevano cominciato i partigiani russi, erano bene appostati fra i cespugli; con una salva sola avevano ucciso quattro degli ufficiali tedeschi, non sapeva se colonnelli o generali. Poi aveva visto gli ausiliari ucraini venire allo scoperto, sparavano contro i partigiani, sparavano per aria, e si sparavano anche fra loro; uno di loro, davanti ai suoi occhi, aveva abbattuto un ufficiale tedesco col calcio del fucile. Ber era morto subito, ucciso chissà da chi, forse per caso: era in piedi, si guardava intorno; non aveva la vista tanto buona. Lui Vadim aveva gettato le sue granate contro il gruppo dei tedeschi, che invece di sparpagliarsi si erano riuniti e facevano quadrato; una era esplosa e l'altra no.

Dov mandò Vadim a riposare, ma il giovane non riposò. Aveva violenti attacchi di tosse e sputava una schiuma sanguigna. Nella notte gli venne la febbre e perse coscienza; al mattino era morto. Morto perché? Aveva ventidue anni, disse Mendel a Dov, e non riuscì ad evitare una vibrazione di rimprovero. – Non è detto che non invidieremo questo modo di morire, – rispose Dov.

Vadim fu sepolto ai piedi di un ontano, in mezzo ad un'improvvisa tempesta di neve. Sulla sua tomba Dov fece piantare una croce, perché Vadim era un ebreo convertito; e poiché nessuno conosceva le preghiere ortodosse, lui stesso recitò il Kaddísch. – È meglio che niente, – disse a Mendel. – Non è per il morto, ma per i vivi che ci credono –. Il cielo era talmente scuro che la neve, sia a terra, sia quella che turbinava nell'aria, appariva grigia.

Dov mandò un messaggero a Rovnoe, che cercasse di Gedale e della sua banda e chiedesse immediatamente rinforzi, ma il messaggero tornò senza risposta. Non aveva trovato nessuno, e invece aveva visto i contadini di Rovnoe, uomini e donne, sulla piazza con le mani legate. Aveva visto un drappello di SS con le armi puntate, che li facevano salire su un carro. Aveva visto uomini della milizia ausiliaria, ucraini o lituani, che prendevano bracciate di pale da una baracca e le caricavano sul carro, e aveva visto il carro avviarsi verso il vallone a sud del paese, seguito dalle SS che scherzavano e fumavano. Ecco quello che aveva da raccontare.

Non c'era anima a Novoselki, e in tutte le terre occupate, che ignorasse il significato delle pale. Dov disse a Mendel che si era pentito di aver mandato Ber allo sbaraglio:

– Se il colpo fosse andato bene, con una vittoria netta, io avrei avuto ragione di arrischiare due uomini. Invece è andato piuttosto male, e adesso io ho torto. Ber, anche da morto, è un ebreo: se ne accorgerebbe chiunque. Ho fatto male a scegliere lui. Del suo cadavere si occuperà certamente la Gestapo. La nostra partecipazione alla caccia ci ha forse rivalutati presso i russi di Gedale, ma tirerà addosso anche a noi la rappresaglia dei tedeschi. La fuga di Karlis, le pale di Rovnoe, Ber: sono tre segnali minacciosi. I tedeschi non tarderanno a localizzarci. Il miracolo della nostra impunità è finito.

Cosí dovevano aver pensato anche gli anziani del campo, a cui Dov aveva detto dell'«amnistia» promessa dai tedeschi. Volevano tornare a Soligorsk: chiesero di andarsene, di essere riaccompagnati al ghetto. Preferivano aggrapparsi alle promesse dei nazisti piuttosto che affrontare la neve e la morte certa a Novoselki. Erano artigiani, al ghetto avrebbero lavorato, e a Soligorsk c'erano le loro case, e accanto alle case il cimitero. Preferivano la servitú e il pane scarso del nemico: come dargli torto? Tornò a mente a Mendel una voce terribile di tremila anni prima, la protesta che avevano rivolta a Mosè gli ebrei incalzati dai carri del Faraone: – Mancavano dunque le tombe in Egitto perché tu ci conducessi a morire qui? Servire gli Egizi era per noi sorte migliore che morire nel deserto –. Il Signore nostro Dio, il Padrone del Mondo, aveva diviso le acque del Mar Rosso, e i carri erano stati travolti. Chi avrebbe diviso le acque davanti agli ebrei di Novoselki? Chi li avrebbe sfamati con le quaglie e la manna? Dal cielo nero non scendeva manna, ma neve spietata.

Che ognuno si scegliesse il proprio destino. Dov fece allestire tre slitte per portare a Soligorsk i ventisette cittadini che non avevano compiti militari e che avevano scelto la via del ghetto; vi erano compresi tutti i bambini, mentre Adam aveva preferito restare. I muli, quelli portati dagli uomini di Ozariči, erano solo due: uno dovette trainare due slitte. Partirono muti, senza scambiare addii, imbacuccati in stracci, paglia e coperte, obbedendo alla povera speranza di qualche settimana di vita concessa in piú. In questo modo, subito nascosti alla vista dal sipario della neve, essi spariscono da questa storia.

Dov fece scavare tre bunker, o meglio tre tane nella terra nuda, che nonostante il freddo non era ancora gelata. Erano a duecento metri circa dal monastero, nella direzione da cui prevedeva che sarebbero arrivati i tedeschi, che avevano stabilito una guarnigione a Rovnoe semidistrutta; ogni tana poteva contenere due uomini, ed era mascherata da sterpi che si coprirono rapidamente di neve. – Le pale servono anche a noi, – disse, e mandò un'altra squadra a scavare una buca quadrata, profonda due metri, attraverso la pista piú grande che da Rovnoe conduceva al monastero. La fece coprire con tavole di legno leggero, e su queste fece mettere sterpi fino al livello della neve sul terreno circostante: dopo una notte di nevicata continua il dislivello si notava appena. Sulla pista, e sulla trappola cosí preparata, fece passare a piú riprese due uomini che si trascinavano dietro due pale appesantite con sassi, in modo da simulare due carreggiate recenti. Distribuí armi a tutti, e fece piazzare la mitragliatrice pesante sulla torretta sana.

I cacciatori di uomini arrivarono due giorni dopo. Erano piú di cinquanta, qualcuno doveva aver sopravvalutato le forze dei difensori. Si udí lo strepito dei cingoli prima che qualcosa si vedesse attraverso il velo della neve, che continuava a cadere fitta. Un cingolato leggero apriva la colonna, seguendo la pista che Dov aveva predisposta: avanzava lento, giunse alla trappola, oscillò sull'orlo e vi cadde, sfondando le tegole che crepitarono. Dov salí sulla torretta, dove Mendel stava pronto con la mitragliatrice. Lo trattenne: – Risparmia colpi, spara solo se vedi qualcuno che tenta di uscire dalla buca –. Ma nessuno uscí, forse il veicolo si era capovolto.

Dietro al cingolato leggero ne veniva un altro pesante, e

dietro a questo gli uomini appiedati, a ventaglio, sulla pista e fra gli alberi. Il cingolato pesante aggirò la buca e aprí il fuoco; allo stesso istante anche Mendel cominciò a sparare a brevi raffiche, in preda alla febbre delle battaglie. Vide cadere alcuni tedeschi, e insieme udí sotto di sé due esplosioni violente: due razzi anticarro avevano colpito il tetto del monastero, che crollò e prese fuoco. Altri colpi sfondarono in piú punti le mura dell'edificio. In mezzo al fumo e al fracasso Dov gli urlò nelle orecchie: – Spara tutto, adesso. Senza risparmio. Stiamo combattendo per tre righe nei libri di storia –. Anche Dov sparava verso il basso, con uno dei moschetti italiani. Ad un tratto Mendel lo vide barcollare; cadde all'indietro, ma si rialzò subito dopo. Insieme, udí altri spari di arma leggera provenire dai bunker: obbedendo all'ordine di Dov, i combattenti dei bunker stavano prendendo i tedeschi da tergo. Colti di sorpresa, i tedeschi si scompaginarono, volgendo le spalle al monastero: Mendel si precipitò con Dov giú per le scale, in mezzo alle macerie e alle fiamme. Vide gente muoversi, e gridò loro di seguirlo; uscirono all'aperto sul lato opposto del fabbricato e furono fra gli alberi: «al sicuro», pensò assurdamente. Dall'altro lato il combattimento era ripreso. Udirono schianti di granate e comandi urlati da un altoparlante, videro uomini e donne uscire dalle breccie con le mani alzate. Videro i cacciatori di uomini che li perquisivano ridendo, li interrogavano e li allineavano contro il muro; ma quanto avvenne nel cortile del monastero di Novoselki non verrà narrato. Non è per descrivere stragi che questa storia sta raccontando se stessa.

Si contarono. Erano undici: Mendel stesso, Dov, Leonid, Line, Pavel, Adam, un'altra donna di cui Mendel non conosceva il nome, e quattro degli uomini di Ozariči. Adam si stava dissanguando per una ferita all'alto della coscia, talmente in alto che non fu possibile legarlo; si distese sulla neve e morí in silenzio. Dov non era ferito, ma solo stordito. Aveva una contusione alla tempia, forse un

proiettile di rimbalzo o un sasso scagliato dalle esplosioni.
I tedeschi si attardarono fino a notte a far saltare quanto
restava del monastero; non seguirono le piste dei fuggia-
schi, che la neve aveva già confuse, e se ne andarono portandosi dietro i loro morti e la mitragliatrice.

Capitolo quarto

Novembre 1943 - gennaio 1944

Avevano poche armi, poche munizioni e niente da mangiare. Erano attoniti ed inerti, in preda alla passività plumbea che segue all'azione, e che lega lo spirito e le membra. La guerra sarebbe durata sempre; la morte, la caccia, la fuga non sarebbero finite mai, mai la neve avrebbe cessato di cadere, mai sarebbe venuto giorno. La macchia di neve rossa attorno al corpo di Adam non si sarebbe cancellata mai, nessuno avrebbe mai piú rivisto la pace, la stagione molle e lieta, le opere degli uomini. La donna di cui Mendel non conosceva il nome, dal dolce viso chiaro e dal corpo solido di contadina, sedette sulla neve e pianse quieta. Mendel seppe che si chiamava Sissl e che era la figlia di Adam.

Il primo a riprendersi fu Pavel. – Nu, siamo vivi e i tedeschi se ne sono andati. Non possiamo passare la notte qui. Andiamo nei sotterranei: non li avranno fatti saltare tutti –. Anche Dov si riscosse; certo, sotto al monastero era una rete di gallerie di parecchie centinaia di metri. C'era qualche scorta, e in ogni caso avrebbero potuto servire da ricovero temporaneo. Le botole di accesso erano due, ma la piú grande era coperta da un cumulo impressionante di macerie. La piú piccola, nel pavimento delle cucine, era quasi sgombra. Scesero tutti a tastoni per la scaletta a pioli, trovarono paglia e legna e accesero un fuoco. Trovarono anche fascine di rami d'abete; alla luce di torce improvvisate videro che il deposito di patate e di grano turco era intatto, e cosí pure il magazzino delle munizioni. Tennero consiglio.

– Possiamo fermarci qui per qualche giorno, riposarci e sfamarci: poi vedremo, – disse Pavel, ma Dov e Mendel erano di parere contrario. Dov disse:

– I tedeschi hanno messo un presidio a Rovnoe, e qui hanno avuto dei morti. Ritorneranno sicuramente, non lasciano mai le cose a mezzo. E noi non abbiamo piú armi pesanti, siamo pochi e stanchi, e in una cantina come questa non potremmo vivere; morremmo o per il freddo o per il fumo.

– Ci dobbiamo ricongiungere con Gedale, – disse Mendel. – Dov'è Gedale?

– Non lo so, – rispose Dov. – Dalle ultime notizie che ho avuto di lui, stava in una banda bene organizzata, di vecchi partigiani esperti: lui era il vicecomandante. Proprio perché sono esperti, non lasceranno tracce, e sarà difficile trovarli.

– Ma a Rovnoe avranno informatori; avranno saputo dell'attacco tedesco al monastero: manderanno qualcuno a vedere che cosa è successo, – disse Line, che fino a quel momento non aveva parlato. Mendel si volse a guardarla, alla luce instabile delle fiaccole. Era seduta a terra accanto a Leonid, piccola ed esile, bruni gli occhi, neri i capelli tagliati corti, le unghie rosicchiate da scolaretta. Aveva parlato con voce sommessa ma ferma. Una donna non facile a leggersi, pensò: non semplice, non diritta. Per Leonid, una compagna non prevedibile; avrebbero potuto attingere forza l'uno dall'altra, o anche distruggersi. Poi guardò Sissl e sentí ad un tratto il peso muto della solitudine: guai all'uomo solo. Con una donna al fianco, qualunque donna, anche per lui il cammino sarebbe stato diverso.

Pavel approvò l'osservazione di Line, e aggiunse: – Se manderanno, manderanno presto.

Il mattino dopo, infatti, udirono il latrare di un cane. Salí all'aperto Pavel, e dalle crepe del muro vide che intorno alle rovine del monastero si aggirava Oleg, il vecchio guardaboschi. Era una persona fidata; lo aveva già dimostrato altre volte, approfittando dei suoi giri d'ispezione

per mantenere i contatti fra le bande e trasmettere informazioni. Sí, era stato mandato da Ulybin, il comandante della banda di Gedale: la banda svernava in un campo
presso Turov, settanta chilometri ad ovest. Ulybin accettava gente allenata e addestrata, ma non altri; non sarebbe
stato difficile raggiungerlo.

– Prendete i sentieri del bosco ed evitate le strade. Fa-
rete piú fatica, ma non correrete il rischio di incontrare le
pattuglie.

Seguirono il consiglio del guardaboschi, ma la marcia
era penosa. La neve era alta e soffice. Il capofila affondava
fino al ginocchio, talvolta si imbatteva in sacche di neve
accumulata dal vento ed allora affondava fino alle anche;
si avvicendarono nella posizione di testa, ma anche cosí
non riuscirono a percorrere piú di due o tre chilometri per
ora; anche perché erano appesantiti dai viveri e dalle munizioni che avevano trovati nel sotterraneo, e perché Dov
era costretto a fermarsi spesso.

Aveva cessato di nevicare, ma il cielo era rimasto basso
e minaccioso, talmente opaco che non era possibile orientarsi: verso sera, a levante e a ponente c'era la stessa luce
grigia e spenta. Cercavano di mantenere la direzione indicata da Oleg osservando il muschio sui tronchi degli alberi,
ma il bosco era costituito principalmente di betulle, e sulla
loro scorza bianca il muschio non attecchiva. D'altra parte, gli alberi si facevano radi; a radure ondulate si alternavano aree piatte sempre piú estese, evidentemente stagni
o laghi gelati. Nessuno di loro era particolarmente pratico
della zona, e finirono presto col fidarsi di Pavel. Pavel si
mostrava forte e fiducioso. Era protettivo nei riguardi di
Dov, affaticato dalla lunga marcia sul suo ginocchio ferito,
e ancora indebolito dal colpo che aveva ricevuto durante
l'attacco tedesco. Lo aiutava a camminare, lo sosteneva, si
addossò buona parte del suo carico; insieme, tendeva a so-
stituirsi a lui nelle decisioni e negli ordini: – Da questa
parte, non è vero, Dov?

Pavel affermava di sentire il nord, senza sapere come,

allo stesso modo che un rabdomante sente l'acqua. Gli altri mostravano diffidenza ed anche insofferenza, ma di fatto, le poche volte che si imbattevano in una quercia, il muschio era dalla parte che Pavel aveva prevista: anche se grossolano, l'orientamento scelto da Pavel era quello giusto. Oltre che per la stanchezza, soffrivano per la sete. Conoscevano tutti l'inverno russo abbastanza bene per sapere che mangiare neve è inutile e pericoloso: assai prima di avere estinto la sete, ci si trova con la bocca irritata e la lingua gonfia. Per la sete ci vuole acqua, e non neve né ghiaccio; ma per avere acqua ci vuole fuoco, e per il fuoco ci vuole legna. Trovavano legna abbastanza spesso, abbandonata dai contadini in cataste, ma Pavel non la lasciò toccare; o per meglio dire, enunciò in forma di comando uno scambio di opinioni che era avvenuto fra Mendel, Dov e lui stesso.

– Niente fuoco finché fa giorno, dice Dov. Tenete duro, sopportate la sete, di sete in un giorno non si muore. Il fumo di giorno si vede di lontano. Faremo fuoco a notte; anche il fuoco si vede di lontano, ma gli faremo un riparo intorno, con la neve; o con i nostri corpi, cosí ci scalderemo anche un poco. Ma io penso che fra non molto troveremo un riparo. In terre come queste, qualche isba si dovrebbe trovare.

Che fosse intuizione, doppia vista o un qualche trucco da ciarlatano, si vide che Pavel aveva indovinato. Verso sera, nella pianura desolata si vide un'ondulazione; dalla neve emergevano le punte di uno staccionato, nere e lucide di asfalto, e il tetto di una capanna. Scavarono la neve davanti alla porta ed entrarono tutti, accalcandosi nel poco spazio. All'interno non c'era nulla, salvo la stufa di coccio e un secchio di zinco; sotto la neve, addossata alla parete posteriore, c'era una buona scorta di legna. Riuscirono ad arrostire patate alla brace della stufa ed a far fondere la neve nel secchio. Accesero un fuoco a ridosso della capanna, in una buca scavata nella neve, e fecero bollire il grano turco nelle gavette; ottennero uno sgradevole pastone insipido, che tuttavia li riscaldò e mitigò la fame e la sete. Poi si stesero per dormire, gli uomini sul pavimento, le donne sul giaciglio in cima alla stufa; si addormentarono tutti in pochi istanti, ad eccezione di Dov, a cui avevano ricominciato a dolere la vecchia ferita al ginocchio e le ossa fratturate. Gemeva nel dormiveglia, e si rivoltava di continuo alla ricerca di una posizione che non risvegliasse il dolore.

A metà notte si svegliò anche Mendel, di soprassalto: non si sentiva alcun rumore, ma un fascio di luce intensa entrava dalla finestrella, e si andava spostando da un angolo all'altro dell'isba come per esplorarla. Mendel si avvicinò alla finestra: il raggio di luce lo inquadrò per un attimo e poi si spense. Quando si fu ripreso dall'abbagliamento, nel chiarore della neve distinse tre figure umane: erano tre uomini in tuta bianca, montati su sci, armati. Uno di loro reggeva un mitra sulla cui canna era legata una torcia elettrica: in quel momento, canna e torcia erano rivolte verso la neve. I tre mormoravano fra loro, ma dall'interno dell'isba non si percepiva alcun suono. Poi il fascio di luce penetrò nuovamente attraverso la finestrella, si udí un colpo di pistola, e una voce gridò in russo:

– Siete sotto tiro. Non vi muovete; tenete le mani sul capo. Uno di voi esca con le mani alzate e senz'armi –. Poi, la stessa voce ripeté l'avviso in cattivo tedesco. Dov si mosse per avviarsi alla porta, ma Pavel lo prevenne: prima che Dov si fosse messo in piedi, aveva già aperto l'uscio ed era fuori con le mani alzate.

– Chi siete? Da dove venite e dove andate?

– Siamo soldati, partigiani ed ebrei. Non siamo di questa zona, veniamo da Novoselki.

– Ti ho chiesto anche dove andate.

Pavel esitò; Mendel uscí con le mani levate e si mise al suo fianco.

– Compagno, eravamo cinquanta e siamo vivi in dieci. Abbiamo combattuto e il nostro campo è stato distrutto. Siamo dispersi e stanchi, ma validi; cerchiamo un gruppo che ci accolga. Vogliamo continuare la nostra guerra, che è anche la vostra.

L'uomo vestito di bianco rispose:

– Se siete validi lo vedremo poi. Bocche inutili non ne possiamo accettare; da noi mangia solo chi combatte. Qui è zona nostra, e voi avete avuto fortuna: abbiamo visto le vostre donne sopra la stufa, e allora non abbiamo sparato. Di solito non facciamo cosí. A sparare a vista non si sbaglia quasi mai –. L'uomo rise breve, e aggiunse: – Quasi! – A Mendel si allargò il cuore.

Albeggiava. Due degli uomini si tolsero gli sci ed entrarono nell'isba; il terzo, quello che aveva parlato, rimase fuori con l'arma puntata. Era alto, molto giovane, e portava una corta barba nera; a tutti e tre, gli abiti imbottiti sotto la tuta mimetica conferivano l'apparenza di una pinguedine che si accordava male con la sveltezza dei loro movimenti. I due, con le pistole in pugno, ordinarono che nessuno si muovesse, e con gesti rapidi ed esperti perquisirono tutti; anche le due donne, rivolgendo loro qualche frase scherzosa di scusa. Chiesero a ciascuno il nome e la provenienza, accumularono in un angolo le armi e le munizioni che avevano trovato, poi uscirono nuovamente e fecero al loro capo un breve rapporto che dall'interno riuscí incomprensibile. Il giovane barbuto abbassò l'arma, si liberò degli sci, entrò e sedette a terra famigliarmente.

– Per noi, non siete pericolosi. Mi chiamo Piotr. Chi è il vostro capo?

Dov disse: – Tu lo vedi, noi non siamo una banda organica. Siamo i sopravvissuti di un campo di famiglie; fra noi c'erano anziani, bambini e gente di passaggio. Io ero il loro anziano, o il loro capo, se mi vuoi chiamare cosí. Ho combattuto con Manuíl «Freccia» e con lo Zio Vanka, e sono stato ferito a Bobruisk nel febbraio scorso. Ero in aviazione. Con lo Zio Vanka c'era anche Gedale, eravamo amici. Conoscete Gedale?

Piotr cavò di tasca una corta pipa e l'accese. – Per noi non siete pericolosi, ma potreste diventarlo. Tu hai i capelli bianchi, capo; sei stato partigiano; non lo sai che ai partigiani non si fanno domande?

Dov tacque, umiliato: sí, in tempo di guerra si invecchia presto. Se ne rimase a capo chino, guardandosi le grosse mani che pendevano inerti dai polsi, e massaggiandosi ogni tanto il ginocchio.

Piotr riprese: – ... ma vedremo di non abbandonarvi, combattenti o non combattenti. Almeno per qualche tempo: cosa può accadere dopo, non lo sappiamo noi, né i nostri capi, né nessuno. Il nostro tempo corre come corrono le lepri, veloce e a zig-zag. Chi fa un piano per il giorno dopo, e poi lo realizza, è bravo; chi fa piani per la settimana dopo è matto. O è una spia dei tedeschi.

Fumò tranquillo ancora per qualche minuto, poi disse:
– Il nostro campo non è lontano, ci potremo arrivare prima di domani sera. Tenete le vostre armi, ma scariche: le munizioni, abbiate pazienza, le teniamo noi. Per adesso. Poi, quando ci conosceremo meglio, vedremo.

Si misero in marcia, i tre sciatori in testa e gli altri dietro. La neve era profonda e farinosa, e il peso dei tre non era sufficiente per consolidare il fondo; i dieci appiedati avanzavano con fatica, sprofondando a ogni passo e rallentando la marcia. Il piú lento era Dov; non si lamentava, ma era visibilmente in difficoltà. Piotr gli cedette i suoi bastoncini, che tuttavia non gli furono di grande aiuto: ansimava, era pallido ed imperlato di sudore, e doveva fermarsi spesso. Piotr, che apriva la fila, si voltava a tratti a guardare ed era inquieto: il terreno era aperto, senza alberi né ripari; alle paludi gelate si alternavano lievi ondulazioni brulle, e dall'alto di queste, volgendosi indietro, si vedeva la loro traccia, profonda come un crepaccio e diritta come un meridiano. Al termine della traccia c'erano loro, tredici formiche: se fosse arrivato un ricognitore tedesco non ci sarebbe stato scampo. Era fortuna che il cielo rimanesse coperto, ma non lo sarebbe rimasto a lungo. Piotr annusava l'aria come un segugio: tirava un leggero vento dal nord; a lungo andare avrebbe sollevato la neve e cancellato la traccia, ma il cielo si sarebbe rasserenato prima. Aveva fretta di raggiungere il campo.

Uscí di pista e si lasciò sorpassare. Quando si trovò affiancato a Dov, gli disse:

– Sei stanco, zio: sia detto senza offesa. Vieni qui, monta sulle mie code e tieniti abbracciato a me; farai meno fatica –. Dov obbedí senza parlare, e la coppia riprese la posizione di testa. Fu un vantaggio per tutti: sotto il doppio peso la neve si costipava meglio, e gli appiedati non sprofondavano quasi piú. Line, la piú leggera di tutti, portava un paio di scarponi militari fuori misura, e galleggiava sulla neve come se avesse calzato le racchette; Leonid non si staccava da lei di un palmo. Camminarono fino a notte, pernottarono in un bivacco noto a Piotr e ripresero la marcia il mattino dopo. Arrivarono in vista del campo piú presto del previsto, a metà pomeriggio, sotto un sole vivido, innaturalmente caldo. «In vista», beninteso, solo per chi sapesse dove e come il campo era situato. Piotr mostrò loro, a sud-ovest, un vasto settore di foresta che, come un orizzonte tracciato con un pennello sottile, separava il bianco della neve dall'azzurro del cielo invernale. Lí, da qualche parte in mezzo agli alberi, stava il campo della banda di Ulybin; ci sarebbero arrivati a notte, ma non in linea retta. Era un'esperienza che avevano pagata a caro prezzo: mai lasciare piste troppo leggibili con tempo chiaro e senza vento. Bisognava fare qualche deviazione; avrebbero ripreso la direzione giusta al riparo degli alberi.

Agli ex-cittadini delle paludi sembrava di sognare. Novoselki era stata una salvezza precaria e una intelligente improvvisazione: il campo in cui entravano era opera professionale, consolidata dall'esperienza di tre anni. Mendel e Leonid poterono confrontare la solidità organizzativa della banda di Ulybin con le iniziative baldanzose e velleitarie della banda vagante di Venjamín.

Trovarono nel folto del bosco, appena visibile ad un occhio disattento, un gruppo di tre baracche di legno, quasi totalmente interrate, disposte lungo i lati di un triangolo

equilatero. Al centro del triangolo, altrettanto poco visibili, erano la cucina e il pozzo. Il camino che disperdeva il
fumo nell'intrico dei rami non era stata un'invenzione di
Novoselki: altrettanto era stato qui, quando i tempi sono
maturi certi ritrovati germogliano in vari luoghi, e ci sono
circostanze in cui i problemi non hanno che una sola soluzione.

A Novoselki Dov aveva scherzato sulla professione di
Leonid: a lui non occorreva un contabile. A Turov ne trovarono uno, o per meglio dire un furiere nel pieno esercizio delle sue funzioni. Era allo stesso tempo rappresentante dell'NKVD e commissario politico, e si occupò di loro
con efficienza sbrigativa. Nome, patronimico, corpo di ap-
partenenza per i militari, età, professione, registrazione
dei documenti (ma pochi fra loro avevano documenti); poi
a letto, il resto all'indomani mattina. A letto, sí: all'interno
di ogni baracca c'era una stufa e un tavolo coperto di paglia pulita, e l'aria era asciutta e calda, benché il pavimento
fosse a quasi due metri sotto il livello del suolo. Mendel si
addormentò in una girandola di impressioni confuse: si
sentiva esausto, dislocato e insieme protetto, meno padre
e piú figlio, piú sicuro e meno libero, a casa e in caserma;
ma venne subito il sonno, come una caritatevole mazzata
sul capo.

Il mattino dopo, il campo offrí ai rifugiati nulla meno
che un bagno caldo, decorosamente separato per le donne
e per gli uomini, in una tinozza collocata nel locale delle
cucine. Seguí la spidocchiatura, o meglio un invito ad un
autocontrollo coscienzioso, e la distribuzione di biance-
ria, ruvida e non nuova ma pulita. Infine, una portentosa
kaša sostanziosa e calda, consumata in comune con veri
cucchiai in veri piatti d'alluminio, e seguita da un tè abbondante e dolce. Si annunciava una giornata tranquilla,
con un'aria singolarmente mite per quella stagione: nelle
zone esposte al sole la neve accennava a sciogliersi, il che
destò una certa inquietudine. – Per noi va bene il gelo, –
disse a Mendel Piotr, che faceva gli onori di casa; – col di-

sgelo, se non si sta attenti, ci troviamo le baracche inondate e anneghiamo nel fango –. Illustrò loro con fierezza l'impianto elettrico. Un meccanico di talento aveva adattato la coppia conica di un vecchio mulino alla scatola del cambio di un autocarro tedesco: un cavallo bendato girava lentamente in tondo ed attraverso il sistema di ingranaggi azionava una dinamo che caricava un gruppo di batterie. Dalle batterie, quando tutto andava bene, veniva la luce elettrica e l'energia per la ricetrasmittente. – Al posto del cavallo, in autunno abbiamo messo quattro prigionieri ungheresi, per sette giorni.

– E poi li avete uccisi? – chiese Mendel.

– Noi uccidiamo solo i tedeschi, e neanche sempre. Non siamo come loro; uccidere non ci piace. Bendati come erano, li abbiamo portati di là dal fiume e abbiamo lasciato che andassero dove volevano. Avevano un po' di capogiro.

Piotr li ammonì di non tentare di uscire dal campo, anzi, di non allontanarsi dalle baracche per piú di una trentina di metri. – Tutto intorno, il bosco è minato. Ci sono mine sepolte sotto tre dita di terra, e ci sono mine a coppia, collegate con uno spago teso sotto la neve. Abbiamo fatto un buon lavoro: piano piano, notte per notte, abbiamo sminato tutto un campo tedesco, abbiamo recuperato le mine e le abbiamo piazzate qui. Non abbiamo perso neanche un uomo, e dopo di allora i tedeschi ci hanno lasciati in pace. Ma noi non lasciamo tanto in pace loro.

Piotr si mostrava attirato e incuriosito dal gruppo dei dieci che aveva trovati nell'isba e rischiato di uccidere; era particolarmente amichevole con Mendel. Gli fece vedere un lavoretto, un'idea che aveva concepita e realizzata Michaíl, il radiotelegrafista, senza l'aiuto di nessuno. In un angolo della sua baracca c'era una vetusta macchina tipografica a pedale, con un piccolo corredo di caratteri cirillici e latini. Michaíl non era tipografo, ma si era arrangiato. Aveva composto un manifesto di propaganda bilingue, su due pagine affiancate, in tutto simile a quelli di cui i tedeschi avevano inondato tutte le città e i villaggi della Russia occupata. Il testo tedesco era copiato dai manifesti tedeschi originali: prometteva il ripristino della proprietà privata e la riapertura delle chiese, invitava i giovani ad arruolarsi nell'Organizzazione del Lavoro e minacciava gravi pene contro i partigiani e i sabotatori. Il testo russo che gli stava a fronte non era la traduzione del testo tedesco, anzi, lo capovolgeva. Diceva:

Giovani Sovietici! Non credete ai tedeschi, che hanno invaso la nostra patria e massacrano le nostre popolazioni. Non lavorate per loro; se andrete in Germania patirete la fame e la frusta, e vi segneranno come le bestie; quando tornerete (se tornerete!) dovrete fare i conti con la giustizia socialista. Non un uomo, non un chilo di grano, non una informazione ai boia hitleriani! Venite con noi, arruolatevi nell'Armata Partigiana!

In entrambe le versioni c'erano diversi errori di ortografia, ma non erano colpa del radiotelegrafista: nella cassetta le *a* e le *e* erano scarse, e allora lui aveva messo giú i caratteri che gli erano sembrati piú adatti. Ne aveva tirate diverse centinaia di copie, che erano state distribuite e affisse fino a Baranoviči, a Rovno e a Minsk.

C'erano parecchie armi leggere da riparare e lubrificare: a Turov Mendel trovò subito il suo lavoro. Nelle ore in cui era libero da incombenze, Piotr non si staccava da lui.

– Siete ebrei tutti e dieci?

– No, solo sei: io, le due donne, il giovane che sta sempre con la ragazza piccola, quello anziano che tu hai portato sulle code, e Pavel Jurevič, il piú robusto di tutti. Gli altri quattro sono degli sbandati che ci hanno raggiunti poco prima che i tedeschi distruggessero il nostro campo.

– Perché i tedeschi vi vogliono uccidere tutti?

– È difficile da spiegare, – rispose Mendel. – Bisognerebbe capire i tedeschi, e io non ci sono mai riuscito. I tedeschi pensano che un ebreo valga meno di un russo e un russo meno di un inglese, e che un tedesco valga piú di tutti; pensano anche che quando un uomo vale piú di un altro uomo, ha il diritto di farne quello che vuole, anche di farlo schiavo o di ucciderlo. Forse non tutti sono convinti, ma sono queste le cose che gli insegnano a scuola, e sono queste le cose che dice la loro propaganda.

– Io credo che un russo valga piú di un cinese, – disse Piotr meditabondo, – ma se la Cina non facesse un torto alla Russia, non mi verrebbe in mente di uccidere tutti i cinesi.

Mendel disse: – Io, invece, credo che non abbia molto senso dire che un uomo vale piú di un altro. Un uomo può essere piú forte di un altro ma meno sapiente. O piú istruito ma meno coraggioso. O piú generoso ma anche piú stupido. Cosí, il suo valore dipende da quello che ci si aspetta da lui; uno può essere molto bravo nel suo mestiere, e non valere piú niente se lo si mette a fare un altro lavoro.

– È proprio come dici tu, – disse Piotr illuminandosi tutto. – Io facevo il tesoriere del Komsomol, ma ero distratto, sbagliavo i conti, e tutti mi ridevano dietro e dicevano che ero un buono a nulla. Poi è venuta la guerra, io sono andato subito volontario, e da allora mi pare di valere di piú. È strano: uccidere non mi piace, ma sparare sí, e allora succede che anche uccidere non mi fa piú molto effetto. In principio era diverso, avevo ritegno, e avevo anche un'idea stupida. Pensavo che i tedeschi, invece di avere una pelle come la nostra, fossero foderati di acciaio, e che le pallottole rimbalzassero. Adesso non piú; di tedeschi ne ho già ammazzati parecchi, e ho visto che sono teneri come noi, se non di piú. E tu, ebreo: quanti tedeschi hai ammazzati?

– Non lo so, – rispose Mendel. – Io ero in artiglieria; sai, non è come con un fucile, si piazza il pezzo, si punta, si spara e non si vede niente; quando va bene, si vede l'esplosione d'arrivo, a cinque o dieci chilometri. Chi lo sa, quanti ne sono morti per mano mia? Forse mille, forse neanche uno. Ti arrivano gli ordini per telefono o per radio, attra-

verso la cuffia: tre gradi a sinistra, alzo meno un grado, tu
obbedisci e tutto finisce lí. È come per gli aerei da bombardamento, o come quando uno versa l'acido in un formicaio per far morire le formiche: muoiono centomila formiche e tu non senti niente, non te ne accorgi neanche. Ma al
mio paese i tedeschi hanno fatto scavare una fossa dagli
ebrei, e poi li hanno messi in piedi sull'orlo, e li hanno fucilati tutti, anche i bambini, e anche parecchi cristiani che
nascondevano gli ebrei, e fra i fucilati c'era mia moglie. E
dopo di allora io penso che uccidere sia brutto, ma che di
uccidere i tedeschi non ne possiamo fare a meno. Da lontano o da vicino, alla tua maniera o alla nostra. Perché uccidere è il solo linguaggio che capiscono, il solo ragionamento che li fa convinti. Se io sparo a un tedesco, lui è costretto ad ammettere che io ebreo valgo piú di lui: è la sua logica, capisci, non la mia. Loro capiscono solo la forza. Certo,
convincere uno che muore non serve a molto, ma a lungo
andare anche i suoi camerati qualcosa finiscono col capire.
I tedeschi hanno cominciato a capire qualche cosa solo dopo Stalingrado. Ecco, per questo è importante che ci siano
partigiani ebrei, ed ebrei nell'Armata Rossa. È importante, ma è anche orribile; solo se io uccido un tedesco riuscirò a persuadere gli altri tedeschi che io sono un uomo. Eppure noi abbiamo una legge, che dice «Non uccidere».

– ... Voi però siete strani. Siete gente strana. Una cosa
è sparare e un'altra è fare dei ragionamenti. Se uno ragiona
troppo finisce che non spara piú diritto, e voi ragionate
sempre troppo. Forse è per questo che i tedeschi vi ammazzano. Vedi, io per esempio sono nel Komsomol fino da
bambino, darei la vita per Stalin come l'ha data mio padre,
credo in Cristo salvatore del mondo come ci crede mia madre, mi piace la vodka, mi piacciono le ragazze, mi piace
anche sparare, e vivo bene qui nelle pianure a dare la caccia ai fascisti, e non sto tanto a ragionarci sopra. Se una
delle mie idee non va d'accordo con un'altra, non me ne
importa un accidente.

Mendel stava a sentire con le orecchie e con metà del

cervello, mentre con l'altra metà e con le mani stava dirug-
ginando con petrolio le viti e le molle di un fucile automatico che aveva smontato. Colse l'occasione di quel momento di confidenza per rivolgere a Piotr una domanda che
stava a cuore a lui e a Dov.

– Che cosa ne è del vostro vicecomandante? Non c'era
qui con voi Gedale, Gedale Skidler, un ebreo mezzo russo
e mezzo polacco che aveva combattuto a Kossovo? Uno alto, col naso a becco e la bocca larga?

Piotr tardò a rispondere: guardava in su e si grattava la
barba, come per richiamare a mente ricordi svaniti da anni. Poi disse:

– Sí, sí. Gedale, certo. Ma non è mai stato vicecomandante; solo qualche volta dava degli ordini, quando Ulybin
era assente. È in missione, Gedale. Tornerà, sí: fra una
settimana, o forse fra due o anche tre. O potrebbe anche
darsi che sia stato trasferito: nella partisanka, di sicuro
non c'è mai niente.

«Questo Piotr è piú bravo a correre sugli sci che a dire
bugie», disse Mendel fra sé. Poi chiese ridendo:

– Era di quelli che ragionano troppo?

– Non è che ragionasse troppo: questo proprio no, non
era lí il suo difetto, ma era strano, anche lui. Te l'ho già
detto, veramente voi ebrei siete tutti un po' strani, per un
verso o per un altro, non sia detto per biasimo. Questo
Gedale sparava bene quasi quanto me, non so chi gli avesse insegnato; però faceva poesie, e si portava sempre dietro un violino.

– Componeva canzoni e le suonava sul violino?

– No, le poesie erano una cosa e il violino un'altra. Lo
suonava alla sera; ce l'aveva addosso in agosto, quando i
tedeschi hanno fatto il grande rastrellamento attorno a Luninets. Siamo riusciti a filtrare fuori dell'accerchiamento,
e un cecchino gli ha sparato: la pallottola ha forato il violino da parte a parte, e cosí ha perso la sua forza e a lui non
ha fatto nulla. Lui ha riparato i fori con resina di pino e ce-
rotti dell'infermeria, e da allora il violino se lo è sempre

portato addosso. Diceva che suonava meglio di prima, e gli ha perfino attaccato una medaglia di bronzo che avevamo trovato su un ungherese morto. Vedi che era proprio un tipo strano.

– Se fossimo tutti uguali, il mondo sarebbe noioso. Noi abbiamo una benedizione speciale, da rivolgere a Dio quando si vede una persona diversa dalle altre: un nano, un gigante, un negro, un uomo coperto di verruche. Diciamo: «Benedetto sii Tu, Signore Iddio nostro, re dell'Universo, che hai variato l'aspetto delle Tue creature». Se lo si loda per le verruche, a maggior ragione lo si deve lodare per un partigiano che suona il violino.

– Tu hai ragione, e insieme fai venire la rabbia. Anche Gedale era cosí. Voleva sempre dire la sua, e non andava d'accordo con Ulybin, e neanche con Maksím; Maksím è il furiere, ossia lo scribacchino, quello che tiene i conti e viene dall'NKVD. Lo hanno mandato qui da Mosca col paracadute, perché tenesse la disciplina: come se la disciplina fosse la faccenda piú importante. Del resto, neppure io vado tanto d'accordo con Maksím.

A Mendel premeva battere il ferro finché era caldo.

– Insomma, fra Gedale e il comandante che cosa c'è stato?

– Beh, c'è stato un litigio, all'inizio dell'inverno. Era un pezzo che non andavano d'accordo, Ulybin e Gedale. No, non per via del violino, c'erano dei motivi piú seri. Gedale avrebbe voluto andare in giro per i boschi e le paludi e radunare una banda di partigiani ebrei. Ulybin invece diceva che gli ordini di Mosca erano diversi; i combattenti ebrei dovevano essere accettati alla spicciolata, nei reparti russi. La rottura è venuta quando Gedale ha scritto una lettera e l'ha mandata a Novoselki senza il permesso di Ulybin; non so che cosa ci fosse in quella lettera, e non saprei neppure dirti chi dei due avesse ragione. Sta di fatto che Ulybin era arrabbiato, gridava che lo si sentiva per tutto il campo, e batteva i pugni sul tavolo.

– Che cosa gridava?

– Non ho capito bene, – rispose Piotr facendosi tutto rosso.

– Che cosa gridava? – insistette Mendel.

– Gridava che nel suo reparto di poeti non voleva piú sentirne parlare.

– Non avrà proprio detto «poeti», – disse Mendel.

– Già. Non ha detto «poeti». – Piotr tacque un momento, poi aggiunse:

– Ma dimmi: è vero che siete stati voi a crocifiggere Gesú?

Nel campo di Turov i profughi di Novoselki trovarono sicurezza ed un certo benessere materiale, ma si sentivano a disagio. I quattro di Ozariči furono inquadrati regolarmente; gli altri sei, le due donne comprese, ricevettero vari incarichi nei servizi. Ulybin, qualche giorno dopo il loro arrivo, li aveva ricevuti con correttezza distaccata, poi non si era piú fatto vedere.

La temperatura era scesa a poco a poco; verso la metà di gennaio era a $-15°$, a fine gennaio arrivò a $-30°$. Dal campo partivano piccole pattuglie di sciatori, per spedizioni di approvvigionamento, o per azioni di disturbo e sabotaggio di cui Mendel aveva notizie frammentarie attraverso Piotr.

Un giorno Ulybin fece chiedere chi fra loro parlava il tedesco. Tutti e sei gli ebrei lo parlavano, piú o meno correttamente, con un accento jiddisch piú o meno pronunciato: perché questa richiesta? Di cosa si trattava? Ulybin, per bocca di Maksím, fece sapere che desiderava parlare con l'uomo che aveva la pronuncia migliore; le donne no, per quella faccenda non servivano.

Quella sera, nella baracca ben riscaldata, fu distribuito un rancio speciale. Poco dopo il tramonto era arrivata al campo una slitta, aveva scaricato una cassa ed era subito ripartita; a cena, il furiere consegnò ad ognuno una scatoletta di latta di forma inconsueta. Mendel la rigirò fra le mani perplesso: era pesante, non aveva etichetta, e il coperchio, saldato a stagno, era piú piccolo del diametro esterno della latta. Vide i commensali che, con la punta del coltello, praticavano due fori nello spazio anulare intorno al coperchio: uno piccolo e uno piú grande, nel foro grande versavano un po' d'acqua, e poi lo tappavano con mollica di pane. Sempre piú incuriosito, li imitò, e sentí che la scatoletta si scaldava fino a bruciargli la mano, mentre dal foro rimasto aperto usciva l'odore ben noto dell'acetilene. Come gli altri, avvicinò un fiammifero acceso, e in breve la tavola fu circondata da un'allegra corona di fiammelle, come in una fiaba di fate. Dentro la scatoletta c'era carne e piselli; nell'intercapedine c'era carburo, che reagendo con l'acqua scaldava il contenuto.

Mentre fuori fischiava la tormenta, e nella luce tremula delle fiammelle, Pavel diede spettacolo. Si mostrava comicamente indignato:

– Ma come? Vi siete dimenticati di me? O fate finta di non saperlo? Ma si capisce, ma certamente, ma ganz bestimmt! Io parlo tedesco come un tedesco, se voglio; meglio di Hitler, che è austriaco. Lo parlo con l'accento di Amburgo, o con quello di Stoccarda, o con quello di Berlino, come desidera il committente. O senza accento, come la radio. Parlo anche russo con accento tedesco, o tedesco con accento russo. Diglielo, al comandante. Digli che sono stato attore e ho girato il mondo. E che sono anche stato annunciatore alla radio, e alla radio ho fatto anche dei numeri comici; a proposito, la sapete la storia di quell'ebreo che mangiava le teste delle aringhe?

La raccontò, in russo variegato di ridicole inflessioni jiddisch, poi ne raccontò un'altra e un'altra ancora, attingendo al corpus sterminato dell'autoironia ebraica, surreale e sottile, giusto contrappeso al rituale che è altrettanto surreale e sottile: forse il frutto piú raffinato della civiltà che attraverso i secoli si è distillata dal mondo stralunato dell'ebraismo askenazita. I suoi compagni sorridevano imbarazzati, i russi si tenevano la pancia e scoppiavano in ri-

sate di tuono. Gli battevano pacche sonore sulla schiena
robusta, incitandolo a continuare, ma Pavel non chiedeva
altro: da quanti anni non aveva un pubblico?

– ... e la storia dei Jeschiva Bucherim, degli allievi della
scuola rabbinica, che erano stati arruolati nell'esercito,
non la sapete? Era il tempo degli zar, e allora le scuole rab-
biniche erano tante, dalla Lituania fino all'Ucraina. Ci volevano almeno sette anni, per diventare rabbini, e gli studenti erano quasi tutti poveri; ma anche quelli che poveri
non erano, erano pallidi e magri, perché un Jeschiva Bucher deve mangiare solo pane condito con sale, bere acqua
e dormire sulle panche della scuola, tanto che ancora adesso si dice: «Nebech, poveretto, è magro come un Jeschiva
Bucher». Bene: in una scuola rabbinica piombano gli ufficiali di reclutamento, e tutti gli allievi vanno coscritti in
fanteria. Passa un mese, e gli istruttori si accorgono che
tutti questi ragazzi hanno una mira infallibile: diventano
tutti tiratori scelti. Perché? Non ve lo so dire il perché, la
storia non lo dice. Forse perché studiare il Talmud aguzza
la vista. Viene la guerra, e il reggimento di talmudisti va al
fronte, in prima linea. Sono in trincea, con i fucili puntati,
ed ecco il nemico che avanza. Il comandante grida «Fuoco!»: niente, nessuno spara. Il nemico si fa sempre piú vicino. Il comandante urla di nuovo «Fuoco!», e di nuovo
nessuno obbedisce: il nemico è ormai a un tiro di sasso.
«Fuoco, ho detto, brutti figli di puttana! Perché non sparate?» urla l'ufficiale...

Pavel si interruppe: era entrato Ulybin, si era seduto al
tavolo, e subito il mormorio eccitato degli ascoltatori era
cessato. Ulybin era sulla trentina, di media statura, muscoloso e bruno: aveva un viso ovale, impassibile, sempre rasato di fresco.

– Beh, perché non vai avanti? Sentiamo come va a finire, – disse Ulybin. Pavel riprese, con meno sicurezza e
meno brio:

– Allora uno degli studenti dice: «Non vede, signor capitano? Non sono sagome di cartone, sono uomini come noi. Se gli sparassimo, gli potremmo fare del male».

I partigiani intorno al tavolo abbozzavano dei risolini esitanti, guardando alternativamente Pavel e Ulybin. Ulybin disse: – Non ho sentito il principio. Chi erano quelli che non volevano sparare?

Pavel fece un riassunto abbastanza arruffato dell'inizio della storiella, ed Ulybin chiese con voce gelida:

– E voi, che cosa fareste?

Vi fu un breve silenzio, poi si udí la voce sommessa di Mendel:

– Noi non siamo Jeschiva Bucherim.

Ulybin non rispose, ma poco dopo chiese a Pavel:

– Sei tu quello che parla tedesco?

– Sono io.

– Domani verrai con me. C'è qualcuno fra voi che sia un po' elettricista?

Mendel alzò una mano: – Al mio paese io riparavo le radio.

– Bene, verrai anche tu.

Ulybin fece svegliare Mendel e Pavel alle quattro del mattino seguente, a notte fonda. Mentre facevano un rapido spuntino, spiegò lo scopo della spedizione. Uno dei partigiani, in perlustrazione attraverso il bosco, aveva visto che i tedeschi avevano teso una linea telefonica, fra il villaggio di Turov e la stazione di Žitkoviči: non avevano piantato pali, avevano semplicemente inchiodato il filo agli alberi. Il partigiano si era arrampicato su un albero e aveva tagliato il filo. Era poi tornato al campo, fiero della sua iniziativa, e Ulybin gli aveva detto che era un somaro: le comunicazioni telefoniche non si interrompono ma si intercettano. Al campo di Turov c'era un impianto telefonico da campo, mai utilizzato. Era possibile ristabilire la linea, e inserirvisi sopra in modo da sentire quello che i tedeschi si dicevano? Sí, rispose Mendel, era possibile, purché ci

fosse un microfono. Bisognava partire subito, disse Ulybin, prima che i tedeschi, accorgendosi che la linea era interrotta, si mettessero in sospetto.

Partirono in quattro, Ulybin, Mendel, Pavel e Fedja, il
giovane che aveva trovato il filo e lo aveva tagliato. Fedja
non aveva ancora diciassette anni, era nato proprio a Turov, a meno di un'ora di cammino dal campo, e conosceva
quei boschi fin da quando ci veniva da bambino a cercare
nidi. Volava sugli sci, silenzioso e sicuro nel buio come una
lince, fermandosi ogni tanto ad aspettare gli altri tre. Ulybin se la cavava abbastanza bene; Mendel arrancava con
fatica, poco allenato, ed impacciato dagli attacchi troppo
larghi; Pavel calzava gli sci per la prima volta in vita sua,
sudava malgrado il freddo acuto, cadeva spesso e bestemmiava sottovoce. Ulybin era impaziente; sarebbe stato
prudente riparare la linea prima che facesse giorno. Fortuna che, secondo Fedja, il luogo non era molto distante.

Lo raggiunsero dopo un'ora di marcia. Mendel si era
portato dietro qualche metro di conduttore; si tolse gli sci,
e salendo sulle spalle di Pavel ricongiunse in pochi minuti
i due terminali del filo che penzolavano nella neve; ma per
eseguire l'operazione aveva dovuto togliersi i guanti, e sentiva che le dita gli si intorpidivano rapidamente per il gelo.
Dovette interrompersi e frizionarsi a lungo le mani con la
neve, mentre Ulybin spiava il cielo che incominciava a
schiarire, e batteva i piedi per il freddo e per l'impazienza.
Poi collegò al filo aereo uno dei fili del microfono, scese,
piantò a terra un picchetto e vi collegò l'altro filo. Ulybin
gli strappò di mano il microfono e lo portò all'orecchio.

– Cosa senti? – chiese Mendel sottovoce.

– Niente. Solo uno sfrigolio.

– Va bene, – bisbigliò Mendel. – È segno che i contatti
funzionano.

Ulybin porse il microfono a Pavel. – Stai tu in ascolto,
che capisci il tedesco. Se senti parlare, fammi un cenno –.
Poi chiese a Mendel: – Se dovessimo parlare fra noi, ci
potrebbero sentire?

– Basterà non parlare troppo forte, e coprire il microfono con il guantone. Ma se occorre si può anche staccare il contatto dal picchetto: si fa in un momento.

– Bene. Aspettiamo fin che sarà giorno, poi ce ne andiamo. Torneremo qui domani sera. Se tu Pavel hai freddo, ti darò il cambio io.

Di fatto, si alternarono nell'ascolto tutti e quattro; chi sentiva freddo andava a battere mani e piedi lontano dal microfono. Verso le sette, Fedja ammiccò vivacemente col capo e passò il microfono a Pavel. Ulybin lo trasse in disparte:

– Che cosa hai sentito?

– Ho sentito un tedesco che chiamava «Turov, Turov»; ma da Turov non gli rispondeva nessuno –. In quello stesso momento, Pavel agitò la mano nel guantone e fece piú volte di sí col capo: qualcuno aveva risposto. Stette in ascolto per pochi minuti, poi disse:

– Hanno finito. Peccato!

– Che cosa dicevano? – chiese Ulybin.

– Niente di importante, ma mi divertivo. C'era un tedesco che si lamentava di non aver dormito per i crampi allo stomaco, e chiedeva a un altro tedesco se aveva una certa medicina. Quello con i crampi si chiama Hermann e l'altro Sigi. Sigi non aveva la medicina, sbadigliava, sembrava scocciato, e ha interrotto la comunicazione. Stavo per dirgli che una buona medicina ce l'abbiamo noi: mi avrebbe sentito?

– Non siamo qui per fare scherzi, – disse Ulybin. Poi aggiunse che, nonostante il rischio, aveva deciso che sarebbero rimasti sul posto ancora per qualche ora: l'occasione era troppo bella.

Infatti, poco dopo intercettarono una conversazione piú interessante. Questa volta era Sigi che dal posto di Turov chiamava Hermann: annunciava di aver tentato piú volte di mettersi in contatto con la guarnigione di Medvedka, ma da Medvedka non rispondeva nessuno. Hermann, ancora sofferente, aveva risposto che i quattro uomini di

Medvedka potevano essere andati a spasso; che Sigi non si
preoccupasse. Ma Sigi insisteva per chiarire la faccenda:
aveva sentito parlare di «Banditen» nei dintorni. Hermann, piú elevato in grado, o forse solo piú anziano, gli
aveva dato un consiglio: prendesse uno dei suoi uomini, lo
travestisse da boscaiolo con funi e un'accetta, e lo mandas-
se da Turov a Medvedka a vedere da vicino che cosa suc-
cedeva.

– Quanto è lontana Medvedka? – domandò Ulybin a
Fedja.

– Da qui saranno sei o sette chilometri.

– E quanto c'è da Turov a Medvedka?

– Press'a poco il doppio.

– Quanto è grande Medvedka?

– Medvedka non è un villaggio: è solo una fattoria collettiva. Ci lavoravano una trentina di contadini, ma adesso
credo che sia abbandonata.

– Partite voi due, – disse Ulybin a Fedja e Mendel, – e
riportatemi il boscaiolo vivo. Noi vi aspettiamo qui, o poco lontano.

Mendel e Fedja ritornarono verso mezzogiorno portandosi dietro il prigioniero, indenne ma atterrito; gli avevano legato le mani dietro la schiena con filo telefonico. Trovarono Ulybin che trepidava d'impazienza. Sigi aveva
richiamato Hermann; era inquieto, il boscaiolo non era
ancora ritornato. Hermann aveva brontolato qualcosa a
proposito della neve e del bosco, poi aveva detto a Sigi di
mandare un altro uomo, vestito da contadino, che prendesse il sentiero lungo il fiume. Per la verosimiglianza, che
si portasse dietro due galline. Ulybin disse che Mendel e
Fedja dovevano ripartire subito verso l'ansa del fiume e
aspettare il contadino.

Questa volta l'attesa fu piú lunga: i due uomini, il secondo prigioniero e le due galline arrivarono solo al tramonto. I due prigionieri non erano tedeschi, ma ucraini
della polizia ausiliaria, e non fu difficile farli parlare. A
Turov i tedeschi erano solo sette od otto; erano territoriali

non piú giovani, con poca voglia di uscire dal paese e nessuna di cacciarsi in qualche avventura con i partigiani. A Žitkoviči la situazione era diversa; a ottobre qualcuno aveva sabotato i binari della ferrovia non lontano dalla cittadina, un merci aveva deragliato danneggiando un ponte, e da allora c'era un presidio piú consistente ed agguerrito, che teneva sotto controllo la stazione e la strada ferrata. C'era un plotone della Wehrmacht con una piccola armeria, e una ventina di ausiliari ucraini e lituani. C'era anche un deposito di viveri e di foraggio, e un ufficio della Gestapo.

Prima di mettersi in via verso il campo, Ulybin decise di mandare un messaggio ai tedeschi. Diede istruzioni a Pavel, che rispose «Lascia fare a me»: si mise al microfono e chiamò a intervalli Turov e Žitkoviči finché una voce non rispose. Allora Pavel disse:

– Qui parla il colonnello Conte Heinrich von Neudeck und Langenau, comandante del terzo reggimento della tredicesima divisione dell'Armata Rossa, sezione del Fronte Interno e delle Zone Occupate. Voglio parlare con il piú elevato in grado del presidio –. Pavel era entusiasta della sua parte. Confitto nella neve fino alle ginocchia, nel bosco ormai buio e spazzato dal vento gelato, con in mano un'assurda cornetta di telefono i cui fili si perdevano nell'intrico dei rami carichi di neve, aveva sfoderato un tedesco autoritario e roboante, marziale e gutturale, con le *r* e le *ch* che risuonavano rotonde nel fondo della gola: lodò mentalmente se stesso, bravo Pavel Jurevič, perbacco, sei piú prussiano di un prussiano!

Gli rispose una voce spaventata e perplessa che chiedeva spiegazioni: veniva dal presidio di Davíd-Gorodòk.

– Niente spiegazioni, – rispose Pavel con voce di tuono, – nessuna obiezione. Attaccheremo domani il vostro posto con cinquecento uomini: vi diamo quattro ore per evacuare, voi e i vostri tirapiedi traditori. Non ne deve rimanere uno: impiccheremo tutti quelli che troveremo sul posto. Chiudo –. A un cenno di Ulybin, Mendel strappò le connessioni, e i quattro con i due prigionieri si misero in marcia verso il campo. Perfino il tetro Ulybin, cosí avaro di parole e in specie di lodi, non poteva reprimere un asciutto sorriso asimmetrico, che non saliva fino agli occhi, ma gli torceva le labbra pallide per il freddo. Senza rivolgersi a nessuno in particolare, come se avesse pensato ad alta voce, disse: – Bene. Stasera alla Gestapo avranno di che discutere. Telefoneranno a Berlino per appurare chi è il conte disertore –. Mendel chiese a Pavel:

– È stata tua l'idea del colonnello?

– No, il colonnello era di Ulybin, ma il conte era mio. E non gli ho trovato un bel nome?

– Molto bello. Com'era?

– Eh, come vuoi che mi ricordi? Se vuoi, te ne trovo un altro.

Ulybin, senza curarsi della presenza dei prigionieri, disse:

– Non attaccheremo Davíd-Gorodòk con cinquecento uomini. Attaccheremo Žitkoviči con cinquanta uomini. Non credo che i tedeschi l'abbiano bevuta, ma nel dubbio manderanno rinforzi da Žitkoviči a Davíd-Gorodòk, e noi troveremo meno resistenza.

Era ormai notte fatta; Ulybin trasse dallo zaino una torcia elettrica e la legò alla canna del mitragliatore, ma la lasciò spenta. Si misero in marcia, Fedja in testa, sugli sci, poi i due ucraini, e in coda, nell'ordine, Pavel, Mendel e Ulybin. Mentre attraversavano un tratto di bosco fitto, l'ucraino vestito da boscaiolo uscí di scatto dalla pista e si diede alla fuga sulla sinistra, arrancando nella neve profonda e cercando di defilarsi dietro ai tronchi. Ulybin accese la torcia, puntò lo stretto cono di luce sul fuggitivo e sparò un colpo singolo. L'ucraino si piegò in avanti, fece ancora qualche passo, poi cadde sulle mani; in quella posizione, a quattro zampe come un animale, avanzò ancora per diversi metri, scavando nella neve un cunicolo chiazzato di sangue, poi si fermò. Gli altri lo raggiunsero: era ferito a una tibia, pareva che la pallottola avesse trapassato la gamba spezzando l'osso.

Ulybin porse il fucile a Mendel, senza dire parola.

– Vuoi che io...? – balbettò Mendel.

– Avanti, Jeschiva Bucher, – disse Ulybin. – Camminare non può, e se lo trovano parla. Una spia non cambia: spia resta.

Mendel si sentí invadere la bocca di saliva amara. Arretrò di due passi, mirò accuratamente e sparò. – Andiamo, – disse Ulybin, – a questo qui ci penseranno le volpi –. Poi si volse nuovamente a Mendel, illuminandolo con la torcia: – È la prima volta? Non badarci: poi diventa facile.

Capitolo quinto

Gennaio-maggio 1944

L'attacco a Žitkoviči non ebbe mai luogo. La radio del campo, che da molte settimane dava soltanto informazioni sui movimenti dei tedeschi e notizie dal fronte, la sera in cui rientrò il drappello di Ulybin trasmetteva a ripetizione la frase in codice che significava «restare in ascolto». Ci fu una discussione fra Ulybin e Maksím, e prevalse il parere di quest'ultimo, che veniva considerato come il rappresentante del Governo e del Partito presso la banda: non prendere iniziative, aspettare, forse sarebbero arrivati ordini per qualche operazione particolare.

Ulybin si richiuse nell'isolamento. Si faceva vedere di rado, e solo per distribuire osservazioni e rimproveri. Al cuoco perché la kaša era troppo salata: forse che il sale viene giú dal cielo gratis e abbondante come la neve? Al radiotelegrafista perché i suoi appunti erano indecifrabili. A Pavel perché mangiava e parlava troppo. A tutti perché, secondo lui, il campo non era abbastanza pulito e ordinato. Alle due donne, che erano state relegate in cucina, guardava con sospetto; fosse timidezza o disprezzo, non rivolgeva loro la parola se non per strette ragioni di servizio.

Nei confronti di Dov, Ulybin manifestava il rispetto scontroso che si tributa agli anziani a cui si è superiori in autorità, e che sconfina facilmente nella stizza e nel malgarbo. Dov si era ripreso male dalla stanchezza dell'ultima marcia. Il ginocchio ferito gli doleva senza remissioni; di notte gli toglieva il sollievo del sonno e di giorno lo impediva nei movimenti. A Novoselki, in una comunità chiusa

in difesa, la sua scarsa efficienza fisica poteva essere tolle-
rata, compensata com'era dalla sua esperienza. Nel campo
di Turov, costituito esclusivamente da giovani, Dov sapeva di essere di peso e non si faceva illusioni. Cercava di
rendersi utile in cucina, nelle pulizie, nei lavori spiccioli
di manutenzione: nessuno lo respingeva, ma si sentiva superfluo. Era diventato taciturno, e poiché tutti sapevano
quanto siano contagiosi la tristezza e lo scoramento, pochi
gli rivolgevano la parola. Pavel, che aveva raggiunto una
certa popolarità con la faccenda dell'intercettazione, lo
trattava con cordialità rumorosa e convenzionale: si capisce, con il freddo e l'umidità le ossa fanno male, capita
anche a Mosca, figuriamoci qui, in mezzo alle paludi, e in
queste baracche metà sotto la terra e metà sotto la neve.
Ma la primavera non avrebbe tardato, e con la primavera, chissà, forse sarebbe venuta la pace: pareva che i russi
avessero passato il Dnepr, e che si combattesse dalle parti
di Krivoj Rog...

Dov si trovava a suo agio soltanto con Mendel e con
Sissl. Mendel cercava di rincuorarlo, ma con istintiva
discrezione evitava ogni accenno alla sua menomazione
ed alla sua stanchezza; cercava di distrarlo, gli chiedeva
consigli, commenti sull'andamento della guerra, quasi che
Dov potesse saperne più di quanto trasmetteva la radio.
Anche più riposante per Dov era la presenza di Sissl. Paca-
ta nel parlare e nel muoversi, Sissl gli sedeva accanto mentre con mani agili, ma grosse quanto quelle di un uomo,
pelava le patate o rattoppava pantaloni e giubbe già disperatamente rattoppati. Tacevano a lungo, assaporando quel
silenzio disteso e naturale che nasce dalla confidenza reciproca: quando si hanno in comune esperienze gravi non si
prova il bisogno di parlare. Anche Mendel si soffermava
volentieri a guardare il viso di Sissl intenta al lavoro, sotto
la luce calda della lampada elettrica sottoalimentata. Quel
viso contrastava con il corpo robusto e maturo della donna, ed attestava una complicata commistione di sangui.
Sissl aveva pelle pallida, capelli biondi lisci che portava

spartiti a mezza fronte in una scriminatura diritta e annodati sulla nuca in una crocchia. Anche i sopraccigli erano
biondi; gli occhi erano di taglio obliquo, congiunti al naso da una lieve piega mongolica, ma del colore grigio delle
genti baltiche. Aveva bocca larga e morbida, zigomi alti,
mento e mascella di disegno nobile ma pronunciato. Non
piú giovanissima, Sissl emanava sicurezza e tranquillità,
ma non gaiezza, intorno a sé, come se le sue spalle larghe
avessero potuto fare scudo contro ogni evento avverso.

Di suo padre non parlava mai. Si faceva raccontare da
Dov storie di caccia nella foresta, le astuzie della lince, la
strategia dei lupi in branco, gli agguati della tigre siberia-
na. Al paese di Dov, Mutoraj sulla Tunguska, lontano tremila chilometri, l'inverno durava nove mesi e ad un metro
di profondità il terreno non scongelava mai, ma Dov ne
parlava con nostalgia. Laggiú chi non era cacciatore non
era un uomo. Mutoraj era un paese unico al mondo. Nel
1908, quando lui aveva dieci anni, a ottanta chilometri di
distanza era caduta una stella, o una meteora, o una cometa; erano venuti scienziati di tutto il mondo, ma nessuno
aveva chiarito il mistero. Lui ricordava bene quel giorno:
il cielo era sereno, ma c'era stato uno scoppio come di cento tuoni, e la foresta s'era incendiata, tanto che il fumo
aveva oscurato il sole. Si era aperto un cratere enorme, e in
un raggio di sessanta chilometri tutti gli alberi erano bruciati o erano stati abbattuti. Era estate, e l'incendio si era
spento proprio alle porte del villaggio.

Mendel, Pavel, Leonid, Line e gli uomini di Ozariči
prendevano parte alle esercitazioni di marcia e tiro ed alle
spedizioni di approvvigionamento nelle fattorie e nei villaggi circostanti. Queste avvenivano per lo piú senza attriti né resistenze da parte dei contadini; la fornitura di viveri ai partigiani era una tassazione in natura, un tempo imposta, ormai acquisita. I contadini, anche i piú malconten-
ti della collettivizzazione, avevano ormai capito qual era la
parte vincente; inoltre, i partigiani di Ulybin li difendeva-

no contro i rastrellamenti dei tedeschi, affamati di mano d'opera per i campi di lavoro forzato.

Da una di queste spedizioni Pavel ritornò a cavallo, con arie da smargiasso e il casco di pelo calcato per traverso. Non era un cavallo da sella, bensí un cavallo da tiro, maestoso e vecchio; Pavel diceva che lo aveva trovato sperduto nel bosco e morente di fame, ma nessuno gli credette: la bestia non era poi cosí magra. Pavel lo considerava suo di pieno diritto, gli si affezionò e il cavallo si affezionò a lui: chiamato, accorreva come un cane, col suo trotto pesante e sfiatato. Pavel non aveva mai cavalcato in vita sua, e del resto la groppa del cavallo era cosí larga da costringere il cavaliere a una posizione innaturale, ma nelle ore libere dal servizio era facile incontrare Pavel che si esercitava all'equitazione intorno alle baracche. Ulybin disse che il cavallo di Pavel avrebbe dovuto avvicendarsi con l'altro che faceva girare la dinamo, Pavel si oppose, diversi partigiani presero le sue parti, e Ulybin, che verso Pavel dimostrava una inesplicabile parzialità, lasciò correre.

Il comandante si mostrava meno indulgente nei riguardi di Leonid. Non vedeva di buon occhio il suo legame con Line, che d'altronde era argomento di commenti e scherzi da parte di tutti: benevoli o malevoli, a seconda delle circostanze. Leonid si era aggrappato alla ragazza con la tensione convulsa del naufrago che ha trovato una tavola galleggiante. Sembrava volesse avvolgerla in un abbraccio totale, che la schermasse da tutti gli altri contatti umani e la sequestrasse dal mondo. Non parlava piú con nessuno, neppure con Mendel.

Un giorno Ulybin fermò Mendel:

– Io non ho niente contro le donne, e questi non sono affari miei; ma ho paura che quel tuo amico si metterà nei guai e metterà nei guai anche qualcun altro. Le coppie fisse vanno bene in tempo di pace: qui è un'altra cosa. Qui ci sono due donne e cinquanta uomini.

Mendel stava per rispondergli come aveva risposto a Dov in settembre a Novoselki, e cioè che lui non era re-

sponsabile delle azioni di Leonid, ma sentiva che Ulybin
era fatto di un metallo piú duro di quello di Dov: si trattenne, e rispose vagamente che gli avrebbe detto qualcosa,
ma sapeva di mentire. A Leonid non avrebbe osato dire
nulla; nei confronti del suo rapporto con Line provava un
viluppo di sentimenti contrastanti che da quando era a Turov aveva cercato invano di districare.

Provava invidia: su questo non aveva dubbi, e infatti se
ne vergognava un poco. Era un'invidia, tinta di gelosia,
per i diciannove anni di Leonid, per quel suo amore precipitoso e nativo che gli ricordava dolorosamente il suo proprio, di sei anni prima (o sessanta, o seicento?), quello che
lo aveva scagliato fra le braccia di Rivke come una freccia
che va a segno: Rivke! Invidia anche per la fortuna che
aveva guidato Leonid entro il campo di forza che irradia-
va da Line: un ragazzo come lui avrebbe potuto incappare
in qualsiasi trappola, ma Line non sembrava una donna-
trappola. Che cosa poteva aver trovato Line in Leonid?
Mendel se lo domandava. Forse soltanto un naufrago: ci
sono donne nate per salvare, e forse Line era una di queste. Anch'io sono un salvatore, pensava, Mendel, un Consolatore. Bel mestiere, consolare gli afflitti in mezzo alla
neve, al fango ed alle armi pronte. O forse invece è diverso; Line non cerca un naufrago da salvare, ma al contrario,
cerca un uomo umiliato per umiliarlo di piú, per salirci sopra come si sale su una pedana, per essere un po' piú alti e
vedere piú lontano. Ci sono persone cosí: fanno il male degli altri senza accorgersene. Che Leonid stia attento. Lo
invidio ma ho anche paura per lui.

A Turov si succedevano i giorni di tregua, e Mendel e
Sissl divennero amanti. Non ci fu bisogno di parole, fu naturale e dovuto come nel Paradiso Terrestre, e insieme
frettoloso e scomodo. C'era il sole, e tutti gli uomini erano
fuori a sbattere le coperte e ad ungere le armi. Mendel andò a cercare Sissl in cucina, le disse «vieni con me?», e
Sissl si levò in piedi e disse «vengo». Mendel la condusse
nella legnaia, che serviva anche da stalla per i due cavalli,

e di lí su per la scaletta a muro che portava al fienile. Faceva freddo, si spogliarono a mezzo, e Mendel fu stordito dall'odore femmineo di Sissl e dal bagliore della sua pelle. Sissl si aprí come un fiore, docile e calda; Mendel si sentí irrompere nelle reni la forza e il desiderio che da due anni tacevano. Sprofondò in lei, ma senza abbandonarsi, anzi, tutto intento e vigile: voleva godere tutto, non perdere nulla, incidere tutto dentro di sé. Sissl lo ricevette fremendo appena, ad occhi chiusi, come se sognasse, e fu subito finito: si udivano voci e passi vicini, Mendel e Sissl si sciolsero dall'abbraccio, scossero via il fieno e si rivestirono.

Dopo di allora non ebbero molte altre occasioni di incontrarsi. Riuscirono a salvare la discrezione ma non la segretezza; i partigiani parlavano a Mendel di Sissl dicendo «la tua donna», e Mendel se ne sentiva appagato. Trovava in Sissl pace e ristoro, ma non era sicuro di amarla, perché aveva troppi pesi sull'anima, perché si sentiva come cauterizzato, e perché la presenza di Line lo perturbava. Davanti a Line, Mendel non poteva sottrarsi all'impressione di una sostanza umana preziosa ed insolita, ma inquieta ed inquietante. Sissl era come una palma al sole, Line era un'edera intricata e notturna. Doveva avere solo qualche anno piú di Leonid, ma le privazioni che aveva patite nel ghetto le avevano cancellato la giovinezza dal viso, la cui pelle appariva opaca e stanca, segnata da rughe precoci. Aveva occhi grandi nelle occhiaie cineree e lontani fra loro, naso piccolo e diritto, e tratti minuti da cammeo che le conferivano una espressione insieme triste e risoluta. Si muoveva con sicurezza rapida, talvolta con scatti bruschi.

Line aveva insistito con Ulybin per essere ammessa alle esercitazioni: era una partigiana, non una rifugiata. Mendel aveva ammirato a Novoselki la sua destrezza nel maneggiare le armi, e durante la marcia sulla neve la sua resistenza alla fatica, almeno pari a quella di Leonid. Questo non è un dono di natura, pensava: è una riserva di coraggio e di forza che va ricostituita ogni giorno, dovremmo tutti fare come lei. Questa ragazza sa volere; forse non sa

sempre quello che vuole, ma quando lo sa lo porta a compi-
mento. Invidiava Leonid, e insieme era preoccupato per
lui: gli sembrava preso a rimorchio da Line, e che il cavo
fosse troppo teso. Un cavo teso si può strappare, e allora?

Line parlava poco, e mai inutilmente: poche parole meditate e senza enfasi, dette con voce bassa e leggermente
velata, con gli occhi fermi in faccia all'interlocutore. Aveva modi diversi da quelli delle donne, ebree e non, che
Mendel aveva incontrato fino allora. Non mostrava ritro-
sie né falsi pudori, non recitava e non faceva capricci; però, quando parlava con qualcuno, avvicinava viso a viso,
come per osservare da vicino le sue reazioni; spesso appog-
giava anche la sua mano piccola e forte, dalle unghie rosicchiate, sulla spalla o sul braccio di chi le stava di fronte.
Era consapevole della carica femminile di questo suo gesto? Mendel la percepiva intensa, e non si stupiva che Leonid seguisse Line come un cane segue il padrone. Era forse
effetto della lunga astinenza, ma a Mendel, quando osservava Line, veniva in mente Raab, la seduttrice di Gerico,
e le altre ammaliatrici della leggenda talmudica. Ne aveva
trovato le tracce in un vecchio libro del suo maestro rabbino: un libro vietato, ma Mendel sapeva dov'era nascosto,
e l'aveva sfogliato furtivamente piú volte, con la curiosità
del tredicenne, quando il rabbino si addormentava nell'afa
del pomeriggio sul suo seggiolone dall'alto schienale. Mi-
chàl, che affascinava chi la vedeva. Giaele, la mortifera
partigiana di un tempo, che aveva trafitto le tempie del generale nemico con un chiodo, ma che seduceva tutti gli uomini col solo suono della sua voce. Abigaíl, la regina assen-
nata, che seduceva chiunque pensasse a lei. Ma Raab era
superiore a tutte, qualsiasi uomo pronunciasse soltanto il
suo nome spandeva istantaneamente il suo seme.

No, il nome di Line non aveva questa virtú. Tutti a Novoselki conoscevano la storia di Line e del suo nome, che
non è russo né jiddisch né ebraico. I genitori di Line, entrambi ebrei russi e studenti in filosofia, l'avevano messa
al mondo senza pensarci molto sopra negli anni roventi

della rivoluzione e della guerra civile. Il padre si era arruolato volontario ed era sparito in Volinia, in battaglia contro i polacchi. La madre aveva trovato lavoro come operaia in una tessitura. In precedenza aveva preso parte alla rivoluzione di ottobre perché in essa vedeva la propria liberazione, come ebrea e come donna; aveva tenuto comizi nelle piazze e interventi nei Soviet: era seguace ed ammiratrice di Emmeline Pankhurst, la gentile signora indomita che nel 1918 aveva ottenuto il diritto di voto per le donne inglesi, ed era stata felice di aver messo al mondo una bambina pochi mesi dopo perché cosí aveva potuto darle il nome di Emmeline, che poi tutti, a partire dalla scuola materna, avevano accorciato in Line. Ma neanche la nonna materna di Line, Anna Kaminskaja, era stata una donna da cucina, bambini e chiesa. Era nata nel 1858 nello stesso anno, mese e giorno della Pankhurst; era fuggita di casa per studiare economia a Zurigo, ed era poi tornata in Russia per predicarvi la rinuncia ai beni terreni ed al matrimonio, e l'uguaglianza di tutti i lavoratori, cristiani od ebrei, uomini o donne. Per questo era stata confinata ad Omsk, dove era nata la madre di Line. Nella minuscola camera dove Line e la madre abitavano, a Černigov, Line ricordava, incorniciata ed appesa al muro dietro la stufa, la fotografia della Pankhurst che la madre aveva ritagliata da una rivista: arrestata nel 1914, la minuscola rivoluzionaria in gonna lunga e cappellino con piume di struzzo stava sospesa a mezz'aria, a due spanne dal selciato di Londra lucido di pioggia, dignitosa e impassibile fra le zampe di un poliziotto britannico che serrava la sua schiena smilza contro la propria pancia colossale.

A Černigov, e poi a Kiev dove si era trasferita per studiare da maestra, Line aveva frequentato i circoli sionisti ed insieme anche il Komsomol locale: non vedeva contraddizioni fra il comunismo sovietico e il collettivismo agrario predicato dai sionisti; ma a partire dal 1932 le organizzazioni sioniste avevano avuto una vita sempre piú travagliata, fino ad essere ufficialmente sciolte. Agli ebrei che de-

sideravano una propria terra, su cui organizzarsi e vivere
secondo le loro tradizioni, Stalin aveva offerto uno squal-
lido territorio della Siberia orientale, il Birobigiàn: prendere o lasciare, chi vuole vivere da ebreo vada in Siberia;
se qualcuno rifiuta la Siberia, vuol dire che preferisce essere russo. Una terza via non c'è. Ma che cosa deve e può fare l'ebreo che vorrebbe essere russo, se il russo lo esclude
dall'università, lo chiama žid, gli aizza contro i pogromisti,
e stringe alleanza con Hitler? Niente può fare, specie se è
donna. Line era rimasta a Černigov, erano venuti i tedeschi e avevano chiuso gli ebrei nel ghetto: nel ghetto aveva
ritrovato alcuni degli amici sionisti di Kiev. Con loro, e
questa volta con l'aiuto dei partigiani sovietici, aveva comperato armi, poche e inadeguate, ed aveva imparato a usarle. Line non aveva inclinazione per le teorie; in ghetto aveva sofferto fame, freddo e fatica, ma aveva sentito le sue
molte anime unificarsi. La donna, l'ebrea, la sionista e la
comunista si erano condensate in una sola Line che aveva
un solo nemico.

A fine febbraio arrivò il messaggio radio che da tanto
tempo si faceva attendere, e mise il campo in subbuglio.
Presso Davíd-Gorodòk, sulle paludi della Stviga gelate da
quattro mesi, i tedeschi avevano attrezzato un terreno per
i lanci aerei notturni: nient'altro che un campo di neve de-
limitato da tre fuochi ai vertici di un triangolo allungato; i
fuochi, semplici cataste di rami, venivano accesi quando la
radio trasmetteva un determinato segnale. Al reparto di
Ulybin veniva dato l'incarico di preparare un terreno simile a quello, non lontano dal campo di Turov, e a dieci chilometri dal campo tedesco; che Ulybin stabilisse dove. Al
segnale di avviso, una squadra avrebbe dovuto accendere
i fuochi del campo falso; un'altra avrebbe dovuto distrarre
i tedeschi e spegnere i fuochi del campo vero. Nell'unifor-
mità della pianura, gli aerei tedeschi non avrebbero avuto
altro riferimento se non i fuochi del campo allestito dai

partigiani, e avrebbero lanciato i paracadute su questo. Erano attesi lanci di viveri, abiti invernali ed armi leggere.

Ulybin mandò due sciatori, di notte, a rilevare le misure e l'orientamento del triangolo tedesco. Ritornarono poco dopo: tutto corrispondeva a quanto la radio aveva comunicato. Il campo era già predisposto, con le tre cataste ai vertici, orientato da ponente a levante; accanto correva una strada di campagna, che era stata resa praticabile facendovi passare uno spazzaneve. Sulla strada c'erano orme vecchie e recenti di cavalli, di ruote di carro e di pneumatici. Fra la strada e il campo di lancio c'era una baracca di legno, piccola, con il camino che fumava: non ci potevano stare piú di dieci o dodici uomini. Era probabile che il materiale lanciato fosse destinato non solo al presidio di Davíd-Gorodòk, ma a tutte le guarnigioni tedesche disseminate in Polessia e nelle paludi del Pripet: in quelle zone la presenza partigiana si faceva sentire, e la via aerea non era soltanto la piú rapida ma anche la piú sicura.

Trovare un terreno simile a quello attrezzato dai tedeschi non fu difficile: sarebbe stato piú difficile trovarne uno diverso. Ulybin scelse un grande stagno a venti minuti di marcia dal campo, anch'esso parallelo a una strada carrozzabile, e vi fece costruire una baracca di assicelle in posizione corrispondente a quella dei tedeschi: era escluso che i tedeschi facessero lanci diurni, ma avrebbero potuto mandare un ricognitore a fotografare il terreno. Poi, in attesa del segnale radio tedesco, designò le due squadre. Della prima, incaricata di provocare i tedeschi e di spegnere i fuochi del loro campo, facevano parte nove uomini, fra cui Leonid, Piotr e Pavel. La seconda, che avrebbe dovuto accendere i fuochi nel campo falso, era costituita da sei uomini, fra cui Mendel. Tutti gli altri dovevano rimanere a disposizione. A lavoro finito, ne venne dato avviso per radio al comando operativo partigiano.

Il tempo si manteneva freddo. Verso il cinque di marzo nevicò ancora, una neve asciutta, fine, a rade spruzzate intermittenti; fra l'una e l'altra, il cielo rimaneva velato di foschia. Per i lanci, certamente i tedeschi avrebbero atteso che il cielo fosse completamente sereno. Tuttavia, un mattino si sentí il fragore di un aereo: andava e veniva, non alto ma invisibile al di sopra delle nuvole, come se cercasse un terreno dove atterrare. Sembrava troppo basso per poter fare un lancio, e d'altra parte non c'era stato il messaggio radio di preavviso. Ulybin ordinò di piazzare la mitragliatrice pesante: era montata su una slitta, venne sbullonata e tenuta a mano puntata verso il cielo. L'aereo continuava ad andare e venire, ma il rumore si faceva piú debole. I partigiani vennero fuori dalle baracche a guardare il cielo, luminoso ma impenetrabile; a intervalli si intravedeva il sole circondato da un alone, e poi subito spariva.

– Tutti dentro le baracche, stupidi, fannulloni! – gridò Ulybin: – se scende sotto le nuvole ci mitraglia tutti –. Infatti, ad un tratto l'aereo apparve, poco piú alto delle cime degli alberi: puntava proprio verso di loro. I due uomini che reggevano la mitragliatrice manovrarono per inquadrarlo, ma si udirono diverse voci che urlavano: – È dei nostri, non sparate! – Era in effetti un piccolo caccia che portava sotto le ali i segni dell'aviazione sovietica; virò sulle baracche, e si vide un braccio che si agitava in gesti di saluto. Tutti gli uomini a terra si sbracciarono ad indicargli la direzione del campo di lancio, l'aereo puntò da quella parte e sparí dietro lo schermo degli alberi.

– Riuscirà ad atterrare?

– Ha sotto i pattini, non il carrello; se infila la direzione giusta riuscirà.

– Andiamo, seguiamolo –. Ma Ulybin si impose: solo lui, Maksím e due altri calzarono gli sci e si avviarono, prima seguendo cauti l'itinerario a zig-zag che evitava i campi minati, poi diritti, col passo lungo ed agile dei corridori di fondo.

Ritornarono dopo un'ora, e non erano soli. C'erano con loro un tenente e un capitano dell'Armata Rossa, giovani, ben sbarbati, sorridenti, inguainati in splendide tute imbottite e in stivaletti di cuoio lustro. Salutarono cordial-

mente tutti, ma si ritirarono subito con Ulybin nella stanzetta adibita a comando. Stettero a colloquio parecchie
ore; ogni tanto, Ulybin mandava a prendere pane, formaggio e vodka.

Nel campo, l'arrivo dei due messaggeri non attesi fu
commentato a lungo, con simpatia, speranza, diffidenza
ed un pizzico di irrisione. Che cosa portavano dalla Grande Terra? Informazioni, senza dubbio; nuove disposizioni;
ordini. E perché erano arrivati all'improvviso, senza an-
nunciarsi via radio? È come nell'esercito, rispondeva un
altro: le ispezioni si fanno senza preavviso, se no non sono
ispezioni. – Se la passano bene, i signori della Grande
Terra, – diceva un terzo: – scommetto che questa notte
l'hanno passata nei loro letti, con i cuscini e le lenzuola, e
magari anche con la moglie. Chissà se, oltre alla propaganda, avranno portato anche il sapone da barba! – Perché i
partigiani di tutti i luoghi e di tutti i tempi hanno molto in
comune: rispettano le autorità centrali, ma ne farebbero
volentieri a meno. Quanto al sapone da barba, questa voce stava in prima linea nell'inventario delle facezie del
campo. A Turov, portare la barba era sconsigliato; in altre
bande era esplicitamente proibito, perché un giovane barbuto era troppo facilmente riconosciuto come partigiano.
Tuttavia, a dispetto dei divieti e del pericolo, molti fra gli
uomini del bosco e delle paludi portavano barbe folte. La
barba era diventato un simbolo della partisanščina, della
libertà del bosco, della braveria senza regole, del prevalere
dell'indipendenza sulla disciplina. A livello piú o meno
consapevole, la lunghezza della barba era ritenuta propor-
zionale all'anzianità partigiana, quasi un titolo nobiliare o
un grado gerarchico. – Mosca non vuole che portiamo la
barba, ma il sapone e i rasoi non ce li manda. Con cosa
dobbiamo raderci? Con le scuri, con le baionette? Niente
sapone, niente rasatura: le barbe ce le teniamo.

– Tutta roba che non fa male a nessuno, – venne ad an-
nunziare Piotr, che era stato chiamato a smistare il materiale portato dai due ufficiali. – Né armi né munizioni,

solo carta stampata e pomata per la scabbia. No, sapone
per la barba non ce n'è. Neanche sapone da bucato –. Di
sua iniziativa, andò a portare la notizia alle due donne af-
faccendate nella lavanderia: – Abbiate pazienza, signorine. Avanti con la cenere e con la lisciva, come facevano le
nostre nonne. L'importante è che muoiano i pidocchi: ma
tanto la guerra sta per finire.

I due ufficiali ripartirono la sera stessa. Mentre essi, già
rivestiti delle tute di volo, guardavano fuori dalla finestrella con pazienza ostentata, si vide Ulybin appartarsi con
Dov e parlargli sottovoce. Poi si vide Dov che stipava in
uno zaino le sue poche cianfrusaglie. Salutò tutti sobria-
mente; i suoi occhi si inumidirono soltanto quando prese
commiato da Sissl con un breve abbraccio. Uscí zoppican-
do con i due messaggeri e con un partigiano che aveva la
febbre, e sparí con loro nella luce livida del crepuscolo.
Piotr disse:

– Non vi dovete preoccupare. Li porteranno in ospedale, nella Grande Terra: staranno meglio che qui, e li faranno guarire –. Mendel gli batté una mano sulla spalla senza
rispondergli.

Dopo quella visita, Ulybin si fece ancora piú silenzioso
ed irritabile. Come se volesse ridurre al minimo i contatti,
si scelse fra i partigiani una sorta di luogotenente, Zachàr,
lungo e magro come una pertica e silenzioso piú di lui. Zachàr fungeva da portaordini in un senso, da portaproteste
nell'altro, e da diaframma in entrambi. Non piú giovanissimo, quasi analfabeta, cosacco del Kubàn ed allevatore di
montoni di professione, Zachàr era un diplomatico d'istinto; si dimostrò subito abile nel sopire i contrasti, lenire le
frustrazioni e mantenere la disciplina e lo spirito di corpo.
Si era sparsa la voce che Ulybin avesse incominciato a
ubriacarsi nella stanzetta del comando; Zachàr smentiva,
ma l'andirivieni di bottiglie piene e vuote era difficile da
nascondere.

Il campo falso era pronto, tutti erano pronti, ma l'ordine di agire non veniva. L'intero mese di marzo passò in

una inazione quasi totale, che si rivelò nociva per tutti, non solo per il comandante che non aveva piú niente da comandare. Si faceva sentire la fame: non la fame lacerante che Leonid ed altri avevano sperimentata nei Lager tedeschi di retrovia, ma una fame-nostalgia, un desiderio sordo di verdura fresca, di pane appena cotto, di un cibo magari semplice, ma scelto secondo il capriccio del momento. Si faceva sentire il rimpianto della casa, pesante per tutti, straziante per il gruppo degli ebrei. Per i russi, la nostalgia della casa era una speranza non irragionevole, anzi probabile: un desiderio di ritorno, un richiamo. Per gli ebrei, il rimpianto delle loro case non era una speranza ma una disperazione, sepolta fino allora sotto dolori piú urgenti e gravi, ma latente. Le loro case non c'erano piú: erano state spazzate via, incendiate dalla guerra o dalla strage, insanguinate dalle squadre dei cacciatori d'uomini; case-tomba, a cui era meglio non pensare, case di cenere. Perché vivere ancora, perché combattere? Per quale casa, per quale patria, per quale avvenire?

La casa di Fedja, invece, era troppo vicina. Fedja compiva diciassette anni il 30 di marzo, ottenne da Ulybin il permesso di trascorrere il compleanno a casa sua, al villaggio di Turov, e non ritornò. Passati tre giorni, Ulybin fece sapere attraverso Zachàr che Fedja era un disertore: due uomini dovevano andarlo a cercare e riportarlo in banda. Non faticarono a trovarlo, era a casa, non aveva neppur lontanamente pensato che un'assenza di tre giorni in un periodo di inattività fosse una faccenda cosí grave. Ma c'era di peggio: Fedja confessò pubblicamente che a casa si era ubriacato con altri ragazzi, e che da ubriaco aveva parlato. Di che cosa? Anche delle baracche? Anche del falso campo di lancio? Terreo in viso Fedja disse che non sapeva piú; che non ricordava; che probabilmente no, di cose segrete non aveva parlato; che non ne aveva parlato assolutamente.

Ulybin fece rinchiudere Fedja nella legnaia. Mandò Zachàr a portargli il rancio e il tè, ma all'alba tutti videro

Zachàr che ritornava scalzo nella legnaia, e tutti udirono il colpo di pistola. Toccò a Sissl e a Line spogliare il corpo del ragazzo per recuperare gli abiti e gli stivali; toccò a Pavel e a Leonid scavare la fossa nel terreno intriso d'acqua di disgelo. Perché proprio Pavel e Leonid?

Pochi giorni dopo, Mendel si accorse che Sissl era turbata. La interrogò: no, non era la faccenda di Fedja. Zachàr l'aveva chiamata da parte e le aveva detto: – Compagna, devi stare attenta. Se rimani incinta, è un guaio; questa non è una clinica, e gli aerei dalla Grande Terra non arrivano tutti i giorni. Dillo al tuo uomo –. Zachàr aveva tenuto lo stesso discorso anche a Line, ma Line aveva scosso le spalle. Sempre in questo periodo, fu affisso alla bacheca un ordine del giorno scritto a matita in bella scrittura e firmato da Ulybin: presto sarebbe incominciato il disgelo, era urgente scavare un canale di gronda intorno alle baracche per evitare che queste venissero inondate. Il lavoro era importante ed aveva la precedenza assoluta, perciò la composizione delle due squadre pronte ormai da un mese per l'azione dei campi di lancio era modificata. Leonid e Mendel non ne facevano piú parte, dovevano posare i fucili e prendere il piccone e la pala. Pavel no: Pavel rimaneva in forza alla prima squadra, quella che avrebbe dovuto spegnere i fuochi dei tedeschi. Mendel, Leonid ed altri quattro uomini diedero inizio al lavoro di sterro. La neve e il terreno gelavano durante la notte, e si scioglievano in un fango vischioso e rossastro durante le ore piú calde del giorno. Come incuriosite, grosse cornacchie si posavano sui rami degli abeti a sorvegliare il lavoro, sempre piú numerose, serrate l'una contro l'altra; a un tratto il loro peso faceva piegare il ramo, allora tutte prendevano il volo starnazzando e gracchiando ed andavano a posarsi su un altro ramo.

L'ordine venne quando ormai nessuno lo aspettava piú: i segnali della radio tedesca che erano stati intercettati indicavano che il lancio era prossimo. Doveva anche trattarsi di un lancio importante, poiché gli avvisi erano stati ripetuti più volte. Venne infine, il 12 di aprile, l'annuncio definitivo: il lancio era atteso per la notte. Le due squadre partirono immediatamente; Pavel, per ogni evenienza, raccomandò alle cure di Leonid il suo cavallo, che chissà perché aveva battezzato Drožd, il Tordo.

Il resto del campo si preparò a passare la notte; non c'erano ordini particolari, ma tutti stavano con gli orecchi tesi, in specie Michaíl, il radiotelegrafista, e Mendel che si alternava con lui per concedergli qualche ora di riposo. La ricezione era pessima, disturbata da ronzii e scariche; i pochi messaggi che si riusciva ad intercettare erano concitati e ripetuti più volte, ma quasi indecifrabili, benché Michaíl e Mendel capissero il tedesco abbastanza bene.

Alle due del mattino si udí a ovest un ronzio di motori, e tutti furono in piedi. Il cielo era sereno e senza luna; il ronzio si faceva sempre più intenso, modulato da battimenti, come quando vibrano insieme diverse corde musicali non perfettamente in fase. Non era certo un apparecchio solo, erano almeno due, forse tre. Passarono invisibili a nord delle baracche, poi il ronzio si attenuò fino a svanire.

Un'ora dopo arrivò trafelato uno dei partigiani della seconda squadra. Tutto era andato a meraviglia: i fuochi accesi al momento giusto, quattro gli aerei, e i paracadute trenta, o quaranta, o anche più, molti sul terreno predisposto, altri in mezzo agli alberi, alcuni rimasti impigliati nei rami. Mandare subito uomini di rinforzo e una slitta, il materiale era molto. Tutti avrebbero voluto partire, ma Ulybin non si lasciò smuovere. Andò lui stesso, con Maksím e Zachàr; non volle neppure che ritornasse sul posto il messaggero che aveva portato la notizia. Per la prima volta nella sua carriera di cavallo partigiano si rese utile il Tordo: Ulybin lo fece aggiogare ad una slitta che partí sulla neve resa compatta dal disgelo e coperta da una crosta fragile di ghiaccio notturno.

Nel frattempo era rientrata anche la prima squadra, al

completo, con un uomo ferito al braccio. L'azione era andata sostanzialmente bene, raccontarono Piotr e Pavel. Si erano appostati nei pressi della baracca, avevano sentito il ronzio degli aerei ed avevano visto tre tedeschi uscire con i bidoni di benzina da versare sulle cataste. Li avevano uccisi prima che accendessero i fuochi, e simultaneamente un partigiano che si era arrampicato sul tetto della baracca aveva lasciato cadere una granata a mano dentro il camino. Alcuni dei tedeschi dovevano essere morti, ma altri erano usciti dalla baracca sfondata ed avevano aperto il fuoco. Un partigiano era rimasto ferito e un tedesco era morto; altri due o tre erano riusciti ad avviare una motocarrozzetta, ma anche questi erano stati uccisi mentre si allontanavano. Nella baracca, oltre alle armi leggere e a un po' di viveri in scatola, non avevano trovato niente di interessante. La radio c'era, ma era stata distrutta dall'esplosione. Si erano appostati ai lati della strada, perché pensavano che dalla città sarebbe dovuto arrivare un automezzo per caricare il materiale lanciato, ma a metà mattina non avevano visto niente ed erano rientrati.

La slitta rientrò carica, anche se il messaggero doveva aver esagerato: i colli paracadutati non erano piú di una ventina. Ulybin non li lasciò toccare da nessuno. Li fece accatastare tutti nella sua camera, li aprí lui stesso aiutato da Zachàr, e permise che gli altri ne inventariassero il contenuto solo dopo averne preso visione. C'era un po' di tutto, come nelle lotterie di beneficenza: roba preziosa, inutile, misteriosa e ridicola. Generi di conforto quali Mendel ed i suoi amici non avevano visti mai: uova di cioccolato autarchico per la prossima Pasqua, altri grossi cioccolatini in forma di pecorelle, di scarabei e di topolini. Sigari e sigarette, acquavite e cognac in lattine: forse una confezione studiata apposta dai tecnici tedeschi per resistere all'urto contro il suolo? Scaldini di terracotta, evidentemente per i piedi delle sentinelle. Una scatola piena di medaglie al valore e decorazioni assortite, insieme con i diplomi relativi. C'erano pacchi di giornali e riviste, un pacco di ritratti del

Führer, un pacco di corrispondenza privata destinata alle varie guarnigioni della zona, un altro di corrispondenza d'ufficio che Ulybin fece mettere da parte. Due cassette erano piene di munizioni per la Maschinenpistole della Wehrmacht, altre due contenevano caricatori per un tipo di mitragliatrice che nessuno riuscí ad identificare. In una cassetta c'era una macchina per scrivere e materiale vario di cancelleria. Altre casse contenevano sei esemplari di un congegno che nessuno a Turov conosceva e di cui non si comprendeva l'uso: un cilindro appiattito, grande come una padella e munito di un lungo manico smontato in segmenti. – Questa roba è per te, orologiaio, – disse Ulybin a Mendel. – Studiala e dicci a cosa serve.

A sera, Ulybin concesse di festeggiare l'avvenimento con una moderata baldoria. Poi si appartò con Pavel a esaminare i documenti che erano stati trovati: non erano in codice, non era materiale sensazionale, erano soltanto minuziosi elenchi, fatture in molte copie, documenti contabili di fureria. Ulybin si stancò presto, e incominciò a farsi tradurre da Pavel le lettere private, che erano piú interessanti; erano scritte in termini che avrebbero dovuto essere cifrati ed allusivi, ma cosí ingenui che anche un lettore estraneo come Pavel li penetrava senza difficoltà; era chiaro, il maltempo che tutti i padri e le madri lamentavano era l'«offensiva senza soste» dei bombardamenti alleati, e la siccità era la carestia. Era propaganda disfattista involontaria: Ulybin disse a Pavel di tradurre pubblicamente alcuni passi.

Pavel stava leggendo, in russo, ma con un accento tedesco deliberato e caricato che faceva ridere tutti. Ed ecco dal cielo buio venire a ondate lo stesso ronzio musicale della sera avanti.

– Presto! – gridò Ulybin. – La seconda squadra, calzare gli sci e via di corsa ad accendere i fuochi: questi ci regalano un secondo lancio! – I sei uomini della squadra si precipitarono fuori, ed Ulybin guardò l'orologio: se correvano, entro un quarto d'ora sarebbero potuti arrivare sul posto

prima che gli aerei si stancassero di cercare il terreno nel
buio. Cercavano, infatti: il fragore dei motori si avvicinava
e si allontanava; ad un certo momento la squadriglia passò
proprio sopra le baracche, poi si allontanò di nuovo. Erano
passati venti minuti esatti all'orologio di Ulybin quando si
udí una salva di esplosioni. Tutti uscirono all'aperto, senza
capire: i rombi erano troppo lontani e troppo profondi per
poter essere dovuti ai campi minati intorno alle baracche.
Si vedevano le vampe, a nord-est: dopo ogni vampa si udiva il colpo, con un ritardo di sei secondi. Non c'erano dubbi, erano bombe sul terreno falsificato. I tedeschi avevano
capito e si vendicavano.

Tornò la squadra: quattro uomini soli. Il caposquadra
raccontò con parole rotte. Erano arrivati a tempo di primato, proprio mentre gli aerei incrociavano sulle loro teste. Avevano acceso la prima delle cataste, e subito erano
piovute bombe: grosse, da almeno duecento chili. Se il
ghiaccio fosse stato spesso come a gennaio, forse avrebbe
resistito; ma era indebolito dal disgelo, le bombe lo pene-
travano e scoppiavano dal di sotto, scagliando in aria lastroni di ghiaccio. I due uomini che mancavano erano spariti, ingoiati dalla palude: inutile andarli a cercare.

Per gli uomini di Turov ebbe inizio un tempo difficile.
Era cominciato il disgelo, e fu piú duro dell'inverno. Ulybin aveva mandato uomini a verificare la condizione del
campo falsificato: era impraticabile, non soltanto nessun
aereo vi avrebbe potuto atterrare, ma neppure sarebbe stato possibile chiedere lanci. Il ghiaccio profondo dell'inverno era stato squarciato dalle esplosioni: si riformava nella
notte, ma talmente sottile che non avrebbe retto al peso di
un uomo. Sulle altre paludi si era conservato meglio, perché la neve lo aveva protetto dai raggi diretti del sole, ma
la neve stessa era stata tormentata dal disgelo e dal vento:
si era mutata in una crosta dura e corrugata, su cui un aereo normale, anche se munito di pattini, non avrebbe potuto atterrare senza capotare.

Ulybin dovette imporre il silenzio-radio, perché l'impresa del lancio dirottato sembrava aver risvegliato l'attività dell'aviazione tedesca. Per tutto l'inverno era stata minima, e apparentemente casuale. Adesso, invece, era raro che trascorresse un giorno sereno senza che si vedesse un ricognitore aggirarsi nei dintorni: e i giorni sereni erano molti. I viveri di lusso del lancio erano durati poco, e la farina, il lardo e le scatolette cominciavano a scarseggiare. Ulybin istituí un razionamento, e il morale di tutti discese: la fame, lo spettro degli inverni precedenti, stava per ritornare, come se il tempo fosse retrocesso ai mesi terribili degli inizi della guerra partigiana, quando tutto, il cibo, le armi, le baracche, i piani d'azione, il coraggio per combattere e per vivere, erano frutto dell'iniziativa disperata di pochi. Gli uomini insistevano per riprendere le spedizioni di approvvigionamento ai villaggi; preferivano di gran lunga la fatica e il rischio alla fame, ma Ulybin non volle. C'era ancora troppa neve; era già difficile capire come i ricognitori non avessero ancora localizzato le baracche. Era evidente che le stavano cercando; erano ben mimetizzate e forse sarebbero ancora sfuggite alle ricerche, ma di una pista fresca i tedeschi si sarebbero accorti senza fallo.

Che fare? Aspettare, lasciare che il tempo passasse: l'unica soluzione possibile, tuttavia una pessima soluzione. Aspettare che la neve si sciogliesse, perché nel terreno nudo, anche se fangoso, le tracce si vedono di meno. Aspettare che i ricognitori andassero a cercare altrove. Aspettare in silenzio le notizie trasmesse dalla radio: i tedeschi avevano evacuato Odessa, ma Odessa era lontana. Il silenzio-radio è pesante come una mutilazione, come se un essere umano venisse imbavagliato al momento in cui vorrebbe chiamare aiuto: congiunto con la fame, aveva addensato sulle baracche di Turov lo stato d'animo dell'assedio. Quegli uomini non erano nuovi alle privazioni, alla fatica, ai disagi ed al pericolo, ma l'isolamento e la clausura li trovavano impreparati: abituati agli spazi ed alla libertà precaria degli animali del bosco, soffrivano l'angoscia debilitante della trappola e della gabbia.

Ulybin continuava a bere: il fatto era conclamato, e criticato da tutti ad eccezione di Zachàr; sottovoce e non sempre sottovoce. Beveva in solitudine, ma non aveva perduto né la lucidità né la sua autorità burbera. Mendel gli aveva chiesto un chiarimento sulla partenza cosí frettolosa di Dov, e Ulybin gli aveva risposto:

– I combattenti feriti o ammalati si curano, nei limiti del possibile. Anche il vostro amico sarà curato, ma non so dirti altro. Forse alla fine della guerra saprete qualcosa di lui, ma i destini individuali non hanno importanza.

Ulybin era troppo intelligente, e troppo esperto di cose partigiane, per non capire che qualcosa bisognava pure che fosse fatta; che le piste erano pericolose, ma l'angoscia lo era di piú. Una pista unica che partisse dalle baracche avrebbe condotto i tedeschi alle baracche con certezza, ma se la pista avesse soltanto attraversato il piccolo bosco che nascondeva le baracche, la localizzazione del campo sarebbe stata meno immediata. Malvolentieri, Ulybin autorizzò dunque non una ma due spedizioni di approvvigionamento, che partissero nella stessa notte in direzione opposte verso villaggi diversi.

Le squadre erano partite da poco, e cominciava appena ad albeggiare, quando si udí un rumore nuovo ed allarmante per gli ebrei, rassicurante ed inconfondibile per i vecchi di Turov. Sembrava il crepitio di una motocicletta, era tenue, lontano, ma si stava avvicinando. Aumentò di volume, scese di tono come un disco di grammofono che venga frenato, fece qualche starnuto e tacque. Gli uomini di Ulybin furono subito tutti in piedi: – Un P-2! È atterrato qui, sulla radura! Andiamo a vedere!

– Forse non c'era bisogno di mandare via le squadre, – disse Piotr.

– Che cosa è un P-2? – chiese Mendel.

– I P-2 sono gli aerei partigiani. Sono di legno, volano lenti, ma decollano e atterrano dappertutto. Volano di notte, senza luci; buttano granate sui tedeschi e portano provviste –. Poco dopo entrò nella baracca il pilota, tozzo

e informe nella tuta di volo di pelliccia di agnello rovescia-
to. La depose, si tolse gli occhialoni dalla fronte, e si vide che era una ragazza, piccola, grassoccia, dal largo viso
tranquillo e dall'aria domestica. Portava i capelli spartiti
da una scriminatura e annodati dietro la nuca in due trecce
corte legate con spago nero. I due uomini che le erano andati incontro recavano due bisacce, come se tornassero dal
mercato. I partigiani le si accalcarono intorno, la abbrac-
ciavano e la baciavano sulle guance rotonde indurite dal
freddo: – Polina! Brava Polina! Benvenuta, anima mia, finalmente ti si rivede! Che cosa ci hai portato?

La ragazza, che non dimostrava piú di vent'anni, si
difendeva ridendo, con la grazia schiva delle contadine:
– Basta, compagni! Mi hanno mandata a vedere che cosa
succede qui, e perché la vostra radio tace, ma lasciatemi,
devo ripartire subito. Non ci sarebbe un goccio di vodka?
Dov'è il comandante? – Si appartò con Ulybin nella cameretta del Comando.

– È lei, è Polina Michàjlovna, – disse Piotr fiero e felice. – È Polina Gelman, del Reggimento delle Donne. Non
lo sapete? Sono tutte donne, sono loro che pilotano i P-2.
Tutte brave ragazze, ma Polina è la piú brava di tutte. Viene da Gomel, suo padre era rabbino e suo nonno ciabatti-
no. Ha già fatto piú di settecento missioni, ma qui da noi
era venuta una volta sola, sei mesi fa. Si era fermata qualche giorno e avevamo fatto amicizia, ma questa volta si vede che ha fretta. Peccato.

Polina si congedò e ripartí sul suo fragile apparecchio.
Aveva portato un po' di viveri e di medicinali, e brutte notizie. Erano in corso movimenti di truppe e di mezzi corazzati; in vari villaggi intorno a Turov si stavano radu-
nando unità dei corpi tedeschi ed ucraini specializzati nella lotta contro i partigiani. Si stava preparando un'azione
concentrica di rastrellamento, con mezzi enormemente superiori alle possibilità di difesa del campo di Turov; altre
bande nella zona non ce n'erano. Per qualche ragione, i tedeschi avevano sopravvalutato le forze partigiane; o forse

si trattava di un'operazione su grande scala, in tutta la regione delle paludi del Pripet o in tutta la Polessia. Il ghetto di Soligorsk, dove avevano cercato salvezza gli anziani e i malati di Novoselki, era stato accerchiato e tutti i componenti erano stati fucilati; al presidio di Soligorsk si era aggiunta una unità delle SS specializzata nella ricerca della gente nascosta, munita di cani addestrati. Molti degli uomini di Turov conoscevano questi cani e li temevano piú dei carri armati. Insomma, il campo doveva essere evacuato.

Ulybin chiamò Mendel a rapporto e gli chiese se aveva capito che cosa erano gli ordigni che erano stati trovati fra il materiale paracadutato.

– Sono cercamine, – rispose Mendel. – Ossia cercametalli: segnalano gli oggetti metallici sepolti.

– E allora, se i tedeschi hanno questi aggeggi in dotazione, troverebbero i nostri campi minati?

– Certo, che li troverebbero; forse non subito, ma li troverebbero.

Ulybin lo guardò torvo: – Ma io le baracche le faccio minare ugualmente, che i tedeschi abbiano i tuoi cercamine o no. Troveranno le mine sepolte, ma non quelle che nasconderemo qui dentro. Ti farò vedere io se non ne faccio saltare in aria qualcuno, di quei figli di puttana.

Mendel era spaventato. Che il comandante avesse bevuto, e anche un po' piú del solito, si vedeva bene, ma il suo tono lo impauriva.

– Che cosa dici, Osíp Ivànovič? Perché mi parli cosí? Li ho forse inventati io i cercamine? Li ho regalati io ai tedeschi?

– Me ne infischio di chi li ha inventati. Sta di fatto che ce ne andiamo. Non vorrai che stiamo qui ad aspettare i carri armati e che ci facciamo massacrare tutti.

Mendel uscí stravolto, ma poco dopo Ulybin lo richiamò:

– Funzionano, quegli aggeggi?

– Sí, funzionano.

– Prendi Dimitri e Vladimir e insegnagli come si usano.

– Vuoi minare le baracche con le mine sepolte qui intorno?

– Sei intelligente, hai proprio indovinato. Altre mine non ne abbiamo.

– Guarda che non è lavoro da ragazzi. Delle mine hanno piú paura gli esperti dei principianti. E poi, piú a lungo sono state sotto terra, piú sono pericolose.

– Ti senti importante, eh? Smettila, va e fai come ti ho detto. Il comandante sono io, e le critiche non mi vanno. Già voialtri siete tutti uguali. Tutti bravi a discutere; e tutti mezzi tedeschi, Rosenfeld, Mandelstamm... E tu, come ti chiami? Dajčer, no? Mendel Nachmanovič Dajčer: sei tedesco già fino nel nome.

Mendel tenne la sua lezione con quanta piú diligenza poté, mandò i due ragazzi a prendere ordini da Ulybin, e si ritirò pieno di amarezza. Un tempo, nel giorno dei perdoni, gli ebrei prendevano un caprone; il sacerdote gli premeva le mani sul capo, gli enumerava tutte le colpe commesse dal popolo e gliele imponeva addosso: il colpevole era lui e solo lui. Poi, carico dei peccati che non aveva commesso, lo cacciavano via nel deserto. Cosí pensano anche i gentili, anche loro hanno un agnello che si porta via i peccati del mondo. Io no, non ci credo. Se ho peccato, porto il peso dei miei peccati, solo di quelli, e ne ho d'avanzo. Non porto i peccati di nessun altro. Non sono stato io che ho mandato la squadra a farsi bombardare. Non ho sparato io a Fedja mentre dormiva. Se dovremo andare nel deserto ci andremo, ma senza portare sulla testa i peccati che non abbiamo commesso. E se Dimitri e Vladimir si fanno scoppiare le mine fra le mani, ne devo rispondere io, Mendel l'orologiaio?

Invece i due ragazzi se la cavarono bene: otto delle mine interrate furono disinnescate e piazzate in vari punti delle baracche. A fine aprile era esplosa la primavera, an-

nunciata da tre giorni di vento caldo e secco. La neve sui
rami degli alberi si scioglieva in una pioggia continua, che
rallentava il suo ritmo solo di notte; fondeva rapidamente
anche la neve al suolo, e subito dal terreno fradicio e fra gli
steli proni dell'erba giallastra, macerata dal lungo gelo,
spuntavano i primi fiori, timidi e assurdi. I voli dei ricognitori tedeschi si facevano sempre piú frequenti, e uno di
essi, forse a caso, o forse insospettito da qualche movimento, mitragliò brevemente le baracche, senza provocare vittime né danni. Ulybin ordinò di prepararsi ad abbandonare il campo. Le slitte, ormai inutili, furono bruciate; carri
non ce n'erano né c'era il tempo di procurarsene. Per il
trasporto delle salmerie non c'erano che i due cavalli e le
spalle degli uomini: una carovana di facchini, non un trasferimento di combattenti. Molti degli uomini protestava-
no, avrebbero preferito restare nel campo e far fronte ai
tedeschi, ma Ulybin li mise a tacere: rimanere sul posto era
impossibile, e del resto l'evacuazione del campo era stata
ordinata via radio. La radio aveva anche segnalato la direzione piú opportuna per filtrare attraverso l'accerchiamento delle forze antipartigiane: verso sud-ovest, risalendo il
corso della Stviga, ma senza abbandonare la fascia delle
paludi. Col disgelo, e con il loro labirinto di istmi, di stretti e di guadi, erano ridiventate un terreno amico.

Avrebbero dovuto partire nella notte sul 2 di maggio,
ma a sera le sentinelle diedero l'allarme: avevano sentito
rumori a nord, voci umane e latrati di cani. Molti uomini
diedero mano alle armi, incerti se prepararsi a resistere o
anticipare la ritirata, ma Ulybin intervenne:

– Tutti ai vostri posti, stupidi, bambocci! Avanti con i
preparativi, legare i sacchi, chiudere le casse. Siete nati
ieri? I cani dei tedeschi non abbaiano, se no che cani da
guerra sarebbero?

Si rivolse alle sentinelle:

– State in guardia, ma non sparate. È probabile che sia
gente amica: hanno mandato avanti i cani a cercare la pista
attraverso le mine.

Infatti arrivarono prima i cani: erano solo due, e non cani da guerra ma modesti cani da pagliaio, eccitati e disorientati. Abbaiavano nervosamente, ora verso le baracche, ora verso gli sconosciuti che tardavano a seguirli, fieri del dovere compiuto, inquieti per le nuove presenze umane; scodinzolavano e ringhiavano alternativamente, o anche simultaneamente; balzavano avanti e indietro, danzavano sul posto con le zampe anteriori rigide, e latravano a perdifiato aspirando aria a intervalli con un rantolo convulso. Poi si videro arrivare due vacche, cacciate avanti da giovani sbrindellati: badavano che le bestie non uscissero dalle piste tracciate dai cani.

Infine arrivò il grosso della banda, una trentina di uomini e donne, armati e disarmati, stanchi, laceri e baldanzosi. In mezzo a loro c'era un uomo dal naso aquilino e dal viso abbronzato: portava a tracolla un parabellum e un violino. In coda al gruppo c'era Dov. Mendel disse tra sé: «Benedetto Colui che resuscita i morti».

Nacque un trambusto, tutti facevano domande e nessuno rispondeva. Prevalsero alla fine le voci di Ulybin e dell'uomo alto, che era Gedale. Che tutti facessero silenzio ed aspettassero gli ordini; Ulybin e Gedale si ritirarono nello sgabuzzino del comando. Molti degli uomini di Turov ricordavano la lite che era scoppiata fra i due all'inizio dell'inverno; che cosa sarebbe successo ora, in questo nuovo incontro? Si sarebbero riconciliati, davanti alla minaccia imminente? Avrebbero trovato un accordo?

Mentre si attendeva l'esito del colloquio, i nuovi venuti chiesero di essere accolti nelle baracche ormai sgombre; alcuni sedettero a terra, altri si sdraiarono e si addormentarono subito, altri ancora chiesero tabacco, o acqua calda per lavarsi i piedi. Chiedevano con l'umiltà di chi ha bisogno, ma con la dignità di chi sa di avere diritto: non erano mendicanti né gente girovaga, erano la banda ebraica radunata da Gedale, composta dai superstiti delle comunità di Polessia, Volinia e Bielorussia; una aristocrazia miseranda, i piú forti, i piú astuti, i piú fortunati. Ma alcuni venivano da piú lontano, per strade piene di sangue; erano sfuggiti ai pogrom dei saccheggiatori lituani che uccidevano un ebreo per avere un lenzuolo, ai lanciafiamme degli Einsatzkommandos, alle fosse comuni di Kovno e di Riga. C'erano fra loro i pochi sfuggiti al massacro di Ružany: avevano vissuto per mesi in tane scavate nel bosco, come i lupi, e come i lupi cacciavano silenziosi in branco. C'erano gli ebrei contadini di Blizna, dalle mani indurite dalla vanga e dalla scure. C'erano gli operai delle segherie e delle tessiture di Slonim, che prima ancora di incontrare la barbarie hitleriana avevano scioperato contro i padroni polacchi ed avevano conosciuto la repressione e la prigione.

Ognuno di loro, uomo o donna, aveva sulle spalle una storia diversa, ma rovente e pesante come il piombo fuso; ognuno avrebbe dovuto piangere cento morti se la guerra e tre inverni terribili gliene avessero lasciato il tempo e il respiro. Erano stanchi, poveri e sporchi, ma non sconfitti; figli di mercanti, sarti, rabbini e cantori, si erano armati con le armi tolte ai tedeschi, si erano conquistato il diritto ad indossare quelle uniformi lacere e senza gradi, ed avevano assaporato piú volte il cibo aspro dell'uccidere.

I russi di Turov li guardavano inquieti, come avviene davanti all'inatteso. Non riconoscevano in quei visi smunti ma determinati il žid della loro tradizione, lo straniero in casa, che parla russo per abbindolarti ma pensa nella sua lingua strana, che non conosce Cristo e segue invece i suoi precetti incomprensibili e ridicoli, forte solo della sua furberia, ricco ed imbelle. Il mondo si era capovolto: questi ebrei erano alleati ed armati, come gli inglesi, come gli americani, e come tre anni prima era stato alleato anche Hitler. Le idee che ti insegnano sono semplici e il mondo è complicato. Alleati, dunque: compagni d'armi. Avrebbero dovuto accettarli, stringergli le mani, bere vodka con loro. Qualcuno tentava un sorriso impacciato, un timido approccio con le donne scarmigliate, infagottate nei panni militari fuori misura, dai visi grigi di fatica e di polvere. Sradicare un pregiudizio è doloroso come estrarre un nervo.

Il muro dell'incomprensione ha due facce, come tutti i muri, e dall'incomprensione nascono l'imbarazzo, il disagio e l'ostilità; ma gli ebrei di Gedale non si sentivano, in quel momento, né imbarazzati né ostili. Erano allegri, invece: nell'avventura ogni giorno diversa della Partisanka, nella steppa gelata, nella neve e nel fango avevano trovato una libertà nuova, sconosciuta ai loro padri e ai loro nonni, un contatto con uomini amici e nemici, con la natura e con l'azione, che li ubriacava come il vino di Purim, quando è usanza abbandonare la sobrietà consueta e bere fino a non saper piú distinguere la benedizione dalla maledizione. Erano allegri e feroci, come animali a cui si schiude la gabbia, come schiavi insorti a vendetta. E l'avevano gustata, la vendetta, pur pagandola cara: a diverse riprese, in sabotaggi, attentati e scontri di retrovia; ma anche di recente, pochi giorni prima e non lontano. Era stata la loro grande ora. Avevano attaccato, da soli, la guarnigione di Ljuban, ottanta chilometri a nord, dove stavano confluendo truppe tedesche ed ucraine destinate al rastrellamento; nel villaggio era anche un piccolo ghetto di artigiani. I tedeschi erano stati cacciati da Ljuban: non erano di ferro, erano mortali, quando si vedevano sopraffatti scappavano in disordine, anche davanti agli ebrei. Alcuni di loro avevano abbandonato le armi e si erano gettati nel fiume ingrossato dal disgelo, era stata una visione che rallegrava, una immagine da portarsi nella tomba: gli ebrei la raccontavano ai russi con facce allucinate. Sí, gli uomini biondi e verdi della Wehrmacht erano fuggiti davanti a loro, entravano nell'acqua e cercavano di arrampicarsi sulle lastre di ghiaccio trascinate dalla corrente, e loro avevano sparato ancora, e avevano visto i corpi dei tedeschi affondare o navigare verso la foce sui loro catafalchi di ghiaccio. Il trionfo era durato poco, si capisce: i trionfi durano sempre poco, e, come sta scritto, la gioia dell'ebreo finisce nello spavento. Loro si erano ritirati nel bosco portandosi dietro quelli fra gli ebrei del ghetto di Ljuban che sembravano in grado di combattere, ma i tedeschi erano tornati e avevano ucciso

tutti quelli che nel ghetto erano rimasti. La loro guerra era
cosí, una guerra in cui non ci si volta a guardare indietro e
non si fanno i conti, una guerra di mille tedeschi contro un
ebreo e di mille morti ebrei contro un morto tedesco. Erano allegri perché erano senza domani e non si curavano del
domani, e perché avevano visto i superuomini sguazzare
nell'acqua gelata come le rane: un regalo che nessuno gli
avrebbe piú tolto.

Portavano anche altre notizie piú utili. Il rastrellamento
era già cominciato, e loro erano stati sloggiati dal loro campo, che del resto era un povero campo di tane, provvisorio,
non certo paragonabile a quello di Turov. Ma non era vero
che fosse un grande rastrellamento: non c'erano né carri
né artiglieria pesante, e un prigioniero tedesco che loro
avevano interrogato aveva confermato che il punto piú debole dell'accerchiamento doveva proprio essere dove pensava Ulybin: a sud-ovest, lungo la Stviga.

Dov stava bene, non zoppicava quasi piú, ma era piú
curvo di prima. I suoi capelli, di nuovo accuratamente pettinati, erano piú radi e piú bianchi. Sissl gli chiese se voleva mangiare qualcosa, e lui rispose ridendo: – A un malato
si domanda, a un sano si dà, – ma aveva piú fretta di raccontare che di mangiare. Intorno a lui si era formato un
cerchio di ascoltatori, ebrei e russi: non erano molti quelli
che dalla Grande Terra tornavano in territorio partigiano.

– Quanto tempo è che parlano, quei due? Un'ora? È
buon segno: piú parlano e piú vanno d'accordo; e vuole anche dire che i tedeschi sono ancora lontani, o che hanno
cambiato strada. Ma sicuro, che mi hanno curato: che cosa
avevate pensato? All'ospedale di Kiev. Non aveva piú il
tetto, o anzi non l'aveva ancora, perché lo stanno rico-
struendo, e sapete chi? I prigionieri tedeschi, quelli che si
sono arresi a Stalingrado.

– Non c'era il tetto, non c'era da mangiare e non c'era
l'anestesia, ma c'erano le dottoresse, e mi hanno operato

subito: mi hanno tolto qualcosa dal ginocchio, un osso, e me lo hanno anche fatto vedere. Nelle cantine, mi hanno operato, alla luce dell'acetilene, e poi mi hanno messo in corsia, una corsia sterminata, piú di cento lettini per parte, con dentro vivi, moribondi e morti. Non è bello stare in ospedale, ma proprio in quella corsia è arrivata la mia fortuna: se c'è la fortuna, anche un bue partorisce. È venuta una visita, uno importante, del Politburò, un ucraino: piccolo, grasso, calvo, con l'aria del contadino e il petto coperto di medaglie. In mezzo a quella confusione di portantini che andavano e venivano, si è fermato proprio davanti a me. Mi ha chiesto chi ero, da dove venivo e dove ero stato ferito; aveva dietro quelli della radio, e ha improvvisato un discorso dove diceva che tutti quanti, russi e georgiani e jakuti ed ebrei, siamo figli della gran madre Russia, e che tutte le questioni devono finire...

Si udí la voce di Piotr:

– Se quello era un ucraino, ed era un pezzo grosso, gli potevi dire che incominciasse a fare pulizia a casa sua! Sono gentaglia, gli ucraini: quando sono venuti i tedeschi, gli hanno aperto le porte e gli hanno offerto il pane e il sale. I loro banderisti sono peggio dei tedeschi –. Altre voci fecero tacere Piotr ed esortarono Dov a continuare.

– ... e mi ha chiesto, una volta che io fossi guarito, dove volevo essere mandato. Io gli ho risposto che la mia casa è troppo lontana, che avevo amici partigiani, e che avrei voluto ritrovarli. Bene, appena mi hanno dichiarato guarito lui si è dato da fare. Forse voleva dare un esempio, ha ripescato Gedale e la sua banda e mi ha fatto paracadutare vicino al suo campo, insieme a una cassa con dentro quattro parabellum come suo regalo personale. Scendere col paracadute fa abbastanza paura, ma sono finito nel fango e non mi sono fatto niente.

Dov avrebbe avuto ancora una quantità di cose da raccontare su quanto aveva visto e udito durante la sua convalescenza nella Grande Terra, ma si aprí la porta del comando, ne uscirono Gedale ed Ulybin, e tutti tacquero.

Capitolo sesto

Maggio 1944

Parlò Ulybin per primo, in tono ufficiale:

– Le mie informazioni e quelle che ha portato questo compagno coincidono perfettamente. I tedeschi vengono dal confine polacco e non hanno grandi forze: le truppe migliori le mandano al fronte, e quando tornano non sono piú le truppe migliori. Gli italiani e gli ungheresi li hanno abbandonati; degli slovacchi e dei polacchi bianchi non si fidano piú. Tentano di accerchiare queste paludi e di stringere il cerchio a poco a poco; il punto piú debole dell'anello è a sud, verso Rečitsa e il confine ucraino. Cercheremo di passare, poi proseguiremo separatamente; se riunissimo le due bande non avremmo nessun vantaggio e daremmo troppo nell'occhio. Del resto, l'unità del compagno Gedale ha avuto il riconoscimento e l'appoggio di Mosca...

– Molto riconoscimento e poco appoggio! – interruppe qualcuno parlando in jiddisch. – Zitto, Józek! – disse secco Gedale. – ... ed è libera dei suoi movimenti. Gli ebrei del campo possono scegliere: restare con noi, forzare l'accerchiamento, e puntare verso est per raggiungere il fronte, oppure...

– ... oppure venire con noi, – interloquí Gedale. – Noi abbiamo altri ordini. Noi non abbiamo fretta di tornare a casa. Se passeremo, andremo ad ovest, a liberare prigionieri, a disturbare le retrovie tedesche e a chiudere conti. Chi vuole venire con noi si metta da questa parte. Ognuno può tenere le armi personali che aveva quando è arrivato da Novoselki.

La baracca era sovraffollata, e lo smistamento si svolse con disordine e fracasso. Mendel, Sissl, Line e Leonid scelsero la parte di Gedale senza esitare; intorno a Pavel invece si era formato un focolaio di discussione. Pavel avrebbe voluto andare anche lui con Gedale, ma teneva al suo cavallo; se Ulybin lo avesse trattenuto, sarebbe rimasto anche lui. Gedale non capiva e chiedeva spiegazioni. Si sentí al di sopra del trambusto la voce profonda di Pavel:

– Io ti sono utile perché so il tedesco, ma il mio cavallo non lo sa. Che cosa te ne faresti?

Ulybin, senza ridere, fece una smorfia difficile da interpretare, poi disse: – Va bene, tenetevi il cavallo e il suo padrone –. Si mostrò meno condiscendente quando vide che dalla parte di Gedale si era schierato anche Piotr.

– E tu che c'entri? Che cosa ti viene in mente? Che ci fai, tu, da quella parte?

– Vengono tutti di lontano, – rispose Piotr, – nessuno di loro è pratico del terreno. Dopo mezz'ora di cammino sarebbero tutti annegati.

– Sono storie. Nessuno di loro ti ha chiesto come guida. Se la cavano bene da soli. Bada a quello che fai: non vorrai finire come Fedja.

– Mi ha chiesto lui, come guida, – disse Piotr indicando Dov: ma si vedeva bene che improvvisava. Poi aggiunse:
– ... e non è una diserzione, compagno comandante. Questa è una banda, e quella è una banda –. Tuttavia, mentre parlava, lasciò il gruppo di Gedale e ritornò dalla parte di Ulybin, con la faccia di un bambino messo in castigo.

Si era tardato troppo, era ormai notte, era ora di partire. Ulybin fece innescare le mine nascoste nelle baracche e radunò tutti fuori sul piazzale. L'ordine era di tacere, ma si sentiva un mormorio eccitato, un rumore di voci discordi, come quando gli orchestrali accordano gli strumenti prima dell'ouverture. Discordi, ma un orecchio attento vi avrebbe distinto un motivo, ripetuto in chiavi diverse da russi ed ebrei: Piotr, l'audace e puro Piotr, aveva perso la testa per gli occhi di una donna straniera, come Stien'ka

Razin. Se poi si trattasse degli occhi grigi di Sissl o degli occhi bruni di Line, su questo punto le versioni divergevano. Il pettegolezzo è una forza della natura; rende sopportabili molti disagi, e prospera anche in mezzo ai pantani, alla guerra e alla neve in disgelo.

Camminarono tutta la notte, in fila indiana, senza vedere traccia dei tedeschi. Si fermarono all'alba a riposare in un capannone abbandonato, sul confine polacco. Verso mezzogiorno gli uomini di vedetta videro passare forze tedesche lungo la strada maestra; tutti si disposero alla difesa, ma la colonna proseguí senza curarsi di controllare il capannone. Ripresero la marcia a notte, ed in una brughiera le due squadre si separarono; Ulybin e i suoi piegarono a sinistra per rientrare in territorio sovietico, e la squadra di Gedale procedette verso Rečitsa per campi incolti. Gedale li rassicurò: – Il peggio è passato. Ancora una notte di cammino e saremo fuori.

Ma Mendel e i suoi amici si sentivano piú sicuri prima, nel campo di Turov, dove non si pativa la fame né il freddo, e ciascuno sentiva sopra la testa un tetto di solide travi ed un'autorità: Ulybin stesso, o i messaggeri venuti dal cielo, o un potere piú lontano. Questi gedalisti (cosí chiamavano se stessi) era gente temeraria, randagia e povera. Józek, il luogotenente di Gedale, si arrotolò una sigaretta d'erbe in un brandello di carta da giornale, chiese a Leonid un fiammifero, lo spaccò in due per il lungo, accese con una metà e ripose l'altra in tasca. Le due vacche, gli disse, erano preda di guerra; le avevano prese pochi giorni prima, nel corso dell'attacco a Ljuban, «perché nella guerra bisogna anche pensare alla roba». Erano magre e restie, dove trovavano un ciuffo d'erba si fermavano testarde a brucarla resistendo agli strattoni e ritardando la marcia. Dove c'erano ancora chiazze di neve nell'ombra degli alberi, la aravano con gli zoccoli in cerca di licheni. – Alla prima occasione le vendiamo, – disse Józek in tono concreto.

Józek non era russo ma polacco di Bialystok, e falsario di professione. Raccontò la sua storia a Mendel durante la prima tappa dopo la separazione; prima no, non sapeva come i russi l'avrebbero presa.

– È un buon mestiere, ma non facile. Io ho incominciato da ragazzo, nel 1928: ero litografo apprendista e falsificavo i francobolli. La polizia polacca, a quel tempo, aveva altro da pensare e non c'era gran pericolo, ma guadagnavo poco. Nel 1937 ho cominciato con i documenti, ero molto bravo nei passaporti. Poi è venuta la guerra, a Bialystok sono arrivati i russi, e nel '41 i tedeschi. Io ho dovuto nascondermi, ma vivevo bene: di documenti c'era richiesta, soprattutto di tessere annonarie per i polacchi e di carte d'identità ariane per gli ebrei.

– Sarei andato avanti tranquillo fino alla fine della guerra, ma un concorrente mi ha denunciato perché le mie tariffe erano troppo basse. Sono rimasto in prigione tre settimane; si capisce che anche i miei documenti personali erano falsi, risultavo cristiano da due generazioni, ma mi hanno fatto spogliare, hanno capito che ero ebreo e mi hanno spedito in Lager, a Sachsenhausen, a spaccare pietre.

Józek si interruppe ed accese un'altra sigaretta con il mezzo fiammifero che aveva riposto. Era biondiccio, gracile, di media statura, con una lunga faccia volpina e occhi verdi quasi senza cigli, che teneva sempre socchiusi come per aguzzare lo sguardo. La squadra si era fermata in una radura; Józek stava sdraiato sull'erba umida di rugiada, fumava e raccontava con gusto. Molti lo circondavano in ascolto: conoscevano già la storia, ma amavano sentirla ripetere; altri dormivano. Leonid si era appartato con Line, e Sissl ascoltava stando un po' in disparte: aveva cavato fuori ago e filo, e rammendava una calza nella luce incerta dell'alba.

– Il mondo è strano, – riprese Józek. – Un ebreo muore, ma un ebreo falsario si salva. Alla fine del '42 nel Lager hanno affisso un avviso: i tedeschi cercavano tipografi e litografi. Io mi sono presentato, e mi hanno mandato in una baracchetta in fondo al Lager dove ho creduto di sognare.

C'era un laboratorio molto meglio attrezzato del mio, e un gruppo di prigionieri polacchi, céchi, tedeschi ed ebrei che fabbricavano dollari e sterline false, e anche documenti per gli agenti dello spionaggio. Non per dire, io ero il piú bravo e i lavori delicati li davano a me; ma ho capito presto che la faccenda scottava, era chiaro che nessuno di noi sarebbe uscito vivo. Allora mi sono dedicato a raccogliere oro, che nei Lager non mancava mai, e a fabbricarmi un ordine di trasferimento.

– E perché non un ordine di rilascio? – chiese Mendel.

– Si vede che tu non sai cos'è un Lager. Non si è mai visto che un ebreo venga rilasciato; specie poi un ebreo come me. Mi sono fatto un ordine di trasferimento al Lager di Brest-Litovsk, perché un polacco è meglio se scappa in Polonia: un ordine in piena regola, su carta delle SS, con timbri e firme, intestato a Józef Treistman, n. 67703, Funktionshäftling, Prigioniero Funzionario. Rischiavo molto, ma non aver scelta è una scelta. Mi hanno messo su un treno con due accompagnatori, erano due militari anziani della Territoriale. Li ho corrotti con l'oro, non aspettavano altro; sono scappato poco prima di arrivare a Brest, ho vissuto alla macchia due settimane, poi ho trovato Gedale.

Col passare dei giorni e con l'approfondirsi della conoscenza, a Mendel appariva sempre piú naturale che fra Gedale e Ulybin non si fosse trovato un accordo. Al di là della secolare divaricazione fra russi ed ebrei, sarebbe stato difficile trovare due uomini piú diversi: la sola qualità che avevano in comune era il coraggio, e questo non era strano, perché un comandante senza coraggio non dura a lungo. Ma anche i loro coraggi erano diversi: il coraggio di Ulybin era ostinato e opaco, un coraggio-dovere che sembrava il frutto di uno studio e una disciplina piuttosto che un dono naturale. Ogni sua decisione ed ogni suo ordine arrivavano come dal cielo alla terra, carichi d'autorità e di minaccia inespressa; spesso erano ordini ragionevoli, perché Ulybin era un uomo scaltro, ma anche quando non lo

erano suonavano perentori, ed era difficile non obbedirli.
Il coraggio di Gedale era estemporaneo e vario, non scatu-
riva da una scuola ma da un temperamento insofferente
dei vincoli e poco propenso a scrutare l'avvenire; dove
Ulybin calcolava, Gedale si gettava come in un gioco.
Mendel riconosceva in lui, ben fusi come in una lega pregiata, metalli eterogenei: la logica e la fantasia temeraria
dei talmudisti; la sensitività dei musici e dei bambini; la
forza comica dei teatranti girovaghi; la vitalità che si assor-
be dalla terra russa.

Gedale era alto e magro, largo di spalle ma con membra
esili e petto poco profondo. Il naso era arcuato e tagliente
come una prua, la fronte bassa sotto il confine dei capelli
neri, le guance incavate e solcate da rughe nella pelle conciata dal vento e dal sole, la bocca larga e piena di denti.
Era svelto nei movimenti, ma camminava con una goffag-
gine che sembrava voluta, come un clown nel circo. Parlava con voce alta e sonora anche quando non occorreva, come se il petto gli facesse da cassa armonica; rideva spesso,
anche in momenti poco opportuni.

Mendel e Leonid, abituati alla gerarchia dell'Armata
Rossa, furono disorientati ed allarmati dalle maniere dei
gedalisti. Le decisioni venivano prese alla buona, in assemblee chiassose; altre volte si accettavano spensieratamente
disegni temerari di Gedale, di Józek o di altri; altre volte
ancora nascevano litigi, che però si placavano presto. Non
sembrava che entro la banda ci fossero tensioni o disaccor-
di permanenti. I componenti si proclamavano sionisti, ma
di tendenze svariate, con tutte le sfumature che si possono
inserire fra il nazionalismo ebraico, l'ortodossia marxista,
l'ortodossia religiosa, l'egualitarismo anarchico e il ritorno
tolstoiano alla terra, che ti redimerà se tu la redimi. Anche
Gedale si dichiarava sionista. Per parecchi giorni Mendel
cercò di capire a quale tendenza appartenesse, ma alla fine
ci rinunciò: seguiva simultaneamente diverse idee, o nessuna, o cambiava spesso. Certo era piú portato all'azione
che alla teoria, e i suoi scopi erano semplici: sopravvivere,

portare ai tedeschi il massimo danno, e andare in Palestina.

Gedale era curioso fino all'indiscrezione. Ai nuovi venuti non chiese alcun dato anagrafico e neppure li prese in
forza ufficialmente, ma volle sapere la storia di ognuno, e
l'ascoltò con l'attenzione candida dei bambini. Sembrava
provare simpatia per tutti, apprezzare le virtú di tutti,
ignorare le loro debolezze. – L'khàyim, – disse a Pavel dopo aver ascoltato la sua storia, – alla vita. Benvenuto fra
noi, sia benedetta la tua schiena. Abbiamo bisogno di
schiene come la tua. Tu sei un bisonte ebreo: un animale
raro, ti terremo prezioso. Magari non vorresti esserlo, ma
chi nasce ebreo resta ebreo, e chi nasce bisonte resta bisonte. Sia benedetto colui che entra.

Era la prima sosta tranquilla che la banda si concedeva
dopo essere uscita dall'accerchiamento. Aveva passato la
notte nel fienile di una casa colonica abbandonata, avevano trovato acqua limpida nel pozzo, l'aria era leggera e
profumata, tutti i visi erano distesi, e Gedale si stava di-
vertendo.

Leonid compresse la sua storia nell'arco di due o tre minuti, ma Gedale non se ne adombrò e non volle saperne di
piú. Gli disse solo:

– Tu sei molto giovane. È una malattia che guarisce
presto, anche senza medicine, ma può essere pericolosa
ugualmente. Finché ce l'hai addosso, abbiti riguardo.

Leonid lo guardò attonito e sospettoso:

– Che cosa hai voluto dire?

– Non mi vorrai prendere alla lettera. Anch'io ho sangue di profeta, come ogni figlio d'Israele, e ogni tanto gioco a fare il profeta.

Con Line e Sissl abbandonò il vaticinio e sfoderò maniere da operetta. Le chiamò «mie nobili dame», ma volle
sapere quanti anni avevano, se erano ancora vergini e chi
erano stati i loro uomini. Sissl rispose intimidita, Line con
fierezza chiusa, tutte e due mostrarono fretta di porre fine all'interrogatorio. Gedale non insistette e si rivolse a

Mendel. Ascoltò attento la sua narrazione, e gli disse:
– Tu non reciti. Sei rimasto un orologiaio, non hai messo
su le penne del pavone e neanche quelle del falco. Benvenuto anche tu, ci sarai utile perché sei un prudente, servi-
rai da contrappeso. Qui tra noi la prudenza è andata un
po' dimenticata. Abbiamo anche poca memoria, salvo che
per una cosa.

– Quale? – chiese Mendel.

Gedale accostò solennemente l'indice al naso:

– «Ricòrdati quello che ti ha fatto Amalec nel cammino, dopo che voi eravate usciti dall'Egitto. Ti ha assaltato
mentre eri in strada, ha ucciso tutti i deboli, i malati e gli
affaticati che erano alla tua retroguardia; non ha avuto timore di Dio. Perciò, quando il tuo Dio ti avrà dato requie
dai tuoi nemici, tu di Amalec spegnerai perfino la memoria: non lo dimenticare». Ecco, questo noi non lo dimenti-
chiamo. Ho citato a memoria, ma questa volta non a sproposito.

A metà maggio la banda di Gedale era accampata sulle
rive del Gorin', bianche di mughetti e di margherite frettolose. Uomini e donne, nudi o quasi, si lavavano con gioia
nell'acqua lenta del fiume. Józek, con due compagni armati, era partito per Rečitsa con le due vacche e il cavallo di
Pavel: a Rečitsa, presso il confine ucraino, c'era mercato.
Ritornò poche ore dopo; aveva barattato le vacche contro
pane, formaggio, lardo, carne salata, sapone: il resto era in
marchi tedeschi d'occupazione. Il Tordo incedeva glorioso
e sudato sotto il carico. Sembrava quasi che la guerra fosse
finita, comunque era finito l'inverno. Nella cittadina Józek non aveva visto traccia di tedeschi: se c'erano, se ne
stavano acquattati. Non aveva avuto bisogno di dare spiegazioni né di mercanteggiare, i contadini avevano imparato da un pezzo che con i partigiani (di qualsiasi colore) non
si doveva essere né curiosi né avari.

Al ritorno, Józek vide una buona metà della banda

schierata in silenzio sulla sponda del fiume; Gedale seduto
su un ceppo, con i piedi nell'acqua e il violino a mezz'aria;
ed Izu, uno degli uomini di Blizna, peloso come un orso
e tutto nudo, che guadava lentissimo, passo dopo passo,
verso uno scoglio in mezzo alla corrente. Tutti lo stavano
guardando, e lui faceva cenno a tutti di non muoversi e
non parlare. Quando fu ai piedi dello scoglio, si immerse
completamente, sempre con estrema prudenza; si vide
l'acqua agitarsi per un istante, ed Izu emerse stringendo
fra le mani un grosso pesce che si dibatteva. Lo morse dietro la testa, e il pesce si afflosciò: era lungo due palmi, le
sue scaglie color bronzo scintillavano al sole.

– Che cosa ha preso, Izu? – chiese Gedale.

– Credevo che fosse una trota; invece è un sazàn! – rispose Izu orgoglioso, risalendo la riva. – È strano, nell'acqua cosí bassa –. Si accovacciò presso una pietra piatta,
sventrò il pesce, lo lavò nell'acqua corrente, lo incise lungo
il dorso con il coltello, e prese a staccarne la carne dai fianchi ed a mangiarla.

– Come, non lo fai cuocere?

– Il pesce cotto non ha piú vitamine, – rispose Izu masticando.

– Però è piú gustoso. E poi ha piú fosforo, e il fosforo
fa diventare intelligenti. Si vede che voi di Blizna lo mangiate sempre crudo.

Gedale salutò Józek da lontano, agitando la mano:
– Bravo, Józek, per una settimana siamo a posto –. Poi riprese a suonare il violino: si era spogliato fino alla cintura,
ed aveva in viso un'espressione estatica, non si capiva se
per la musica o per il pediluvio, ma Bella non gli dava requie. Delle tre donne che erano arrivate a Turov con la
banda sembrava che Bella fosse la piú vicina a Gedale, che
si ritenesse la sua donna legittima e definitiva, e che Gedale fosse di opinione diversa oppure non si curasse di defini-
re la questione. Insieme con altri, Bella stava montando
una tenda militare, ma continuamente si interrompeva, ed
interrompeva Gedale gridandogli all'orecchio come a un

sordo; Gedale le rispondeva pazientemente, riprendeva a suonare, e di nuovo Bella lo interrompeva con le sue doglianze:

– Smettila con quel violino: vieni piuttosto a dare una mano!

– Appendilo ai salici, Gedale! – gridò Dov di lontano.

– Non siamo ancora a Gerusalemme, ma non siamo piú a Babilonia, – rispose Gedale, e riprese a suonare. Bella era una biondina esile dal lungo viso imbronciato. Dimostrava una quarantina d'anni, mentre Gedale non doveva aver oltrepassato i trenta; distribuiva spesso rimbrotti e critiche, e dava ordini che nessuno eseguiva, ma non mostrava di risentirsene. Gedale la trattava con tenerezza appena tinta di ironia.

Nella tarda mattinata le sentinelle avvistarono un uomo solo, che di lontano gridava «Non sparate!»; lo lasciarono avvicinare, ed era Piotr. Gedale lo accolse senza mostrare stupore:

– Bravo, hai fatto bene a venire con noi. Siediti, fra poco si mangia.

– Compagno comandante, – disse Piotr, – ho solo la rivoltella, il parabellum l'ho lasciato a quelli di Ulybin.

– Se lo portavi con te era meglio, ma non importa.

– Vedi, io lo so che non ho fatto bene, ma con Ulybin ho litigato. Era troppo duro, non solo con me ma con tutti. E una sera abbiamo avuto una discussione seria... una discussione politica.

– E avete parlato dei gedalisti, non è vero?

– Come hai fatto a indovinarlo?

Gedale non rispose, ma domandò a sua volta:

– Non manderà a cercarti? Guarda che noi con Ulybin non vogliamo questioni.

– Non manderà a cercarmi. È lui che mi ha cacciato via. Mi ha detto di posare il parabellum e di andarmene. Me l'ha detto lui di venire da voi.

– Te lo avrà detto da arrabbiato. O da ubriaco: magari poi ci ripensa.

– Era arrabbiato ma non era ubriaco, – disse Piotr. – E poi, adesso loro sono a quattro o cinque giorni di marcia. E io non sono un disertore. Non sono venuto con voi per paura; sono venuto per combattere con voi.

Quella sera, senza un motivo preciso, nel campo di Gedale si fece festa: forse perché era stato il primo giorno fuori delle paludi e dei pericoli, e il primo giorno di primavera aperta; forse perché l'arrivo di Piotr aveva rallegrato tutti; o forse soltanto perché, frammezzo agli altri viveri accatastati sulla groppa del Tordo, Józek aveva riportato anche un barilotto di vodka polacca. Avevano acceso un fuoco fra due dune di sabbia e tutti sedevano intorno a cerchio; Dov disse a Gedale che forse era un'imprudenza, e allora Gedale spense il fuoco, ma il bagliore delle braci riscaldava gli animi ugualmente.

Il primo ad esibirsi fu Pavel. Nessuno lo aveva chiamato, ma si mise fieramente in piedi presso le braci, prese un pezzo di carbone e si tracciò sul labbro superiore due baffetti, si tirò sulla fronte un ciuffo di capelli bagnati, salutò tutti col braccio teso all'altezza degli occhi, e incominciò a concionare. Dapprima parlò in tedesco, con rabbia crescente: il suo era un discorso improvvisato, contava piú il tono che il contenuto, ma tutti risero quando lo udirono rivolgersi ai soldati tedeschi incitandoli a combattere fino all'ultimo uomo, e chiamandoli volta a volta eroi della Grande Germania, figli di puttana, cani celesti, difensori del nostro sangue e del nostro suolo, e buchi del culo. A grado a grado, la sua collera si faceva piú rovente, fino a soffocargli la parola in un ringhio canino interrotto da accessi di tosse convulsa. Ad un tratto, come se fosse scoppiato un ascesso, lasciò il tedesco e continuò in jiddisch, e tutti si torsero dalle risa: era straordinario sentire Hitler, nel pieno del suo delirio, che nella lingua dei paria incitava qualcuno a massacrare qualcun altro, non si capiva se i tedeschi a massacrare gli ebrei o viceversa. Lo applaudirono con frensia, gli chiesero il bis, e Pavel dignitosamente, invece di replicare il suo numero (che, spiegò, aveva collau-

dato nel 1937 in un cabaret di Varsavia) cantò *O sole mio*,
in una lingua che nessuno comprendeva e che lui sosteneva
essere italiano.

Poi venne sulla scena Mottel il Tagliagole. Mottel era
un ometto dalle gambe corte e dalle braccia lunghissime,
agile come una scimmia. Arraffò tre, poi quattro, poi cinque tizzoni, e se li fece volteggiare intorno, sopra la testa,
sotto le gambe; sullo sfondo del cielo viola si disegnava un
intrico sempre nuovo di parabole rutilanti. Fu applaudito,
ringraziò inchinandosi ai quattro punti cardinali, e si ritirò
imitando l'andatura sghemba dell'orango. Perché Tagliagole? Spiegarono a Mendel che Mottel non era il primo venuto. Era di Minsk, aveva trentasei anni, ed era tagliagole
due volte. Nella prima metà della sua carriera era stato un
tagliagole rispettabile: per quattro anni era stato lo sho-
khèt, il macellaio rituale, della Comunità. Aveva superato
l'esame prescritto, possedeva la licenza, ed era considerato
un esperto nell'arte di mantenere affilato il coltello e di re-
cidere con un solo colpo la trachea, l'esofago e le carotidi
dell'animale. Ma poi (per colpa di una donna, si sussurra-
va) si era messo su una cattiva strada: aveva abbandonato
la moglie e la casa, si era intruppato con la malavita locale,
e, pur senza dimenticare il suo mestiere precedente e la
preparazione teorica, era diventato bravo anche a tagliare
le borse e a dare la scalata ai balconi. Aveva conservato il
coltello rituale, lungo e con la punta ottusa; tuttavia, ad
emblema del suo nuovo indirizzo, ne aveva spezzato obliquamente l'estremità, ricavandone una punta acuminata.
Cosí modificato, il coltello si prestava anche ad altri usi.

– Una donna! Avanti una donna! – gridò qualcuno con
voce rauca di vodka. Si fece avanti Bella pettinandosi i capelli color della stoppa, ma Pavel, barcollando come un orso, la urtò con l'anca rimandandola nel cerchio degli spet-
tatori, e riprese il suo posto. Non aveva ancora finito, e
non si capiva se fosse ubriaco o fingesse soltanto. Questa
volta era un rabbino chassidico; ubriaco, naturalmente,
che snocciolava le preghiere del Sabato in preteso ebraico,

di fatto in un russo da postribolo. Pregava a perdifiato, a velocità vertiginosa, perché (spiegò in un *a parte*) fra una stecca e l'altra non deve passare il porcellino: fra una parola sacra e l'altra non deve potersi far strada il pensiero profano. Questa volta gli applausi furono piú moderati.

Bella non si era arresa. Si accostò alle braci, levò in gesto grazioso la mano sinistra, pose la destra sul cuore e incominciò a cantare una romanza, *Sí me ne andrò lontana*; ma non andò molto lontana, perché dopo poche battute la voce le si fece stridula e scoppiò a singhiozzare. Venne Gedale, la prese per mano e la condusse da parte.

Da molte parti si faceva il nome di Dov. – Vieni fuori, siberiano, – gli disse Piotr, – e raccontaci che cosa hai visto nella Grande Terra –. Gli fece seguito Pavel, che si era assunto il ruolo di maestro della festa: – Ed ora, ecco per voi David Yavor, il piú saggio fra noi, il piú anziano e il piú amato. Avanti, Dov, tutti ti vogliono vedere e ascoltare –. Era sorta la luna, quasi piena, e illuminava i capelli bianchi di Dov, che si avviò malvolentieri al centro dell'arena. Fece un riso timido e disse:

– Che cosa volete da me? Non so né cantare né ballare, e quello che ho visto a Kiev ve l'ho già raccontato troppe volte.

– Raccontaci di tuo nonno nichilista. – Raccontaci della caccia all'orso al tuo paese. – Raccontaci di quella volta che sei scappato dal treno dei tedeschi. – Raccontaci della cometa –; ma Dov si schermí:

– Sono tutte cose che ho già raccontate, e non c'è noia piú grande che ripetersi. Facciamo qualche gioco, invece; o qualche gara.

– La lotta! – disse Piotr. – Chi vuole misurarsi con me?

Per qualche momento nessuno si mosse; poi ci fu una breve discussione fra Line e Leonid. Leonid intendeva accettare la sfida, e Line, per qualche motivo, cercava energicamente di dissuaderlo. Alla fine Leonid si svincolò; i due contendenti si sfilarono la giubba e gli stivali e si posero in guardia. Si afferrarono a vicenda per le spalle, cer-

cando di ribaltarsi col gioco delle gambe; ruotarono piú
volte attorno, poi Leonid tentò di cingere Piotr alla vita e
non ci riuscí. I due cani della banda abbaiavano inquieti,
ringhiavano e rizzavano il pelo. Piotr, oltre che piú forte di
Leonid, era avvantaggiato dalle braccia piú lunghe. Dopo
una schermaglia confusa e non troppo corretta, Leonid
cadde e Piotr gli fu subito sopra, facendogli toccare la terra con le spalle. Piotr salutò il pubblico con le mani levate,
e si trovò davanti Dov.

– Che cosa vuoi, zio? – chiese Piotr: era piú alto di Dov
di quasi tutta la testa.

– Lottare con te, – rispose Dov, e si mise in guardia,
ma con indolenza, con le mani che pendevano molli dai
polsi, nell'atteggiamento che gli era abituale nei momenti
di riposo. Piotr attese, perplesso. – Ora ti insegno una cosa, – disse Dov, e si fece sotto. Piotr arretrò tenendolo
d'occhio. Il movimento di Dov, nel pallido chiarore della
luna, non si distinse bene; si vide Dov tendere una mano e
un ginocchio, abbassandosi leggermente, e Piotr vacillare
sbilanciato e cadere sulla schiena. Si rialzò e si scosse via la
polvere: – Dove hai imparato questi colpi? – chiese impermalito; – te li hanno insegnati da militare? – No, – rispose
Dov, – me li ha insegnati mio padre –. Gedale disse che
Dov avrebbe dovuto istruire tutta la banda in quel modo
di lottare, e Dov rispose che lo avrebbe fatto volentieri,
specialmente con le donne. Tutti risero, e Dov aggiunse
che quella era la lotta dei Samoiedi: nel luogo dove lui era
nato erano state deportate diverse famiglie di Samoiedi.
– Sono i russi che li hanno chiamati cosí, perché credevano che mangiassero carne umana: «Samo-jed» vuol dire
«mangia-se-stesso», ma a loro questo nome non piace. Sono brava gente, e da loro si imparano molte cose; ad accendere il fuoco quando c'è il vento, a ripararsi dalla tormenta
sotto un cumulo di fascine. Anche a guidare le slitte trai-
nate dai cani.

– Questo, è meno facile che ci venga utile, – osservò
Piotr.

– Ma questo, invece, può servire, – disse Dov. Dal cinturone che Piotr aveva deposto insieme con la giubba,
estrasse il coltello; lo afferrò con le due dita per la punta,
lo librò per un momento come per prendere la mira, poi lo
scagliò contro il tronco di un acero, lontano otto o dieci
metri. Il coltello volò volteggiando e si piantò profondo
nel legno. Provarono altri, primo fra tutti Piotr, stupito e
ingelosito, ma nessuno riuscí, neppure riducendo a metà la
distanza dall'albero: nel migliore dei casi, il coltello colpiva
il tronco col manico o di piatto e cadeva a terra. Gedale e
Mendel non riuscirono neppure a centrare il tronco.

– Peccato che al posto dell'acero non ci fosse il Dottor
Goebbels, – disse Józek, che non aveva preso parte né allo
spettacolo né ai giochi. Dov spiegò che per uccidere un uomo non va bene un coltello qualunque; ci vogliono coltelli
speciali, sottili ma pesanti, e ben bilanciati. – Capito, Józek? – disse Gedale, – tienilo a mente, la prossima volta
che vai al mercato.

Alcuni dormivano già quando Gedale prese il violino e
cominciò a cantare; ma non cantava per essere applaudito.
Cantava sommesso, lui che era cosí chiassoso quando parlava; altri gedalisti si unirono, alcune voci del coro erano armoniose ed altre meno, ma tutte erano convinte e ri-
sentite. Mendel e i suoi ascoltarono con stupore il ritmo,
che era alacre, quasi di una marcia, e le parole, che erano
queste:

> Ci riconoscete? Siamo le pecore del ghetto,
> Tosate per mille anni, rassegnate all'offesa.
> Siamo i sarti, i copisti ed i cantori
> Appassiti nell'ombra della Croce.
> Ora abbiamo imparato i sentieri della foresta,
> Abbiamo imparato a sparare, e colpiamo diritto.
> > Se non sono io per me, chi sarà per me?
> > Se non cosí, come? E se non ora, quando?
> I nostri fratelli sono saliti al cielo
> Per i camini di Sobibór e di Treblinka,
> Si sono scavati una tomba nell'aria.

Solo noi pochi siamo sopravvissuti
Per l'onore del nostro popolo sommerso
Per la vendetta e la testimonianza.
    Se non sono io per me, chi sarà per me?
    Se non cosí, come? E se non ora, quando?
Siamo i figli di Davide e gli ostinati di Massada.
Ognuno di noi porta in tasca la pietra
Che ha frantumato la fronte di Golia.
Fratelli, via dall'Europa delle tombe:
Saliamo insieme verso la terra
Dove saremo uomini fra gli altri uomini.
    Se non sono io per me, chi sarà per me?
    Se non cosí, come? E se non ora, quando?

Finito che ebbero di cantare, tutti si addormentarono
avvolti nelle coperte; vegliarono solo le sentinelle, arram-
picate sugli alberi ai quattro angoli dell'accampamento. Al
mattino Mendel chiese a Gedale:

– Che cosa cantavate ieri sera? È il vostro inno?

– Chiamalo cosí se vuoi; ma non è un inno, è solo una
canzone.

– L'hai composta tu?

– La musica è mia, ma cambia un poco, di mese in mese, perché non sta scritta da nessuna parte. Le parole invece non sono mie. Eccole, guarda, sono scritte qui.

Dalla tasca interna della giubba Gedale cavò fuori un
plico di tela incerata legato con uno spago. Lo disfece e ne
estrasse un foglio quadrettato, sgualcito, intestato *13 Juni,
Samstag*. Era stato strappato senza garbo da un'agenda, ed
era fittamente ricoperto di caratteri jiddisch tracciati a matita. Mendel lo prese, lo guardò con attenzione, poi lo rese
a Gedale:

– Leggo a stento i caratteri stampati, e il corsivo non lo
leggo affatto. L'ho dimenticato.

Gedale disse:

– Io ho imparato a leggerlo tardi, nel '42, nel ghetto di
Kossovo: in una occasione è servito come linguaggio segreto. A Kossovo c'era con noi Martin Fontasch. Di mestie-

re era carpentiere, si è guadagnato da vivere cosí fino alla
fine, ma la sua passione era comporre canzoni. Faceva tutto da solo, le parole e la musica, ed era conosciuto in tutta
la Galizia; si accompagnava con la chitarra, e cantava le
sue canzoni ai matrimoni e alle feste di paese; qualche volta anche nei caffè concerto. Era un uomo pacifico e aveva
quattro figli, ma è stato con noi nella rivolta del ghetto, è
scappato con noi ed è venuto nel bosco, lui solo e non piú
giovane: tutti i suoi erano stati uccisi. Nella primavera del-
l'anno scorso eravamo dalle parti di Novogrudok e c'è stato un brutto rastrellamento; metà dei nostri sono morti
combattendo, Martin è stato ferito ed è caduto prigioniero. Il tedesco che lo ha perquisito gli ha trovato in tasca un
flauto: piú che un flauto era un piffero, un giocattolo da
quattro soldi che Martin si era fatto da sé intagliando un
ramo di sambuco. Ora quel tedesco era un suonatore di
flauto: ha detto a Martin che un partigiano si impicca e un
ebreo si fucila, lui era ebreo e partigiano, e poteva scegliere. Però era anche un suonatore, e allora lui, essendo un
tedesco che amava la musica, gli concedeva di esprimere
un ultimo desiderio: ma che fosse un desiderio ragionevole.

– Martin chiese di comporre un'ultima canzone, e il tedesco gli concesse mezz'ora di tempo, gli diede questo foglio e lo chiuse in una cella. Trascorso il tempo, ritornò, si
fece dare la canzone e lo uccise. È stato un russo che ci ha
raccontato questa storia; da principio collaborava coi tedeschi, poi i tedeschi lo sospettarono di fare il doppio gioco
e lo chiusero nella cella accanto a quella di Martin, ma riuscí ad evadere e rimase con noi qualche mese. Pare che il
tedesco fosse fiero della canzone di Martin; la faceva vedere in giro come una curiosità e si riprometteva di farsela
tradurre alla prima occasione. Ma non ha fatto in tempo.
Noi lo tenevamo d'occhio, lo abbiamo seguito, lo abbiamo
isolato, e una notte siamo entrati scalzi nell'isba requisita
dove lui abitava. A me piace la giustizia e avrei voluto
chiedergli qual era il suo ultimo desiderio, ma Mottel mi

faceva fretta, cosí io l'ho strozzato nel suo letto. Gli abbiamo trovato addosso il flauto di Martin e la canzone: a lui non ha portato fortuna, ma per noi è come un talismano. Ecco, guarda qui: fin quaggiú è il testo che ci hai sentito cantare, e queste parole in fondo dicono cosí: «Scritto da me Martin Fontasch, che sto per morire. Sabato 13 giugno 1943». L'ultima riga non è in jiddisch ma in ebraico; sono parole che tu conosci, «Ascolta Israele, il Signore Iddio nostro è unico».

– Aveva composto molte altre canzoni, allegre e tristi; la piú famosa l'aveva scritta molti anni prima che in Polonia arrivassero i tedeschi, in occasione di un pogrom: a quel tempo, a fare i pogrom ci pensavano i contadini. Quasi tutti i polacchi la conoscono, non solo gli ebrei, ma nessuno sa che l'ha composta Martin il carpentiere.

Gedale rifece il plico e lo rimise in tasca:

– Adesso basta, pensieri come questi non sono per tutti i giorni. Vanno bene ogni tanto, ma se uno ci vive dentro se ne avvelena e non è piú un partigiano. E tieni bene a mente che io credo in tre cose soltanto, alla vodka, alle donne e al parabellum. Una volta credevo anche nella ragione, ma adesso non piú.

Qualche giorno dopo Gedale decise che il riposo era durato abbastanza, ed era tempo di riprendere il cammino:

– ... ma questa è una banda aperta, e chi preferisce rimanere in Russia se ne può andare; senza le armi, s'intende. Può aspettare il fronte, o andare dove gli pare –. Nessuno scelse di lasciare la banda, e Gedale chiese a Piotr:

– Conosci questo paese?

– Abbastanza, – rispose Piotr.

– Quanto è distante la ferrovia?

– Una dozzina di chilometri.

– Benissimo, – disse Gedale. – La prossima tappa la facciamo in treno.

– In treno? Ma tutti i treni sono scortati! – disse Mendel.

– Ebbene, provare si può sempre. Con le scorte si ragiona –. A Gedale apparve piú seria l'obiezione di Pavel:

– E il cavallo? Non vorrai mica abbandonarlo. Oltre a tutto ci serve, metà dei bagagli li porta lui.

Gedale si rivolse di nuovo a Piotr:

– Che treni passano su questa linea?

– Treni merci, quasi tutti; a volte c'è a bordo anche qualche passeggero, gente che fa la borsa nera. Se portano materiale per i tedeschi, sono scortati, ma non è mai una grossa scorta: due uomini sulla locomotiva e due in coda. Tradotte militari di qui non ne passano mai.

– Qual è la stazione piú vicina?

– È Kolki, quaranta chilometri a sud: è una piccola stazione.

– C'è il piano caricamento?

– Non lo so. Non ricordo.

Intervenne Dov:

– Ma perché ci vuoi far prendere il treno?

Gedale rispose con impazienza:

– E perché non dovremmo prenderlo? Camminiamo da piú di mille chilometri; e la ferrovia è a due passi; e insomma io voglio entrare in terra polacca in una maniera che la gente si ricordi di noi.

Ci pensò su un momento e aggiunse:

– Abbordare un treno in stazione è troppo pericoloso. Bisogna fermarlo in aperta campagna, ma allora il cavallo non può salire. Ecco, il grosso dei bagagli li prendiamo noi, tanto la tappa è breve; tu Pavel vai avanti col cavallo e ci aspetti a Kolki.

Pavel non era convinto:

– E se non arrivate?

– Se non arriviamo ci vieni incontro col cavallo.

– E se il piano caricamento non c'è?

Gedale scosse le spalle: – E se, e se, e se! Solo i tedeschi prevedono tutto, ed è per questo che perdono le guerre. Se non c'è ci arrangeremo. Vedremo sul posto, il modo non ci mancherà. Parti, Pavel; ricordati che sei un contadino, e non farti vedere troppo nell'abitato. Da queste parti, i tedeschi i cavalli li requisiscono.

Pavel partí al trotto, ma era ancora in vista quando il Tordo ricadde nel suo solenne passo abituale. Gedale e i suoi si misero in marcia e in poco piú di due ore raggiunsero la ferrovia. Era a un solo binario, e tagliava la prateria da un orizzonte all'altro diritta come un raggio di luce.

È facile confondere la speranza con la probabilità. Tutti si aspettavano che il treno venisse da nord e fosse diretto al confine polacco; dopo qualche ora di attesa lo videro invece arrivare da sud. Era un merci e viaggiava lentamente. Gedale fece appostare uomini armati dietro i cespugli ai due lati dei binari, poi, in maniche di camicia e disarmato, si pose fra le rotaie sventolando uno straccio rosso. Il treno rallentò e si fermò, e dalla cabina di guida incominciarono immediatamente a sparare. Gedale scattò via in un lampo e si defilò dietro un nocciolo; tutti gli altri risposero al fuoco. Mendel, mentre anche lui sparava cercando di centrare le feritoie della locomotiva, ammirò la preparazione militare dei gedalisti. Da quanto aveva visto delle loro maniere fino a quel momento, si sarebbe aspettato che fossero spericolati, come infatti erano; ma non aveva previsto la precisione e l'economia del loro fuoco, e la tecnica corretta con cui si erano disposti. Sarti, copisti e cantori, diceva la loro canzone: ma avevano imparato presto e bene il loro nuovo mestiere. L'inesperto e lo spaurito si riconoscono subito, perché cercano il riparo massiccio, la roccia o il grosso tronco, che proteggono sí, ma impediscono di spostarsi e di sparare senza esporre il capo. Invece tutti si erano appiattati dietro cespugli folti, e sparavano attraverso le foglie, spostandosi spesso per disorientare l'avversario.

Anche la scorta del treno, al riparo delle lamiere, sparava preciso e fitto: dovevano essere almeno quattro uomini, e non facevano economia di munizioni. Nel vagone di coda, invece, non c'era difesa. Mendel vide a un tratto Mottel balzare fuori ed avventarsi al convoglio. In un attimo si arrampicò sul tetto dell'ultimo vagone; lassú era al riparo, e del resto dalla cabina non lo avevano visto. Aveva appesa alla cintura una granata a mano tedesca, di quelle a forma di clava, che esplodono a tempo, e correva verso la locomotiva di vagone in vagone, saltando le giunzioni. Quando fu sul tetto del primo vagone lo si vide strappare l'innesco della granata e aspettare qualche secondo; poi, con la granata stessa, ruppe il vetro del lunotto della cabina e lasciò cadere la granata nell'interno.

Ci fu l'esplosione ed il fuoco cessò. Nella cabina trovarono che i tedeschi della scorta erano solo tre; uno era ancora vivo, e Gedale lo finì senza esitare. Anche il macchinista e il fuochista erano morti; peccato, disse Gedale, loro non c'entravano e ci sarebbero stati utili: beh, chi serve i tedeschi ha dei rischi e lo sa. Faceva il broncio come un bambino. L'iniziativa di Mottel era stata brillante ma aveva guastato i suoi piani:

– E chi la fa muovere, adesso? Chissà la tua bomba che guai ha combinato sulle leve di comando; e oltre a tutto bisogna invertire la marcia.

– Tu, comandante, sei una testa dura e non sei mai contento, – disse Mottel che si aspettava un elogio. – Io ti regalo un treno e tu mi critichi. Un'altra volta voi andate all'attacco e io accendo la pipa.

Gedale non gli diede ascolto, e disse a Mendel di salire in cabina e di vedere se se la cavava a rimettere la macchina in moto. Altri uomini intanto stavano ispezionando il convoglio. Ritornarono delusi: non portava roba pregiata, solo sacchi di cemento, calce e carbone. Gedale fece sgomberare dal cemento due vagoni coperti, per gli uomini e per il cavallo: non aveva abbandonato l'idea della scampagnata ferroviaria. Era molto eccitato; ordinò di tagliare tutti i sacchi col coltello, poi ci ripensò e ne fece accatastare un buon numero fra i binari davanti alla motrice:
– Con meno fretta si sarebbe potuto fare un buon lavoro; ma anche così, con un po' di pioggia e un po' di fortuna, farà un bel blocco –. Poi salì in cabina da Mendel:
– Allora? Che cosa mi sai dire?

– Una locomotiva non è un orologio, – rispose Mendel
seccato.

– Nu, sempre ingranaggi sono, e la tua non è una risposta. Una locomotiva non è un orologio, e un orologiaio non
è un ferroviere, e un bue non è un porco, e uno come me
non è un capobanda, ma fa il capobanda e lo fa meglio che
può; anzi, fa il capobandito –. Qui Gedale rise, di quel
suo riso facile che rischiarava l'aria in un attimo. Rise anche Mendel:

– Adesso scendi, che proviamo.

Gedale scese e Mendel armeggiò fra i comandi. – Attento, ora do il vapore –. Il fumaiolo sbuffò, i respingenti
gemettero, e il convoglio si spostò a ritroso di qualche metro; tutti gridarono «urrà», ma Mendel disse:

– C'è ancora pressione in caldaia, ma durerà poco. Non
basta il macchinista, ci vuole anche il fuochista –. Quanto
erano efficienti i gedalisti nel combattimento, altrettanto
erano confusionari nelle scelte di pace. Nessuno voleva fare il fuochista; dopo un'intricata discussione, a Mendel fu
assegnata come aiutante una donna, che però era forte come un uomo: Ròkhele Nera, che doveva scontare una punizione perché diversi giorni prima, nel corso della pulizia
delle armi, aveva smarrito la molla di un moschetto. Si
chiamava Ròkhele Nera per distinguerla da Ròkhele Bianca: era scura in viso come una zingara, magra e svelta.
Aveva gambe lunghissime, lungo anche il collo, che reggeva un piccolo viso triangolare illuminato dagli occhi ridenti
ed obliqui. Portava i capelli neri raccolti in una crocchia.
Era anche lei una veterana di Kossovo, benché avesse poco piú di vent'anni. Ròkhele Bianca invece era una creatura semplice e mite, che non parlava quasi mai, e quando
parlava lo faceva con voce cosí bassa che si stentava a ca-
pirla. Per questi motivi nessuno sapeva nulla di lei, né lei
sembrava desiderosa di far sapere qualcosa a qualcuno: seguiva passivamente il cammino della banda, obbediva a
tutti e non protestava mai. Veniva da un remoto villaggio
della Galizia ucraina.

Mendel mostrò alla Nera come doveva fare per alimentare la caldaia, tutti gli altri salirono sui due vagoni liberi e il treno si mosse, spinto invece che trainato. Mendel bloccò la manetta del vapore su una velocità molto bassa, perché dalla cabina non poteva vedere la via. Józek si era installato col mitra nell'abitacolo del frenatore, sull'ultimo vagone che ora era il primo, e faceva da battistrada; ogni tanto si sporgevano entrambi, e Józek segnalava a Mendel se la via era libera. La fuochista rideva come a un gioco e impalava carbone con entusiasmo infantile; in breve fu tutta sudata, e nera sul serio, da capo a piedi, tanto che occhi e denti brillavano come fanali nel buio. Mendel, invece, non si divertiva affatto. La soddisfazione per aver domato quel bestione meccanico si spense presto; il sangue sul pavimento di lamiera lo metteva a disagio, si sentiva inquieto per quella marcia fatta quasi alla cieca, e l'intera impresa gli sembrava una follia gratuita e un'imprudenza estrema. Non capiva quali lontane intenzioni avesse Gedale.

A metà strada si dovette convincere che Gedale aveva raramente intenzioni lontane, e preferiva improvvisare: si era sporto dal vagone e gli faceva cenno di fermare. Fermò, e scesero tutti e due.

– Senti, orologiaio, mi è venuto in mente che sarebbe bene danneggiare questo treno piú che possiamo. Che cosa si può fare?

– Qui, proprio niente, – rispose Mendel. – Se andassimo per diritto invece che a rovescio, potremmo sganciare i vagoni e bloccarli in qualche modo, ma cosí è un altro discorso. Ecco, il solo lavoro che si può fare è di ribaltare le sponde dei vagoni scoperti; cosí, con le scosse, tutta la calce e il carbone finiranno sparsi sulla scarpata.

– E i vagoni stessi e la locomotiva?

– Ci penseremo dopo, – disse Mendel. – Quando tu ne avrai avuto abbastanza.

Gedale ignorò la provocazione, mandò tre uomini a ribaltare le sponde, e il treno ripartí seminando allegramente il materiale dai due lati. Arrivarono a Kolki nel primo pomeriggio, e i vagoni erano quasi vuoti: Pavel col cavallo li aspettava sul piano caricamento. Nella stazioncina non c'era nessuno, salvo il capostazione, che però vide il mitragliatore in mano a Józek, fece una specie di saluto militare e si ritirò. Mendel frenò, caricò in un istante Pavel e il Tordo, e ripartí. Gedale era felice, e fece segno a Mendel di andare avanti, e piú in fretta: «A Sarny! A Sarny!» Al di sopra dello strepito della macchina, dai due vagoni arrivavano fino a Mendel grida e canti, e i nitriti di Tordo spaventato.

Poco dopo fu Mendel che prese l'iniziativa di fermare il treno presso un fiumiciattolo che solcava la steppa disabitata. Non solo per riposarsi e per dar modo a Ròkhele di lavarsi un poco, ma anche per avvisare che l'acqua del serbatoio stava per finire. Tutti si misero al lavoro, facendo la spola al fiume con i pochi recipienti disponibili: qualche pentola di cucina e un secchio trovato sulla motrice. L'operazione andava per le lunghe, e Mendel ne approfittò per ascoltare Pavel, che stava raccontando quanto aveva visto a Kolki.

– Non abbiamo corso nessun rischio, né il cavallo né io. Nessuno si è occupato di noi né ci ha rivolto la parola, eppure credo proprio che nessuno mi abbia preso per un contadino. Tedeschi non ne ho visti; ci devono pur essere, perché davanti al municipio c'erano i loro manifesti di propaganda, ma in strada non si fanno vedere. La gente non ha piú paura di parlare, o ne ha meno di prima; sono entrato in un'osteria, c'era la radio accesa, e la voce era quella di Radio Mosca: diceva che i russi hanno ripreso la Crimea, che tutte le città tedesche sono bombardate di giorno e di notte, e che in Italia gli alleati sono alle porte di Roma. Ah, come è bello passeggiare nelle strade di un paese, vedere i balconi con i vasi di fiori, le insegne dei negozi, le finestre con le tendine! Guardate che cosa vi ho portato: l'ho staccato io dal muro, ce n'è su tutte le cantonate.

Pavel mostrava in giro un manifesto, stampato in grossi caratteri su brutta carta gialliccia, in russo e in polacco.

Diceva: «Non lavorate per i tedeschi, non date loro informazioni. Chi fornirà grano ai tedeschi verrà ucciso. Lettore, ti stiamo spiando; se strappi questo manifesto ti spareremo».

– E tu lo hai strappato? – chiese Mottel.

– Non l'ho strappato, l'ho staccato: è un'altra cosa. L'ho staccato con rispetto, chiunque si sarebbe accorto che lo portavo via per farlo vedere a qualcuno; e difatti non mi hanno sparato. Vedete? è firmato dal Reggimento Stella Rossa: comandano loro.

– Comandiamo anche noi, – interruppe Gedale con impeto. – Entreremo a Sarny a modo nostro: in modo da farci ricordare. Chi conosce Sarny?

La conosceva Józek, che ci aveva fatto il servizio militare nell'esercito polacco: una cittadina modesta, forse ventimila abitanti. Qualche fabbrica, una filanda e un'officina per la riparazione del materiale ferroviario. La stazione? Józek la conosceva benissimo perché ci era stato di presidio poco prima che scoppiasse la guerra; Sarny era l'ultima città polacca prima della frontiera, i russi ci erano entrati senza combattere, subito dopo l'inizio delle ostilità. Era una stazione abbastanza importante, perché ci passava la linea per Lublino e Varsavia, e per via dell'officina di riparazioni. C'era un gran capannone e una piattaforma girevole, appunto per avviare le locomotive all'officina. Gedale si illuminò, e disse a Mendel: – La tua macchina farà una fine gloriosa –. Mendel disse che sperava di non farla anche lui.

Gedale fece fermare il treno a notte, all'imbocco dello smistamento, e fece scendere tutti dai vagoni. Il cavallo, impaurito dal buio, si imbizzarrí: rifiutava di scendere, tentava di inalberarsi, nitriva convulso e scalciava contro la parete di fondo del vagone. Lo tirarono e spinsero, alla fine si decise a saltare, ma atterrò malamente rompendosi una zampa anteriore; Pavel si allontanò senza dire parola, e Gedale lo finí sparandogli nella nuca. Anche la stazione di Sarny sembrava deserta: nessuno reagí allo sparo. Ge-

dale disse a Mendel di spingere i vagoni su un binario late-
rale, e a Józek e Pavel di andare avanti cauti, e di deviare
gli scambi in direzione della piattaforma; tornarono a lavoro compiuto, e riferirono che il ponte della piattaforma era
in posizione trasversale rispetto al binario di arrivo: benissimo, disse Gedale. Avrebbe mandato la locomotiva a fra-
cassarsi nella fossa della piattaforma, l'officina sarebbe rimasta bloccata per almeno un mese.

– Non sei convinto, orologiaio? Ti ci sei affezionato,
eh? Un poco anch'io, ma ad andare piú avanti non mi fido,
e non la voglio regalare ai tedeschi. E ti dirò una cosa che
ho imparata nei boschi: le imprese che riescono meglio sono quelle che il tuo nemico non crede che tu possa fare.
Su, spingi via i vagoni, metti in moto la macchina e salta
giú.

Mendel obbedí. La locomotiva senza equipaggio sparí
nel buio, visibile soltanto per le faville che scaturivano dal
fumaiolo. Tutti aspettarono col fiato sospeso; pochi minuti
dopo si udí un fracasso di lamiere sfondate, un rombo di
tuono, e un sibilo acuto che andò estinguendosi lentamente. Ululò una sirena d'allarme, si sentirono voci concitate,
i gedalisti fuggirono in silenzio verso la campagna. Mentre camminava a tentoni, nel buio dell'oscuramento, in-
ciampando nelle rotaie e nei cavi, ronzavano nella testa di
Mendel, incongrue, le parole della benedizione dei miracoli: «Benedetto sii Tu o Signore Dio nostro, re del mondo,
che hai fatto per noi un miracolo in questo luogo».

In questo modo la banda di Gedale segnò il suo ingresso
nel mondo abitato.

Capitolo settimo

Giugno-luglio 1944

– Mi rincresce per te, Pavel, ma per qualche settimana sarà meglio che stiamo lontani dalle finestre con le tendine e dai balconi fioriti; e soprattutto dalle ferrovie –. Cosí aveva detto Gedale, mentre conduceva la banda al riparo nel fitto del bosco. Tuttavia, dopo tre giorni da quando si erano accampati, Gedale vestí panni approssimativamente borghesi, depose le armi, disse di aspettarlo senza prendere iniziative, e se ne andò da solo. I rimasti si diedero a costruire ipotesi, dalle piú futili alle piú elaborate, finché Dov li invitò a smettere:

– A Gedale piace giocare, ma è un buon giocatore. Se è partito senza dire niente vuol dire che aveva le sue ragioni. Datevi piuttosto da fare; in un campo, del lavoro se ne trova sempre.

Trascorsero alcuni giorni, divisi fra l'ozio, l'inquietudine e le occupazioni quotidiane dell'accampamento, che annoiano ma aiutano il tempo a passare. Gedale ritornò il 10 di giugno, tutto tranquillo, come se avesse fatto una bella passeggiata in tempo di pace. Chiese da mangiare, si sdraiò a dormire per una mezz'ora, si svegliò, si stirò, e si ritirò un po' in disparte a suonare il violino. Ma era evidente che moriva dalla voglia di raccontare: aspettava soltanto che qualcuno gli fornisse un pretesto. Glielo forní Bella, che senza aver ricevuto alcuna investitura particolare si riteneva responsabile degli approvvigionamenti. Quando Bella parlava, era come se desse delle beccate, pungenti ma non dolorose, come farebbe un passerotto:

– Tu te ne vai senza dire niente, dietro ai tuoi pensieri
o a chissà che cosa, e ci lasci qui come degli stupidi. Guarda che le scorte stanno per finire.

Gedale riprese il violino e cavò di tasca un fascio di ban-
conote: – Ecco qui, donna. Di fame non morremo ancora.
Su, chiama tutti; teniamo parlamento. È troppo tempo
che non lo teniamo, ma era anche troppo tempo che non
avevamo notizie buone; adesso ne abbiamo.

Tutti si radunarono intorno a Gedale, e Gedale disse
cosí:

– Non aspettatevi un discorso, i discorsi non sono nel
mio genere. E neppure fatemi domande, almeno per adesso. Vi dirò quello che vi posso dire, che è poco ma è importante. Non siamo piú orfani e non siamo piú cani sciolti.
Ho parlato con qualcuno, e sapeva chi siamo e da dove
veniamo. La faccenda della locomotiva ha servito, piú di
quanto io pensassi. Ho avuto del denaro, ne avremo del-
l'altro, e forse anche armi e uniformi regolari. Ho saputo che non siamo soli: in mezzo alle bande inquadrate
dall'Armata Rossa, come quella di Ulybin, ci sono bande
spontanee di contadini, bande di dissidenti ucraini e tartari, bande di banditi, ma anche altre bande ebree come la
nostra: altri Gedale ed altri gedalisti. Se ne parla poco,
perché ai russi i separatismi non piacciono, ma ci sono, piú
o meno armate, grandi e piccole, mobili e stanziali. Ci sono anche bande russe comandate da capi ebrei.

– Ho esposto i nostri scopi e sono stati approvati; possiamo continuare la nostra via, va bene anche per loro.
Non dobbiamo attendere il fronte: siamo un'avanguardia,
dobbiamo precederlo. Ci si aspetta da noi che continuia-
mo a fare quello che abbiamo sempre fatto, guerriglia, sabotaggi, diversioni, ma anche qualcosa di piú: dobbiamo
avanzare verso l'interno della Polonia e attaccare i Lager
dei prigionieri di guerra e degli ebrei, se ne troveremo
ancora. Dobbiamo raccogliere i dispersi e ripulire il paese
dalle spie e dai collaboratori. Dobbiamo spostarci verso

occidente. Ai russi interessa che noi siamo presenti in occidente come russi; a noi interessa essere presenti come ebrei, e, per una volta nella nostra storia, le due cose non si contraddicono. Abbiamo mano libera, possiamo attraversare le frontiere e fare la nostra giustizia.

– Attraversare tutte le frontiere? – chiese Line.

Gedale rispose: – Avevo detto di non fare domande.

Proseguirono per giorni e giorni, sotto il sole e sotto la pioggia, attraverso i campi e la boscaglia del triste paese di Volinia. Si tenevano lontani dalle strade battute, ma non poterono evitare di attraversare alcuni villaggi, e sulla piazza di uno di questi videro un manifesto diverso da quello staccato da Pavel, un manifesto che li riguardava da vicino. Diceva cosí:

> Chiunque ucciderà l'ebreo Gedale Skidler, pericoloso bandito, riceverà 2 kg di sale. Chiunque fornirà a questo Comando notizie utili per catturarlo, riceverà 1 kg di sale. Chiunque lo catturerà e lo consegnerà vivo riceverà 5 kg di sale.

Gedale si batteva le cosce felice, perché la fotografia riportata nel manifesto non era la sua: era quella di un collaborazionista ucraino ben noto in tutta la zona. Gedale non riusciva a staccarsene: – Un'idea fantastica, vorrei averla avuta io. E sarebbe ancora piú bello se questo Gedale lo catturassimo noi –. Ci vollero molte insistenze per distoglierlo da questa idea e indurlo a proseguire.

A metà giugno prese a piovere a dirotto, tutti i corsi d'acqua gonfiarono e divenne impossibile passarli a guado. Anche i pantani si erano fatti piú profondi. Avvistarono un mulino a vento, lo esplorarono, e lo trovarono abbandonato e vuoto. Vuoto, sí: farina non ce n'era, non un sacco, non una manciata, ma l'odore acido della farina fermentata pervadeva tutti i recessi della costruzione, commisto al sentore di muffa e di fungo del legno impregnato di

pioggia. Tuttavia il tetto era stagno, e il locale delle macine
era ragionevolmente asciutto; lungo le pareti correvano robusti scaffali, forse destinati a reggere i sacchi di grano. I
gedalisti si sistemarono per la notte, parte sul pavimento,
parte sugli scaffali stessi: alla luce delle candele, il luogo
aveva assunto un aspetto pittoresco, metà teatro e metà re-
troscena. Comodo non era, ma c'era posto per tutti, anche
coricati, e il tamburellare della pioggia sul tetto di legno
era allegro e intimo.

Isidor, uno degli scampati di Blizna, si era impadronito
di una candela e di un pezzo di lamiera: sdraiato sul ventre, raschiava palmo a palmo il pavimento. Era il piú giovane della banda, non aveva ancora compiuto diciassette
anni; prima di unirsi a Gedale, era rimasto nascosto per
quasi quattro anni, col padre, la madre e una sorellina, in
una buca scavata sotto il pavimento d'una stalla. Il contadino padrone della stalla aveva estorto al padre tutto il denaro ed i valori della famiglia, e poi lo aveva denunziato alla polizia polacca. Isidor aveva avuto fortuna, quando erano venuti i tedeschi era fuori, ogni tanto uno dei quattro
usciva a respirare aria pulita nel bosco: stava ritornando, si
era nascosto, e dal nascondiglio aveva visto le SS, anche
loro ragazzi, poco piú anziani di lui, che uccidevano a ba-
stonate il padre la madre e la sorella. Non avevano visi feroci, anzi, sembrava che si divertissero; dietro di loro, Isidor aveva visto il contadino e sua moglie, pallidi come la
neve. Da allora, Isidor non ragionava piú molto bene. Era
un ragazzo dall'aria assente, un po' curvo, lungo di braccia
e di gambe; portava sempre un coltello alla cintura, e spesso farneticava di tornare al suo paese per uccidere quel
contadino.

– Cosa fai, Isidor? Le pulizie di Pasqua? – chiese Mottel dall'alto del suo scaffale. Isidor non rispose e continuò
a raschiare: ogni tanto, quando aveva raccolto un pizzico
di polverino bianchiccio, lo portava alla bocca, lo biascica-
va e poi sputava.

– Lascia stare, ti verrà il mal di pancia, – disse Mottel,

– mangi piú legno marcio che farina –. Spesso Isidor si metteva nei guai e bisognava sorvegliarlo; ma cercava di rendersi utile, e tutti gli volevano bene. Aveva l'ossessione della fame, e si metteva in bocca tutto quello che trovava.

– Tieni, mangia questa, – gli disse Ròkhele Nera, tendendogli una manciata di uvaspina che aveva raccolta nel bosco. – Fra poco ritorna Józek, qualcosa avrà trovato.

Ritornò Józek, infatti, con poca roba e poca varietà. I contadini del luogo erano poveri ed anche diffidenti, non avevano simpatia né per i russi, né per gli ebrei, né per i partigiani; avevano accettato di trattare con lui solo perché aveva parlato in polacco, ma gli avevano dato solo uva e pane chiedendo un prezzo esorbitante. – Per oggi e per domani ce n'è abbastanza, e poi vedremo, – disse Gedale. – Vedremo quale strategia seguire.

Si era levato il vento, e sembrava di stare dentro una nave. La struttura, di colossali travi di legno appena sgrossato, scricchiolava, vibrava e becheggiava. Le quattro pale, spoglie delle loro tele e bloccate da chissà quanto tempo, si mettevano in moto ad ogni colpo di vento per arrestarsi subito con un urto sordo. Il loro sforzo vano si trasmetteva in sussulti e schianti agli alberi ed agli ingranaggi; l'intera costruzione sembrava tendersi come un gigante schiavo che lottasse per scatenarsi. Solo Pavel era riuscito a prendere sonno, e russava supino, a bocca spalancata.

– Ih, qui è tutto pieno di vermi! – disse a un tratto Isidor, che stava rovistando con uno stecco le commessure del pavimento.

– Lasciali stare, – disse Bella allarmata, – mangia il tuo pane e mettiti a dormire.

Isidor si volse a Bella con un riso melenso: – Certo, che li lascio stare. Io i vermi non li mangio: non sono kòscher.

– Sciocco, i vermi non si mangiano perché sono sporchi: non perché non sono kòscher, – disse Bella, che si stava tagliando le unghie con una forbicina. Era quella la sola forbicina che la banda possedeva: Bella sosteneva che apparteneva a lei personalmente, e che chi la voleva usare gliela doveva chiedere in prestito e restituirla senza fallo. Ad ogni unghia tagliata, si contemplava il dorso della mano con attenzione e compiacimento, come un pittore dopo una pennellata.

Intervenne Ròkhele Bianca, con un filo di voce: – I vermi sono taréf appunto perché sono sporchi. Anche il porco è sporco, e per questo è taréf. Come si fa a non credere nel koscherút? Tanto vale non essere ebrei.

– Per me, – disse Józek, – sono tutte storie di altri tempi. Il porco sarà sporco, ma la lepre e il cavallo sono puliti, eppure non sono kòscher. Perché?

– Non si può sapere tutto, – rispose la Bianca infastidita, – forse, al tempo di Mosè erano sporchi; o portavano qualche malattia.

– Appunto: l'hai detto tu stessa, sono cose di altri tempi. Se Mosè fosse qui con noi, in questo mulino, non ci penserebbe un momento a cambiare le leggi. Spaccherebbe le tavole, come aveva fatto quella volta che si era arrabbiato per il vitello d'oro, e ne farebbe di nuove. Specialmente se avesse visto le cose che abbiamo visto noi.

– Kòscher-schmòscher, – sbadigliò Mottel, ricorrendo all'ingegnoso modo jiddisch di sminuire l'oggetto di cui si parla ripetendolo distorto: – kòscher-schmòscher, io se avessi una lepre la mangerei. Anzi, domani metto su qualche trappola. Da ragazzo ero bravo per le trappole; bisogna che mi rifaccia la mano.

Piotr stava a sentire a bocca spalancata. Si rivolse a Leonid, che sedeva accanto a lui: – Perché non potete mangiare la lepre?

– Non lo so. So che non bisogna, ma non so dirti perché. È una bestia proibita, è scritto cosí nella Torà.

Intervenne Dov: – È proibita perché non ha il piede forcuto.

Isidor disse: – Ma allora, se i miei vermi avessero i piedi forcuti, si potrebbero mangiare?

Gedale aveva notato la faccia sbalordita di Piotr:

– Non farci caso, russo. Se stai con noi, a queste faccende ti dovrai abituare. Tutti gli ebrei sono matti, ma noi siamo un po' piú matti degli altri. È per questo che fino adesso abbiamo avuto fortuna, la nostra è la fortuna dei meschugge. Anzi, ora che ci penso: noi abbiamo un inno ma non abbiamo una bandiera. Dovresti farcene una, Bella, invece di perdere tempo con la toilette. Una bandiera di tutti i colori, e in mezzo, invece della falce, o del martello, o dell'aquila con due teste, o della stella di Davide, ci metterai un meschugge col berretto a sonagli e l'acchiappa-farfalle.

Poi si rivolse di nuovo a Piotr: – Del resto, se sei venuto con noi è perché un po' matto lo sei anche tu, non c'è altra spiegazione. I russi sono o matti o noiosi, e si vede che tu sei del ramo dei matti. Ti troverai bene, anche se le nostre leggi sono un po' complicate; non preoccuparti, noi le rispettiamo solo quando non intralciano la partisanka, ma ci divertiamo a discuterle. Noi siamo bravi a fare le distinzioni, fra il puro e l'impuro, fra l'uomo e la donna, fra l'ebreo e il gòi, e distinguiamo anche fra le leggi della pace e le leggi della guerra. Per esempio: la legge della pace dice che non si deve desiderare la donna d'altri...

Piotr, che era sdraiato accanto a Ròkhele Nera, se ne allontanò un poco, forse inconsciamente.

– No, appunto, non devi preoccuparti. Qui tutti desiderano tutte.

– Comandante, tu non parli mai sul serio, – interruppe Line, che invece parlava sempre sul serio. La sua voce di contralto, leggermente rauca, non era forte, ma aveva la virtú di imporsi sopra le altre voci. – Sulla faccenda della donna d'altri noi abbiamo parecchio da dire.

– Noi chi? – chiese Gedale.

– Noi donne. Prima di tutto: perché una donna può essere di un uomo, altro o no, e un uomo non può essere di una donna? Vi pare giusto? Per noi non è giusto, non è accettabile. Non è piú accettabile; le donne oggi vanno in esilio come gli uomini, sono impiccate come gli uomini, e sparano meglio degli uomini. Basterebbe questo per far vedere che la legge mosaica è reazionaria.

Pavel si era svegliato, ridacchiava e diceva qualcosa sottovoce a Piotr. Leonid taceva, ma guardava di sottecchi Line con aria preoccupata. Venne una forte raffica, la pioggia mista a grandine scrosciò contro la parete; il mulino cigolò e ruotò in blocco, come una giostra, sul gigantesco perno confitto nel suo alveo interrato. Isidor si strinse alla Bianca, che lo tranquillizzò carezzandolo sul capo ispido.

– Avanti, avanti, Line, – disse Gedale. – Non ti spaventerai per un po' di vento. Dicci qual è la tua legge; se non è troppo stretta, vedremo di obbedirla.

– Non è il vento che mi spaventa, siete voi. Siete dei cinici e dei primitivi. La nostra legge è semplice: finché non si è sposati, uomini e donne possono desiderarsi e fare l'amore quanto vogliono. L'amore, fino al matrimonio, deve essere libero, e di fatto è già libero, lo è sempre stato, e non c'è legge che lo possa imprigionare. Neanche la Bibbia dice niente di diverso; i nostri padri non erano diversi da noi, facevano l'amore come noi, allora come oggi.

– Allora più di oggi, – disse Pavel, – mica per niente la Bibbia incomincia con una chiavata.

– ... ma dopo il matrimonio non è più così, – continuò Line senza dargli ascolto. – Noi al matrimonio ci crediamo, perché è un patto, e i patti si mantengono. La moglie appartiene al marito, però anche il marito appartiene alla moglie.

– E allora noi non ci sposiamo, – disse Gedale. – Vero, Bella?

– Sta' zitto, guarda, – rispose Bella, – tanto lo sanno tutti che sei un sudicione. E di sposarmi non te l'ho mai chiesto. Come comandante potrai anche andare, ma come marito è meglio non parlarne.

– Benissimo, – disse Gedale, – lo vedi che andiamo sempre d'accordo. Abbiamo tempo a pensarci: prima, bisogna che finisca la guerra –. Poi si volse a Leonid, che stava accoccolato accanto a Line, scuro in viso:

– E tu, moscovita, che cosa pensi delle teorie della tua donna?

– Non penso niente. Lasciami in pace.

– ... e io non sono la donna di nessuno, – aggiunse Line.

– Ma quante storie! – disse Józek dal suo angolo, rivolto a uno degli uomini di Slonim. – Giacobbe nostro padre, per esempio, aveva quattro donne che andavano benissimo d'accordo fra loro.

Intervenne Mottel:

– Però non erano donne d'altri. Giacobbe era nel suo buon diritto, perché una l'aveva avuta per sbaglio, anzi per un inganno di Labano, e altre due erano schiave. Di mogli vere ne aveva una sola: era tutto regolare.

– Bravo, Mottel! – disse Gedale. – Non ti sapevo cosí istruito. Hai studiato in Jeschiva, prima di cominciare a tagliare gole?

– Ho studiato diverse cose, – rispose Mottel con sussiego. – Ho studiato anche il Talmud, e sapete che cosa dice il Talmud a proposito delle donne? Dice che a una donna che non sia la propria moglie non si deve parlare, e neppure fare segni, né con le mani, né coi piedi, né con gli occhi. Che non bisogna guardare i suoi abiti, neppure se non li indossa. Che ascoltare una donna che canta è come vederla nuda. Che è un peccato grave se due fidanzati si abbracciano: la donna ne esce impura, come se avesse le regole, e si deve purificare nel bagno rituale.

– Tutto questo sta nel Talmud? – chiese Mendel, che non aveva parlato finora.

– Nel Talmud e altrove, – disse Mottel.

– Che cosa è il Talmud? – chiese Piotr. – È il vostro Vangelo?

– Il Talmud è come una minestra con dentro tutte le cose che un uomo può mangiare, – disse Dov. – Però c'è il grano con la crusca, la frutta con i noccioli e la carne con le ossa. Non è tanto buona, ma nutre. È pieno di errori e di contraddizioni, ma proprio per questo insegna a ragionare, e chi lo ha letto tutto...

Pavel lo interruppe: – Che cosa è il Talmud, te lo spiego io con un esempio. Stai bene attento: Due spazzacamini cadono per la canna di un camino; uno esce sporco di fuliggine, l'altro esce pulito. Ti domando: quale dei due va a lavarsi?

Sospettando una trappola, Piotr si guardò intorno come in cerca di un aiuto. Poi si fece animo, e rispose: – Si va a lavare quello che è sporco.

– Sbagliato, – disse Pavel. – Quello che è sporco vede il viso dell'altro, che è pulito, e crede di essere pulito anche lui. Invece, quello che è pulito vede la fuliggine sulla faccia dell'altro, crede di essere sporco e si va a lavare. Hai capito?

– Ho capito, sí. È ben ragionato.

– Ma aspetta; l'esempio non è ancora finito. Adesso ti faccio una seconda domanda. Questi due spazzacamini cadono una seconda volta per lo stesso camino, e ancora una volta uno è sporco e l'altro no. Chi va a lavarsi?

– Ti ho detto che ho capito. Va a lavarsi lo spazzacamino pulito.

– Sbagliato, – disse Pavel senza pietà. – Lavandosi dopo la prima caduta, l'uomo pulito ha visto che l'acqua nel catino non diventava sporca, e invece l'uomo sporco ha capito il motivo per cui l'uomo pulito era andato a lavarsi. Perciò, questa volta si va a lavare lo spazzacamino sporco.

Piotr stava a sentire con la bocca socchiusa, mezzo spaventato e mezzo incuriosito.

– E ora la terza domanda. I due cadono giú per il camino una terza volta. Quale dei due si va a lavare?

– D'ora in avanti, si va a lavare quello che è sporco.

– Sbagliato ancora. Hai mai visto che due cadano attraverso lo stesso camino, e uno sia pulito e l'altro sporco? Ecco, il Talmud è fatto cosí.

Piotr rimase attonito per qualche secondo, poi si scosse come un cane uscito dall'acqua, rise timido, e disse: – Mi

hai fatto sentire come un pulcino bagnato. Come una re-
cluta appena entrata in caserma. Bene, ho capito che cosa
è il vostro Talmud, ma se mi fate un secondo esame io me
ne vado e torno da Ulybin. Non è il mio genere, preferisco
andare all'assalto.

– Non te la prendere, russo, – disse Gedale, – Pavel
non aveva cattive intenzioni, non ti voleva canzonare.

Line intervenne: – Voleva solo farti provare che effetto
fa essere ebreo; voglio dire, che effetto fa avere la testa
fatta in un certo modo, ed essere in mezzo a gente che ha
la testa fatta in un modo diverso. Ecco, adesso l'ebreo sei
tu, solo in mezzo ai goyim che ridono di te.

– ... e farai bene a cambiarti il nome, – disse Gedale, –
perché il tuo è troppo cristiano: invece che Piotr Fomič
fatti chiamare Geremia o Abacucco o in qualche altro modo poco appariscente. E impara il jiddisch e dimentica il
russo; e fatti magari anche circoncidere, se no presto o tardi noi faremo un pogrom –. Detto cosí, Gedale sbadigliò
di gusto, soffiò sulla candela, diede la buonanotte a tutti e
si ritirò con Bella. Anche le due o tre altre candele furono
spente. Si udí nel buio, rauca di sonno, una voce, forse
quella di uno degli uomini di Ružany:

– ... al mio paese c'era un ebreo che aveva mangiato
una salsiccia di cinghiale. Il rabbino lo rimproverò, ma lui
disse che quel cinghiale ruminava, e perciò era kòscher.
«Sciocchezze, i cinghiali non ruminano», disse il rabbino.
«Non ruminano in generale, ma quello invece sí. Ruminava in particolare: ruminava come un bue», disse l'ebreo; e
siccome il cinghiale non c'era piú, il rabbino dovette stare
zitto.

– Al mio paese, – disse un'altra voce, – c'era un ebreo
che si è fatto battezzare quattordici volte.

– Perché? Non bastava una volta sola?

– Certo bastava, ma a lui piaceva la cerimonia.

Si udí qualcuno scatarrare e sputare, e poi una terza voce disse:

– Al mio paese c'era un ebreo che si ubriacava.

– Beh, che cosa c'è di strano? – rispose un altro.

– Niente. Non ho mica detto che fosse una cosa strana, ma stasera è strano raccontare cose non strane, dal momento che tutti raccontano cose strane.

– Al mio paese... – cominciò Isidor; una voce di donna lo interruppe: – Basta, adesso; dormi, che è tardi –. Ma Isidor continuò:

– Al mio paese c'era una donna che aveva visto il diavolo. Si chiamava Andúschas, aveva la forma di un unicorno, e suonava.

– Cosa suonava?

– Suonava il corno.

– Ma come faceva, se ce lo aveva sulla fronte?

– Non lo so, – disse Isidor, – non le ho chiesto.

Una voce profonda sbadigliò dall'alto: – Fate silenzio, adesso. È ora di dormire, abbiamo camminato tanto. Dobbiamo riposarci. Anche il Signore ci ha messo sei giorni per creare il mondo, e il settimo si è riposato.

Rispose Gedale: – Si è riposato, e ha detto «Speriamo che funzioni».

Si udí ancora nel buio la voce esile di Ròkhele Bianca, che mormorava la preghiera della sera, «Nella Tua mano affido il mio spirito», e la benedizione «Il Misericordioso spezzi il giogo che ci opprime, e ci riconduca a fronte alta nella nostra terra»; poi fu silenzio.

L'acquazzone della sera si era ridotto ad una pioggerella mite e persistente, ed anche il vento era diminuito. L'ossatura del vecchio mulino non gemeva piú, ma crepitava sommessa, come se la rodessero centinaia di tarli, e Mendel, sdraiato sul duro dell'assito, non riusciva a prendere sonno. Altri suoni confusi venivano dal solaio, passi fitti e leggeri, forse di topi o di faine, sullo sfondo dei respiri e dei mugolii dei compagni che dormivano. L'aria era tiepida, gravida di umori notturni e del sentore acre e dolce dei pollini, e Mendel si sentiva invadere dal desiderio. Era un

desiderio da adolescente, senza contorni, morbido caldo e
bianco: cercava di descriverlo a se stesso e non ci riusciva.
Desiderio di un letto, e di un corpo di donna nel letto; desiderio di sciogliersi in un'altra, di essere con lei una carne
sola, una doppia carne isolata nel mondo, appartata dalle
strade, dalle armi, dalle paure e dai ricordi della strage.

Accanto a lui Sissl respirava quieta. Mendel tese una
mano nel buio e ne sentí il fianco, avvolto nel ruvido della
coperta. Premette, cercò di attirarla a sé, ma Sissl resisteva, pietrificata dal sonno. Sullo schermo incerto del dormiveglia si inseguivano nomi e visi, presenti e lontani.
Sissl bionda e stanca. Rivke dai tristi occhi neri, ma Mendel la scacciò subito, non la voleva, non la poteva pensare.
Rivke, Strelka, la fossa: va' via, Rivke, per favore. Torna
là da dove sei venuta, lasciami vivere. Mendel cercava
ostinatamente di addormentarsi, e si rendeva conto che
era proprio quel suo sforzo il pungiglione che lo manteneva sveglio. La sua mente non era ancora cosí confusa da
ignorare che un altro viso e un altro nome battevano alla
sua porta. Un nome senza volto, il nome di Raab, la mere-
trice dal potere perverso; sí, era vera la bizzarra notizia,
bastava che Mendel pronunciasse quel nome, anche solo
nella mente, e la sua carne si tendeva. E un volto senza nome, un volto incavato, giovane e logoro, dagli occhi grandi
e lontani. Mendel ebbe un sobbalzo: non era senza nome,
quel volto. Aveva un nome, ed era il nome di Line.

La vide come l'aveva vista poche ore prima, convinta
nella discussione, priva di pigrizie e di dubbi, grave fino ad
essere quasi ridicola, vibrante come un cavo teso. Si liberò
dalla coperta, si tolse le scarpe e la cercò a tentoni, inciam-
pando nelle membra dei dormienti. Aveva visto dove si
era ritirata per dormire, e la trovò facilmente, sotto la scala che portava al soppalco: toccò nel buio i suoi capelli, ed
il suo sangue ne ebbe un urto. Accanto a Line dormiva
Leonid, i due erano avvolti nella stessa coperta; l'immagine di Leonid e quella di Sissl ingombrarono per un istante
la coscienza di Mendel, poi si allontanarono nel buio, sem-

pre piú piccole e trasparenti, fino a sparire, come era sparito il viso terribile di Rivke.

Mendel toccò la spalla di Line, poi la sua fronte. La mano della ragazza, piccola ma forte, si liberò dalla coperta, trovò il braccio di Mendel e lo risalí esplorandolo. Si infilò nell'apertura della camicia, sfiorò le guance mal rase; le dita trovarono la cicatrice sulla fronte, la seguirono attente e sensibili fin dove spariva fra i capelli. Sopravvenne l'altra mano, e premette la nuca di Mendel attirando la testa verso il basso. Mendel aiutò Line a svolgersi dalla coperta senza che Leonid si svegliasse. Salirono insieme sul soppalco: la scaletta scricchiolò sotto il loro peso, ma il rumore si confuse nel brusio del vento e della pioggia.

Il soppalco era ingombro. Mendel riconobbe al tasto una tramoggia, toccò un ingranaggio unto di morchia; ritrasse la mano con ribrezzo e se la pulí sul fondo dei pantaloni. Sentí con i piedi un'area libera, vi trasse Line che lo seguiva docile. Si coricarono, e Mendel spogliò Line dei suoi panni militari. Il corpo che emerse era magro e nervoso, quasi maschile; il ventre era piatto, braccia e cosce muscolose e snelle. Le ginocchia erano quadrate, dure, ruvide come quelle dei bambini; la mano di Mendel esplorò avida le due infossature ai lati del tendine, sotto la rotula, poi risalí lungo il fianco, ma i seni, pur piccoli, erano sfioriti, tristi sacchetti di pelle vuota sotto cui si palpavano le costole. Mendel si spogliò, e subito Line gli si avvinghiò addosso come per una lotta. Schiacciata sotto il peso del corpo mascolino, Line si torceva, avversario tenace e resiliente, per eccitarlo e sfidarlo. Era un linguaggio, e pur nella nebbia rossa del desiderio Mendel lo intendeva: ti voglio ma ti resisto. Ti resisto perché ti voglio. Io esile ti giaccio sotto ma non sono tua. Io non sono la donna di nessuno, e resistendo ti lego a me. Mendel la sentiva armata anche nuda, armata come la prima volta che l'aveva intravista nel dormitorio di Novoselki. Di nessuno e di tutti, come Raab di Gerico: Mendel lo percepí e ne fu trafitto, mentre all'ultimo istante si strappava da lei. Lo sforzo fu cosí lacerante che Mendel singhiozzò forte, nel silenzio buio del mulino.

Quando la febbre si fu sciolta nella quiete del corpo soddisfatto, soave come una convalescenza, Mendel tese l'orecchio: il silenzio non era completo, si udivano altre voci soffocate, difficili a riconoscersi. Scivolò nel sonno accanto a Line che già dormiva tranquilla.

Si svegliò poco dopo, alla prima luce del giorno, quando tutti gli altri dormivano ancora, e distinse Gedale accanto a Bella, Pavel accanto a Ròkhele Nera, e Ròkhele Bianca accanto a Isidor. Il viso pallido ed affilato di Line posava nel cavo del suo braccio. Perché l'ho fatto? Che cosa cerco in lei? L'amore e il piacere. No, non solo questo. Cerco in lei un'altra donna, e questo è terribile e ingiusto. L'ho cercata in Sissl e non l'ho trovata. Cerco quella che non c'è piú, e non la troverò. Ed ora sono legato a questa: sono legato da questa, legato dall'edera. Per sempre, o non per sempre, non lo so: nulla è per sempre. E lei non è legata a me: lei lega e non si lega, te ne dovresti essere accorto, Mendel, non sei piú un bambino, sciogliti finché sei in tempo, questo non è tempo di legarsi. Sciogliti o finirai male: male come Leonid. Si guardò intorno, e Leonid non c'era. Niente di strano, poteva essere uscito. Continuò a consigliare fraternamente a se stesso di liberarsi di Line, a ordinarselo, a imporselo, e sapeva benissimo che, se un altro gli avesse parlato cosí, lui Mendel, il mite orologiaio, gli avrebbe rotto la faccia a pugni. Dopo mezz'ora erano svegli tutti e Leonid non c'era; erano spariti anche il suo zaino e la sua arma.

Gedale brontolò in polacco, invitando il diavolo ad occuparsi di Leonid; poi proseguí in jiddisch: – Nu, noi non siamo l'Armata Rossa e io non sono Ulybin, e lui come partigiano non vale molto. Non è uomo da tradirci, ma se incappa nei tedeschi è un altro discorso. Speriamo che non combini guai. Da solo non va tanto lontano: fra tre giorni lo ritroviamo, vedrete.

– Però il fucile automatico avrebbe potuto lasciarlo, – disse Józek.

– Già, è questo il guaio. Se lo ha preso è per adoperarlo.

Mendel propose di andarlo a cercare. Dov aggiunse che si sarebbe potuto provare con i cani, e Gedale disse che si arrangiassero ma non perdessero troppo tempo. Dov condusse un cane ad annusare la coperta sotto cui Leonid aveva dormito, poi lo portò all'aperto; il cane fiutò svogliatamente il terreno, alzò il naso e fiutò l'aria, fece due o tre giri su se stesso; infine abbassò la coda e le orecchie e puntò il muso verso Dov e Mendel, con l'aria di dire: – Che cosa volete da me?

– Andiamo, – disse Gedale. – Preparatevi a partire. Di andarlo a cercare non se ne parla neanche. Se lui cercherà noi, saprà come trovarci –. Mendel pensò: «È andato a sparare ai tedeschi, ma forse voleva sparare a me».

Ripresero il cammino, fra un cielo splendido e una terra impregnata di pioggia. Aggirarono alcuni villaggi apparentemente deserti; la colonna procedeva lenta, guidata da Józek, attraverso macchie di bosco e campi invasi dalle erbacce. Il terreno era piano, ma verso ponente si delineavano quinte di colline ottuse. Mendel marciava in silenzio, e non si sentiva contento di essere Mendel. In una notte sola aveva tradito due volte: forse tre, contando anche Sissl. Ma Sissl non andava contata, eccola lí poco piú avanti nella fila, camminava dietro a Piotr col suo passo tranquillo di sempre. E neanche i morti non bisogna contarli, stanno nel loro mondo di morti, non ne escono quasi mai. Non bisogna lasciarli uscire, è come quando scoppia il tifo, bisogna rinforzare la recinzione, tenerli chiusi nel loro lazzaretto. I vivi hanno diritto di difendersi. Ma con Leonid era stato diverso, Leonid non era morto... e lo sai, tu, se non è morto? Se non lo hai ucciso tu, che eri il suo fratello, e che quando ti hanno chiesto conto di lui hai risposto con l'insolenza di Caino? Forse gli hai tolto la sola cosa che aveva; hai tagliato il cavo del rimorchio, e lui sta affondan-

do, o è già affondato. Anzi, hai fatto peggio: lo hai sganciato dal cavo, e ti sei messo al suo posto. Adesso sei tu che
ti fai rimorchiare. Da lei, dalla ragazzetta testarda dalle
unghie rosicchiate. Bada a quello che fai, Mendel figlio di
Nachman!

Al mattino del terzo giorno di marcia si trovarono sul
ciglio di una forra. La parete era scoscesa, di brutta terra
marnosa resa viscida dalla pioggia; anche la parete opposta
era ripida, e sul fondo, trenta metri piú in basso, scroscia-
va un torrente fangoso strozzato fra le due rive.

– Sarai bravo a fare dollari falsi, Józek, ma come guida
non vali molto, – disse Gedale. – Qui non si passa: hai
sbagliato strada.

Józek aveva buone giustificazioni. Le piste erano molte,
e non si poteva pretendere che lui, dopo anni, le ricordasse
tutte. Era colpa della pioggia; con tempo asciutto, di questo lui era sicuro, si poteva scendere e risalire abbastanza
bene, e il torrente si riduceva a un rigagnolo che non faceva paura a nessuno. Comunque, non c'era bisogno di tornare indietro. Si poteva proseguire verso nord, seguendo il
ciglio della gola; presto o tardi un passaggio lo si sarebbe
trovato.

Si rimisero in cammino, per tracce di sentieri invase dai
rovi. Si vide presto che il torrente, anziché a nord, volgeva
verso un nord-est che era quasi un est, e la popolarità di
Józek declinò: non si era mai visto che per andare a ponente si dovesse camminare verso levante. Gedale disse che
Cristoforo Colombo aveva fatto proprio cosí, o insomma
viceversa, e Bella, stanca morta, gli disse di non fare il buf-
fone. Józek insisteva a dire che ci doveva essere un passaggio, non molto lontano; infatti, verso metà giornata trovarono un sentiero ben segnato che correva lungo il ciglione.
Lo seguirono per una mezz'ora, e videro che Józek doveva
avere ragione: la gola piegava verso sinistra, cioè a ponente, con un angolo acuto, e il sentiero, sempre piú battuto,
scendeva obliquamente verso il fondo. Nonostante la pioggia che era caduta pochi giorni prima, si distinguevano im-

pronte bovine: forse il sentiero conduceva a un guado, o
a un ponte, o ad un'abbeverata. Discesero, videro che il
sentiero raggiungeva il torrente proprio all'apice della curva, e che oltre la curva la gola si apriva in un letto pianeg-
giante; il torrente si divideva in vari rami che scorrevano
lenti fra i ciotoli. Nella breve pianura c'erano le rovine di
una baracca di pietra; sulla soglia stavano sei uomini, e uno
di questi era Leonid. Degli altri, quattro erano armati, e
vestivano uniformi del vecchio esercito polacco, lacere e
stinte; il sesto, disarmato e nudo fino alla cintola, stava un
po' in disparte ad abbronzarsi al sole.

Uno degli armati si fece incontro ai gedalisti. Si sfilò al
di sopra del capo il mitragliatore, che portava a tracolla;
non lo puntò contro i nuovi venuti, ma lo resse negligentemente penzoloni tenendolo per la canna, e disse in polacco: – Fermatevi –. Gedale, che in Polonia era nato e cresciuto, e che parlava il polacco meglio del russo, si fermò,
fece cenno alla fila di fermarsi, e disse in russo a Józek:
– Senti un po' che cosa desidera il Pan.

Il Pan, cioè il Signore, capí (e del resto Gedale aveva
fatto del suo meglio perché capisse), e disse con fredda collera:

– Desidero che ve ne andiate. Qui è terra nostra, e voi
avete già fatto abbastanza guai.

Davanti alla prospettiva di un litigio, Gedale aveva assunto un'aria estasiata che irritava ulteriormente il polacco. Disse a Józek: – Di' al signore che, se gli abbiamo pro-
vocato dei fastidi, è stato senza nostra colpa, o almeno
senza intenzione di danneggiare lui personalmente. Chiedigli se vuole alludere alla faccenda della locomotiva di
Sarny, e se sí, digli che non lo faremo piú. Digli che abbiamo una gran voglia di andarcene, e che non c'è bisogno del
suo incoraggiamento. Chiedigli...

Venne fuori che il signore capiva il russo abbastanza bene, poiché non attese che Józek traducesse, ed interruppe
Gedale con violenza:

– Si capisce che parlo della locomotiva. Anche quello è

territorio nostro, delle Forze Armate Nazionali, e la rappresaglia dei tedeschi l'abbiamo dovuta fronteggiare noi.
Ma parlo anche del vostro uomo, – e qui indicò Leonid,
con un gesto sprezzante del pollice, – di questo stupido temerario, di questo insensato con la Stella Rossa che se ne
va da solo a fare l'eroe, senza pensare che...

Questa volta fu Gedale ad interrompere, in buon polacco, abbandonando per la sorpresa il giochetto dell'inter-
pretariato:

– Come? Che cosa ha fatto? Dove lo avete catturato?

– Non lo abbiamo catturato, – ringhiò il polacco, – lo
abbiamo salvato. E non lo andate a raccontare in giro: perché è la prima volta, sangue d'un cane, che le NSZ salvano
un giudeo, e per di piú russo e comunista, dalle pallottole
dei tedeschi. Ma deve proprio essere un po' tocco: armato,
in pieno giorno, senza neppure guardarsi intorno, se ne andava diritto verso il posto di blocco dei tedeschi...

– Quale posto di blocco?

– Quello della centrale di Zielonka. A rischio di scatenare un finimondo; e senza pensare che l'energia di Zielonka serve anche a noi. Se volete fare dei sabotaggi, andate piú lontano, che il diavolo vi porti. E informatevi della
situazione politica. E soprattutto non mandate dei balordi
come questo.

– Non lo abbiamo mandato noi: è stata una sua iniziativa, – disse Gedale. – Lo interrogheremo e lo puniremo.

– Ce lo ha detto anche lui, che l'iniziativa era sua: ci abbiamo già pensato noi a interrogarlo. Ma non ci prenderete
per dei deficienti. O per dei bambini. È dal '39 che noi
combattiamo su due fronti, e certi trucchi li abbiamo impa-
rati. E voi li avete copiati dai nazi: tutto preciso come al
tempo dell'incendio del Reichstag, si prende uno un po' debole di mente, lo si manda allo sbaraglio, e poi la rappresaglia cade come un fulmine dalla parte che fa comodo a voi.

Il polacco si fermò per prendere fiato. Era alto, secco,
non piú giovane, e i mustacchi grigi gli tremavano per la
collera. Gedale diede un'occhiata dalla parte di Leonid:

stava seduto sulla soglia di pietra della baracca, con le mani legate appoggiate sulle cosce. Era lontano solo dieci passi, a portata di voce, ma sembrava che non stesse ascoltando. Il polacco osservava Józek con attenzione:

– Ma anche tu mi hai l'aria di essere ebreo. Ne abbiamo viste, di cose strane, ma questa le passa tutte: degli ebrei che vanno in giro per la Polonia con le armi rubate ai polacchi, e si spacciano per partigiani, puttane le loro madri!

Gedale scattò. Con la sinistra strappò il mitragliatore dalle mani del polacco, e con la destra gli assestò un violento ceffone sull'orecchio. Il polacco vacillò, fece qualche passo incerto ma non cadde. Gli altri tre si erano avvicinati con aria minacciosa, ma il loro capo gli disse qualcosa, ed essi si ritirarono di qualche passo, tenendo però sempre le armi puntate.

– Sono ebreo anch'io, Panie Kondotierze, – disse Gedale con voce tranquilla. – Queste armi non le abbiamo rubate, e le sappiamo usare piuttosto bene. Voi combattete da cinque anni, e noi da tremila. Voi su due fronti, e i nostri fronti non si possono contare. Sia ragionevole, Signor Condottiero. Abbiamo lo stesso nemico da combattere: non sprechiamo le nostre forze –. Poi aggiunse, con un sorriso cortese: – ... e neppure le nostre ingiurie –. Forse il «condottiero» sarebbe stato meno arrendevole se non si fosse visto circondato da una ventina di gedalisti dall'aria risoluta. Brontolò qualche misteriosa imprecazione a base di tuono e di colera, poi disse burbero: – Non vogliamo sapere niente di voi e non vogliamo avere niente a che fare con voi. Ripigliatevi il vostro uomo. E prendetevi anche quell'altro, che dice di essere dei vostri: noi non sappiamo che cosa farcene.

A un suo gesto, i suoi seguaci afferrarono Leonid per le braccia, lo fecero alzare in piedi e lo spinsero verso Gedale, che tagliò subito la corda che gli legava le mani. Leonid non disse una parola, non sollevò gli occhi da terra, e si inserì nella schiera dei gedalisti fermi sul sentiero. L'altro uomo nominato dal polacco, quello che se ne stava in disparte a torso nudo a prendere il sole, si fece avanti spontaneamente. Era alto quanto Gedale, aveva un ardito naso da falco e un paio di maestosi baffi neri, ma non doveva avere molto piú di vent'anni. Il suo corpo, muscoloso ed agile, sarebbe stato un buon modello per una statua di atleta se non fosse stato per il piede equino che gli deturpava una gamba. Aveva raccattato da terra un fagotto, e sembrava contento di cambiare padrone. Era tempo di ripartire; Gedale rese l'arma al polacco, e gli disse:

– Signor Condottiero, credo che possiamo essere d'accordo su un punto solo, e cioè che anche noi non vogliamo avere niente a che fare con voi. Ci dica quale strada dobbiamo tenere.

Il polacco rispose: – Tenetevi alla larga da Kovel, da Lukov e dalla ferrovia. Non provocate i tedeschi nella nostra zona, e andate al diavolo.

– Ma che bel tipo! – disse Gedale a Mendel quando ebbero ripreso la marcia, senza mostrare né collera residua né disprezzo. – Proprio un tipo fantastico, da film di indiani. Secondo me aveva sbagliato secolo.

– Però lo hai preso a schiaffi!

– Per forza: ma che c'entra? L'ho ammirato lo stesso: come si ammira una cascata o un animale strano. È uno stupido, e forse anche pericoloso, ma ci ha offerto un bello spettacolo.

Del resto, Gedale sembrava innamorarsi di ogni nuovo venuto, al di là di ogni considerazione morale o utilitaria. Girava intorno ad Arié, il giovane zoppo, come se volesse sentirne l'odore ed osservarlo sotto tutte le angolazioni. Nonostante il suo difetto, Arié non aveva difficoltà a seguire la fila, anzi, camminava agile e sciolto, e si rese subito popolare uccidendo una quaglia con una sassata e offrendola in omaggio a Ròkhele Bianca. Non parlava né capiva il jiddisch, e pronunciava il russo in un modo molto strano: era georgiano, Arié, e fiero di esserlo. La sua lingua materna era il georgiano, il russo lo aveva imparato a scuola, ma

il suo nome, di cui era altrettanto fiero, era ebraico puro:
Arié significa Leone.

Pochi fra i gedalisti avevano incontrato prima un ebreo
georgiano, e Józek, metà per scherzo, metà sul serio, osò
addirittura mettere in dubbio che Arié fosse ebreo; chi
non parla jiddisch non è ebreo, è quasi un assioma, e lo dice anche il proverbio: «Redest keyn jiddisch, bist nit keyn
jid».

– Se sei ebreo, parlaci in ebraico: dicci una benedizione
in ebraico.

Il giovane accettò la sfida, e recitò la benedizione del vino con la pronuncia sefardita, rotonda e solenne, invece
che in quella askenazita, sincopata e stretta. Molti risero:

– Ih, parli ebraico come lo parlano i cristiani!

– No, – rispose Arié nobilmente offeso: – noi parliamo come Abramo nostro padre. Siete voi che parlate sbagliato.

Arié si integrò nella banda con rapidità sorprendente.
Era robusto e volonteroso ed accettava di buona voglia
tutti i lavori; accettò anche quel poco di disciplina partigiana che la banda aveva conservato. Mentre tutti erano curiosi di lui, si mostrò poco curioso delle finalità della banda: – Se andate ad ammazzare i tedeschi, vengo con voi.
Se andate in Terra d'Israele, vengo con voi –. Era intelligente, allegro, fiero e permaloso. Fiero di molte cose: di
essere georgiano (discendente dai Macedoni di Alessan-
dro, precisò, senza però essere in grado di dimostrarlo in
alcun modo); di non essere russo, ma ad un tempo di essere compatriota di Stalin; del suo cognome Hazanšvili.

– Ma certo! Gli assomigli perfino, – rise Mottel. – Non
solo nei baffi, ma anche nel nome.

– Stalin è un grand'uomo e voi non lo dovreste prendere in scherzo. Mi piacerebbe assomigliargli nel nome, ma
non è cosí. Lui è Džugašvili, cioè il figlio di Džuga, e io sono soltanto Hazanšvili, che vuol dire il figlio del Hazàn,
del cantore della Sinagoga.

Era permaloso sull'argomento della sua deformità, e

non gli piaceva che se ne parlasse, ma con ogni probabilità
essa gli aveva salvato la vita:

— Alla leva militare mi avevano riformato, e al paese mi
canzonavano, perché andare soldato per noi è un onore.
Ma poi, nel '42, quando prendevano tutti, hanno mobilitato anche me, e mi hanno spedito nelle retrovie di Minsk
a cuocere il pane nella panetteria militare. I tedeschi mi
hanno preso prigioniero, ma come lavoratore civile, e questa è stata la mia fortuna. Che io fossi ebreo, non se ne sono accorti...

— Tutto merito dei baffi, credi a me, — disse Józek: —
peccato che pochi ci abbiano pensato, a farseli crescere.

— Dei baffi e della statura. E poi perché mi sono dichiarato contadino e specialista in innesti.

— Sei stato furbo!

— Ma no, è proprio il mio mestiere, io e mio padre e
mio nonno abbiamo sempre innestato viti. E allora mi
hanno messo in un'azienda agricola a innestare alberi che
non avevo mai visti. Eravamo quasi liberi, e in aprile sono
scappato. Volevo andare con i partigiani, e sono incappato
in quelli che avete visti; con loro però non stavo tanto bene, mi dicevano «ebreo» e mi facevano portare i pesi come
a un mulo.

Gedale tendeva alle decisioni improvvisate, ma sulla
questione di Leonid non se la sentiva di improvvisare.
Chiamò da parte Józek, Dov e Mendel e non era il Gedale
di tutti i giorni: non divagava, pensava a quello che diceva,
e parlava sommesso.

— Le punizioni non mi piacciono: né darle né riceverle.
Sono roba da prussiani, e per gente come noi servono a poco. Ma questo ragazzo l'ha fatta grossa: se ne è andato con
le armi, senza ordini e senza permesso, e ha fatto quanto
poteva per metterci nei guai tutti quanti. È stata una fortuna che il grosso delle forze delle NSZ era lontano, altrimenti ce la vedevamo brutta. Si è comportato da scioc-

co, ed ha fatto apparire sciocchi tutti noi: sciocchi ed intrusi, pasticcioni e guastamestieri. Già da queste parti non siamo mai stati molto amati; dopo questa faccenda lo saremo ancora meno, e la nostra strada è lunga, ed abbiamo bisogno dell'appoggio della popolazione. O almeno di una neutralità silenziosa. Leonid queste cose le deve capire: gliele dobbiamo far capire.

Józek alzò la mano per chiedere la parola. – Se fosse un altro uomo, io credo che il miglior rimedio sarebbe quello di picchiarlo un poco e poi di invitarlo a fare l'autocritica, come fanno i russi. Ma Leonid è un tipo strano, è difficile capire perché fa le cose che fa. Tu dici bene, comandante, che dobbiamo fargli capire certe cose; ebbene, secondo me, e almeno per il momento, quel ragazzo non è in grado di capire niente. Da quando lo abbiamo ripreso non ha piú detto una parola: non una. Non mi ha guardato in faccia una volta, e tutte le volte che gli ho portato la gavetta ha fatto finta di mangiare e poi, appena io me ne andavo, versava via tutto: l'ho visto benissimo. Se fossimo in tempo di pace, so io che cosa ci vorrebbe per lui.

– Un medico? – chiese Gedale.

– Sí, il medico dei matti.

– Voi due lo conoscete da piú tempo, – disse Gedale rivolto a Mendel e a Dov. – Qual è il vostro pensiero?

Parlò per primo Dov, del che Mendel fu lieto. – A Novoselki mi ha dato qualche fastidio perché non era puntuale sul lavoro. L'ho mandato a fare un sabotaggio, per metterlo alla prova e per dargli un'occasione di far buona figura davanti agli altri: mi pareva che ne avesse bisogno. Se l'è cavata né bene né male, con coraggio e con precipitazione: lo hanno tradito i nervi. Secondo me è un bravo ragazzo con un brutto carattere, ma io non credo che si possa giudicare un uomo da quello che ha fatto a Novoselki; o del resto, anche da quello che fa qui.

– Non mi interessa giudicarlo, – disse Gedale, – mi interessa sapere che cosa dobbiamo fare di lui. Tu che dici, orologiaio?

Mendel era sulle spine. Gedale sapeva, o aveva indovinato, la vera causa della sortita suicida di Leonid? Se sí, non parlarne era puerile e disonesto. Se no, se non lo aveva intuito, Mendel avrebbe preferito non fornire materia alla sua curiosità ed ai pettegolezzi di tutti. Insomma erano fatti suoi, non è vero? Suoi e di Line, fatti privati. Di aggravare la posizione di Leonid non si sentiva l'animo, e raccontare che Leonid aveva disertato per una faccenda di donne voleva dire aggravare la sua posizione. E aggravare anche la tua. Sí, certo: aggravare anche la mia. Si tenne sul vago, sentendosi intimamente bugiardo, e spregevole come un verme:

– È un anno che siamo insieme, ci siamo incontrati nel luglio dell'altr'anno nelle foreste di Brjansk. Sono d'accordo con Dov, è un bravo ragazzo con un carattere difficile. Mi ha raccontato la sua storia, la sua vita non è mai stata facile, ha incominciato a soffrire molto prima di noi. Secondo me, punirlo sarebbe una crudeltà, e per giunta inutile: si sta punendo da sé. E sono d'accordo anche con Józek; sarebbe un uomo da curare.

Gedale si alzò di scatto e cominciò a camminare su e giú. – Siete veramente dei bravi consiglieri. Curarlo, ma non si può. Punirlo, ma non si deve. Tanto valeva dirlo chiaro, che il vostro consiglio è di lasciare le cose come stanno, e che la faccenda si risolva da sé. Mi sembrate i consolatori di Giobbe. Va bene, per adesso lasciamola cosí; vedrò se la ragazza mi saprà dare un suggerimento piú concreto: lei lo conosce meglio di voi, o almeno sotto un aspetto diverso.

Dunque non sa, pensò Mendel con sollievo, e insieme vergognandosi del suo sollievo. Ma del colloquio fra Gedale e Line Mendel non seppe piú nulla; o non era avvenuto, o (cosa piú probabile) Line non aveva detto niente di essenziale. Il malumore di Gedale durò poco; nei giorni successivi era ritornato ai suoi modi consueti, ma, come già aveva fatto a Sarny, scomparve nuovamente ai primi di luglio mentre la colonna era accampata nei pressi di Annopol, non lontano dalla Vistola. Ricomparve il giorno dopo, con una giacca nuova di velluto, un cappello di paglia da contadino, una boccetta di profumo-Ersatz per Bella, e regalini anche per le altre quattro donne. Ma non era andato in città per fare acquisti; dopo di allora diverse cose cambiarono. Le precauzioni aumentarono: di nuovo, come in primavera, si marciava di notte, e di giorno la banda si accampava cercando di non dare nell'occhio; il che si faceva sempre meno facile, perché la zona era fittamente percorsa da strade, e cosparsa di villaggi e case coloniche. Gedale sembrava avere fretta; richiedeva tappe piú lunghe, anche di venti chilometri per notte, e puntava in una direzione precisa, verso Opatów e Kielce. Raccomandò a tutti di non allontanarsi dal gruppo e di non rivolgere la parola ai contadini che eventualmente si incontrassero: con la gente del luogo potevano intrattenersi solo quelli che parlavano polacco, ma anche loro il meno possibile.

Sia nelle tappe, sia durante gli spostamenti, la presenza di Leonid era diventata penosa per tutti, e per Mendel in specie. Mendel dovette confessare a se stesso che di Leonid aveva paura: evitava la sua vicinanza, nelle marce in fila indiana si metteva in testa quando Leonid era in coda, o viceversa; ma invece, notò Mendel con disappunto, Leonid, consapevolmente o no, manovrava in modo da essergli vicino, pur senza rivolgergli la parola. Si limitava a guardarlo, con quei suoi occhi neri carichi di tristezza e di richiesta, come se volesse affliggerlo con la sua presenza, non lasciarsi dimenticare, vendicarsi affliggendolo. O forse anche sorvegliarlo? Forse: alcuni suoi gesti facevano pensare che Leonid fosse in preda al sospetto. Volgeva di scatto la testa guardandosi alle spalle. Durante le fermate, che avvenivano di giorno, e per lo piú in casupole contadine abbandonate, si coricava per dormire scegliendo il posto piú vicino alla porta, e dormiva poco; si svegliava di soprassalto, si guardava intorno inquieto, spiava fuori dalla porta o dalle finestre.

In un mattino grigio di nuvole, dopo una tappa notturna che aveva affaticato tutti, Mendel stava raccogliendo legna nel bosco e se lo vide accanto, che raccoglieva legna anche lui, sebbene nessuno glielo avesse ordinato. Era dimagrito e teso, aveva gli occhi lucidi. Si rivolse a Mendel con aria complice: – Lo hai capito anche tu, non è vero?

– Capito che cosa?

– Che siamo venduti. Non possiamo piú farci illusioni. Siamo venduti, e ci ha venduti lui.

– Lui chi? – chiese Mendel sbalordito.

Leonid abbassò la voce: – Lui, Gedale. Ma non poteva fare diversamente, lo ricattavano, era un burattino nelle loro mani –. Poi fece cenno con l'indice sulle labbra di fare silenzio, e riprese a raccogliere legna. Mendel non raccontò l'episodio a nessuno, ma pochi giorni dopo Dov gli disse:

– Quel tuo amico ha delle idee strane. Dice che Gedale lavora per l'NKVD o per non so quale altra polizia segreta, che loro lo ricattano, e che noi siamo tutti ostaggi nelle loro mani.

– Qualcosa del genere ha detto anche a me, – disse Mendel. – Che fare?

– Niente, – disse Dov.

Mendel si ricordò di avere paragonato Leonid a un orologio inceppato dalla polvere; adesso, invece, Leonid gli ricordava certi altri orologi che gli avevano portati da riparare: forse avevano preso un urto, le spire della molla si erano accavallate, un po' ritardavano, un po' avanzavano follemente, e finivano tutti col guastarsi in modo irrimediabile.

L'estate era fulgida e ventosa, e i gedalisti si accorsero di essere entrati nel paese della fame. Le raccomandazioni di Gedale, di evitare i contatti con la gente del luogo, si rivelarono superflue, se non ironiche. Non c'era molta gente, in quelle campagne: nessun uomo, poche donne; sulle soglie delle fattorie devastate, solo vecchi e bambini.

Non era gente di cui si dovesse avere paura, anzi, erano essi stessi sigillati dalla paura. Pochi mesi prima, i partigiani dell'Armata Interna polacca avevano scatenato un attacco ai presidî tedeschi della zona, mentre a sud di Lublino reparti paracadutati sovietici interrompevano le linee di comunicazione tedesche che portavano munizioni e rifornimenti al fronte. Altri reparti polacchi avevano fatto saltare in aria ponti e viadotti, ed avevano attaccato un villaggio da cui i tedeschi avevano allontanato con la forza i contadini nel 1942 per installarvi i coloni del Reich Millenario. La rappresaglia tedesca si era estesa a tutta la zona ed era stata feroce. Non si era rivolta contro le bande, pressoché inafferrabili, che si erano rifugiate nelle foreste, ma contro la popolazione civile. I tedeschi avevano fatto accorrere rinforzi dalle lontane retrovie; di notte accerchiavano i villaggi polacchi e li incendiavano, oppure deportavano tutti gli uomini e le donne in età di lavoro: gli concedevano mezz'ora di tempo per prepararsi al viaggio, poi li caricavano sui loro autocarri e li portavano via. In alcuni paesi avevano dedicato la loro attenzione ai bambini: deportavano in Germania i bambini dall'aspetto «ariano» e uccidevano gli altri. I villaggi, poveri da sempre, erano ridotti ad ammassi di ruderi affumicati e di macerie, ma i campi erano rimasti indenni, e la segala matura aspettava invano chi la mietesse.

L'iniziativa venne da Mottel. Era andato a chiedere acqua ad un casolare isolato, a forse un chilometro dal villaggio di Zborz, e ci aveva trovato una vecchia sola, coricata sulla paglia della stalla, ma nella stalla bestie non ce n'erano piú. La vecchia faticava a muoversi, aveva una gamba rotta che nessuno le aveva curato. Aveva detto a Mottel che andasse al pozzo, prendesse tutta l'acqua che voleva, e ne portasse un poco anche a lei. Ma che le portasse anche qualcosa da mangiare: qualunque cosa. Era digiuna da tre giorni, ogni tanto qualcuno del villaggio si ricordava di lei e le portava una fetta di pane. Eppure nel campo lí davanti c'era segala da nutrire una grossa famiglia, ma alla prima pioggia sarebbe marcita, perché per falciarla non c'era nessuno.

Mottel riferí a Gedale, e Gedale decise all'istante.
– Dobbiamo aiutare questa gente. La nostra guerra è anche questo. È l'occasione buona per fargli capire che veniamo da amici e non da nemici.

Józek storse la faccia: – Da queste parti non ci hanno mai voluto bene; prima che i tedeschi bruciassero le loro case, loro bruciavano le nostre. Non vogliono bene agli ebrei, e neanche vogliono bene ai russi, e molti di noi sono ebrei e russi. Sanno che cosa è successo ai contadini russi negli anni venti, e hanno paura della collettivizzazione. Aiutiamoli, ma stiamo attenti.

Tutti gli altri, invece, furono d'accordo senza riserve: erano stanchi di distruggere, stanchi delle opere negative e stupide a cui la guerra costringe gli uomini. I piú entusiasti erano Piotr e Arié, che erano pratici dei lavori della campagna. Mottel aveva riferito che il tetto della «sua» vecchia era sfondato, e Piotr disse:

– Lo riparerò io. Sono bravo a rattoppare i tetti di canne, è un lavoro che facevo al mio paese, mi pagavano per farlo. Ma adesso, per riparare il tetto della tua vecchia, darei tanti rubli quanti me ne davano; se li avessi, beninteso, perché invece non li ho.

La vecchia accettò, Piotr si mise al lavoro aiutato da Sissl, e pochi giorni dopo un uomo anziano dai baffi spioventi fu visto aggirarsi nei dintorni. Faceva le viste d'interessarsi d'altro: raddrizzava paletti, controllava le paratie dei fossati benché questi fossero disperatamente asciutti, ma spiava da lontano il lavoro dei due. Un giorno si presentò a Piotr e gli rivolse in polacco diverse domande; Piotr finse di non capire e andò a cercare Gedale.

– Sono il Burmistrz, il sindaco del villaggio, – disse il vecchio con dignità, benché avesse piuttosto l'aspetto di un mendicante. – Chi siete voi? Dove andate? Che cosa volete?

Gedale si era presentato al colloquio disarmato, in

maniche di camicia, in brache borghesi lacere e stinte, e con il cappello di paglia che aveva comperato. Parlava polacco senza accento jiddisch, e per chiunque sarebbe stato difficile appurare la sua condizione. Da principio fu cauto:

– Siamo un gruppo di dispersi, uomini e donne. Veniamo da diversi paesi, e non vogliamo farvi del male. Siamo di passaggio, andiamo molto lontano, non vogliamo disturbare nessuno, ma non vogliamo neppure essere disturbati. Siamo stanchi ma abbiamo le braccia buone: forse vi possiamo essere utili in qualche cosa.

– Per esempio? – chiese il sindaco diffidente.

– Per esempio potremmo mietere, prima che la segala si guasti.

– Che cosa volete in cambio?

– Una parte del raccolto, quella che ti sembrerà giusta; e poi acqua, un tetto, e che si parli poco di noi.

– Quanti siete?

– Una quarantina; cinque sono donne.

– Sei tu il loro capo?

– Sono io.

– Noi siamo meno di voi: neppure trenta, contando anche i bambini. Guarda che denaro non ne abbiamo mai avuto, bestiame non ne abbiamo piú, e non ci sono neppure donne giovani.

– Peccato per le donne giovani, – rise Gedale, – ma non è questo il nostro primo pensiero. Te l'ho detto, ci bastano l'acqua, il silenzio, e se possibile un tetto sotto cui dormire qualche notte. Siamo stanchi di guerra e di cammino, abbiamo nostalgia dei lavori di pace.

– Anche noi siamo stanchi di guerra, – disse il sindaco; e subito aggiunse: – Ma sapete mietere?

– Siamo fuori esercizio, ma ce la caviamo.

– A Opatów c'è il mulino, – disse il sindaco, – e pare che funzioni. Falci ce ne sono, quelle ce le hanno lasciate. Potete incominciare domani.

Andarono a mietere tutti gli uomini di Blizna e di Ruzany, e in piú Arié, Dov, Line e Ròkhele Nera, a cui si ag-

giunse Piotr quando ebbe finito di rassettare il tetto: una
ventina in tutto. Arié era il piú pratico, e insegnò a tutti gli
altri come si rizzano i covoni e come si affila la falce prima
con il martello e poi con la cote. Anche Piotr si dimostrò
bravo e resistente alla fatica. Line stupí tutti: esile com'e-
ra, mieteva dall'alba al tramonto senza mostrare segni di
stanchezza, e sopportava senza disagio il calore, la sete e il
nugolo di tafani e di zanzare che si era subito radunato.
Non era la prima volta che faceva quel lavoro: lo aveva fatto mille anni prima, presso Kiev, in una fattoria collettiva
in cui i giovani sionisti si preparavano all'emigrazione in
Palestina, al tempo remoto in cui essere sionisti e comunisti non era ancora diventata una contraddizione assurda.
Lavorava bene anche Dov, benché gli pesassero gli anni e
le ferite. Neanche per lui era un'esperienza del tutto nuova: aveva mietuto i girasoli quando era confinato a Vologda, dove i giorni d'estate erano lunghi diciotto ore e bisognava lavorarle tutte.

Gli altri della banda, fra cui Mendel, Leonid, Józek ed
Isidor, si distribuirono nel villaggio a fare diversi lavori
che il sindaco aveva indicati: c'erano pollai da rimettere in
ordine, altri tetti da riparare, orti da zappare. Superata la
prima diffidenza, si venne a sapere che c'erano anche patate da raccogliere, e furono le patate stesse a fare da cemento fra gli ebrei vagabondi e i contadini polacchi disperati, a sera, sotto le stelle dell'estate, seduti nell'aia, sulla
terra battuta ancora calda di sole.

Mentre le patate bollivano nel pentolone, ed altre patate arrostivano sotto la cenere, il sindaco si guardava intorno, studiando i visi degli stranieri nella luce rossa del fuoco. Accanto a lui, nel cerchio, era sua moglie, dal viso largo, dagli zigomi alti e dall'espressione impassibile. Non
guardava i gedalisti, guardava il marito, come se temesse
per lui, volesse proteggerlo, e insieme impedirgli di dire
cose imprudenti.

– Voi siete ebrei, – disse il vecchio ad un tratto, con voce tranquilla. La moglie gli parlò rapidamente all'orecchio,
e lui le rispose:

– Calmati, Seweryna; tu non mi lasci mai parlare.

– Questo è russo, disse Gedale indicando Piotr; – tutti
noi siamo ebrei, russi e polacchi. Ma come ci hanno riconosciuti?

– Dagli occhi, – disse il sindaco. – C'erano ebrei anche
qui fra noi, e avevano gli occhi come i vostri.

– Come sono i nostri occhi? – chiese Mendel.

– Inquieti. Come quelli delle bestie inseguite.

– Noi non siamo piú bestie inseguite, – disse Line. –
Molti dei nostri sono morti combattendo. I nostri nemici
sono i vostri, quelli che hanno distrutto le vostre case.

Il sindaco tacque per qualche minuto, masticando la sua
razione di patate, poi disse:

– Ragazza, le cose qui da noi non sono cosí semplici. In
questo villaggio, per esempio, gli ebrei e i polacchi sono
stati insieme per non so quanti secoli, ma fra loro non c'è

mai stata simpatia. I polacchi faticavano nei campi, gli
ebrei erano artigiani e commercianti, raccoglievano le tasse per conto dei padroni delle terre, e il prete in chiesa diceva che erano stati loro a vendere Cristo e a crocifiggerlo.
Noi non abbiamo mai sparso il loro sangue, ma quando sono venuti i tedeschi nel 1939, e come prima cosa hanno incominciato a spogliare gli ebrei, a deriderli, a picchiarli e a
chiuderli nei ghetti, devo dire la verità...

Qui di nuovo intervenne Seweryna, bisbigliando qualcosa all'orecchio del marito; ma questo scosse le spalle e
continuò.

– ... devo dire la verità, siamo stati contenti, e sono stato contento anch'io. Neanche i tedeschi ci erano simpatici,
ma pensavamo che fossero venuti per fare giustizia, o insomma per portare via i soldi agli ebrei e darli a noi.

– Erano dunque tanto ricchi, gli ebrei a Zborz? – chiese Gedale.

– Tutti dicevano di sí. Erano vestiti male, ma la gente
diceva che questo veniva dal fatto che erano avari. E diceva anche altro, la gente: che gli ebrei erano bolscevichi,
che volevano collettivizzare le terre come in Russia, e ammazzare tutti i preti.

– Ma non ha senso! – intervenne Line: – Come potevano essere insieme ricchi, avari e bolscevichi?

– Sí che ha senso, invece. Un polacco diceva che tutti
gli ebrei sono ricchi, e un altro polacco diceva che sono
tutti comunisti. E un altro polacco ancora diceva che un
ebreo è ricco, e un altro è comunista. Lo vedete che non è
semplice. Ma le cose si sono fatte ancora piú complicate dopo, quando i tedeschi hanno dato i fucili agli ucraini
perché li aiutassero a massacrare gli ebrei, e invece gli
ucraini sparavano a noi e ci portavano via il bestiame, e
quando i partigiani russi hanno cominciato a disarmare e a
portare via i partigiani polacchi. Su voialtri io ho cambiato
idea dopo, quando ho visto coi miei occhi che cosa hanno
fatto i tedeschi agli ebrei di Opatów.

– Che cosa gli hanno fatto? – chiese Mendel.

– Li hanno tirati fuori dal ghetto e li hanno chiusi tutti dentro il cinematografo: anche i bambini, i vecchi e i moribondi, piú di duemila in un cinema di cinquecento posti. Li hanno lasciati lí dentro sette giorni senza dargli da mangiare né bere, e sparavano a quelli di noi che avevano compassione e cercavano di passargli qualcosa dalle finestre; e sparavano anche a quegli altri di noi, sí, che gli portavano acqua ma volevano in cambio i loro ultimi denari. Poi hanno aperto le porte e gli hanno ordinato di uscire. Ne sono usciti vivi solo un centinaio, e loro li hanno uccisi sulla piazza, e hanno ordinato a noi di seppellirli tutti, quelli della piazza e quelli rimasti dentro il cinema. Ecco, a vedere i bambini morti in quel modo io ho cominciato a capire che gli ebrei sono gente come noi, e che i tedeschi avrebbero finito col fare a noi quello che avevano fatto a loro; ma se vi devo dire la verità, non lo hanno ancora capito tutti. E vi racconto queste cose perché quando uno sbaglia è bene che riconosca i suoi errori, e anche perché avete mietuto e avete raccolto le patate.

– Sindaco, – disse Gedale, – le cose che ci hai raccontate non ci sono nuove, ma abbiamo noi cose nuove da raccontare a te. Forse noi vi sembriamo strani: devi sapere che un ebreo vivo è un ebreo strano. Devi sapere che quello che hai visto a Opatów è successo dappertutto dove i tedeschi hanno preso piede, in Polonia, in Russia, in Francia, in Grecia. E devi anche sapere che se i tedeschi uccidono con le armi o con la fame un polacco su cinque, di ebrei non ne lasciano vivo uno.

– Non sono nuove, le cose che mi dici. Noi non abbiamo neppure la radio, ma le notizie arrivano lo stesso. Lo sappiamo, quello che hanno fatto i tedeschi, e quello che continuano a fare, qui e dappertutto.

– Non sai tutto. Ci sono altre cose, talmente orribili che tu non le crederesti: eppure avvengono non lontano da qui. Di noi si salvano solo quelli che hanno scelto la nostra via.

– Anche di questo mi sono accorto subito. Che siete gente armata.

– Ancora dagli occhi? – chiese Gedale ridendo.

– No, non dagli occhi, tutte le vostre giubbe hanno la spalla sinistra lucida per via della cinghia del fucile. Per favore, per il vostro Dio, per il nostro e per tutti i Santi, non attaccate i tedeschi qui. Andate piú avanti, andate dove volete, ma non fate guasti qui, altrimenti sarà stato inutile che abbiate lavorato per noi. Ma perché non vi nascondete nei boschi e non aspettate che arrivino i russi? Non sono piú tanto lontani, forse sono già davanti a Lublino; quando il vento è favorevole, si sente il rumore dell'artiglieria.

– Anche le nostre cose non sono semplici, – disse Gedale. – Noi siamo ebrei e siamo russi e siamo partigiani. Come russi, ci piacerebbe aspettare che passi il fronte, e poi riposarci e andare a cercare le nostre case, ma le nostre case non ci sono piú, e neanche le nostre famiglie; e se tornassimo, forse nessuno ci vorrebbe, come quando si toglie un cuneo da un ceppo, e poi il legno si richiude. Come partigiani, la nostra guerra è diversa da quella dei soldati, e tu lo sai: non la si combatte al fronte, ma dietro le spalle del nemico. E come ebrei, abbiamo davanti una lunga strada. Che cosa faresti tu, sindaco, se ti trovassi solo, a mille chilometri dal tuo paese, e sapessi che il tuo paese, e i campi, e la famiglia, non esistono piú?

– Io sono vecchio, e credo che mi impiccherei a un trave. Ma se fossi piú giovane andrei in America: come ha fatto mio fratello, che ha avuto piú coraggio di me e ha visto piú lontano.

– Hai detto bene; anche fra gli ebrei c'è chi ha parenti in America, e desidera andare con loro. Ma nessuno di questa banda ha parenti in America: la nostra America non è cosí lontana. Noi combatteremo fino alla fine della guerra, perché crediamo che fare la guerra sia una brutta cosa, ma che uccidere i nazisti sia la cosa piú giusta che si possa fare oggi sulla faccia della Terra; e poi andremo in Palestina, e cercheremo di costruirci la casa che abbiamo perduta, e di ricominciare a vivere come vive tutta l'altra gente. Per questo non ci fermeremo qui e proseguiremo verso ponente: per restare alle spalle dei tedeschi, e per trovare la strada verso la nostra America.

Finite le patate, gedalisti e contadini erano andati a dormire; sull'aia erano rimasti solo Gedale, Mendel, Line, il sindaco e sua moglie. Il sindaco fissava le braci con aria assorta, poi disse:

– Che cosa andrete a fare in Palestina?

– A coltivare la terra, – disse Line, – laggiú la terra sarà nostra.

– Andrete a fare i contadini? – chiese il sindaco. – Fate bene ad andare lontano da qui, ma fate male a fare i contadini. Fare i contadini è brutto.

– Andremo a vivere come vivono tutti gli altri popoli, – disse Line, che aveva appoggiato la mano sul braccio di Mendel. Mendel aggiunse: – Faremo tutti i lavori che ci saranno da fare.

– ... salvo che raccogliere le tasse per conto dei padroni delle terre, – aggiunse Gedale. Il vento era caduto, si vedevano le lucciole danzare ai margini dell'aia, e nel silenzio della notte si poté constatare che il vecchio aveva detto la verità: di lontano, da un punto non precisato, forse da molti punti, giungeva il brontolio sommesso del fronte, pieno di speranza e di minaccia. Il sindaco si alzò faticosamente in piedi e disse che era ora di andare a dormire: – Sono contento di avervi incontrato. Sono contento che voi abbiate mietuto per noi. Sono contento di aver parlato con voi come si parla con amici, ma sono anche contento che voi ve ne andiate.

Era piú facile mantenere i contatti, e ricevere notizie dal resto del mondo, nelle paludi e nei boschi della Polessia piuttosto che nella terra fittamente abitata in cui la banda di Gedale procedeva nell'agosto 1944. Spostarsi di notte, ed evitare i centri abitati, era diventata una regola stretta, ma anche adottando queste ovvie precauzioni, ogni strada da attraversare e soprattutto ogni ponte costituivano un pericolo e un problema. La zona brulicava di tedeschi: non piú dei loro collaboratori sempre piú infidi e sfiduciati, ma di tedeschi autentici, dell'esercito e della polizia, di tutti i centri abitati, ed in andirivieni frenetico lungo le strade e le ferrovie. I russi avevano sfondato a Lublino, avevano passato la Vistola presso Sandomierz ed avevano costituito una forte testa di ponte sulla riva sinistra, ed i tedeschi preparavano il contrattacco.

I contatti con i contadini, necessari per gli approvvigionamenti, erano stati ridotti al minimo indispensabile; Gedale non voleva che si parlasse, né del resto i contadini, terrorizzati e disorientati, desideravano parlare. In queste condizioni, paradossalmente, la principale fonte di informazioni erano i giornali, trovati raramente nei casolari di campagna, piú spesso recuperati laceri e sporchi dai depositi di immondizie, qualche volta temerariamente comprati da Józek nelle edicole. Dai giornali avevano appreso che gli Alleati sbarcati in Normandia avanzavano verso Parigi; che il 20 luglio un attentato a Hitler era fallito; che Varsavia era insorta (il «Völkischer Beobachter» minimizzava i fatti, parlava di «traditori, sovversivi e banditi»). Ma anche altre notizie avevano appreso, e queste non venivano dai giornali. Oltre che di tedeschi, le retrovie pullulavano di gente vaga, che come i gedalisti stessi non amava la luce del giorno: erano polacchi, ucraini, lituani, tartari dei corpi ausiliari tedeschi che avevano fiutato il vento, avevano disertato, e adesso vivevano alla macchia, di borsa nera o di banditismo; erano partigiani delle varie formazioni polacche che avevano perso i contatti con le loro unità ed avevano trovato rifugio presso i contadini; ed inoltre, contrabbandieri professionali, ladri di strada, e spie dei tedeschi e dei russi che si nascondevano sotto i panni di tutte le altre categorie nominate. Da questa gente Gedale aveva avuto conferma alle voci che aveva sentito prima, e di cui aveva fatto cenno al sindaco di Zborz: i tedeschi avevano

smantellato i loro primi campi di sterminio, Treblinka, Sobibór, Belzec, Majdanek, Chelmno, ma soltanto per sosti-
tuirli con uno che valeva per tutti, in cui avevano sfruttato
l'esperienza di tutti gli altri, Auschwitz in Alta Slesia. Qui
avevano ucciso e bruciato polacchi e russi e prigionieri di
tutta Europa, ma soprattutto ebrei; e adesso stavano ster-
minando, treno su treno, gli ebrei d'Ungheria. Da un disertore ucraino avevano appreso infine una notizia inquietante: le bande di partigiani russi, paracadutati dietro le linee o evasi dai Lager tedeschi, non si comportavano tutte
alla stessa maniera. Alcuni comandanti avevano liberato
campi di lavoro di ebrei, avevano salvato e protetto i superstiti che vi avevano trovati, ed avevano offerto loro di
entrare nei loro reparti. Altri, invece, avevano tentato di
sciogliere con la forza gruppi di partigiani ebrei in cui si
erano imbattuti nelle foreste: c'erano stati combattimenti
e morti. Altri ebrei erano stati disarmati o uccisi da reparti
piú o meno regolari di partigiani polacchi.

– Ci accettano come martiri: forse, dopo, ci faranno
monumenti nei ghetti, ma come alleati non ci accettano, –
disse Dov.

– Noi faremo la nostra strada, – disse Gedale; – decideremo il da farsi volta per volta e momento per momento.

Il momento di decidere venne presto. Sia Mendel, sia
Dov e Line, avevano intuito che il passaggio della frontiera polacca aveva comportato un profondo mutamento nei
piani di Gedale, o meglio nella natura delle sue improvvi-
sazioni. Si sentiva piú lontano dalla Russia, non solo materialmente: piú scoperto, piú autonomo, piú minacciato e
insieme piú libero. In breve, piú responsabile. Ancora una
volta, verso il 20 di agosto, si era allontanato dalla banda,
ma non aveva portato regali né aveva fatto acquisti. Contro la sua abitudine, che era di prendere le decisioni in
confuse assemblee, si appartò subito con Dov, Mendel
e Line, che non lo avevano mai visto cosí teso. Non fece
preamboli:

– A venti chilometri da qui c'è un Lager, vicino a

Chmielnik. Non è dei piú grandi: sono solo centoventi prigionieri, tutti ebrei salvo i Kapos. Lavorano tutti in una
fabbrica poco lontana, dove si producono apparecchiatu-
re di precisione per l'aeronautica...

– Come sai queste cose? – chiese Mendel.

– Le so. Adesso il fronte si avvicina, la fabbrica sarà
trasferita in Germania, e tutti i prigionieri saranno uccisi
perché conoscono certi segreti. Non sanno se saranno uccisi sul posto o altrove: hanno mandato un messaggio all'e-
sterno, vorrebbero tentare una rivolta se sapessero di essere appoggiati. Dicono che i tedeschi di guardia non sono
molti, dieci o dodici.

– I prigionieri hanno armi?

– Non ne parlano, quindi non ne hanno.

– Andiamo a vedere, – disse Dov; – non possiamo fare
molto, ma andiamo a vedere.

– Sí, ma non tutti, – disse Gedale. – Saremmo troppo
visibili. È la prima volta che ci dividiamo, ma qui bisogna
dividerci. Andremo in sei: dovremo giocare sulla sorpresa,
se mancherà quella non faremo nulla di buono, anche se
fossimo trenta.

– Possiamo mandare una risposta? – chiese Line.

– Non possiamo. Sarebbe troppo pericoloso, anche per
loro. Dobbiamo andare sul posto: partire subito.

– Noi quattro e chi? – chiese ancora Line, che sembrava ansiosa di tagliarsi i ponti alle spalle. Gedale esitò:

– Dov no: Dov resta col grosso. Da noi non ci sono gradi, ma di fatto è il vicecomandante. E fra noi è quello che
ha piú esperienza.

Dov non manifestò alcun sentimento, né a parole né
con l'espressione del viso, ma Mendel comprese che non
erano quelli i motivi per cui Gedale lo escludeva, e che
Dov stesso li aveva compresi e ne era rattristato.

– Noi tre, Piotr, Mottel e Arié, – propose Mendel.

– Non Arié: è zoppo e non ha esperienza militare, –
disse Gedale.

– Ma è bravo con il coltello!

– Mottel è piú bravo di lui. Arié non è ancora maturo, non lo voglio. Voglio Leonid.

Mendel e Line, stupiti, parlarono contemporaneamente:

– Ma Leonid non è... Leonid non sta bene. Non è in condizioni di combattere.

– Leonid deve combattere. Ne ha bisogno come del pane e dell'aria che respira. E noi abbiamo bisogno di lui: è stato prigioniero dei tedeschi, sa come è fatto un Lager. È paracadutista, ha seguito il corso, è pratico di sabotaggi e di azioni di kommando. Ed ha coraggio: lo ha dimostrato di recente.

– Lo ha dimostrato in un modo strano, – disse Line.

– Ha solo bisogno di essere inquadrato e di ricevere ordini chiari, – disse Gedale con durezza inconsueta. – Credete a me. A Kossovo ne avevamo altri come lui, e so quello che dico.

Cosí detto si alzò in piedi, a significare che il discorso era chiuso. Dov e Line si allontanarono; a Mandel, che era rimasto, Gedale disse: – Va' a prepararti anche tu, orologiaio. Ho esperienza di queste cose: per le imprese disperate ci vogliono uomini disperati.

– Le imprese disperate non si fanno, – disse Mendel; ma si avviò a prepararsi, come Gedale aveva ordinato. Gedale gli appoggiò una mano sulla spalla e gli diede una leggera spinta, dicendogli: – Ah, Mendel, la conosco, la tua saggezza. È anche la mia, ma qui è fuori posto. Valeva forse cent'anni fa, varrà di nuovo fra cento anni, ma qui vale come la neve dell'anno scorso.

Partirono a notte. Erano tutti e sei buoni camminatori, oltre le armi non portavano carichi, e le armi stesse non erano molto pesanti: magari lo fossero state. Ciò non di meno, impiegarono cinque o sei ore a raggiungere i dintorni di Chmielnik perché nessuno di loro era pratico dei luoghi, e perché dovevano evitare le strade e gli abitati. Alla luce dell'alba il paese appariva triste, nero di fumo e di polvere di carbone, circondato da un orizzonte di basse colline, di cumuli di carbone e di scorie, di ciminiere e di

capannoni. Altro tempo persero per trovare il Lager; le indicazioni che aveva avute Gedale erano sommarie, e il
paese appariva disseminato di Lager, o meglio di recinti di
filo spinato: – Una grande prigione, – mormorò Line a
Mendel, che camminava dietro di lei. Aveva approfittato
di un momento in cui fra loro due non c'era Leonid; fosse
caso o calcolo, per tutta quella marcia di avvicinamento
Leonid aveva sempre fatto in modo di interporsi fra Mendel e Line, pur senza mai rivolgere loro la parola. Camminava rapido, con aria tesa e risoluta.

Trovarono prima la fabbrica che il Lager, anzi, fu la
fabbrica stessa che li mise sulla buona via. Frammezzo a
quelle vecchie fornaci, distillerie di catrame, tettoie che
coprivano cumuli di rottami, fonderie annerite, spiccava
perché era nuova, grande e pulita: videro di lontano che
accanto al cancello d'ingresso c'era una garitta. Il Lager
non doveva essere lontano, ed infatti lo trovarono a tre
chilometri, annidato in una conca. Era diverso dagli altri
recinti che avevano visti prima. La recinzione era doppia,
con un ampio corridoio fra i due quadrati di filo metallico;
le baracche erano dipinte a colori mimetici: erano quattro,
non molto grandi, sui quattro lati di uno spiazzo. Dal centro dello spiazzo si levava una colonna di fumo nero. All'e-
sterno dei reticolati c'erano due torri di guardia in legno e
una villetta bianca.

– Avviciniamoci, – disse Gedale: l'anfiteatro collinoso
intorno al Lager era coperto di boscaglia, e lo si poteva fare senza pericolo. Discesero cautamente; trovarono uno
sbarramento di filo spinato rugginoso, lo seguirono per un
tratto e videro una garitta di tavole. La porta era aperta, e
dentro non c'era nessuno: – Solo mozziconi di sigarette, –
disse Mottel che era entrato a vedere. Non fu difficile re-
cidere il filo spinato; i sei ripresero a discendere, ma si fermarono impietriti: il vento aveva girato, il fumo veniva
verso di loro, e tutti allo stesso istante ne avevano percepito l'odore, che era di carne bruciata. – È finito tutto. Siamo arrivati troppo tardi, – disse Gedale. Dal punto che

avevano raggiunto si distinguevano meglio i dettagli: la colonna di fumo proveniva da una catasta, intorno alla quale si affaccendavano uomini, non molti, forse una decina.

Mendel lasciò scivolare a terra il mitragliatore che stringeva in mano, e lui stesso si lasciò andare a sedere in mezzo ai cespugli. Si sentiva oppresso da un'ondata di stanchezza quale non ricordava di avere provata mai. Stanchezza di mille anni, e insieme nausea, collera e orrore. Collera nascosta e sopraffatta dall'orrore. Collera impotente, gelata, senza piú un fuoco da cui attingere calore e voglia di resistere. Voglia di non resistere, di sciogliersi in fumo; in quel fumo. E vergogna e stupore: stupore che i suoi compagni fossero rimasti in piedi, con le armi in mano, e trovassero voce per parlare fra loro; ma le loro voci gli arrivavano come di lontano, attraverso il cuscino della sua nausea.

– Hanno fretta, i bastardi, – disse Gedale. – Se ne sono andati. Non vogliono lasciare tracce.

Piotr disse: – Non se ne saranno andati tutti. Qualcuno sarà pure rimasto, a sorvegliare questo lavoro, e noi lo dobbiamo uccidere –. «Piotr è il migliore», pensò Mendel, sentendo la sua voce tranquilla. «Il solo vero soldato. Vorrei essere Piotr. Bravo Piotr». Si sentí guardato da Line e si alzò in piedi.

– Saranno rimasti in sei, – disse Leonid, che apriva bocca per la prima volta da quando erano partiti.

– Perché sei? – disse Gedale.

– Due torrette, e tre per ogni torretta che si avvicendano nei turni di guardia. I tedeschi fanno cosí –. Ma Mottel e Line, che fra tutti avevano gli occhi migliori, dissero che le cose potevano stare diversamente: da quella distanza si distingueva bene il balconcino in cima alle torrette, e le mitragliatrici puntate verso il Lager non c'erano piú. Che cosa ci sarebbe rimasta a fare una sentinella senza la mitragliatrice?

– Saranno nella villa. A sorvegliare il lavoro della catasta ne basta uno, – disse Mottel.

– Certo molti non saranno rimasti, a fare la guardia a

un campo smobilitato. Stanotte li attaccheremo, non importa quanti siano, – disse Gedale. – Vedremo se il lavoro va avanti anche di notte, ma io non credo. Decideremo in conseguenza.

Mendel disse: – In qualunque maniera noi li attacchiamo, la prima cosa che faranno sarà di uccidere quelli che lavorano alla catasta. È gente che non deve parlare.

– Non ha importanza che quelli muoiano, – disse Line.

– Perché? – rispose Mendel. – Sono gente come noi.

– Non sono piú come noi. Non potranno mai piú guardarsi negli occhi. Per loro sarà meglio essere morti –. Gedale disse a Line che non stava a lei decidere il destino di quei disgraziati, e Piotr disse a tutti che quelli erano discorsi senza senso. Mangiarono di mala voglia il poco che si erano portati dietro e si disposero ad aspettare la notte; al crepuscolo il fuoco della catasta fu spento, ma i prigionieri non furono trasferiti nella villa.

Trascorsero alcune ore sdraiati, in una sosta inquieta che non era né sonno né riposo. Mendel provò uno strano sollievo quando Piotr disse «andiamo». Un sollievo doppio: perché l'attesa era finita, e perché l'ordine era venuto da Piotr. Nonostante l'oscuramento di guerra, la villa e il Lager erano illuminati da fanali. Leonid disse che anche il campo di Smolensk, da cui era fuggito nel gennaio del '43, di notte era illuminato: i tedeschi temevano piú le evasioni che i bombardamenti aerei. C'era una sentinella sola, che sorvegliava sia la villa sia il campo: faceva un giro a 8 intorno all'uno e all'altra, a intervalli regolari, ma alcune volte in un senso, altre nel senso opposto. – Vai, – disse Piotr a Mottel.

Mottel discese silenzioso e si appostò all'ombra, dietro la cantonata della villa; anche gli altri cinque si avvicinarono a una trentina di metri. La sentinella sembrava assonnata; avanzò con passo lento fin quasi davanti a Mottel, poi si chinò, forse per allacciarsi una scarpa, e riprese il suo giro nel senso inverso. Girò attorno al Lager, sparí dietro la villa e non ricomparve piú; si vide invece Mottel, che era uscito dal suo nascondiglio e faceva cenno di avanzare.

Tutti guardarono Gedale con aria interrogativa, Gedale
guardò Piotr, e anche Piotr fece cenno di scendere. Piotr
avanzò per primo: teneva in mano una bomba a mano italiana, una di quelle bombe da assalto che fanno molto piú
fracasso che danno, ma in quel momento i gedalisti non ne
avevano altre. Piotr si avvicinò alla villa; le finestre al piano terreno erano tre, ed erano protette da inferriate. Piotr
si accostò alla prima, e fece cenno a Gedale e a Line di ac-
costarsi alle altre due; piazzò Mendel e Leonid dietro una
siepe, davanti alla porta d'ingresso. Poi, col calcio del mitragliatore infilato attraverso l'inferriata, sfondò i vetri
della sua finestra, gettò dentro la sua bomba e si curvò; Line e Gedale fecero lo stesso alle altre due finestre. Ci furono due sole esplosioni: per qualche motivo la bomba di Gedale non aveva funzionato. Gedale ne buttò una seconda,
poi lui, Line, Piotr e Mottel corsero ad appostarsi dietro la
siepe che circondava la villa: era una siepe di mirto, molto
bassa, tanto da costringere tutti a stare quasi sdraiati.

Per qualche istante non successe nulla; poi si udí il crepitio di un'arma automatica: qualcuno sparava a raffiche,
alla cieca, lungo il corridoio della villa e fuori della porta.
Mendel si appiattí al suolo, sentí le pallottole fischiare a
mezz'aria sopra la sua testa, e con la coda dell'occhio vide
Leonid scattare in piedi. – Giú! – gli soffiò, cercando di
trattenerlo: ma Leonid gli sfuggí, saltò la siepe, sparò una
raffica in risposta e si precipitò a testa bassa in direzione
della porta. Dalla villa venne un colpo solo, isolato, e Leonid cadde per traverso sulla soglia.

Dalla porta uscirono due o tre raffiche brevi. Mendel,
senza levarsi in piedi, si spostò lungo la siepe; era chiaro
che il tedesco sparava dal fondo del corridoio, perché i colpi foravano la siepe su un ventaglio stretto. Dalla posizione che aveva assunto, Mendel era fuori tiro, ma anche il
tedesco era fuori della portata della sua arma. Mendel aveva ancora due bombe a mano: strappò la sicura di una e la
scagliò al di sopra della testa in direzione della porta. La
bomba esplose poco oltre il corpo di Leonid, e il tedesco

uscí con le mani alzate: era uno Scharführer delle SS. Non
sembrava ferito, e si guardava intorno con le labbra contratte a scoprire i denti. – Non ti muovere, – gli gridò
Mendel in tedesco: – Tieni le mani alzate. Sei sotto tiro –.
Mentre parlava, vide Line superare la siepe, figuretta ridicola negli abiti militari troppo larghi; con passo tranquillo,
senza dar segno di fretta né di nervosismo, si portò alle
spalle del tedesco, aprí la fondina, ne estrasse la pistola
d'ordinanza, se la mise in tasca e raggiunse Mendel.

Anche Gedale e Piotr si erano alzati in piedi. Gedale
parlò brevemente con Piotr, poi chiese al tedesco:

– Quanti siete?

– Cinque; quattro dentro, e uno di sentinella.

– Che ne è dei tre che sono rimasti dentro?

– Uno è morto di sicuro. Gli altri non so.

– Andiamo a vedere, – disse Gedale a Piotr e a Mendel. Lasciarono il tedesco alla custodia di Line e Mottel e
si avviarono intorno alla villa per guardare dalle finestre.
– Aspettate, – disse Piotr: si sfilò la giacca, ne legò insieme le maniche in modo da farne un fagotto grosso come la
testa di un uomo, lo infilò nella canna del mitragliatore e
lo presentò davanti alle inferriate, gridando forte: – Chi
va là? – Non rispose nessuno, né ci fu segno di vita. – Va
bene, – disse Piotr. Si rimise la giacca ed entrò nella villa.
Dal di fuori si udirono i suoi passi, poi un colpo singolo di
pistola. Piotr riuscí:

– Due erano già morti; il terzo quasi.

Leonid aveva il petto trapassato: doveva essere morto sul colpo. La sentinella uccisa da Mottel giaceva in una
pozza di sangue, con la gola squarciata. Mottel mostrò il
suo famoso coltello: – Se si vuole che uno non gridi, bisogna fare cosí, – disse a Mendel con serietà professionale; –
tagliare subito, qui sotto il mento –. Solo allora si accorsero che qualcuno aveva assistito al combattimento: una decina di figure umane erano uscite dalle baracche del Lager,
allo strepito degli scoppi e degli spari, ed ora se ne stavano
in silenzio a guardare, dietro la barriera di filo spinato.

Alla luce dei fanali apparivano smunti, laceri nelle vesti a righe grige e azzurre, coi visi neri di fumo e di barba mal rasa. – Bisogna liberarli, uccidere il tedesco e andarcene, – disse Piotr. Gedale accennò di sí col capo; Mottel si avvicinò alla recinzione, ma Mendel lo trattenne: – Aspetta: può essere un reticolato elettrico –. Si avvicinò e vide che tra i pali e il filo non c'erano isolatori. Voleva essere piú certo: si guardò intorno, trovò a terra uno spezzone di tondino da cemento, lo piantò a terra presso la recinzione, poi ne spinse l'estremità contro i fili per mezzo di un pezzo di legno. Non avvenne nulla; Mottel e Piotr, con il calcio dei fucili, abbatterono un tratto di recinzione praticando una breccia. I dieci prigionieri esitavano a uscire.

– Venite fuori, – disse Gedale. – Li abbiamo uccisi tutti, salvo quello lí.

– Chi siete? – chiese uno di loro, alto e curvo.

– Partigiani ebrei, – rispose Gedale, Accennò col capo alla catasta, e aggiunse: – Siamo arrivati troppo tardi. E voi chi siete?

– Tu lo vedi, – rispose il prigioniero alto. – Eravamo centoventi, lavoravamo per la Luftwaffe. Ci hanno messi da parte, noi dieci, e hanno ammazzato tutti gli altri. Ci hanno messi da parte per fare questo lavoro. Mi chiamo Goldner, ero un ingegnere. Vengo da Berlino –. Gli altri prigionieri si erano avvicinati, ma stavano alle spalle di Goldner e non parlavano.

– Che cosa mi sapete dire di quel tipo laggiú? – chiese Gedale, indicando il tedesco con le mani alzate.

– Uccidetelo subito. Non importa come. Non lasciatelo parlare. Era il capo; era lui che dava gli ordini, e sparava anche lui, dalla torretta. Gli piaceva. Uccidetelo subito.

– Vuoi ucciderlo tu? – chiese Gedale. – No, – rispose Goldner.

Gedale sembrava indeciso. Poi si accostò al tedesco, che stava sempre con le mani alzate, sotto il tiro di Line e Mottel, e gli tastò rapidamente le tasche e gli abiti. – Puoi abbassare le mani. Dammi il piastrino.

Il tedesco armeggiò con la catenella, ma non riuscí ad aprire il fermaglio; venne Piotr, glielo strappò dal collo con uno strattone e lo consegnò a Gedale, che lo mise in tasca. Gedale disse:

– Siamo ebrei. Non so perché te lo dico, non cambia molto, ma vogliamo che tu lo sappia. Avevo un amico che scriveva canzoni. Voi lo avete preso, e gli avete lasciato mezz'ora di tempo perché scrivesse l'ultima. Tu no, vero? Voi non scrivete canzoni.

Il tedesco fece cenno di no col capo.

– È la prima volta che parlo con uno di voi, – disse ancora Gedale. – Se ti lasciassimo libero che cosa faresti?

Il tedesco si raddrizzò sulla vita: – Basta con queste storie. Fate presto e pulito –. Gedale arretrò di un passo ed alzò l'arma, poi la riabbassò e disse a Mottel: – L'uniforme ci può servire. Vedi tu –. Mottel spinse il tedesco dentro la villa e provvide, presto e pulito.

– Andiamocene, – disse Gedale, ma Line chiese: – Non firmiamo? – Tutti la guardarono perplessi; la ragazza insistette: – Dobbiamo dire che siamo stati noi: altrimenti non ha senso.

Piotr era contrario: – Sarebbe una sciocchezza e un rischio inutile –. Gedale e Mendel erano incerti. – Noi chi? – chiese Mendel: – Noi sei? O tutta la banda? O tutti quelli che… –, ma Mottel troncò gli indugi. Corse alla catasta, raccolse un pezzo di carbone, e scrisse sull'intonaco bianco della villa cinque grosse lettere ebraiche: VNTNV.

– Che cosa hai scritto? – chiese Piotr.

– «V'natnu», «Ed essi restituiranno». Lo vedi, si legge da destra a sinistra e da sinistra a destra: vuol dire che tutti possono dare e tutti possono restituire.

– Capiranno? – chiese ancora Piotr.

– Capiranno quanto basta, – rispose Mottel.

– Venite con noi, – disse Gedale a Goldner: ma la sua voce mancava di convinzione.

– Ognuno di noi farà la sua scelta, – disse Goldner, –

ma io non verrò. Non siamo come voi, non stiamo bene con gli altri uomini.

I dieci confabularono per un momento, poi dichiararono a Gedale che erano del parere di Goldner, tutti tranne uno. Avrebbero aspettato i russi nascosti nel bosco o nelle macerie dei villaggi distrutti. Quello che si era dichiarato disposto a seguire i gedalisti era un giovane di Budapest. Si avviò con i cinque, che, benché appesantiti dalle nuove armi, marciavano spediti, ma dopo mezz'ora di cammino crollò a sedere su un sasso. Disse che preferiva ritornare indietro con gli altri nove.

Mendel non sognava da molto tempo: non ricordava piú quando gli fosse accaduto per l'ultima volta, forse quando la guerra non era ancora scoppiata. Quella notte, forse perché era stanco della tensione e della marcia, fece un sogno strano. Era a Strelka, nel suo piccolo laboratorio di orologiaio, quello che lui stesso si era montato in uno sgabuzzino di casa sua: era stretto, ma nel sogno era ancora piú stretto, Mendel non poteva neppure allargare i gomiti per lavorare. Tuttavia stava lavorando, aveva davanti a sé dozzine di orologi, tutti fermi e guasti, e lui stava riparandone uno, con il monocolo incastrato nell'orbita e in mano un minuscolo cacciavite. Erano venuti due uomini a cercarlo, e gli avevano ordinato di seguirli; Rivke non era d'accordo che lui andasse, era incollerita e aveva paura, ma lui li aveva seguiti ugualmente. Lo avevano condotto giú per una scala, o forse era il pozzo di una miniera, e poi per una lunga galleria: il soffitto era dipinto di nero e alle pareti erano appesi molti orologi. Questi non erano fermi: si sentiva il loro ticchettio, ma ognuno di loro segnava un'ora diversa, ed alcuni, addirittura, camminavano all'indietro; di questo, Mendel si sentiva vagamente colpevole. Gli veniva incontro, lungo la galleria, un uomo vestito in borghese, con la cravatta e un'aria sprezzante; gli chiedeva

chi era, e Mendel non sapeva rispondere: non ricordava
piú il suo nome, né dove era nato, nulla.

Lo svegliò Dov, e svegliò anche Line che gli dormiva al
fianco. Come avviene dopo i sonni profondi, Mendel sten-
tò a riconoscere dove si trovava; poi ricordò, la sera prima
la banda si era rifugiata nei sotterranei di una vetreria abbandonata: il soffitto era nero come quello del suo sogno.
Bella e Sissl avevano fatto cuocere una zuppa e la stavano
distribuendo. Gedale era già sveglio, e stava raccontando
a Dov come era andata l'impresa:

– ... insomma, i piú bravi sono stati Piotr e Mottel. E
Line, sí, certo. L'uniforme eccola qui, con i gradi e tutto:
perfino stirata.

– Credi che ci servirà? – chiese Dov.

– No, è un gioco troppo pericoloso. La venderemo: ci
penserà Józek.

Józek stava scucchiaiando la sua zuppa accanto a Pavel,
a Piotr e a Ròkhele Bianca. – ... ma era sabato, – disse Pavel: – Dopo che il sole è tramontato il venerdí sera, è già
sabato: e ammazzare di sabato non è peccato?

Ròkhele era sulle spine. – Ammazzare è peccato
sempre.

– Anche ammazzare una SS? – chiese Pavel provoca-
torio.

– Anche. O forse no: una SS è come un Filisteo, e Sansone li ammazzava. È stato un eroe perché ammazzava i
Filistei.

– Ma forse non li ammazzava di sabato, – disse Józek.

– Insomma, io non lo so. Perché mi tormentate? Mio
marito avrebbe saputo rispondervi. Era rabbino, e voi siete tutti quanti ignoranti e miscredenti.

– Che cosa ne è stato di tuo marito? – chiese Piotr.

– Lo hanno ucciso. È stato il primo che hanno ucciso
nel nostro paese. Lo hanno costretto a sputare sulla Torà e
poi lo hanno ucciso.

– E non è forse stato uno delle SS ad ucciderlo?

– Certo. Aveva la testa di morto sul berretto.

– Ecco, vedi? – concluse Piotr: – Se Mottel lo avesse
ucciso prima, tuo marito sarebbe ancora vivo –. Ròkhele
non rispose e si allontanò; Piotr guardò Pavel con aria interrogativa, e Pavel alzò un poco le braccia e le lasciò rica-
dere.

– E di lui, nessuno parla, – disse Mendel a Line.

– Di chi?

– Di Leonid. Nessuno pensa piú a lui. Neppure Gedale: eppure è lui che lo ha voluto mandare. Guardali: è come se ieri non fosse successo niente.

La distribuzione della zuppa era finita; in un angolo della cantina Isidor, munito delle forbicine di Bella, stava ac-
corciando i capelli e la barba di chi lo desiderava. I clienti
aspettavano in fila, seduti su pile di mattoni. L'ultimo della fila era Gedale; per ingannare l'attesa, aveva tirato fuori
il violino, e ci strimpellava sopra una canzone, con mano
leggera perché non si sentisse di fuori. Era una canzone
comica che tutti conoscevano, quella del rabbino miracoloso che fa correre un cieco, vedere un sordo e sentire uno
zoppo, e che nell'ultima strofa entra vestito nell'acqua per
uscirne miracolosamente bagnato. Isidor, pur continuan-
do il suo lavoro, rideva e accompagnava la musica cantic-
chiando; cantava sommessa anche Ròkhele Nera, che aveva pregato Isidor di tagliarle i capelli corti come quelli di
Line, ed in quel momento si trovava sotto i ferri.

– Gedale ha molte facce, – disse Line. – Per questo è
difficile capirlo: perché non c'è un solo Gedale. Si butta
tutto alle spalle. Il Gedale di oggi si butta alle spalle il Gedale di ieri.

– Si è buttato alle spalle anche Leonid, – disse Mendel.
– Ma perché ha voluto a tutti i costi che andasse lui all'assalto, invece di Arié? È da ieri che me lo sto domandando.

– Forse lo ha fatto con buona intenzione. Voleva dargli
una occasione; pensava che combattere gli avrebbe fatto
bene, lo avrebbe aiutato a ritrovare se stesso. O voleva
metterlo alla prova.

– Io penso un'altra cosa, – disse Mendel, – penso che

Gedale non sapesse di volerlo, ma volesse un'altra cosa. Che in fondo alla sua coscienza volesse liberarsi di lui. Prima che partissimo, me lo ha quasi detto.

– Che cosa ti ha detto?

– Che per le imprese disperate ci vogliono uomini disperati.

Line tacque rosicchiandosi le unghie; poi chiese: – Gedale sapeva perché Leonid era disperato?

Anche Mendel tacque a lungo, e poi disse: – Non so se lo sapesse. Probabilmente sí, lo avrà indovinato, Gedale viene a sapere le cose fiutando l'aria, non ha bisogno di prove né di fare domande –. Era seduto su un blocco di calcinacci, e col calcagno tracciava segni sul pavimento di terra battuta. Poi aggiunse: – Non è stato il tedesco a uccidere Leonid, e neppure Gedale.

– Chi allora?

– Noi due.

Line disse: – Andiamo a cantare anche noi.

Attorno a Gedale si erano radunati altri tre o quattro, ed al suono del violino cantavano altre canzoni allegre, di nozze e di osteria. Piotr cercava di seguire il ritmo e di imitare le dure aspirazioni del jiddisch, e rideva come un bambino.

– Non ho voglia di cantare, – disse Mendel. – Non ho voglia di niente, non so piú chi è Gedale, non so piú che cosa voglio né dove sono, e forse non so piú neppure chi sono io. Stanotte ho sognato che qualcuno me lo chiedeva, e io non sapevo rispondere.

– Non bisogna dare importanza ai sogni, – disse Line asciutta. In quel momento, lungo il cono di macerie che dall'esterno scendeva nell'interrato corse giú Izu, il pescatore del Gorin', che stava di sentinella:

– Siete impazziti? O vi siete ubriacati? Da sopra si sente tutto: volete proprio chiamarvi addosso la polizia?

Gedale si scusò come uno scolaro colto in fallo, e ripose

il violino. – Venite tutti qui, – disse. – Dobbiamo decidere due o tre cose. A giugno vi avevo detto che non siamo piú orfani né cani sciolti. Ve lo confermo; ma stiamo cambiando padrone, o se preferite stiamo cambiando padre. Facciamo parte di una famiglia sterminata, in armi contro tedeschi dalla Norvegia alla Grecia. In questa famiglia c'è qualche discordia: si discute molto su quello che si farà quando Hitler sarà stato impiccato, dove correranno i confini, di chi sarà la terra e di chi saranno le fabbriche. Nella famiglia c'è Josif Vissarionovič, sí, il cugino di Arié. Forse è il primogenito, ma non va d'accordo con Churchill sul colore da scegliere per colorare la Polonia; Stalin vorrebbe il rosso, Churchill ha in mente un altro colore, e i polacchi un altro ancora; anzi, cinque o sei colori diversi fra loro. I polacchi non sono tutti come quei pupazzi delle NSZ; sono bravi partigiani che lottano contro i tedeschi, ma diffidano dei russi, e diffidano anche di noi.

– Noi siano pochi e deboli. I russi non si interessano piú molto a quello che facciamo, da quando abbiamo passato il confine. Ci lasciano andare per la nostra strada; ma è proprio di questa strada che bisogna parlare.

– Io non sono cugino di Stalin, – disse Arié piccato. – Siamo solo compaesani. E la strada per me è una sola, sparare ai tedeschi finché ce n'è uno, e andare in Terra d'Israele a piantare alberi.

– Su questo punto credo che siamo tutti d'accordo, – disse Gedale. – Tu no, Dov? Bene, scusami, ne parleremo dopo; adesso tenevo a dirvi che abbiamo un sostegno, o almeno una bussola, una freccia che ci indica la via. In questi boschi non siamo soli. Ci sono degli uomini che tutti rispettano: sono quelli che hanno combattuto nei ghetti come noi, a Varsavia, a Vilna, nel Nono Forte di Kovno, e quelli che hanno avuto la forza di ribellarsi ai nazi a Treblinka e a Sobibór. Non sono piú isolati: sono uniti nello ZOB, nella Organizzazione Ebraica di Combattimento, la prima che abbia il coraggio di chiamarsi cosí in faccia al mondo, dopo che Tito ha distrutto il Tempio. Sono rispet-

tati, ma né ricchi né molti; e che siano rispettati, non vuol
dire che siano forti: non hanno né fortezze né aerei né cannoni. Hanno poche armi e pochi quattrini, ma con il poco
di cui dispongono ci hanno già aiutati e ancora ci aiuteran-
no. Conserveremo la nostra indipendenza, perché ce la siamo meritata, ma terremo conto delle indicazioni che ci daranno. La piú importante è questa: la nostra strada passa
per l'Italia. Quando il fronte ci avrà sorpassati, se saremo
ancora vivi, e se saremo ancora una banda, cercheremo di
andare in Italia, perché l'Italia è come un trampolino. Ma
non è detto che avremo la vita facile.

– Quando Hitler sarà morto, tutte le vie saranno facili,
– disse Józek.

– Saranno piú facili di adesso, ma non cosí facili. Gli
inglesi ci intralceranno piú che potranno, perché non vogliono inimicarsi gli arabi in Palestina; invece i russi ci aiu-
teranno, perché in Palestina ci sono gli inglesi, e Stalin cerca tutti i modi di indebolirli perché ha invidia per il loro
Impero. Dall'Italia, già adesso, salpano navi clandestine
per la Terra d'Israele; qualcuna passa, altre non passano, e
chi le ferma non sono i tedeschi ma gli inglesi.

– E se qualcuno cercherà di fermare noi? – chiese Line.

– È questo il punto, – disse Gedale, – nessuno può dire
quando e come finirà la guerra, ma potrà darsi che le armi
ci serviranno ancora. Potrà darsi che questa banda, e le altre bande simili alla nostra, debbano continuare a fare la
guerra quando tutto il mondo sarà in pace. Per questo Dio
ci ha distinti fra tutti i popoli, come dicono i nostri rabbini. Ecco quello che vi dovevo dire. Avevi chiesto la parola,
Dov? Io ho finito; parla.

Dov fu breve: – Passare il fronte in piena guerra è impossibile, specie per un uomo solo, ma se fosse possibile io
lo avrei già fatto. Scusatemi, amici, io ho quarantasei anni.
Resterò con voi finché vi potrò essere utile, ma quando i
russi ci raggiungeranno andrò con loro. Sono nato in Siberia e ritornerò in Siberia; laggiú la guerra non è passata, e
la mia casa sarà ancora in piedi. Forse avrò ancora forze

per lavorare, ma non mi sento piú di combattere. E i siberiani non ti dicono «ebreo» e non ti obbligano a gridare
«Viva Stalin».

– Farai come vuoi, Dov, – disse Gedale; – Hitler è ancora vivo, è troppo presto per prendere certe decisioni. E
tu ci sei ancora utile. Che cosa vuoi, Piotr?

Piotr, a cui Gedale aveva affidato l'azione di kommando contro il Lager, e che l'aveva condotta con intelligenza
e coraggio, si alzò in piedi come uno scolaro interrogato;
tutti risero, lui si risedette e disse:

– Volevo solo sapere se in questa Terra d'Israele dove
voi volete andare prenderanno anche me.

– Ti prenderanno sicuro, – disse Mottel, – ti farò io
una raccomandazione, e non avrai bisogno né di cambiarti
il nome né di farti circoncidere. Gedale scherzava, quella
sera nel mulino.

Si udí il vocione di Pavel: – Da' retta a me, russo: il nome non ha importanza, ma fatti circoncidere. Approfitta
dell'occasione. Non è tanto questione del Patto con Dio: è
piuttosto come per i meli. Se si potano al momento giusto,
vengono su belli e diritti e dànno piú mele –. Ròkhele Nera fece una lunga risata nervosa; Bella si alzò in piedi tutta
rossa in viso e dichiarò che non aveva fatto tanti chilometri e corso tanti rischi per sentire discorsi come quelli.
Piotr si guardava intorno, intimidito e confuso.

Parlò Line, seria come sempre:

– Certo che ti prenderanno, anche senza la raccomandazione di Mottel. Ma dimmi: perché ci vuoi venire?

– Eh, – cominciò Piotr, sempre piú confuso, – i motivi
sono tanti... – Levò la mano con il mignolo alzato, come
fanno i russi quando cominciano a contare. – Prima di
tutto...

– Prima di tutto? – lo incoraggiò Dov.

– Prima di tutto io sono un credente, – disse Piotr con
il sollievo di chi ha trovato un argomento.

– «Got, scenk mir an òysred!» – citò Mottel in jiddisch. Tutti scoppiarono a ridere, e Piotr si guardò intorno impermalito.

– Che cosa hai detto? – chiese a Mottel.

– È un nostro modo di dire. Significa: «Signore Iddio, mandami una buona scusa». Non vorrai farci credere che vuoi stare con noi perché credi in Cristo. Sei un partigiano e un comunista, e in Cristo non hai l'aria di crederci tanto; e poi, in Cristo non ci crediamo noi; e neppure tutti crediamo in Dio.

Piotr il credente bestemmiò fervidamente in russo, e proseguí: – Voi siete bravi a complicare le cose. Bene, io non ve lo so spiegare, ma è proprio cosí. Voglio stare con voi perché credo in Cristo, e andate tutti a farvi impiccare con le vostre distinzioni –. Si alzò con aria offesa, si incamminò con passo deciso verso l'uscita, come se volesse andarsene, ma poi tornò indietro:

– ... e ho altri dieci motivi di restare in questa banda di stupidi. Perché voglio vedere il mondo. Perché ho litigato con Ulybin. Perché sono un disertore, e se mi riprendono finisco male. Perché ho fottuto le vostre madri puttane, e perché... – A questo punto si vide Dov correre verso Piotr come se lo volesse aggredire; invece lo abbracciò, e i due si scambiarono buoni pugni sulla schiena.

Capitolo nono

Settembre 1944 - gennaio 1945

Il fronte si era fermato e l'estate volgeva alla fine. La terra polacca, estenuata da cinque anni di guerra e di occupazione spietata, sembrava ritornata al Caos primigenio. Varsavia era stata distrutta: non piú il ghetto soltanto, questa volta, ma l'intera città, e con essa il seme di una Polonia indipendente e concorde. Come i polacchi avevano lasciato spegnere l'insurrezione del ghetto nella primavera del 1943, cosí adesso i russi avevano lasciato spegnere la rivolta di Varsavia preparata e diretta dal governo polacco profugo a Londra; a castigare le teste calde provvedessero pure i tedeschi, allora come adesso. E i tedeschi provvedevano; in rotta ormai su tutti i fronti di guerra, erano invece vittoriosi sui fronti interni, nella loro guerra quotidiana contro i partigiani e la popolazione inerme.

Dalla capitale si irradiavano per tutto il paese torme di profughi, senza pane e senza tetto, terrificati dalle rappresaglie tedesche e dalle loro razzie. I tedeschi erano affamati non solo di vendetta, ma anche di mano d'opera: contadini e cittadini, uomini, donne, vecchi e bambini, rastrellati alla spiccia dappertutto, erano stati messi frettolosamente al lavoro, con pala e piccone, a scavare fosse anticarro nella terra che aspettava di essere arata. Fedeli al genio nazista della distruzione, squadre di guastatori tedeschi smontavano ed asportavano tutto quanto avrebbe potuto essere utile all'Armata Rossa in avanzata: binari, cavi elettrici, materiale ferroviario e tranviario, legname, ferro, intere fabbriche. I partigiani polacchi dell'Armata Interna, le vecchie leve che avevano lottato contro i tedeschi fin dalla loro avanzata fulminea del 1939, gli altri che avevano scelta la via delle foreste per amore del proprio paese dilaniato o per sfuggire alla deportazione, fino agli ultimi sfuggiti da Varsavia in agonia, continuavano a combattere con tenacia disperata.

La banda di Gedale procedeva a piccole tappe, alternando le marce con caute azioni di diversione. Gedale otteneva abbastanza facilmente denaro e munizioni, ma era sempre piú difficile scambiare il denaro con viveri. I campi semiabbandonati non davano quasi nulla, e il poco di cui i contadini disponevano veniva periodicamente falcidiato dalle requisizioni dei tedeschi e dalle altre, poco meno temute, dei partigiani autentici e dei banditi che si proclamavano partigiani.

Ai primi di ottobre due degli uomini di Slonim, che erano andati in avanscoperta, riportarono la notizia che alla stazione di Tunel, su un binario morto, era fermo un treno merci che con ogni probabilità trasportava viveri. Il treno era lungo, tanto che i suoi ultimi vagoni stavano dentro la galleria da cui il villaggio traeva il suo nome; era sorvegliato soltanto dagli «azzurrini» della polizia polacca. Gedale fece accampare la banda a un chilometro di distanza, accanto alla ferrovia, e andò di notte alla stazione con Mendel, Mottel ed Arié. Gli azzurrini erano solo due, uno lontano in testa al convoglio e l'altro in coda; ma quest'ultimo non stava dentro la galleria, bensí davanti al suo ingresso, di modo che non poteva vedere gli ultimi vagoni. Gedale disse agli altri tre di aspettarlo in silenzio e sparí nel buio. Ritornò dopo qualche minuto:

– No, Mottel, per questa volta non c'è bisogno della tua opera. È bastato un po' di denaro. Va', corri da Dov e torna con quattro uomini robusti.

Mottel partí, e tornò dopo venti minuti con Pavel ed altri tre: otto in tutto, nove con l'azzurrino di coda, che li aiutò a sganciare l'ultimo vagone. Lo aveva visto caricare: conteneva patate e rape da foraggio ed era destinato al

Comando tedesco di Cracovia. Quando il vagone fu sganciato, tutti e nove puntarono le spalle e spinsero, ma il vagone non si mosse di un dito. Riprovarono, con Gedale che dava l'ordine a bassa voce affinché gli sforzi fossero simultanei, ma nulla avvenne. – Aspettate, – sussurrò l'azzurrino, e si allontanò.

– Lo hai stregato? – chiese Mendel con ammirazione.

– No, – disse Gedale: – oltre al denaro, gli ho promesso un po' di patate per la famiglia, e gli ho proposto di venire con noi. Abita qui vicino.

Il polacco si faceva aspettare. Gli otto di Gedale spiavano inquieti il suo ritorno, nella luce bluastra dei fanali oscurati. Di fronte alla stazione si intravvedeva un campo: sul terreno giacevano forme tondeggianti inconsuete. Mottel, incuriosito, andò a vedere; erano zucche, niente d'interessante né di pericoloso. Arrivò silenzioso il polacco, tenendo in mano uno strumento che lui chiamava «la pantofola». Era una lunga leva che terminava in una suola d'acciaio a forma di cuneo; abbassando la leva la suola si alzava di qualche millimetro. – Serve proprio a spingere i vagoni, – spiegò: – c'è in tutti gli scali merci. Tutto sta a smuoverli, poi vanno –. Fasciò la pantofola con uno straccio perché non facesse rumore, la infilò sotto una delle ruote e abbassò la leva. Il vagone si mosse, impercettibilmente, poi si fermò.

– Bene, – sussurrò Gedale. – Quanto è lunga la galleria?

– Seicento metri. Poco oltre c'è un bivio; di lí parte un raccordo che attraversa il bosco e porta a una fonderia abbandonata. È meglio che mandiate il vagone sul raccordo: lo potrete scaricare senza che nessuno vi veda. Andiamo?

Ma Gedale aveva qualcosa in mente. Mandò quattro uomini a raccogliere una dozzina di zucche e le fece mettere nei tralicci che reggevano una linea elettrica di alimentazione, una per traliccio.

– A cosa servono? – chiese Mendel.

– A niente, – rispose Gedale. – Servono a far sí che i tedeschi si chiedano a che cosa servono. Noi avremo perso due minuti; loro sono metodici, e ne perderanno molti di piú.

L'azzurrino disse a tutti di stare pronti e ripeté la manovra con la pantofola: – Ecco, adesso spingete –. Il vagone si mosse di nuovo e procedette, silenzioso e lentissimo. – Dopo andrà meglio, – disse il polacco. – Il raccordo è in discesa –. Gedale mandò avanti Arié, perché avvisasse la banda che il vagone era in arrivo: venissero incontro lungo il binario di raccordo, e si preparassero a scaricare.

– Ma sono dieci tonnellate! – disse Mottel. – Come faremo a scaricarlo tutto?

Gedale non sembrava preoccupato. – Qualcuno ci aiuterà. Noi ne terremo solo una parte, il resto lo cederemo ai contadini.

Uscirono dalla galleria e si trovarono in un banco di nebbia, attraverso il quale filtrava la prima luce dell'alba. Videro emergere dalla nebbia figure umane, sei, dodici, di piú: troppi per essere le avanguardie della banda. Una voce energica gridò in polacco «Stój»: una dozzina di uomini armati, in uniforme, sbarravano la linea. Approfittando della sorpresa, l'azzurrino scattò via e sparí nella nebbia; Gedale e gli altri fecero del loro meglio per frenare la corsa del vagone, che tuttavia proseguí per una decina di metri finché Mottel non si arrampicò sulla cabina ed azionò il freno a mano. La voce di prima ripeté «Stój!», rafforzando l'ordine con una breve raffica di mitra, e poi ingiunse: – Ręce do góry! Le mani in alto! – Gedale obbedí, e dopo di lui tutti gli altri: erano armati solo di pistole e coltelli, avevano lasciato le armi automatiche presso il grosso della banda: non c'era neanche da pensare di opporre resistenza.

Si fece avanti un giovane snello, dal viso serio e dalle fattezze regolari: portava occhiali cerchiati d'acciaio. – Chi è il vostro capo?

– Sono io, – rispose Gedale.

– Chi siete? Dove portate quel vagone?

– Siamo partigiani ebrei; alcuni russi, altri polacchi. Veniamo da lontano. Il vagone lo abbiamo portato via ai tedeschi.

– Che siate partigiani, lo dovrete dimostrare. Comunque, questa zona la controlliamo noi.

– Voi chi?

– Noi dell'Armia Krajowa, dell'Armata Interna polacca. Venite con noi. Se tentate di fuggire vi spariamo.

– Tenente, verremo e non fuggiremo; ma fra poco i tedeschi saranno qui. Non è un peccato lasciargli un vagone di patate?

– Qui i tedeschi non vengono, o non subito. Ci temono; ci attaccano se ci trovano isolati, ma nel bosco non entrano. Il vagone lo porteremo nel bosco. Delle patate che cosa ne volete fare?

– In parte tenercele, in parte distribuirle ai contadini.

– Per ora le teniamo noi. Avanti, continuate a spingere, – disse Edek, il tenente: però distaccò sei dei suoi uomini che aiutassero ed accelerassero il cammino del vagone. Durante la marcia si affiancò a Gedale e gli chiese ancora: – Quanti siete?

– Tu lo vedi: siamo otto.

– Non è vero, – disse Edek. – Siete stati visti giorni fa mentre marciavate, e siete molti di piú. Non c'è bisogno che tu mi dica bugie; noi non abbiamo nulla contro di voi, purché non ci disturbiate. Ci sono ebrei anche nelle nostre file.

– Siamo trentotto, – disse Gedale. – Una trentina sono armati e in grado di combattere. Cinque sono donne.

– Le donne non combattono?

– Una combatte e un uomo non combatte; anzi, due.

– Perché?

– Uno è troppo giovane e non è tanto sveglio. L'altro è troppo vecchio ed è stato ferito.

Se anche Gedale avesse insistito nella sua bugia sarebbe stato inutile: la marcia del vagone era silenziosa, la nebbia si era infittita, e il grosso dei gedalisti, che avanzava fidu-

cioso incontro a Gedale, si trovò in vista dell'avanguardia
di Edek prima che potesse tentare di nascondersi. I partigiani polacchi (erano un centinaio) li circondarono e li fecero proseguire con le armi e i bagagli; Gedale spiegò a
Dov quanto era accaduto.

Dopo un'ora di cammino si trovarono nel fitto del bosco. Edek diede ordine di fermare: i loro quartieri non erano lontani. Mandò una staffetta, ed in breve fu organizzato lo scarico del vagone. Ebrei e polacchi lavorarono di lena, un sacco per uomo, facendo la spola fra il vagone e il
campo. Il vagone fu spinto fino alla fabbrica abbandonata,
i sacchi accatastati nel magazzino del campo, e i gedalisti al
completo rinchiusi in una delle baracche in legno semin-
terrate che servivano di base al distaccamento di Edek. I
partigiani polacchi erano bene armati, efficienti, freddi
e corretti. Offrirono da mangiare agli ebrei, che tuttavia,
dopo quella notte di movimento, desideravano piuttosto
dormire. Il grosso del plotone polacco uscí armato nel primo mattino; nella baracca rimasero solo alcune sentinelle,
ed i gedalisti furono lasciati in pace, le donne su brandine
militari, gli uomini sulla paglia pulita. Ma dovettero cedere
«temporaneamente» le loro armi, che furono inventariate
ed accatastate in un'altra baracca.

Edek e i suoi tornarono verso sera, e fu distribuito il
rancio: minestra di cereali, birra in lattine e scatolette di
carne con l'etichetta scritta in inglese.

– Siete gente ricca, – disse Dov ammirato.

– È roba che viene con i paracadute, – disse Edek. – La
gettano gli americani ma viene dall'Inghilterra; è il nostro
governo di Londra che ce la manda. Gli americani hanno
poco tempo e fanno i lanci alla carlona: vengono da Brindisi, in Italia, al limite della loro autonomia. Arrivano, lan-
ciano e ripartono, cosí metà dei lanci vanno a finire in mano ai tedeschi; ma per noi ce n'è sempre abbastanza perché oramai siamo pochi.

– Avete avuto molti morti? – chiese Mendel.

– Morti, e dispersi, e altri che si sono stancati e sono tornati a casa.

– Perché tornano a casa? Non hanno paura che i tedeschi li deportino?

– Hanno paura, ma se ne vanno lo stesso. Non sanno piú perché si combatte, né per chi.

– E tu, per chi combatti? – chiese Gedale.

– Per la Polonia: per la libertà della Polonia, ma è una guerra disperata. È difficile combattere cosí.

– Ma la Polonia sarà libera: i tedeschi se ne andranno, hanno già perduto, arretrano su tutti i fronti.

Edek, attraverso gli occhiali, volse lo sguardo sui suoi tre interlocutori, Dov, Mendel e Gedale. Era di parecchio piú giovane di loro, ma sembrava oppresso da un peso che gli altri non conoscevano.

– Voi dove andate? – chiese alla fine.

– Andiamo lontano, – rispose Gedale. – Vogliamo combattere contro i tedeschi fino alla fine della guerra; e, chissà, forse anche dopo. Poi cercheremo di andarcene. Vogliamo andare in Palestina; in Europa per noi non c'è piú posto. La guerra contro gli ebrei, Hitler l'ha vinta, e anche i suoi allievi hanno fatto un buon lavoro. Il suo vangelo lo hanno imparato tutti: i russi, i lituani, gli ucraini, i croati, gli slovacchi –. Gedale esitò, poi aggiunse: – Lo avete imparato anche voi; o forse lo sapevate già da prima. Dimmi, tenente: siamo vostri ospiti o vostri prigionieri?

– Dammi tempo, – rispose Edek, – fra poco ti saprò rispondere. Ma ti volevo dire, frattanto, che l'idea delle zucche è stata buona.

– Come sai delle zucche?

– Qui intorno abbiamo amici dappertutto. Abbiamo amici anche tra i ferrovieri, e ci hanno raccontato che finora i tedeschi del presidio non hanno osato toccarle. Hanno bloccato la linea e hanno fatto venire da Cracovia una squadra di artificieri. Hanno dato piú importanza alle zucche che al vagone che avete portato via.

Aprí due pacchetti di «Lucky Strike» e offerse le sigarette in giro fra lo stupore ammirato dei gedalisti; poi ripresе:

– Non dovete essere ingiusti, anche se qualche polacco è stato ingiusto con voi. Non tutti siamo stati vostri nemici.

– Non tutti ma molti, – disse Gedale.

Edek sospirò. – La Polonia è un triste paese. È un paese infelice da sempre, schiacciato da vicini troppo potenti. È difficile essere infelici e non odiare, e noi abbiamo odiato tutti per tutti i secoli della nostra servitú e della nostra divisione. Abbiamo odiato i russi, i tedeschi, i cechi, i lituani e gli ucraini; abbiamo odiato anche voi, perché eravate disseminati nel nostro paese ma non volevate diventare come noi, sciogliervi in noi, e noi non vi capivamo. Abbiamo incominciato a capirvi quando siete insorti a Varsavia. Ci avete indicato la via; ci avete insegnato che si può combattere anche quando si è disperati.

– Ma allora era tardi, – disse Gedale, – noi eravamo tutti morti.

– Era tardi. Ma adesso voi siete piú ricchi di noi: voi sapete dove andare. Avete una meta e una speranza.

– Perché non dovreste sperare anche voi? – disse Dov. – La guerra finirà, e costruiremo un mondo nuovo, senza schiavitú e senza ingiustizia.

Edek disse: – La guerra non finirà mai. Da questa guerra nascerà un'altra guerra, e sarà guerra sempre. Gli americani e i russi non saranno mai amici, e la Polonia non ha amici, anche se adesso gli Alleati ci aiutano. I russi vorrebbero che noi non esistessimo, che non fossimo mai stati creati. I tedeschi, quando ci hanno invasi nel 1939, hanno subito deportato e ucciso i nostri professori, scrittori e preti; ma i russi che avanzavano dai loro confini hanno fatto lo stesso, e per di piú hanno consegnato alla Gestapo i comunisti polacchi che si erano rifugiati da loro. Non volevano che la Polonia avesse un'anima, né gli uni né gli altri; non lo volevano quando erano alleati, non lo vogliono neanche adesso che sono nemici. I russi sono stati contenti

che la rivolta di Varsavia fallisse e che i tedeschi stermi-
nassero gli insorti: mentre noi morivamo, loro aspettavano
sull'altra sponda del fiume.

Intervenne Dov: – Tenente, io sono russo. Ebreo ma
russo, e molti di noi sono nati in Russia, e quel ragazzo alto che vedi laggiú è un russo cristiano che segue la nostra
strada. Questo (e indicò Mendel) e tanti altri che sono
morti, erano militari dell'Armata Rossa: anch'io lo ero.
Prima di incominciare il nostro viaggio, abbiamo combattuto da russi prima che da ebrei: da russi e per i russi. Sono
i russi che stanno liberando l'Europa. Pagano col loro sangue, sono morti a milioni, e le cose che tu dici mi sembrano ingiuste. Io stesso, che ero stanco e ferito, sono stato
curato a Kiev, e poi i russi mi hanno riportato fra i miei
compagni.

– I russi scacceranno i nazisti dal nostro paese, – disse
Edek, – ma poi non se ne andranno. Non bisogna confondere i desideri con la realtà; la Russia di Stalin è la Russia
dello Zar: vuole una Polonia russa, non vuole una Polonia
polacca. Per questo la nostra guerra è disperata: dobbiamo
difendere noi stessi e la popolazione dai nazisti, ma dobbiamo anche guardarci le spalle, perché i russi che avanzano, dell'Armia Krajowa non ne vogliono sapere. Quando
ci trovano, ci inseriscono alla spicciolata nei loro reparti;
se rifiutiamo, ci disarmano e ci deportano in Siberia.

– E voi perché rifiutate? – chiese Dov.

– Perché siamo polacchi. Perché vogliamo dimostrare
al mondo che ancora esistiamo. Se occorre, lo dimostrere-
mo morendo.

Mendel guardò Dov, e Dov restituí lo sguardo. A tutti
e due era tornata a mente la frase che Dov aveva gridata
a Mendel a Novoselki, in mezzo alla battaglia: «Stiamo
combattendo per tre righe nei libri di storia». Mendel raccontò l'episodio a Edek, ed Edek rispose: – È stupido essere nemici.

Passarono alcuni giorni in cui Edek tentò invano di mettersi in contatto con i suoi superiori e di avere istruzioni sul da farsi. I polacchi avevano una ricetrasmittente moderna e potente, ma la usavano poco: dopo il crollo di Varsavia, l'Armia Krajowa era in piena crisi, forse piú morale che materiale; i contatti saltavano l'uno dopo l'altro, e molti fra i capi erano morti od erano stati fermati dai russi. Tornò finalmente una staffetta, ed Edek, con un pallido sorriso, disse a Gedale: – Va tutto bene. Non siete prigionieri, ma ospiti; e presto diventerete alleati, sempre che lo vogliate.

Edek era studente in medicina ed aveva ventitre anni. Era appena iscritto al Primo Anno, a Cracovia, nel 1939, quando i tedeschi avevano convocato l'intero corpo accademico. Alcuni docenti avevano fiutato l'inganno e non si erano presentati; tutti gli altri erano stati immediatamente deportati a Sachsenhausen. – Allora, tutti noi, professori e studenti, abbiamo cominciato a organizzare una università segreta, perché non volevamo che la cultura polacca morisse. Allo stesso modo, abbiamo avuto in quegli anni un governo, una chiesa e un esercito segreti: l'intera Polonia viveva sotto terra. Io studiavo, e insieme lavoravo in una stamperia clandestina; ma anche per studiare mi dovevo nascondere. Hitler e Himmler avevano deciso che per i polacchi dovevano bastare quattro anni di scuola elementare, era sufficiente che imparassero a contare fino a cinquecento e a fare la loro firma; che sapessero leggere e scrivere era inutile, anzi nocivo. Cosí, io e i miei compagni di corso abbiamo studiato anatomia e fisiologia sui trattati, senza mai vedere un microscopio neanche da lontano, senza dissecare un cadavere, senza frequentare una corsia d'ospedale. Ma a Varsavia in agosto c'ero anch'io, e ho visto piú feriti, ammalati e morti che non un medico militare alla fine della sua carriera.

– Niente di male, – gli disse Gedale, – avrai avuto la pratica prima della teoria. Anche a camminare e a parlare si impara con la pratica, non è vero? Verrà la pace e tu diventerai un medico famoso, ne sono sicuro –. La simpatia indiscreta che Gedale manifestava nei riguardi di tutti gli esseri umani sembrava moltiplicata per dieci nel caso di Edek. Mendel gli chiese perché e Gedale rispose che non lo sapeva. Poi però ci ripensò:

– Forse è per la novità. Era un pezzo che non incontravo uno con la penna nel taschino e la cravatta. Nella foresta non ce n'erano.

– Ma Edek la cravatta non ce l'ha!

– Ce l'ha in spirito. Tutto va come se ce l'avesse.

Passavano le lunghe sere di pioggia e di attesa conversando e fumando; qualche volta Gedale suonava anche il violino. Ma nel campo dei polacchi non si beveva: Edek era un comandante umano e ragionevole ma su alcuni argomenti era rigido, ed aveva tante piccole fissazioni. Dopo una rissa che mesi prima era stata provocata da un suo gregario ubriaco, Edek aveva proibito l'alcool, ed insisteva su questo divieto con un rigore da puritano. Aveva chiesto a Gedale di fare altrettanto con i suoi perché non dessero il cattivo esempio, e Gedale aveva accettato a malincuore. Aveva anche paura dei cani. Non volle saperne dei due poveri cani gedalisti, quelli che avevano guidato la banda attraverso le mine di Turov e ne conoscevano i componenti uno per uno. Trovò il pretesto che i cani avrebbero potuto rivelare la posizione del campo abbaiando di notte, e nonostante le proteste di Gedale li fece vendere in un villaggio vicino.

Edek era riservato e faceva poche domande, ma anche lui era curioso dei gedalisti, e in specie di Gedale e dei suoi trascorsi.

– Eh, chissà che grande violinista sarei diventato! – disse Gedale ridendo. – Mio padre ci teneva: il violino, diceva, ingombra poco, qualunque cosa succeda te lo porti dietro dappertutto; e il talento ingombra ancora meno e non paga dogana. Giri il mondo, dài concerti e guadagni; e magari diventi anche americano, come Jascha Heifetz. A

me suonare piaceva ma studiare no; invece di andare a lezione di musica scappavo a pattinare sul ghiaccio d'inverno, o a nuotare d'estate. Mio padre era un piccolo com-
merciante, nel '23 è andato in fallimento, cosí ha cominciato a bere ed è morto quando io avevo solo dodici anni.
Eravamo senza soldi, e mia madre mi ha messo a bottega;
ero commesso in un negozio di scarpe, ma a suonare ho
continuato, cosí, per consolarmi, dopo che ero stato tutta
la giornata con i piedi dei clienti in mano. Scrivevo anche
poesie: tristi e neanche tanto belle. Le dedicavo alle clienti
che avevano il piede grazioso, ma le ho perse tutte.

– Suonare mi ha sempre tenuto compagnia. Suonavo
invece di pensare; anzi, devo dirti che pensare non è mai
stato il mio forte: voglio dire, pensare alla maniera seria,
ricavare le conseguenze dalle premesse. Suonare era il mio
modo di pensare, e anche adesso che faccio un mestiere diverso, ebbene, le idee migliori mi vengono in mente quando suono il violino.

– Per esempio l'idea delle zucche? – chiese Edek.

– No, no, – rispose Gedale con modestia. – L'idea delle
zucche mi è venuta guardando le zucche.

– E come ti è venuta l'idea di fare questo mestiere diverso?

– Mi è venuta dal cielo: me l'ha portata una suora –.
Mentre parlava, Gedale aveva preso il violino, e senza veramente suonarlo accarezzava con l'archetto le corde, ca-
vandone note svagate e sommesse. – Una suora, sí. Quando a Bialystok sono arrivati i tedeschi, mia madre è riuscita a farsi accettare in un convento. Io da principio ero restio
a farmi rinchiudere, stavo con una ragazza, dormivamo
ogni notte in un luogo diverso. Devo dirti: a quel tempo
avevo già ventiquattro anni, ma vivevo come se dormissi,
giorno per giorno, come avrebbe fatto una bestia. Non mi
rendevo conto, né del pericolo né del mio dovere.

– Poi i tedeschi hanno chiuso gli ebrei nel ghetto. Mia
madre mi ha fatto sapere che nel convento avrebbero accettato anche me, e io ci sono andato. Mia madre era rus-

sa; era una donna forte, sapeva comandare, e a me piaceva che lei mi comandasse. No, non ero travestito: le suore mi avevano sistemato in un sottoscala. Non hanno cercato di battezzarmi, ci ospitavano per pietà, senza secondi fini, e a loro rischio. Mi portavano da mangiare, e io nel convento ci stavo bene: non ero un guerriero, ero un bambino di ventiquattro anni bravo a vendere scarpe e a suonare il violino. Avrei aspettato nel sottoscala la fine della guerra: la guerra era affare d'altri, dei tedeschi, dei russi; era come un uragano, quando viene un uragano la gente di buon senso cerca un riparo.

– La suora che mi portava da mangiare era giovane e allegra, come sono allegre le suore. Un giorno, era il marzo del '43, insieme col pane mi ha consegnato un biglietto: veniva dal ghetto, era scritto in jiddisch, era firmato da un mio amico, e diceva: «Vieni con noi: il tuo posto è qui». Diceva che dal ghetto i tedeschi avevano incominciato a deportare a Treblinka i bambini e gli ammalati, che presto avrebbero liquidato tutti, e che bisognava prepararsi a resistere. Mentre leggevo, la suora mi guardava con un viso molto serio, e io ho capito che lei sapeva che cosa c'era scritto. Poi mi ha chiesto se c'era risposta: io le ho detto che ci avrei pensato, e il giorno dopo le ho domandato come aveva avuto il biglietto. Lei mi ha risposto che nel ghetto c'erano parecchi ebrei battezzati, e che le suore avevano avuto il permesso di portargli delle medicine. Le ho detto che ero pronto a partire, e lei mi ha detto di aspettare fino a notte. È venuta da me prima del mattutino e mi ha detto di seguirla; mi ha condotto in un ripostiglio, teneva in mano una lanterna, me l'ha data perché io la reggessi, e mi ha detto: «Si volti, Panie». Sentivo frusciare i suoi abiti e mi sono venuti dei pensieri profani; ma poi lei mi ha permesso di voltarmi, e mi ha porto due pistole. Mi ha dato i contatti per entrare nel ghetto e mi ha augurato buona fortuna. Nel ghetto i giovani armati erano pochi ma decisi: come fosse fatto un fucile, lo avevano imparato su un'enciclopedia, e a sparare avevano imparato sul posto. Abbiamo combattuto insieme per otto giorni; eravamo duecento, sono morti quasi tutti. Io ed altri cinque ci siamo aperti la strada fino a Kossovo e ci siamo ricongiunti con gli insorti di quel ghetto.

Il crocchio intorno a Edek e Gedale era andato via via accrescendosi. Non soltanto i polacchi, ma anche parecchi fra gli ebrei avevano ascoltato quella storia che non tutti conoscevano. Quando Gedale ebbe finito, Edek disincrociò le gambe, si raddrizzò sullo sgabello, si ravviò i capelli, si stirò i pantaloni sulle ginocchia, e chiese con sussiego:

– Quali sono le vostre opinioni politiche?

Gedale cavò dal violino l'equivalente di una risata:
– Striate, vaiolate e macchiettate, come le pecore di Labano! – Si volse in giro: attorno al tavolo, nella luce cruda della lanterna a carburo, intercalati ai visi larghi e biondi dei polacchi, additò al tenente i mustacchi caucasici di Arié, la capigliatura canuta e ben pettinata di Dov, Józek dagli occhi astuti, Line fragile e tesa, Mendel dal viso segnato e stanco, Pavel mezzo sciamano e mezzo gladiatore, le facce selvatiche degli uomini di Ružany e di Blizna, Isidor e le due Ròkhele che cascavano dal sonno: – Vedi, anche noi siamo merce assortita.

Poi riprese il violino e continuò:
– Scherzi a parte, tenente, capisco il perché della tua domanda, ma sono imbarazzato a risponderti. Non siamo ortodossi, non siamo regolari, non siamo legati da un giuramento. Nessuno di noi ha avuto molto tempo per meditare e chiarirsi le idee; ognuno di noi ha dietro di sé un brutto passato, diverso per ognuno. Quelli di noi che sono nati in Russia hanno succhiato il comunismo con il latte della madre: sí, proprio le loro madri e i loro padri hanno fatto di loro dei bolscevichi, perché la rivoluzione di ottobre aveva emancipato gli ebrei, li aveva resi cittadini con pieni diritti. A modo loro sono rimasti comunisti, ma nessuno di noi ama piú Stalin dopo che ha fatto il patto con Hitler; e del resto Stalin non ci ha mai amati molto.

– Quanto a me e agli altri che sono nati in Polonia, le

nostre idee sono varie, ma qualcosa abbiamo in comune, fra noi e con gli ebrei russi. Tutti, quale piú, quale meno; quale presto, quale tardi, ci siamo sentiti stranieri in patria. Tutti abbiamo desiderato una patria diversa, in cui vivere come tutti gli altri popoli, senza sentirci intrusi e senza essere segnati a dito come stranieri, ma nessuno di noi ha mai pensato di recingere un campo e di dire «questa terra è mia». Non desideriamo diventare proprietari: desideriamo rendere fertile la terra sterile della Palestina, piantare aranci e ulivi nel deserto e farlo fruttificare. Non vogliamo i kolchoz di Stalin: vogliamo comunità in cui tutti siano liberi e uguali, senza costrizione e senza violenza: in cui si possa faticare di giorno, e alla sera suonare il violino; in cui non ci sia denaro, ma ognuno lavori secondo le sue capacità e riceva secondo i suoi bisogni. Sembra un sogno ma non è: questo mondo è già stato creato dai nostri fratelli piú previdenti e coraggiosi di noi, che sono emigrati laggiú prima che l'Europa diventasse un Lager.

– In questo senso ci puoi chiamare socialisti, ma non siamo diventati partigiani per le nostre idee politiche. Combattiamo per salvarci dai tedeschi, per vendicarci, per aprirci la strada; ma soprattutto, perdonami la parola grossa, per dignità. E infine devo dirti questo: molti fra noi non avevano mai gustato il sapore della libertà, e l'hanno imparato a conoscere qui, nelle foreste, nelle paludi e nel pericolo, insieme con l'avventura e la fraternità.

– E tu sei di questi, non è vero?

– Io sono di questi, e non rimpiango niente, neppure gli amici che ho visto morire. Se non avessi trovato questo mestiere, forse sarei rimasto un bambino: adesso sarei un bambino di ventisette anni, e alla fine della guerra, se mi fossi salvato, avrei ricominciato a fare poesie e a vendere scarpe.

– O saresti diventato un violinista celebre.

– È difficile, – disse Gedale, – un bambino non diventa violinista: o se sí, rimane un violinista bambino.

Edek che aveva ventitre anni guardò serio Gedale che

ne aveva ventisette: – Sei sicuro di non essere rimasto un po' bambino?

Gedale posò il violino: – Non sempre; solo quando lo voglio. Qui no.

– Da chi prendete ordini? – chiese ancora Edek.

– Siamo un gruppo autonomo, ma seguiamo le indicazioni della Organizzazione Ebraica di Combattimento, dove e quando riusciamo a mantenere i contatti, e le indicazioni sono queste: distruggere le linee di comunicazione tedesche; uccidere i nazisti responsabili delle stragi; spostarsi verso occidente; ed evitare i contatti con i russi, perché finora ci hanno aiutati, ma non è chiaro che cosa vorranno fare di noi in avvenire.

Edek disse: – Per noi va bene cosí.

La guerra sembrava lontana. Per piú settimane aveva piovuto senza interruzione, ed il campo dei polacchi era assediato dal fango; ma anche al fronte pareva che le operazioni fossero state sospese. Il rombo dell'artiglieria non si sentiva piú, anche il ronzio degli aerei si faceva sentire di rado: aerei sconosciuti, irreali, forse amici o forse nemici, inaccessibili nei loro tragitti segreti al di sopra delle nuvole. Lanci non ce n'erano piú stati, ed i viveri cominciavano a scarseggiare.

Ai primi di novembre spiovve, e poco dopo Edek ricevette un messaggio-radio. Era una richiesta d'aiuto, urgente, che veniva dal Comando: nei monti della Santa Croce, ad ottanta chilometri a nord-est, una compagnia dell'Armia Krajowa era stata accerchiata dalla Wehrmacht, e si trovava in una situazione disperata. Bisognava partire subito in suo soccorso. Edek fece preparare settanta dei suoi uomini; e come Gedale, un lunghissimo anno prima, aveva invitato Dov ad una funesta partita di caccia, cosí adesso Edek invitò Gedale ed i suoi a partecipare alla spedizione. Gedale accettò subito, ma non volentieri: era la prima volta che si chiedeva ai suoi uomini e a lui di combattere i tedeschi in campo aperto; non piú contro un presidio isolato, come in aprile a Ljuban, ma contro la fanteria e l'artiglieria tedesca, con la sua esperienza e la sua organizzazione: eppure anche a Ljuban i morti ebrei erano stati decine. Per contro, questa volta non erano soli: i polacchi di Edek erano risoluti, esperti, bene armati, ed animati da un odio contro i tedeschi che superava quello degli ebrei stessi.

Gedale scelse venti dei suoi, ed il plotone composito si mise in via. I campi erano impregnati di pioggia, Edek aveva fretta, e scelse la via piú diretta, contro ogni ortodossia partigiana: si marciava lungo la ferrovia, in fila per tre, sulle traversine di legno, dal tramonto all'alba ed anche oltre l'alba. Niente pattuglie di protezione ai fianchi della colonna, niente retroguardia; un'avanguardia di soli sei uomini, di cui faceva parte Mendel, oltre a Edek stesso. Mendel si stupí della temerarietà dell'azione, ma Edek lo rassicurò, conosceva quel paese: i contadini non li avrebbero denunziati, erano favorevoli ai partigiani, e chi non era favorevole temeva le loro rappresaglie.

Il 16 di novembre giunsero in vista di Kielce: a Kielce c'era una caserma tedesca piena di ausiliari ucraini, e Edek fu costretto ad aggirare la città perdendo tempo prezioso. Subito oltre, incontrarono le prime ondulazioni del terreno: colline boscose e tetre, fasciate da strie di nebbia che navigavano lente nel vento sfrangiandosi sulle cime degli abeti. Secondo le informazioni ricevute da Edek, il campo di battaglia doveva essere vicino, nell'avvallamento fra Górno e Bieliny, ma di battaglia non colsero alcuna traccia; Edek dispose che tutti si riposassero per qualche ora, fino alla prima luce.

Alla prima luce la nebbia si era infittita. Si sentí qualche sparo isolato, brevi raffiche di mitragliatrice, poi silenzio, e nel silenzio la voce di un altoparlante. Era fioca, veniva di lontano, probabilmente dall'altra parte dell'accerchiamento. Si capiva male, le parole arrivavano a brandelli, col capriccio del vento: erano parole polacche, i tedeschi esor-

tavano i polacchi alla resa. Poi riprese la sparatoria, debole
e sparsa; Edek diede l'ordine di avanzare.

A mezza costa del pendio, presero posizione dietro i cespugli e gli alberi ed aprirono il fuoco nella direzione in cui
si presumeva fossero i tedeschi. Era una battaglia cieca; la
nebbia era cosí fitta che a rigore sarebbe stato superfluo
defilarsi, ma proprio per questo velario che li circondava,
e che limitava la visibilità a una ventina di metri, la sensazione del pericolo era piú acuta: l'offesa poteva venire da
tutte le parti. La reazione dei tedeschi fu rabbiosa ma breve e mal coordinata: aprí il fuoco una mitragliatrice pesante, poi una seconda, entrambe sulla sinistra dello schiera-
mento di Edek. Mendel vide scheggiarsi la corteccia degli
alberi davanti a sé, cercò riparo e sparò col parabellum nella direzione da cui sembrava provenire la raffica. Edek ordinò una seconda salva, piú prolungata: forse voleva dare
ai tedeschi l'impressione che il reparto sopraggiunto fosse
piú forte, però erano pallottole sprecate. Dopo qualche minuto si udirono le esplosioni di partenza dell'artiglieria,
anche queste lontane e sulla sinistra, e pochi secondi dopo
gli scoppi d'arrivo delle granate: cadevano a caso, dietro e
davanti; queste erano piú vicine, una cadde poco lontano
da Mendel, ma si conficcò nella terra molle senza esplode-
re; un'altra piombò alla sua destra, Mendel vide la vampa-
ta attraverso la cortina di nebbia. Accorse, e trovò sul
posto Marian, il luogotenente di Edek: la granata aveva
stroncato un alberello, e nella terra smossa giacevano due
polacchi uccisi. – Non sparano dall'alto, – disse Marian, –
sono sulla strada di Górno. Non devono essere tanti.

Il bombardamento cessò di colpo, non ci furono altri
spari, e verso le dieci si udí un brusio attutito di motori.

– Se ne vanno! – disse Marian.

– Forse ci credono piú forti di quanto siamo, – rispose
Mendel.

– Non credo. Ma la nebbia non piace neanche a loro.

Il ronzio dei mezzi tedeschi si fece piú indistinto, fino
ad estinguersi. Edek ordinò di avanzare in silenzio. Di

tronco in tronco, gli uomini presero a salire, senza incontrare resistenza né alcun segno di vita. Poco piú in alto gli alberi si facevano rari, e poi scomparvero: anche la nebbia si era alzata, e divenne visibile il campo di battaglia. La sommità del colle era una brughiera spoglia, solcata da tracce di sentieri e da un'unica strada in terra battuta che portava ad una costruzione massiccia, forse una vecchia fortezza. Il terreno era pieno di morti, alcuni già freddi e rigidi, molti mutilati o lacerati da ferite orrende. Non tutti erano polacchi dell'Armia Krajowa: un gruppo compatto, che doveva essersi difeso fino all'estremo, era costituito da partigiani russi; altri, ai margini del campo, erano della Wehrmacht.

– Sono morti tutti. Non capisco a chi chiedevano di arrendersi, – disse Gedale: senza rendersene conto, parlava a bassa voce, come in una chiesa.

– Non lo so, – rispose Edek. – Forse gli spari che abbiamo sentito arrivando erano quelli degli ultimi rimasti.

Mendel disse: – La nebbia prima era molto fitta, e loro chiedevano di arrendersi ai morti.

– Forse, – disse Marian, – il discorso dell'altoparlante era inciso su un disco: i tedeschi lo hanno fatto altre volte.

Esplorarono il terreno, esaminando i corpi uno per uno: forse qualcuno poteva essere ancora vivo. Nessuno era vivo; alcuni portavano alla nuca o alla tempia il segno del colpo di grazia. Anche dentro la fortezza non c'erano che morti, russi e polacchi, in buona parte asserragliati nella torretta che era stata sfracellata da un colpo di artiglieria. Notarono che alcuni dei cadaveri erano estremamente magri. Perché?

– Allora è vera la voce che correva, – disse Marian.

– Quale voce? – chiede Mendel.

– Che sui monti della Santa Croce c'era una prigione, e che i tedeschi facevano morire di fame i prigionieri –. Infatti, nei sotterranei del forte trovarono corridoi e celle, le cui porte di legno erano state sfondate. Mendel trovò pa-

role scarabocchiate col carbone su una parete, e chiamò
Edek perché le decifrasse.

– Sono tre versi di un nostro poeta, – disse Edek. – Dicono cosí:

> Maria, non partorire in Polonia,
> Se non vuoi vedere tuo figlio
> Inchiodato alla croce appena nato.

– Quando li ha scritti, questo poeta? – chiese Gedale.

– Non lo so. Ma per il mio paese, qualunque secolo sarebbe stato buono.

Mendel taceva, e si sentiva invadere da pensieri smisu-
rati e confusi. Non noi soltanto. Il mare del dolore non ha
sponde, non ha fondo, nessuno lo può scandagliare. Eccoli
qui, i polacchi, i fanatici della Croce, quelli che hanno ac-
coltellato i nostri padri, e hanno invaso la Russia per soffocare la rivoluzione. E anche Edek è polacco. E adesso
muoiono come noi, insieme con noi. Hanno pagato, non
sei contento? No, non sono contento, il debito non si è ridotto, è cresciuto, nessuno lo potrà pagare piú. Vorrei che
non morisse piú nessuno. Neppure i tedeschi? Non lo so.
Ci penserò dopo, quando tutto sarà finito. Forse ammazzare i tedeschi è come quando il chirurgo fa un'operazione: tagliare un braccio è orribile, ma va fatto e si fa. Che la
guerra finisca, Signore a cui non credo. Se ci sei, fa' finire
la guerra. Presto e dappertutto. Hitler è già vinto, questi
morti non servono piú a nessuno.

Accanto a lui, in piedi come lui nell'erica sporca di sangue e fradicia di pioggia, Edek terreo in viso lo stava guardando.

– Preghi, ebreo? – gli chiese: ma in bocca a Edek la parola «ebreo» non aveva veleno. Perché? Perché ognuno è
l'ebreo di qualcuno, perché i polacchi sono gli ebrei dei tedeschi e dei russi. Perché Edek è un uomo mite che ha imparato a combattere; ha scelto come me ed è mio fratello,
anche se lui è polacco e ha studiato, e io sono un russo di
villaggio e un orologiaio ebreo.

Mendel non rispose alla domanda di Edek, e Edek continuò:

– Dovresti. Dovrei anch'io, e non sono piú capace. Non credo che serva, né a me né ad altri. Forse tu vivrai ed io morrò, e allora racconta quello che hai visto sui monti della Santa Croce. Cerca di capire, racconta e cerca di far capire. Questi che sono morti con noi sono russi, ma sono russi anche quelli che ci strappano il fucile dalle mani. Racconta, tu che aspetti ancora il Messia; forse verrà per voi, ma per i polacchi è venuto invano.

Sembrava proprio che Edek rispondesse alle domande che Mendel poneva a se stesso, che gli leggesse nel fondo del cervello, nel letto segreto dove nascono i pensieri. Ma non è cosí strano, pensò Mendel; due buoni orologi segnano la stessa ora, anche se sono di marche diverse. Basta che partano insieme.

Edek e Gedale fecero l'appello; mancavano quattro dei polacchi, ed uno degli ebrei, Józek, il falsario. Non era morto da falsario. Lo trovarono in fondo a una forra, col ventre lacerato: forse aveva chiamato a lungo e nessuno lo aveva udito. Seppellire i morti? – O tutti o nessuno, – disse Edek, – e tutti non si può. Togliamogli solo i documenti e i piastrini, chi li ha –. Senza documenti erano i corpi di molti ragazzi, che Edek e Marian riconobbero come appartenenti ai Battaglioni Contadini polacchi. Ritornarono al campo in silenzio, a testa bassa, come un'armata sconfitta. Non c'era piú fretta, procedevano in ordine sparso, di notte, per campi e boschi. Nel bosco di Sobków si accorsero di avere perso l'orientamento; l'unica bussola che il plotone possedeva era rimasta in tasca a Zbigniew, uno dei polacchi morti: nessuno si era ricordato di recuperarla. A malincuore, Edek decise di aspettare l'alba, e poi di seguire una delle piste fino a qualche villaggio, avrebbero chiesto la strada ai contadini. Ma nell'alba nebbiosa Arié trovò, fra le radici di un frassino, un uccellino intirizzito, e disse che la strada l'avrebbe indicata lui. Lo raccattò, lo riscaldò tenendolo sul petto sotto la camicia, gli porse bri-

ciole di pane che aveva rammollite con la saliva, e quando
si fu rianimato lo lasciò volare via. L'uccello sparí nella
nebbia in una direzione ben definita, senza esitare: – È
quello il sud? – chiese Marian. – No, – rispose Arié, – è
uno storno, e gli storni, quando viene l'inverno, volano
verso ovest. – Mi piacerebbe essere uno storno, – disse
Mottel –. Arrivarono al campo senza errori, ed Arié ac-
quistò prestigio.

Seguirono settimane d'inerzia e di tensione. Aveva incominciato a far freddo, e il gelo aveva consolidato il fango, e le strade grosse e piccole si erano riempite di convogli
tedeschi in marcia verso il fronte o di ritorno verso le retrovie. Passavano reparti motorizzati dell'artiglieria, carri
armati «Tigre» già mimetizzati in bianco in attesa della
neve, truppe tedesche su autocarri, truppe ausiliarie ucraine su carrette o appiedate; c'erano centri della polizia militare o della Gestapo in tutti i villaggi, e i collegamenti dei
partigiani si erano fatti piú difficili. Le ronde tedesche fermavano tutti i giovani e li scaraventavano a scavare fossati
anticarro, terrapieni e trincee: le staffette, uomini e donne, si spostavano solo di notte. La sola via di comunicazione del reparto di Edek col mondo era la radio, ma la radio
taceva, o diffondeva notizie inquietanti e contraddittorie.

Radio Londra era trionfale ed ironica. Dava i tedeschi e
i giapponesi per vinti, ma insieme ammetteva che i tedeschi avevano attaccato in forze nelle Ardenne: dove saranno le Ardenne? Ricomincerà tutto da capo, con i tedeschi
che dilagano in Francia? Anche la radio tedesca era trionfale, il Führer era invincibile, la guerra vera stava appena
adesso per cominciare, la Grande Germania possedeva armi nuove, segrete, assolute, contro cui non c'era difesa.

Passò il Natale, passò il Capodanno 1945. Nel campo
dei polacchi crescevano l'incertezza e lo scoraggiamento, i
due grandi nemici dei partigiani. Edek si sentiva abbandonato: non riceveva ordini né informazioni, non sapeva piú
chi aveva intorno. Alcuni dei suoi uomini erano spariti; se

n'erano andati, cosí, in silenzio, con le armi o senza. Anche all'interno del campo la disciplina si era allentata; nascevano litigi, che spesso si dilatavano in risse. Per il momento, attriti fra polacchi ed ebrei non ne erano ancora nati, ma mezze parole ed occhiate di traverso li facevano sentire imminenti. A dispetto degli ordini di Edek, era ricomparsa la vodka, dapprima nascosta, poi alla luce del sole. Si erano diffusi anche i pidocchi, pessimo segno: difendersi non era facile, polveri e medicine non ce n'erano, ed Edek non sapeva come provvedere. Marian, sanguigno e taurino, già maresciallo nell'esercito polacco, tenne una pubblica dimostrazione: accese un piccolo fuoco di legna dentro una delle baracche, su una lamiera, e fece vedere che se si tengono stesi gli abiti a una certa distanza dalla fiamma, i pidocchi scoppiano senza che il tessuto si indebolisca. Ma era un circolo vizioso: i pidocchi nascono dalla demoralizzazione, e creano altra demoralizzazione.

Line si staccò da Mendel. Fu triste, come tutti i distacchi, ma non stupí nessuno: era nell'aria da tempo, fino dall'assalto al Lager di Chmielnik. Mendel ne soffrí, ma di una sofferenza grigia e fiacca, senza il dardo della disperazione. Line non era mai stata sua, se non nella carne, né Mendel era stato di lei. Si erano saziati l'uno dell'altra, spesso, con piacere e con furia, ma avevano parlato poco, e quasi sempre i loro discorsi si erano inceppati nell'incomprensione o nella discordia. Line non aveva mai dubbi, e non tollerava i dubbi di Mendel: quando questi affioravano (e affioravano proprio al momento della stanchezza e della verità, quando i loro corpi si scioglievano l'uno dall'altro), Line si induriva, e Mendel aveva paura di lei. Aveva anche, oscuramente, vergogna di se stesso, ed è difficile amare una donna che faccia nascere la vergogna e la paura. Confusamente, indistintamente, Mendel sentiva che Line aveva ragione. No, non *aveva* ragione, *era* nella ragione, dalla parte della ragione. Un partigiano, ebreo o russo o polacco, un combattente, dev'essere come Line, non come Mendel. Non deve dubitare: il dubbio te lo ritrovi sul mi-

rino del fucile, e ti devia il colpo peggio della paura. Ecco,
Line ha ucciso Leonid e non porta pena. Ucciderebbe anche me, se io fossi uno scorticato come era lui; se io non
avessi addosso una pelle callosa, un'armatura. Non lucida e sonante, ma opaca e tenace; i colpi mi arrivano, ma
smussati. Ammaccano senza ferire. Eppure Line ridestava
il suo desiderio, e Mendel fu ferito quando seppe che Line
era la donna di Marian. Ferito, e insieme offeso, e ma-
lignamente soddisfatto e ipocritamente indignato. Una
schikse, dunque, una che va con tutti, anche con i polacchi.
Vergogna, Mendel, non è per questo che ti sei fatto partigiano. Un polacco vale quanto te; anzi, forse piú di te,
se Line ha preferito Marian. Rivke non lo avrebbe fatto.
Già, non lo avrebbe fatto, ma Rivke non c'è piú, Rivke è a
Strelka sotto un metro di calce e un metro di terra, Rivke
non è di questo mondo. Apparteneva all'ordine, al mondo
delle cose giuste fatte alle ore giuste: faceva cucina, teneva
pulita la casa, perché a quel tempo gli uomini e le donne
vivevano in una casa. Teneva i conti, anche i miei, e mi faceva coraggio quando ne avevo bisogno: mi ha fatto coraggio perfino il giorno che è scoppiata la guerra e io sono partito per il fronte. Non si lavava tanto, le ragazze moderne
a Strelka si lavavano piú di lei, si lavava una volta al mese
come è prescritto, ma eravamo una carne. Una *balebusteh*,
era: una regina della casa. Comandava, e io non me ne accorgevo.

Con occhio accidioso, Mendel vedeva comporsi nel
campo altri legami distratti ed effimeri. Sissl ed Arié: bene, buon per loro, in lietezza e prosperità; speriamo che lui
non la picchi, i georgiani picchiano le mogli, e Arié è piú
georgiano che ebreo. Hanno le ossa solide, e non solo le
ossa: faranno dei bei bambini, buoni *chalutzim*, buoni coloni per la Terra d'Israele, se mai ci arriveremo. Speriamo
anche che nessun polacco guardi Sissl troppo da vicino,
perché Arié è svelto col coltello.

Ròkhele Nera e Piotr. Bene anche questi, era un pezzo
che la faccenda maturava. Piotr, fra i polacchi, era piú iso-

lato degli ebrei, e una donna è il miglior rimedio contro la solitudine. O anche solo mezza donna: la situazione non era chiara, e del resto Mendel non aveva voglia di indagare, ma sembrava che la Nera si tirasse dietro anche Mietek, il radiotelegrafista. Peccato per Edek, piú che tutti gli altri Edek avrebbe avuto bisogno di una donna, o insomma di una compagnia, di qualcuno che condividesse la sua sofferenza: ma Edek cercava invece di isolarsi, di scavarsi una nicchia, di tirare su un muro fra sé e il mondo.

Bella e Gedale: su questa coppia nessuno aveva niente da dire. Erano una coppia da sempre, una coppia incredibilmente stabile, senza che se ne capisse la ragione. Gedale, cosí libero nelle parole e nei fatti, cosí imprevedibile, sembrava legato a Bella da un ormeggio ben saldo, come una nave al molo. Bella non era bella, appariva di parecchio piú anziana di Gedale, non combatteva, alle faccende quotidiane della banda collaborava pigramente, malvolentieri, criticando gli altri (soprattutto le altre) a ragione o a torto. Si portava dietro scampoli incongrui della sua precedente vita borghese, di cui nessuno sapeva nulla: rimasugli goffi ed ingombranti, anche materialmente, abitudini a cui tutti avevano rinunciato ed a cui Bella non intendeva rinunciare. Accadeva spesso, quasi ritualmente, che Gedale pigliasse il volo su un programma, un piano, o anche solo su un discorso fantasioso ed allegro, e che Bella lo richiamasse a terra con una osservazione piatta e scontata. Allora Gedale si rivolgeva a lei con irritazione simulata, come se tutti e due recitassero a soggetto: – Bella, perché mi tarpi le ali? – Dopo quasi otto mesi di convivenza, e dopo tante vicende comuni, Mendel non cessava di domandarsi che cosa tenesse Gedale vincolato a Bella: del resto, non solo sotto questo aspetto Gedale era difficile da interpretare, e impossibile prevedere i suoi atti. Forse Gedale sapeva di non avere freni, ed aveva bisogno di trovarne fuori di sé; forse sentiva accanto a sé, impersonate in Bella, le virtú e le gioie del tempo di pace, la sicurezza, il buon senso, l'economia, la comodità. Gioie modeste e scolorite, ma tutti, sapendolo o no, le rimpiangevano e speravano di ritrovarle, al termine della strage e del cammino.

Gedale era irrequieto, ma non aveva ceduto all'onda di riflusso che, partita dai polacchi, aveva trascinato con sé in maggiore o minor misura anche i gedalisti. Ricordava a Mendel lo storno che Arié aveva trovato: come quello, era impaziente di riprendere la via. Girava per il campo, ossessionava il radiotelegrafista, discuteva con Edek, con Dov, con Line, con Mendel stesso. Suonava ancora il violino, ma non piú con abbandono: volta a volta, con noia o con frenesia.

Ròkhele Bianca non era né inquieta né scoraggiata. Non era piú sola: da quando la banda aveva trovato asilo nel campo polacco, accadeva sempre piú di rado di incontrarla separata da Isidor. Da principio nessuno si era stupito, Isidor tendeva a mettersi nei guai, o almeno a fare sciocchezze, e che la Bianca gli facesse un poco da mamma sembrava naturale. Prima, di Isidor si era curata Sissl, ed anzi, fra le due donne era sorta un'ombra di rivalità, ma adesso Sissl aveva altro per la testa. Quanto alla Bianca stessa, sembrava aver bisogno di qualcuno che avesse bisogno di lei. Teneva d'occhio il ragazzo, badava che si coprisse e si tenesse pulito e all'occorrenza lo rimproverava con autorità materna.

Ora, a partire dai primi di dicembre sia i due, sia il rapporto che li legava andarono incontro ad un mutamento mal definibile ma palese a tutti. Isidor parlava meno e meglio; non farneticava piú di vendette impossibili, non portava piú il coltello alla cintura, ed invece aveva chiesto a Edek e a Gedale di prendere parte alle esercitazioni di tiro. Il suo sguardo si era fatto piú attento, cercava di rendersi utile, il suo passo era diventato piú rapido e sicuro, e perfino le spalle sembravano essersi allargate un poco. Faceva domande: poche, ma non insulse né puerili. Quanto a Ròkhele, appariva ad un tempo maturata e ringiovanita. Per meglio dire: mentre prima non aveva avuto un'età, adesso ce l'aveva; sorprendeva, rallegrava vederla ritornare giorno per giorno ai suoi ventisei anni, fino allora mortificati dalla timidezza e dal lutto. Non teneva piú gli occhi rivolti al suolo, e tutti si accorsero che i suoi occhi erano belli: grandi, bruni, affettuosi. Elegante non era certo (nessuna delle cinque donne lo era) ma non era piú un fagotto informe; la si vedeva, al lume della lanterna, lavorare d'ago per adattare alla sua taglia gli abiti militari che per mesi aveva indossati senza prendersene cura. Adesso, anche la Bianca aveva capelli, gambe, un seno, un corpo. Quando accadeva di incontrare i due insieme, fra le baracche del campo, Isidor non camminava piú dietro a Ròkhele, ma al suo fianco; piú alto di lei, piegava impercettibilmente il capo nella direzione della donna, come a farle riparo.

Una sera in cui Isidor era in corvée di pulizia, la Bianca chiamò Mendel in disparte: gli voleva parlare in segreto.

– Che vuoi, Ròkhele? Che cosa posso fare per te? – chiese Mendel.

– Dovresti sposarci, – disse la Bianca arrossendo.

Mendel aperse la bocca, la richiuse, e poi disse:

– Che cosa ti viene mai in mente? Io non sono un rabbino, e neppure un sindaco; documenti non ne avete, potreste anche essere già sposati. E Isidor ha solo diciassette anni. E ti pare che questo sia il momento di sposarsi?

La Bianca disse: – Lo so bene che la regola non è questa; lo so che ci sono delle difficoltà. Ma l'età non conta: un uomo si può sposare già a tredici anni, lo dice il Talmud. E che io sono vedova lo sanno tutti.

Mendel non trovava le parole. – È un nonsenso, una narischkeit! Un capriccio che domani ti sarà passato. E perché sei venuta proprio da me? Oltre a tutto, io non sono neppure un ebreo pio. Non ha senso, è come se tu mi chiedessi di volare o di fare un incantesimo.

– Vengo da te perché sei un giusto, e perché io vivo in peccato.

– Se tu vivi in peccato, io non ci posso fare nulla: è una

cosa che riguarda solo voi due. E poi, secondo me i peccati
non sono quelli che fate voi, sono un'altra cosa, sono quelli
che fanno i tedeschi. E che io sia un giusto è da vedersi.

Ròkhele non si arrese: – È come quando si è su una nave o su un'isola: se non c'è un rabbino, il matrimonio lo
può fare uno qualunque. Se è un giusto è meglio, ma basta
una persona qualunque: anzi, lo *deve* fare, è una *mitzvà*.

Mendel attinse a memorie giacenti da secoli:

– Perché il matrimonio sia valido ci vuole la Ketubà, il
contratto: tu ti dovrai impegnare a dare a Isidor una dote,
e lui dovrà garantire che ti può mantenere. Mantenerti,
lui, Isidor. Ti pare serio?

– La Ketubà è una formalità, ma il matrimonio è un cosa seria; e io e Isidor ci vogliamo bene.

– Lascia almeno che io ci pensi su fino a domani. Una
faccenda cosí non mi costa né fatica né denaro, ma mi
sembra un imbroglio: è come se tu mi dicessi «Caro Mendel, imbrogliami», mi capisci? e se ti accontento, il peccato
lo faccio io. Non potresti aspettare che la guerra finisca?
Trovereste un rabbino, e potreste fare le cose in regola. Io
non saprei neppure quali parole dire: bisognerà dirle in
ebraico, no? E io l'ebraico l'ho dimenticato, e se sbaglio tu
crederai di essere sposa e invece sarai rimasta nubile.

– Le parole le detterò io e non importa che siano in
ebraico: qualunque lingua va bene, il Signore le capisce
tutte.

– Io non credo nel Signore, – disse Mendel.

– Non importa. Basta che ci crediamo io e Isidor.

– Insomma, non capisco che fretta avete.

Ròkhele Bianca disse: – Sono incinta.

Il giorno dopo Mendel riferí il dialogo a Gedale. Si
aspettava che scoppiasse a ridere, invece Gedale, molto serio, rispose che certamente Mendel doveva accettare:

– Bisogna che te lo dica, in questa storia c'entro anch'io. Isidor non era mai stato con una donna. Me lo ha
detto tempo fa, un giorno che io lo canzonavo un poco: era
il giorno del mulino a vento. Ho visto che soffriva; mi ha

detto che non aveva mai avuto il coraggio. Aveva solo tredici anni quando ha dovuto nascondersi sotto la stalla, ci è
stato quattro anni, poi gli sono successe le cose che sai.
«Bisogna aiutarlo», ho pensato: per un verso mi sembrava
una *mitzvà*, per un altro mi incuriosiva l'esperimento. Cosí
ne ho parlato con Ròkhele, che anche lei era rimasta sola,
e le ho proposto di occuparsi di lui. Ecco, se n'è occupata.
Io però non avrei creduto che la faccenda sarebbe andata
avanti cosí in fretta e cosí bene.

– Sei sicuro che questo sia un bene? – chiese Mendel.

– Non so, ma credo di sí. Mi pare un segno buono, anche se loro sono due nebech. Anzi, proprio perché sono
due nebech.

Vergognandosi un poco, Mendel sposò Isidor e Ròkhele
Bianca meglio che poté.

Capitolo decimo

Gennaio-febbraio 1945

Fu un segno buono. I gedalisti, ed alcuni polacchi che avevano chiesto di essere invitati, festeggiarono le nozze, con poco cibo ma molta allegria. Gedale, naturalmente, suonava il violino, che non deve mancare anche nel piú modesto dei matrimoni. Aveva un repertorio svariato e vasto, che spaziava da Kreutzer alle canzonette piú frivole. Si era già avanti nella serata, e Gedale stava suonando e cantando la canzone del Ragazzo Sciocco: gli altri lo accompagnavano a mezza voce. Non è detto che Gedale volesse alludere a Isidor; o se sí, non era un'allusione malevola, bensí uno scherzo innocuo e di grana un po' grossa, come appunto si usa a nozze. Forse la canzone gli era venuta in mente cosí, per associazione di idee, ma del resto è talmente popolare che se non la si canta una festa non è una festa. Anche la canzone è sciocca, ma insieme è penetrata da una tenerezza strana, come di un sogno stralunato e trepido fiorito nel tepore di una casetta di legno, accanto alla grande stufa di maiolica, sotto i travi affumicati del soffitto; e sopra il soffitto indovini un cielo buio e nevoso, in cui magari nuotano un gran pesce d'argento, una sposa vestita di veli bianchi, e un caprone verde a testa in giú.

Il ragazzo sciocco della canzone, il «narische bucher», è un indeciso: per tutta la notte pensa e ripensa quale ragazza scegliere, perché è uno sciocco timorato, e sa che scegliendone una umilierà tutte le altre. Come la scelta avvenga non viene detto, ma poi alla «meidele» il ragazzo pone (per tutta la notte?) quesiti assurdi e patetici: qual è il re che non ha terra? quale acqua non trascina sabbia? che cosa è piú svelto di un topo, e piú alto di una casa? E infine, che cosa può bruciare senza fiamma, e che cosa può piangere senza lacrime? Questi indovinelli non sono gratuiti, hanno un perché: sono la via tortuosa che il timido ha scelta per dichiararsi, e l'accorta ragazza lo ha capito.

– Sciocco ragazzo, – gli risponde melodiosamente, – il re che non ha terra è il re delle carte, e l'acqua che non ha sabbia è quella delle lacrime. Piú svelto di un topo è il gatto, e piú alto di una casa è il suo camino. E l'amore può bruciare senza fiamma, e un cuore può piangere senza lacrime –. Questa schermaglia inconcreta non finisce bene: mentre ancora il ragazzo si tormenta, se veramente sia quella la ragazza del suo cuore, arriva brutalmente un altro e gliela porta via.

Era una vacanza per tutti, polacchi ed ebrei: una tregua, un sollievo alla tensione ed all'attesa. Perfino l'austero Edek batteva il tempo con le nocche sulla gavetta, e i polacchi, pur non capendo il jiddisch, intonavano in coro il ritornello quasi insensato:

> Tùmbala-tùmbala-tumbalalaika,
> Tùmbala-tùmbala-tumbalalaika,
> Tumbalalaika, schpíl balalaika,
> Tumbalalaika, fràilech sol sàin!

Altri battevano i piedi sul pavimento e le mani sul tavolo; i piú vicini davano agli sposi cordiali gomitate nei fianchi, e rivolgevano loro domande ribalde. Isidor e Ròkhele, lucidi di sudore e rossi per l'emozione, si guardavano in giro impacciati.

Prima alcuni, poi tutti si abbandonarono al ritmo ipnotico della canzone e cominciarono a ballare; tenendosi per mano, a cerchio, sorridendo smemorati, volgendo il capo ai lati e all'in su, battendo i piedi in cadenza: fràilech sol sàin, che regni l'allegria! Anche Dov dai capelli bianchi, anche i due timidi sposi, anche Line la troppo sicura, anche i tessitori di Slonim dalle movenze goffe, anche Mot-

tel il tagliagole. Che regni l'allegria! In breve, il piccolo
spazio fra le panche e le pareti della baracca fu pieno di
danza e di festa.

Ad un tratto la terra tremò e tutti si fermarono. Non
era un terremoto, era una salva di artiglieria pesante; subito dopo si udirono stormi di aerei che riempivano il cielo
con il loro fracasso. Ci fu un gran trambusto; tutti corsero
alle armi, ma né Gedale né Edek sapevano quali ordini dare. Poi si sentí Marian gridare: – Non uscire! Restare al
coperto! –; le pareti delle baracche, fatte di solidi tronchi,
potevano infatti dare una certa protezione. Le esplosioni si
fecero piú fitte ed assordanti; Mendel tese l'orecchio: la
sua esperienza di artigliere gli disse che i colpi di partenza
erano a levante, e che i proiettili esplodevano a ponente,
intorno a Žarnowiec; passavano urlando al di sopra delle
loro teste. Era dunque un attacco russo, non c'erano dubbi: un attacco su grande scala, forse quello definitivo. Si
sentí al di sopra del frastuono la voce di Dov: – È il fronte! È il fronte che passa! – Allo stesso istante entrò nella
baracca Bogdan, il polacco che stava fuori di sentinella. Si
spingeva davanti un uomo pieno di fango, dalla barba incolta, infagottato in una lunga palandrana lacera: – Vedete un po' voi chi è questo tipo! – disse a Edek e a Marian;
ma i due non gli diedero ascolto, stavano discutendo convulsamente, fra loro e con altri polacchi che gli stavano
intorno. Bogdan ripeté la sua richiesta; poi, spazientito,
si volse per tornare al suo posto, ma Edek lo richiamò:
– No, resta qui anche tu, dobbiamo decidere –. Bogdan si
rivolse al gruppo dei gedalisti: – Con questo qui vedeteve-
la voi, dev'essere uno dei vostri. Armi non ne ha.

L'uomo si guardava intorno stranito, confuso dagli
scoppi e dalle voci concitate, abbagliato dalle lampade a
carburo. Mottel gli chiese: – Chi sei? di dove vieni? – Al
suono delle parole jiddisch trasalí sbalordito; non rispose,
e chiese a sua volta: – Ebrei? Ebrei qui? – Sembrava una
bestia presa in trappola. Cercava con gli occhi la porta,
Mendel lo trattenne con un gesto, e lui si ritrasse in uno

spasimo di difesa: – Lasciatemi andare! Che cosa volete da me? – Nella baracca ci si poteva oramai intendere solo urlando; ciò non ostante, Mendel finí col capire che l'uomo, che si chiamava Schmulek, era stato fermato dalla sentinella mentre passava di corsa accanto al posto di blocco: nel buio, era stato scambiato per un tedesco. Insieme, si rese conto che i polacchi stavano deliberando se aspettare sul posto l'Armata Rossa o disperdersi.

Quando Schmulek ebbe capito che né gli ebrei erano prigionieri dei polacchi, né questi di quelli, e che nessuno voleva trattenerlo né fargli del male, scoppiò a parlare: che tutti lo seguissero, presto, subito. Lui era sfuggito a una bomba per miracolo, era rimasto sepolto dal terriccio smosso. Quasi a confermare le sue parole, ecco una esplosione assordante, vicinissima: la porta della baracca si sfondò, poi fu aspirata verso l'esterno dal risucchio. Le luci si spensero e il frastuono si fece assordante: adesso le bombe cadevano fitte, lontane e vicine, e le pareti della baracca scricchiolavano minacciando di schiantarsi. Non si capiva se venissero dagli aerei o dall'artiglieria. Tutti uscirono in disordine, nell'aria gelida illuminata dalle vampe: con l'autorità dell'uomo terrificato Schmulek gridava che gli venissero dietro, lui aveva un riparo, vicino, sicuro. Acchiappò a caso Bella per un braccio e la trascinò via a strattoni; Mendel ed altri li seguirono, forse piú di una dozzina; gli altri si dispersero nel bosco.

Schmulek correva curvo, di albero in albero, e gli altri venivano in fila indiana dietro di lui tenendosi per mano come ciechi. Alcuni alberi bruciavano. Mendel raggiunse Schmulek e gli gridò alle orecchie: – Dove ci porti? – ma quello continuò a correre. Li guidò a un bunker di tronchi, semiinterrato; accanto c'era un pozzo. Schmulek scavalcò il bordo, scese finché solo la testa emergeva, e disse: – Venite, si passa di qui –. Nel bagliore rossastro degli incendi Mendel e gli altri scesero a loro volta; nell'interno del pozzo erano murati arpioni di ferro arrugginiti. A due o tre metri piú in basso si apriva un foro, entrarono a tentoni e

si trovarono in un cunicolo in leggera discesa; piú oltre era
una cavità scavata nella terra argillosa, con la volta pun-
tellata da paletti. Qui li aspettava Schmulek, ansimante,
con una torcia accesa in mano. – Io vivo qui, – disse a
Mendel.

Mendel si guardò intorno. C'erano Dov, Bella, Mottel,
Line, Piotr; Gedale non c'era, c'erano invece sei o sette
degli scampati di Ružany e di Blizna, e quattro polacchi
che non conosceva. Là sotto i rombi delle esplosioni arrivavano attutiti; l'aria era umida e odorava di terra. Nelle
pareti erano scavate delle nicchie in cui si intravvedevano
oggetti indistinti, coperte arrotolate, vasi, pentole. Lungo
una parete correva una panca; sul pavimento di terra battuta c'erano frasche e paglia. – Sedetevi, – disse Schmulek. – Da quanto tempo stai qui? – chiese Dov. – Da tre
anni, – rispose.

Intervenne Line: – Sei solo?

– Sono solo. Prima c'era mio nipote, un ragazzo. È
uscito a cercare da mangiare e non è ritornato. Ma sei mesi
fa eravamo dodici, l'anno scorso eravamo quaranta e due
anni fa piú di cento.

– Tutti qui dentro? – chiese Line incredula e inorridita.

– Guardate laggiú, – disse Schmulek alzando la torcia:
– il cunicolo prosegue, si dirama, ci sono altre tane. Ci sono anche altre due uscite, dentro due querce scavate dal
fulmine. Vivevamo male, ma vivevamo. Se avessimo potuto rimanere sempre sotto terra, non ci avrebbero trovati,
e sarebbero morti solo quelli che si sono presi il tifo. Ma
dovevamo pure uscire, per trovare da mangiare, e allora ci
sparavano.

– I tedeschi?

– Tutti. I tedeschi, gli ungheresi, gli ucraini. Qualche
volta anche i polacchi: eppure noi eravamo tutti polacchi,
eravamo fuggiti dai ghetti qui intorno. Non si poteva mai
sapere: a volte ci lasciavano passare, a volte ci sparavano
come alle lepri, altre volte invece ci davano da mangiare.
Gli ultimi che sono venuti non erano partigiani, erano

banditi, avevano solo dei coltelli. Sono venuti di sorpresa. Hanno scannato quelli che restavano e hanno portato via tutto quello che avevamo.

– Tu come ti sei salvato? – chiese Mendel.

– Per caso, – disse Schmulek. – Nella vita civile io ero mercante di cavalli, giravo per i villaggi di questa zona, conoscevo tutte le vie dei boschi. Parecchie volte ho fatto da guida ai partigiani. In settembre ho fatto da guida a un gruppo di soldati russi che erano scappati da un Lager tedesco; volevano andare sui monti della Santa Croce, e io li ho condotti fuori della foresta. È stato allora che sono venuti i banditi e hanno fatto il massacro. Anche il ragazzo era fuori per caso.

– Li abbiamo trovati, quei soldati russi, – disse Mendel. – Sono stati accerchiati dai tedeschi; sono morti tutti. Ma adesso la guerra sta per finire.

– Non mi importa che finisca la guerra. Quando la guerra sarà finita, anche gli ebrei di Polonia saranno finiti. Non mi importa piú di niente. Mi importa che voi avete avuto il coraggio di prendere il fucile, e io questo coraggio non l'ho avuto.

– Questo non vuole dire nulla, – disse Mendel, – ti sei reso utile diversamente. Combattere non è un mestiere per gente anziana.

– Quanti anni credete che io abbia?

– Cinquanta, – tentò Dov: ma pensava settanta.

– Ne ho trentasei, – disse Schmulek.

Fuori, la battaglia continuava; nella tana di Schmulek non perveniva che un rombo sordo, interrotto a tratti da colpi piú forti che facevano tremare la terra, e piuttosto che con le orecchie si percepivano col corpo intero. Ciò non di meno, a metà della notte dormivano tutti, benché sapessero che quelle ore erano decisive: l'ansia stessa e l'attesa li avevano estenuati.

Mendel si trovò sveglio a tarda mattina, e si accorse che
lo aveva svegliato il silenzio. La terra non tremava piú;
non c'era altro suono se non il respiro pesante dei dormienti. L'oscurità era assoluta. Tastò accanto a sé; riconobbe a sinistra il corpo sottile di Bella, a destra i panni
ruvidi e il cinturone di un polacco. Poteva essere solo una
tregua; o i russi potevano essersi ritirati, e il loro rifugio
trovarsi nella terra di nessuno. Ma poi il suo orecchio,
acuito dal silenzio, colse un suono improbabile, infantile,
non sentito da anni. Campane: erano proprio campane,
uno scampanio tenue, fragile, filtrato dalla terra che li sep-
pelliva; un carillon giocattolo che suonava a festa, e voleva
dire che la guerra era finita.

Fu sul punto di svegliare i compagni, ma si trattenne:
piú tardi, c'era tempo, ora aveva altro da fare. Che cosa?
Fare i conti, i suoi conti. Si sentiva come sfuggito a un mare in tempesta, e approdato solo su una terra deserta e sconosciuta. Non pronto, non preparato, vuoto; tranquillo e
scarico, come è tranquillo un orologio scarico. Tranquillo
e non felice, tranquillamente infelice. Gonfio di memorie:
Leonid, l'usbeco, la banda di Venja, fiumi e boschi e paludi, la battaglia del monastero, Ulybin, il ritorno di Dov.
La bambina di Valuets con le sue capre, Line, Sissl. Mendel il senzadonne. Rivide, al di là delle palpebre, il viso affilato di Rivke, con gli occhi suggellati, i capelli contorti
come serpenti. Rivke sotto terra come noi. È lei che mi
soffia via le altre donne d'intorno, come la crusca dal grano. *Balebusteh* ancora; chi ha detto che i morti non hanno
piú potere?

Gremito di memorie, e insieme pieno di dimenticanza:
le sue memorie, anche recenti, erano sbiadite, avevano
contorni incerti, si accavallavano con sua fatica, come se
qualcuno tracciasse disegni sulla lavagna e poi li cancellas-
se a mezzo e ne facesse dei nuovi sopra i vecchi. Forse ricorda cosí la sua vita chi ha cento anni, o i patriarchi che
ne avevano novecento. Forse la memoria è come un sec-

chio; se ci vuoi mettere piú frutti di quanti ce ne stiano, i frutti si schiacciano.

Le campane intanto continuavano a suonare, chissà dove: in un qualche villaggio i contadini dovevano fare festa, l'incubo nazista per loro era finito, il peggio era finito. Dovrei anch'io far festa e suonare le mie campane, pensava Mendel aggrappandosi al sonno perché non lo lasciasse. Anche la nostra guerra è finita, è finito il tempo di morire e di uccidere, eppure io non sono contento e vorrei che il sonno non finisse mai. La nostra guerra è finita, e siamo sigillati in una tana di terra e dobbiamo uscire e ricominciare a camminare. Questa è la casa di Schmulek che non ha casa, che ha perso tutto, anche se stesso. Dov'è la mia casa? È in nessun luogo. È nello zaino che mi porto dietro, è nel Heinkel abbattuto, è a Novoselki, è nel campo di Turov e in quello di Edek, è di là dal mare, nel paese delle fiabe, dove scorre il latte e il miele. Uno entra in una casa e appende gli abiti e i ricordi; dove appendi i tuoi ricordi, Mendel figlio di Nachman?

Ad uno ad uno si svegliarono tutti, e tutti facevano domande ma nessuno sapeva rispondere. Il fronte era passato, non c'era dubbio; che fare adesso? Aspettare ancora, come raccomandava Schmulek? Uscire incontro ai russi? Uscire a cercare cibo? Mandare qualcuno in avanscoperta?

Dov si offrí di andare ad esplorare la situazione: aveva le carte in regola, parlava russo, aveva addosso l'uniforme russa, un documento russo, era russo infine, piú regolare di Piotr. Si avviò per il cunicolo ma subito tornò indietro: bisognava aspettare, qualcuno stava calando un secchio nel pozzo. Il secchio risalí pieno, Dov poté uscire, e si trovò in mezzo ad un plotone di soldati che, nudi fino alla cintura, si stavano lavando gioiosamente nell'acqua che avevano raccolta in un abbeveratoio. Sul terreno c'era un palmo di neve, scalpicciata e mezza sciolta dagli incendi della notte. Poco lontano altri soldati avevano acceso un fuoco e vi facevano asciugare gli abiti. Accolsero Dov con indifferenza bonaria:

– Ehi, zio! Da dove spunti? Di che reggimento sei?

– Per poco non ti tiravamo su dentro il secchio!

– Ve lo dico io, da dove viene: ha preso una sbornia e ci
è caduto dentro.

– O ce lo hanno buttato. Di', zio: sono stati i tedeschi a
buttarti nel pozzo? o ci sei sceso tu per metterti al riparo?

– In questo paese si vedono delle cose strane, – disse
pensieroso un soldato mongolo. – Ieri, in mezzo alla battaglia, ho visto una lepre: invece di scappare stava lí come
incantata. E il giorno prima ho visto una bella ragazza in
una botte...

– Che cosa faceva nella botte?

– Niente. Stava lí nascosta.

– E tu che cosa hai fatto?

– Niente. Le ho detto «Buon mattino, panienka, mi
scusi il disturbo», e ho richiuso il coperchio.

– O sei bugiardo o sei stupido, Afanasij; una lepre si fa
arrosto, e con una ragazza si fa all'amore.

– Insomma, volevo solo dire che questo è un paese strano. Ieri la lepre, ieri l'altro la ragazza, e adesso salta fuori
dal pozzo un soldato con i capelli bianchi. Vieni qui, soldato: se non sei un fantasma prendi un po' di vodka, e se sei
un fantasma torna da dove sei venuto.

Si avvicinò a Dov il caporale del plotone, lo palpò e
disse:

– Ma tu non sei neppure bagnato!

– Nel pozzo c'è un'apertura, – disse Dov; – adesso ti
spiego.

Il caporale disse: – Vieni con me al Comando: spieghe-
rai tutto laggiú.

Mezz'ora dopo Dov e il caporale ritornarono accom-
pagnati da un tenente che portava al braccio la fascia
dell'NKVD; al vederlo, i soldati interruppero le loro chiac-
chiere e ripresero a lavarsi. Il tenente disse a Dov di ridi-
scendere nel pozzo e di fare uscire tutti quelli che stavano
nascosti. Vennero fuori uno per uno, nella luce bianca del
cielo che minacciava altra neve, fra lo stupore silenzioso

dei russi. Il tenente ordinò a due soldati di rivestirsi e prendere le armi, e fece scortare il drappello lungo il cammino inverso di quello che avevano percorso nella notte sotto la guida di Schmulek; li riportò cioè alle baracche del campo polacco. Qui trovarono Edek con Marian e quasi tutti i loro uomini; c'era anche Gedale con i gedalisti che non avevano seguito Schmulek. Sia i polacchi, sia gli ebrei erano stati disarmati, e la baracca dove essi erano rinchiusi era sorvegliata da due sentinelle russe.

Per tutto il giorno non avvenne nulla. A mezzogiorno vennero due soldati e portarono pane e salsiccia per tutti; a sera arrivò una marmitta con zuppa calda di miglio e carne. I prigionieri erano piú di cento, e nella baracca stavano stretti, protestarono con le sentinelle, venne il caporale e li divise in due gruppi, uno per baracca, per il che dovette raddoppiare la sorveglianza. Né il caporale né i soldati erano ostili; alcuni sembravano incuriositi, altri seccati, altri ancora avevano l'aria di volersi scusare.

I polacchi erano inquieti, ed umiliati per aver dovuto consegnare le armi.

– Coraggio, Edek, – disse Gedale. – Il peggio è passato. Per male che vada, questi non ci tratteranno come facevano i tedeschi. Lo hai visto, con loro si ragiona –. Edek non rispose.

Al mattino arrivò un bidone di surrogato di caffè, e poco dopo venne il tenente, accompagnato da uno scrivano. Sembrava di cattivo umore ed aveva fretta. Trascrisse i dati personali di tutti su un quadernetto da scolaro, e a tutti fece mostrare le mani, il palmo e il dorso, esaminandole con attenzione. Quando ebbe finito, ripartí i reclusi in tre gruppi.

Il primo gruppo era costituito dalla maggior parte dei polacchi.

– Voi siete soldati, e continuerete ad essere soldati. Riceverete divise ed armi, e sarete inquadrati nell'Armata Rossa –. Ci furono commenti, mormorii, qualche prote-

sta; le sentinelle abbassarono le canne dei mitra, e le proteste si spensero.

– Voi ci sarete utili in altro modo, – disse rivolto al secondo gruppo. Questo era assai smilzo: ne faceva parte
Edek con una mezza dozzina di ex studenti ed impiegati.

– Io sono il comandante di questo plotone, – disse
Edek pallido come la neve.

– Non c'è piú plotone e non c'è piú comandante, – disse il tenente. – L'Armia Krajowa è stata disciolta.

– Disciolta da chi? Disciolta da voi!

– No, no. Si è disciolta da sola, non aveva piú ragione
di esistere. La Polonia la stiamo liberando noi. Non avete
sentito la radio? No, non la nostra, Radio Londra: sono tre
giorni che trasmette un messaggio del vostro comandante.
Vi saluta, vi ringrazia, e vi dice che la vostra guerra è finita.

– Dove ci manderete? – chiese ancora Edek.

– Non lo so, e non mi riguarda. Io ho solo ordine di
mandarvi al comando di zona; lí avrete tutte le informazioni che desiderate.

Il terzo gruppo era costituito dai gedalisti piú Schmulek, ossia da tutti gli ebrei piú Piotr. Mendel non aveva
notato prima, e notò allora, che Piotr aveva deposto la sua
logora divisa di partigiano, quella che gli aveva vista indosso fin dal campo di Turov. Era alto e snello come Gedale,
e indossava i panni borghesi che Gedale aveva sfoderati
dopo il colpo di Sarny.

– Quanto a voi altri, – disse il tenente, – per ora non ci
sono ordini. Civili non siete, militari neppure, non siete
prigionieri di guerra, siete uomini e donne e non avete documenti.

– Compagno tenente, noi siamo partigiani, – disse Gedale.

– I partigiani sono quelli che fanno parte dei reparti
partigiani. Di partigiani ebrei nessuno ha mai sentito parlare, è una voce nuova. Voi non fate parte di nessuna cate-

goria. Per adesso restate qui: ho chiesto istruzioni. Avrete il trattamento che spetta ai nostri soldati. Poi si vedrà.

La banda di Gedale, ritornata dopo piú di tre mesi allo
stato puro originario, conobbe giorni d'inerzia e di sospetto. Verso la fine di gennaio, dalla finestrella della baracca
videro partire i polacchi del secondo gruppo in mezzo alla
neve che cadeva fitta. Per l'occasione, il tenente aveva fatto sbarrare le porte; dovettero accontentarsi di salutare
Edek attraverso i vetri. Salito sull'autocarro, Edek agitò la
mano verso di loro; l'autocarro partí con un sobbalzo, e
Sissl scoppiò a piangere.

A differenza dagli altri, Dov, Mendel, Arié e Piotr avevano appartenuto all'Armata Rossa, e non avrebbero avuto difficoltà a chiarire la loro posizione. Piotr non ebbe
dubbi:

– Non hanno fatto distinzioni, e per me va bene cosí. È
chiaro che all'NKVD in questo momento interessano solo
i polacchi: Stalin non vuole partigiani polacchi fra i piedi.

– Ti hanno preso per un ebreo! – disse Gedale divertito. – Del resto, te lo sei meritato.

– Non lo so. Il tenente mi ha fatto due o tre domande,
ha visto che rispondevo in russo e si è accontentato.

– Hm, – disse Gedale, – secondo me la tua faccenda
non è ancora conclusa.

– Per me è conclusa, – rispose Piotr. – Io resto con voi.

Neppure Dov ebbe dubbi, ma nel senso opposto. La sua
decisione non era cambiata, anzi, era stata rafforzata dalle
avventure piú recenti; era stanco di combattere e di vaga-
bondare, stanco di incertezze e di vita precaria, voleva tornare a casa, lui che una casa ce l'aveva. Una casa lontana,
non toccata dalla guerra, in un paese che la distanza nel
tempo e nello spazio aveva reso fiabesco: il paese delle tigri
e degli orsi, dove tutti erano come lui, ostinati e semplici.
In quel paese, che Dov non si saziava di descrivere, il cielo
invernale era viola e verde: vi tremolavano le aurore bo-

reali, e ne era scaturita quando lui era bambino la cometa
terribile. Mutoraj, con i suoi quattromila abitanti confina-
ti, nichilisti e samoiedi, era un paese unico al mondo.

Dov se ne andò in silenzio, triste senza disperazione. Si
mise a rapporto con l'intendenza russa, dichiarò la sua posizione militare e i suoi trascorsi, a loro richiesta stese in
bella scrittura una relazione sulle circostanze in cui era stato prelevato da Turov, curato all'ospedale di Kiev e riportato in zona partigiana, ed attese. Dopo due settimane prese congedo da tutti, ed uscí decorosamente di scena.

Quanto a Mendel ed Arié, sotto questo aspetto non si
posero problemi, né alcun problema gli fu posto dai russi.
Il fronte si era rapidamente allontanato verso ponente; il
tenente dell'NKVD non si fece piú vedere, e la sorveglianza intorno alle baracche si fece sempre piú rilassata fino a
sparire del tutto. La banda di Gedale, al completo, venne
trasferita ai primi di febbraio in una scuola, nella cittadina
di Wolbrom poco lontana, e qui abbandonata a se stessa: il
presidio russo, che del resto era costituito soltanto da un
vecchio capitano e da pochi soldati, non si curava di loro,
se non per portare i rifornimenti prelevati dai magazzini
militari: patate, rape, orzo, carne, sale. Il pane arrivava già
pronto da un forno requisito, ma le operazioni di cucina
dovevano essere svolte sul posto, e attrezzi nella scuola
non ce n'erano né i russi ne avevano forniti. Gedale ne
fece regolare richiesta, il capitano promise, e non arrivò
niente. – Andiamo in città e ce li procuriamo, – disse Gedale.

L'impresa si rivelò piú facile del previsto. La cittadina
era deserta e sinistra; doveva essere stata bombardata, e
poi saccheggiata piú volte, ma sempre con fretta. Nelle case smozzicate, nelle cantine, nei solai, nei rifugi antiaerei,
si trovava di tutto. Non solo le marmitte, ma sedie, coperte imbottite, materassi, mobili di ogni tipo. Altri mobili
arrivavano ogni giorno sul mercato che si era spontaneamente costituito sulla piazza principale. Cumuli di mobilio
mezzo sfasciato venivano venduti come legna da ardere:

l'offerta era grande e la quotazione bassa. In breve tempo la scuola venne trasformata in un ricovero abitabile, seppure poco accogliente; ma fornelli non ce n'erano, né nei locali né nelle vicinanze, e la zuppa doveva essere cotta su fuochi all'aperto, nel cortile, accanto alla pista di sabbia per il salto in lungo. In compenso, in una delle aule i gedalisti eressero un maestoso letto matrimoniale per Ròkhele Bianca e Isidor, sormontato da un baldacchino che avevano ricavato da coperte militari.

Il capitano russo era un uomo malinconico e stanco. Gedale e Mendel andarono piú volte a parlargli, per avere da lui qualche informazione sulle intenzioni delle autorità russe nei loro riguardi. Fu gentile, distratto ed elusivo; lui non sapeva nulla, nessuno sapeva nulla, la guerra non era finita, bisognava aspettare la fine della guerra. In guerra lui aveva perso due figli, e di sua moglie a Leningrado non aveva piú notizie. Avevano da mangiare e da scaldarsi: aspettassero, come tutti aspettavano. Anche lui aspettava. Forse la guerra non sarebbe finita cosí presto; nessuno poteva saperlo, forse sarebbe continuata, chi sa? Contro il Giappone, contro l'America. Un permesso per andarsene? Lui non poteva dare permessi, era un'altra amministrazione; e del resto andarsene dove? Verso dove? C'erano in giro bande di ribelli polacchi e tedeschi, bande di briganti; su tutte le strade i sovietici avevano stabilito posti di blocco. Che non tentassero di uscire dalla città: non sarebbero andati molto lontano, i posti di blocco avevano ordine di sparare a vista. Lui stesso evitava di spostarsi, se non per obblighi di servizio; era già successo che i soldati sovietici si sparassero fra loro.

Ma Gedale sopportava male la clausura. A lui, e non solo a lui, quel modo di vivere sembrava vuoto, umiliante e ridicolo. Uomini e donne svolgevano a turno le operazioni di cucina e di pulizia, e rimanevano valanghe di tempo libero; paradossalmente, con una città intorno, un tetto sul capo e una tavola attorno a cui mangiare, provavano un disagio indefinito, che era la nostalgia per la foresta e per

la libera strada. Si sentivano inetti, stranieri: non piú in
guerra, non ancora in pace. A dispetto delle raccomandazioni del capitano, uscivano spesso, a piccoli gruppi.

A Wolbrom la guerra era finita, ma continuava accanita
non molto lontano. Attraverso la cittadina, e sulla strada
di circonvallazione in terra battuta, passavano senza sosta,
di giorno e di notte, i reparti militari sovietici diretti al
fronte slesiano. Di giorno, piuttosto che un esercito moderno sembrava che passasse un'orda, una migrazione: uomini di tutte le razze, giganti vichinghi e lapponi atticciati,
caucasici abbronzati e siberiani pallidi, a piedi, a cavallo,
su autocarri, su trattori, su grandi carri trainati da buoi, alcuni perfino a dorso di cammello. C'erano militari e borghesi, donne vestite in tutti i modi possibili, vacche, pecore, cavalli e muli: a sera, le squadre si fermavano dove si
trovavano, piantavano le tende, macellavano le bestie e arrostivano la carne su fuochi improvvisati. Questi bivacchi
estemporanei brulicavano di bambini, infagottati in panni
militari fuori misura; alcuni portavano pistole e coltelli alla
cintura, tutti avevano la stella rossa appuntata sull'enorme
berretto di pelliccia. Chi erano? Da dove venivano? Mendel e i suoi compagni si soffermarono a interrogarli: parlavano russo, ucraino, polacco, alcuni anche jiddisch, altri rifiutavano di parlare. Erano restii e selvaggi, erano orfani
di guerra. L'Armata Rossa, nella sua avanzata attraverso
paesi devastati, ne aveva rastrellati a migliaia, tra le macerie delle città, sperduti per i campi e i boschi, affamati e
raminghi. I sovietici non avevano tempo di sistemarli nelle
retrovie né mezzi per trasferirli piú lontano: se li trascinavano dietro, figli di tutti, soldati anche loro, anche loro in
cerca di preda. Si aggiravano intorno ai fuochi; alcuni militari davano loro pane, zuppa e carne, altri li cacciavano
via infastiditi.

Sorprendentemente diverse erano le truppe che attraversavano la città nelle ore buie. Mendel, che conservava
il ricordo bruciante dei reparti accerchiati e fatti a pezzi
nelle grandi battaglie di annientamento del '41 e del '42,

stentava a credere ai suoi occhi. Ecco, era quella la nuova
Armata Rossa che aveva spezzato la schiena della Germania; un'altra, irriconoscibile. Una macchina poderosa, ordinata, moderna, che sfilava quasi senza rumore per la via
principale della città oscurata. Carri armati giganteschi
montati su rimorchi dalle ruote gommate; cannoni semo-
venti mai visti né sognati prima; le Katijuše leggendarie,
coperte da teli che ne nascondevano le fattezze. Frammi-
ste alle artiglierie ed ai reparti corazzati marciavano anche
squadre appiedate, in ordine chiuso, cantando. I loro non
erano canti bellicosi, anzi melanconici e sommessi; non
esprimevano sete di guerra, come quelli dei tedeschi, bensí
il lutto accumulato in quattro anni di strage.

Mendel, l'artigliere Mendel, assisteva al passaggio con
l'animo scosso. Nonostante tutto, nonostante la sconfitta
disastrosa e colpevole che lo aveva costretto alla macchia,
nonostante il disprezzo e i torti che in altri tempi aveva su-
bíti, nonostante Ulybin, era pure quello l'esercito di cui lui
ancora portava addosso l'uniforme logora e stinta. Un
«krasnoarmeetz»: tale era ancora, anche se ebreo, anche
se in cammino verso un altro paese. Quei soldati che passavano cantando, miti in pace e indomabili in guerra, quei
soldati fatti come Piotr, erano i suoi compagni. Sentiva il
suo petto sollevarsi per una piena di affetti che facevano lite: fierezza, rimorso, risentimento, reverenza, gratitudine.
Ma un giorno udí gemiti uscire da una cantina; vi discese
con Piotr, e vide dieci militi della Waffen-SS coricati sul
ventre e seminudi: alcuni si trascinavano a forza di braccia, tutti avevano un taglio sanguinante a metà della schiena. – I siberiani fanno cosí, – disse Piotr, – quando li trovano non li uccidono, ma gli tagliano il midollo –. Risali-
rono in strada, e Piotr aggiunse: – Non vorrei essere un
tedesco. Eh no, nei prossimi mesi non vorrei proprio essere un berlinese.

Un mattino si svegliarono e trovarono, tracciata a catrame sulla facciata della scuola, una croce uncinata; sotto
stava scritto: «NSZ - Morte agli ebrei bolscevichi». Poco

dopo, dalla finestra del primo piano, videro in strada tre o quattro giovani che parlavano fra loro e guardavano in su. La sera stessa, mentre erano seduti a mangiare, il vetro della finestra volò in schegge, e tra le gambe del tavolo piombò una bottiglia a cui era legata una miccia accesa. Il piú pronto fu Piotr: in un lampo acchiappò la bottiglia, che non si era rotta, e la ributtò in strada. Ci fu un tonfo, e sul selciato si formò una pozza accesa che bruciò a lungo; la fiamma fumosa arrivava fino alla loro finestra. Gedale disse:

– Bisogna trovare armi e andare via.

Anche trovare armi fu piú facile di quanto si erano aspettato: vi provvidero, per vie diverse, Schmulek e Pavel. Nella sua tana c'erano armi, disse Schmulek: non molte ma ben conservate, sepolte sotto la terra battuta. Chiese a Gedale un accompagnatore, partí al tramonto e tornò all'alba con diverse pistole, bombe a mano, munizioni e un mitra. Dopo la morte di Józek, Pavel gli era subentrato nella funzione di furiere, e riferí che comperare armi al mercato era piú facile che comperare il burro e il tabacco. Ne offrivano tutti, alla luce del sole; i russi stessi, sia i militari di passaggio, sia i civili che seguivano le truppe, vendevano armi leggere tedesche trovate nei depositi o sui campi di battaglia; altro materiale lo offrivano con disinvoltura i polacchi della milizia che i russi avevano frettolosamente messa in piedi. Molti di questi, appena arruolati, disertavano con le armi e raggiungevano bande che si preparavano alla guerriglia; altri vendevano o barattavano le armi al mercato. In pochi giorni i gedalisti si trovarono in possesso di parecchi coltelli e di una dozzina di bocche da fuoco scompagnate; non era molto, ma poteva bastare per tenere lontani i terroristi della destra polacca.

A fine febbraio il capitano russo chiamò Gedale a rapporto, e lo tenne a parlare per piú di un'ora.

– Mi ha offerto da fumare e da bere, – riferí Gedale ai

compagni. – Non è cosí distratto come sembra, e secondo me ha ricevuto un'imbeccata. Ha saputo della bottiglia Molotov, dice che sono tempi difficili e che è preoccupato per noi. Che loro non sono in grado di garantire la nostra sicurezza, e che faremmo bene a proteggerci da soli: in altre parole, si è accorto delle armi e gli sta bene che noi le abbiamo. È naturale, l'NSZ gli deve piacere come a noi. Ha ripetuto che questo è un brutto posto; me lo aveva già detto l'altra volta, ma allora diceva che uscire di città era pericoloso, e invece oggi mi ha chiesto perché restiamo qui. «Potreste andare piú avanti, ormai il fronte è lontano: piú avanti, incontro agli alleati...» Io gli ho detto che vorremmo andare in Italia, e di lí cercheremmo di passare in Palestina, e lui ha detto che facciamo bene, l'Inghilterra dalla Palestina se ne deve andare, e cosí pure dall'Egitto e dall'India: gli imperi coloniali hanno le ore contate. E in Palestina dobbiamo andarci noi, a costruire il nostro stato. Mi ha detto che lui ha molti amici ebrei, e che ha perfino letto il libro di Herzl: ma questo credo che non sia vero, oppure lo ha letto male, perché mi ha detto che in fondo anche Herzl era un russo, mentre invece era ungherese; io però non l'ho contraddetto. In breve: il capitano è uno che la sa lunga; ai russi fa comodo che noi andiamo a dare fastidi agli inglesi; e per noi è ora di partire. Ma niente permessi ufficiali: su questo argomento ha fatto subito macchina indietro.

– Ce ne andremo senza permessi, – disse Line alzando le spalle. – Quando mai abbiamo avuto permessi?

Si udí la voce nasale di Bella: – Quelli dell'NSZ sono dei fascisti e dei vigliacchi, ma c'è un punto su cui noi andiamo d'accordo con loro e con i russi: loro ci vogliono mandare via, e noi ce ne vogliamo andare.

Pavel aveva preso l'abitudine di uscire dalla scuola di buon mattino e di non farsi piú vedere fino a sera. Nel giro di pochi giorni l'atmosfera di Wolbrom era cambiata: adesso, sul flusso delle truppe dirette in Germania prevaleva il flusso inverso, di soldati che tornavano dal fronte.

Alcuni andavano in licenza, ma per la maggior parte erano militari feriti o mutilati, appoggiati su stampelle di fortuna, seduti sui mucchi di calcinacci che fiancheggiavano le vie, con pallidi visi imberbi da adolescenti. Dai suoi giri di esplorazione Pavel non rientrava mai a mani vuote: sul mercato nero si trovava ormai di tutto. Portò caffè, latte in polvere, sapone e lamette da barba, polvere per budini, vitamine, tesori che i gedalisti non vedevano da sei anni o non avevano mai conosciuto prima. Un giorno si portò dietro uno spilungone dai capelli color sabbia, che non parlava né russo né polacco né tedesco, e solo qualche parola di jiddisch: lo aveva trovato sulle macerie della sinagoga di Wolbrom che recitava le preghiere del mattino, era un soldato ebreo di Chicago che i tedeschi avevano fatto prigioniero in Normandia e che l'Armata Rossa aveva liberato. Fecero festa insieme, ma l'americano non era bravo ad esprimersi ed ancora meno a bere; dopo il primo giro di vodka finí sotto il tavolo, dormí fino al mezzogiorno seguente, e poi se ne andò senza salutare nessuno. Per le strade vagabondavano ex prigionieri di tutti i paesi e di tutte le razze, e nugoli di prostitute.

Il 25 di febbraio Pavel rincasò con cinque paia di calze di seta, e ne nacque un gran brusio eccitato: le donne si affrettarono a provarle, ma erano di misura tollerabilmente giusta solo per Sissl e per Ròkhele Nera; per l'altra Ròkhele, Line e Bella erano troppo grandi. Pavel fece tacere il brusio:

– Niente, non ha importanza, domani le cambio o ne porto delle altre. Ho altro da dirvi, ho trovato un camion!

– Lo hai comperato? – chiese Isidor.

No, non lo aveva comperato. Venne fuori che dietro alla stazione ferroviaria i russi avevano costituito un campo di rottami e di materiale smobilitato, e che qui si poteva trovare di tutto. Pavel non era pratico, bisognava che l'indomani stesso qualcuno andasse sul posto con lui. Chi era pratico di camion? Chi li sapeva guidare? La banda aveva fatto a piedi piú di mille chilometri: non era forse ora di viaggiare in camion?

– Bisognerà pure pagarlo, – disse Mottel.

– Non credo, – disse Pavel. – Il campo non è recintato, intorno non c'è che un fosso, e di sentinelle ce n'è una sola. L'importante è sbrigarsi: c'è già una quantità di gente che va e viene, proprio stamattina ho visto due ragazzi che si portavano via una motocicletta. Chi viene con me domani mattina?

Avrebbero voluto andare tutti, se non altro per il diversivo. Line ed Arié fecero sapere che avevano guidato trattori; Piotr e Mendel avevano la patente militare, ed in piú Mendel al suo paese aveva avuto occasione di riparare trattori ed autocarri. Gedale, con inconsueto abuso di autorità, disse che sarebbe andato lui perché era il capobanda, ma il piú insistente era Isidor, che non poteva vantare alcun titolo. Voleva a tutti i costi andare con Pavel: per le macchine, per tutte le macchine, aveva una passione disinteressata ed infantile, e diceva che il camion avrebbe imparato a guidarlo in un momento.

Andò Mendel, e vide che Pavel non aveva esagerato: nel campo rottami c'era veramente di tutto, non solo rottami. I russi, riforniti dagli Alleati di materiale militare di tutti i generi, non andavano per il sottile: non appena un'apparecchiatura o un veicolo davano qualche fastidio, lo scartavano e ne prelevavano uno nuovo. Altro materiale danneggiato arrivava giorno per giorno dalla zona di combattimento, su autocarri o per ferrovia; nessuno lo esaminava o controllava, veniva scaraventato nel campo e restava lí ad arrugginire. Nel lugubre cimitero metallico si aggiravano curiosi, esperti, e torme di ragazzini che giocavano a rimpiattino.

I camion c'erano: di tutte le marche e in tutti gli stati di conservazione. L'attenzione di Mendel si appuntò su una fila di camion italiani; erano Lancia 3 Ro da trenta quintali, e sembravano nuovi: forse venivano da qualche deposito tedesco. Mentre Pavel cercava di distrarre la sentinella, offrendole tabacco e gomma da masticare, Mendel esaminò i veicoli piú da vicino. Avevano addirittura ancora la chiave nel cruscotto e sembravano pronti a partire; Mendel provò a dare il contatto, ma non accadde nulla. Fu presto capito: i camion non avevano batteria, e non l'avevano mai avuta; i capicorda dell'impianto elettrico erano ancora coperti di grasso. Quando Pavel tornò, Mendel gli disse:

– Ritorna dal tuo uomo e tienilo occupato. Io vado a vedere se trovo in giro una batteria carica.

– Ma che cosa gli racconto?

– Arrangiati. Raccontagli di quando facevi l'attore.

Mentre Pavel sforzava la sua memoria e la sua fantasia per intrattenere la sentinella senza insospettirla, Mendel prese ad esplorare metodicamente gli altri veicoli. Presto trovò quanto cercava, un autocarro russo della stessa portata dei Lancia, in condizioni relativamente buone: doveva essere arrivato da poco. Aprí il cofano e toccò i poli della batteria con la lama del coltello. Ci fu uno schiocco ed un lampo azzurro, la batteria era carica. Rientrò con Pavel alla scuola, le ore passavano lente, sembrava che la notte non venisse mai.

Quando fu buio, presero le armi e tornarono al campo rottami. Della sentinella non c'era traccia, o dormiva nei pressi o era tranquillamente rientrata in caserma. Invece, fra le sagome buie dei veicoli e dei rottami si aggirava una popolazione furtiva: come termiti, smontavano e demolivano tutto quanto potesse dimostrarsi utile o commerciabile: sedili, cavetti, pneumatici, i motorini ausiliari. Alcuni sifonavano via il carburante dai serbatoi; Pavel si fece imprestare un tubo, fece altrettanto e versò un po' di nafta nel serbatoio del primo 3 Ro della fila. Poi Mendel smontò la batteria buona, ed aiutato da Pavel la trascinò all'autocarro. La rimontò, fece la connessione, salirono in cabina e Mendel girò la chiavetta. Cercò a tentoni la levetta dei fari, e i fari si accesero: «... e la luce fu», pensò tra sé. Li spense e fece l'avviamento: il motore partí subito, liscio e rotondo; rispondeva obbediente al pedale del gas. Perfetto.

– Siamo a posto! – disse Pavel sottovoce.

– Vedremo, – rispose Mendel. – Bestioni come questo io ne ho riparati diversi, ma non ne ho mai guidato nessuno.

– Non hai detto che avevi la patente?

– Per averla, ce l'ho, – disse Mendel fra i denti. – A quel tempo la davano a tutti, c'erano i tedeschi a Borodinò e a Kaluga, sei mezze ore di lezione e via. Ma poi io ho solo guidato vetture e trattori; e di notte è un'altra faccenda. Adesso stai zitto, per favore.

– Solo ancora una cosa, – disse Pavel, – non uscire dalla porta. Lí c'è la garitta, ci potrebbe essere qualcuno. E adesso sto zitto.

Con la fronte aggrottata, intento come un chirurgo, Mendel premette il pedale della frizione, ingranò la marcia e sollevò il piede: il camion si avviò con uno strappo selvaggio. Riaccese i fari, e col motore imballato si diresse lentissimo verso il fondo del campo, lungo una corsia sgombra.

– Non sperare che io cambi marcia. Cambio poi domani: per oggi andiamo avanti cosí.

Il camion navigò fino al fossato, si inclinò in avanti e puntò maestosamente verso il cielo. – Siamo fuori, – disse Pavel aspirando l'aria piovosa: si accorse che da forse un minuto non aveva piú respirato. Una voce gridò alle loro spalle: – Stój! Halt! –; Pavel si sporse dal finestrino e sparò una breve raffica verso l'alto, piú per allegria anche per intimidazione. Arrivato sulla strada, Mendel raccolse tutto il suo coraggio ed ingranò la seconda ridotta: il ruggito del motore calò di un tono e la velocità aumentò leggermente. Nessuno li inseguí, e raggiunsero la scuola in pochi minuti.

Gedale, armato anche lui, li aspettava in strada. Abbracciò Mendel ridendo e recitando la benedizione dei miracoli. Mendel, con la fronte imperlata di sudore a dispetto del freddo, gli rispose: – Meglio l'altra, quella dello scampato pericolo. Non perdiamo tempo, partiamo subito.

Svegliati di soprassalto, i gedalisti portarono giú i bagagli e le armi e si pigiarono nel cassone. Mendel riaccese il motore. – Verso Zawiercie! – gli gridò Gedale, che aveva preso posto accanto a lui nella cabina. Seguendo i cartelli indicatori che i russi avevano affissi alle cantonate, Mendel uscí di città e si trovò su una strada secondaria piena di buche e di pozzanghere. A grado a grado, e con parecchie grattate, imparò ad innestare le marce alte, e la velocità divenne discreta. Aumentarono anche gli scossoni, ma nessuno si lamentava. Superò una salita, imboccò la discesa: i freni rispondevano e si sentí rassicurato, ma la tensione della guida lo stravolgeva.

– Non resisto piú per molto. Chi mi darà il cambio?

– Vedremo, – urlò Gedale sul fracasso del motore e delle lamiere. – Adesso pensa a uscire dall'abitato.

A metà discesa incontrarono un posto di blocco: un tronco non sgrossato, appoggiato su due fusti ai lati della strada.

– Che cosa faccio?

– Non fermarti! Accelera!

Il tronco volò via come una paglia e si udirono raffiche di mitra; dal cassone qualcuno rispose con colpi isolati. Il camion proseguí la sua corsa nella notte, e Gedale gridò ridendo:

– Se non cosí, come? E se non ora, quando?

Capitolo undicesimo

Febbraio-luglio 1945

Nella cabina di guida si stava bene, ma gli uomini e le donne stipati nel cassone, insieme con la prima aria di libertà, respiravano il vento gelido della notte: erano intorpiditi dal freddo e dalla posizione scomoda e indolenziti per i sobbalzi. Qualcuno protestò, ma Gedale non diede ascolto.

– Quanto carburante abbiamo? – chiese a Mendel.

– Difficile dirlo. Forse ancora per trenta o quaranta chilometri, non di piú.

Fecero sosta all'alba, su una strada secondaria. Ai due lati era accatastata una mole di rottami incredibile come quantità e varietà: la sola ricchezza che la guerra produca. C'erano, sfasciati e ribaltati, carri, autoblinde, semicingolati, le barche ed i pontoni usati per passare i fiumi. C'era un carro cucina tedesco, intatto: sarebbe stato prezioso, ma sul camion non c'era proprio piú posto. Peccato.

– Bisogna trovare nafta, – disse Gedale, – altrimenti la gita finisce presto. Sparpagliatevi, svitate i tappi e sondate i serbatoi –. Il piú fortunato fu Isidor, trovò un'autoblinda in piedi, senza ruote ma col serbatoio quasi pieno.

– Sarà della qualità giusta? – chiese Mottel.

– Non c'è che provare, – disse Mendel. – Ma in tempo di guerra i motori si abituano a tutto.

– Come noi, – sospirò Ròkhele Nera stirandosi come un gatto.

Gedale era impaziente di togliere il camion dalla strada: alla luce del giorno dava troppo nell'occhio, e non era sicu-

ro che il furto e la violazione del blocco non fossero stati
segnalati. Andava su e giú nervoso: – Sbrigatevi a fare il
travaso! –; ma la faccenda non era semplice, tubo di gomma non ce n'era, nessuno ne aveva. Qualcuno propose di
ribaltare l'autoblinda, ma Isidor disse: – Faccio io –. Prima che qualcuno lo potesse trattenere, acchiappò un bidone, trasse fuori la Luger che gli era stata assegnata, e sparò
al fondo del serbatoio. Scaturí uno zampillo di nafta gial-
lognola.

– E se esplodeva? – chiese Pavel con paura retrospet-
tiva.

– Non è esploso, – disse Isidor.

Il cielo schiariva, e si sentiva venire da sud un lontano
tuono di artiglieria: la via verso ponente era libera, i tedeschi avevano arretrato fino oltre Legnica (ma Breslavia, as-
sediata, resisteva ancora); invece, lungo tutto il confine ce-
coslovacco, i combattimenti non erano mai cessati. Proseguirono per alcuni giorni, viaggiando di notte e nascon-
dendo il camion nelle ore di luce. Mendel si stancava a guidare per tutta la notte, e chiese di essere sostituito, ma né
Piotr né Arié né Line si mostrarono entusiasti di alternarsi
con lui. Invece Isidor non desiderava altro, si era innamorato del camion piú che di Ròkhele, passava tutte le ore libere a ripulirlo dal fango e dalla polvere e non mancava occasione di cacciare il naso nel cofano. Prese da Mendel un
paio di lezioni pratiche, imparò con incredibile velocità,
dopo di che non ci fu piú modo di strapparlo dal volante.
Era un guidatore eccellente, e tutti furono soddisfatti, a
partire da Mendel stesso.

Nessuno conosceva la zona; ad ogni bivio Isidor rallentava e chiedeva a Gedale: – Dove andiamo? – Gedale si
consultava con Schmulek, poi decideva a fiuto. Arrivarono pressoché a caso a Rawicz, al confine fra la Grande Polonia e la Slesia: nascosto il camion nel bosco, si inoltrarono a piccoli gruppi nella cittadina, la prima non distrutta
dalla guerra che avessero incontrato sul loro cammino. La
vita non era ancora ritornata normale, ma alcune botteghe

erano aperte, al chiosco della stazione si vendevano i giornali, manifesti multicolori annunciavano un film d'amore che si proiettava nell'unico cinematografo. Nella via principale, una signora con pelliccia e tacchi alti teneva al guinzaglio un cagnolino che sembrava un gatto. I gedalisti si sentivano sporchi, selvaggi e timidi, ma i profughi erano molti, e nessuno badava a loro. Gedale invitò Bella, la Bianca e Isidor in un locale a prendere un caffè: accettarono, ma sembravano seduti sugli spilli. Schmulek non volle venire in città; si offerse di restare nel camion con altri tre uomini, a custodire il veicolo e le armi.

Si comperarono varie umili meraviglie di cui da un pezzo sentivano il bisogno o il desiderio: calze, spazzolini da denti, biancheria, pentole. Pavel, che pure leggeva il polacco con fatica, trovò su un banchetto una vecchia edizione illustrata dei *Miserabili*. Dovette cederla a Bella che gliela aveva chiesta in prestito, ma Piotr se la fece dare da Bella con un pretesto. Neanche Piotr tenne il libro a lungo: non solo non capiva affatto il polacco, ma non ne leggeva neppure i caratteri. Il volume, nei giorni successivi, girò di mano in mano, e finí con l'essere considerato proprietà collettiva.

Avevano tutti una gran voglia di andare al cinema. Gedale forse piú di tutti, ma aveva letto sul giornale polacco che gli americani avevano passato il Reno a Remagen ed avevano conquistato Colonia. – Gli andremo incontro: con loro saremo piú sicuri. È ora di ripartire –. Si strapparono malvolentieri alle lusinghe della vita cittadina; a Rawicz i profughi, da qualunque parte del mondo venissero, avevano la vita facile. Per le strade giravano militari inglesi, americani, australiani, neozelandesi, tutti ex prigionieri di guerra; e poi francesi, jugoslavi, italiani, che avevano lavorato (volontariamente o no) nelle fabbriche tedesche. La popolazione era gentile ed ospitale con tutti, anche con gli ebrei di Gedale, che si confondevano sullo sfondo multicolore.

Ripartirono a sera tarda in direzione di Glogau; riposarono per qualche ora fermi su una stradina fra i campi, avvolti nelle coperte, nel cassone che era ormai la loro casa. Poco prima dell'alba si rimisero in cammino: subito dopo una curva i fari del camion inquadrarono un altro veicolo fermo, rivolto verso di loro, e Isidor fu costretto a frenare. – Sterza, gettati nei campi! – gli gridò Gedale, ma era troppo tardi. Una squadra di soldati russi in armi aveva circondato il camion; tutti furono obbligati a scendere. Quei russi erano di pessimo umore perché il loro autocarro si era impantanato: aveva i pneumatici talmente consumati che non facevano piú alcuna presa sulla neve. Il loro caporale era furibondo. Stava coprendo di insolenze il guidatore, e quando ebbe fra le mani i gedalisti riversò tutta la sua collera su di loro. Chiese: – Dove andate?

– A Glogau, – rispose Gedale.

– Glogau niente. Avanti, giú tutti, dateci una mano. Non avete capito? Muovetevi, parassiti, fannulloni, maledetti forestieri!

Parlando in jiddisch, Gedale disse svelto:

– Nascondere le armi sotto le coperte. Obbedire senza fare storie –. Poi, rivolto a Pavel e Mendel: – Parlate voi due, in russo. I polacchi stiano zitti.

Nelle luci incrociate dei fari dei due veicoli nacque una confusione spaventosa. Cinquanta uomini, quanti erano i russi piú i gedalisti, non trovavano materialmente posto intorno al camion impantanato, ma il caporale, a furia di insulti e bestemmie, ricacciava nella mischia tutti quelli che si ritiravano in disparte. Erano tentativi inutili: gli stivali dei soccorritori slittavano nel fango, e comunque il camion era cosí pesante che a forza di braccia non lo si sarebbe certo potuto rimettere in via.

Mendel disse a Gedale:

– Gli offriamo di tirarlo fuori a rimorchio? Le nostre gomme sono nuove.

– Prova. Forse si rabbonisce e ci lascia andare.

– Compagno caporale, – disse Mendel, – se avete una

buona corda o una catena possiamo provare a tirarvi fuori a rimorchio.

Il russo lo guardò come se un cavallo avesse parlato. Mendel dovette ripetere la sua offerta, dopo di che il caporale riprese subito ad insultare i suoi uomini perché l'idea non era venuta prima a loro. La corda c'era, anzi, un cavetto d'acciaio, robusto ma un po' troppo corto. La manovra riuscí; il camion di Gedale, alle prime luci del giorno, partí a marcia indietro rimorchiando piano piano il veicolo dei russi, naso contro naso: la strada era troppo stretta per tentare di invertire la posizione del 3 Ro, e uscire nei campi significava impantanarsi con quasi certezza. Isidor, che era costretto a guidare sporgendosi con mezzo corpo fuori del finestrino, se la cavò con lode, ma il caporale, invece di mostrare gratitudine, continuava a imprecare e a gridare:

– Piú in fretta, piú in fretta!

Finalmente, dopo un chilometro circa, la stradina sboccò sulla strada provinciale. Si fermarono, e Mendel scese per sganciare il cavo di rimorchio. Dalla cabina, Gedale gli disse:

– Salutali e auguragli buon viaggio; sii piú gentile che puoi, che non gli venga in mente di perquisirci.

– E se gli viene in mente?

– Li lasciamo fare: non vorrai mica dare battaglia ai russi. Vedremo come si mette e quale bugia raccontargli.

Si mise subito male, e non ci fu occasione di dire bugie. Appena sceso a terra, e senza dire una parola, il caporale fece un cenno ai suoi soldati, che di nuovo circondarono il camion. Fecero scendere l'intera banda e frugarono nel cassone, trovando subito le armi nascoste sotto le coperte: non però le pistole e i coltelli che i gedalisti portavano addosso. Fu inutile protestare e supplicare; il caporale non sentí ragione, li suddivise sotto buona scorta nei due camion, mise un suo uomo al volante del 3 Ro e diede il segnale della partenza.

– Dove ci porti? – osò chiedere Pavel.

– Non volevate andare a Glogau? – rispose il caporale:

– Bene, vi ci portiamo noi. Dovreste essere contenti –. Fino a Glogau non aprí piú bocca e non rispose alle loro domande.

Glogau, sormontata da una torva fortezza, era la prima città tedesca in cui la banda si imbatteva. Era (ed è) un centro minerario, ed apparve loro squallida, nera di polvere di lignite, attorniata da dozzine di pozzi, ognuno dei quali era stato trasformato dai tedeschi in un piccolo Lager. I russi avevano occupato Glogau da poche settimane; non ne avevano alterato l'aspetto né cambiata la destinazione, ma nei pozzi di lignite, invece dei lavoratori schiavi dei Lager nazisti, discendevano adesso prigionieri di guerra tedeschi, trasferiti in poche ore dal fronte alla miniera. Nei Lager in miniatura i russi accumulavano alla rinfusa tutte le persone disperse o sospette che l'Armata Rossa incontrava nella zona.

Con i gedalisti non andarono per il sottile. Tutto finí in cinque minuti: non li perquisirono, non li interrogarono neppure, il 3 Ro sparí, e per la prima volta i combattenti di Kossovo, di Ljuban e di Novoselki conobbero l'assedio umiliante del filo spinato. Il recinto a cui erano stati assegnati conteneva già una cinquantina di internati, ebrei polacchi, tedeschi, francesi, olandesi e greci che i russi avevano liberato dal Lager di Gross-Rosen. Le baracche erano riscaldate, i russi fornivano cibo irregolarmente ma sempre in abbondanza, il fronte si allontanava e le giornate si allungavano ormai rapidamente, ma questi ex prigionieri non uscivano dal loro isolamento. Parlavano poco e sottovoce, e di rado sollevavano gli occhi da terra. I gedalisti tentarono invano di stabilire un contatto con loro: soddisfatti i bisogni primari, sembravano non avere piú desideri né interessi né curiosità. Non facevano domande, e alle domande non rispondevano. C'erano anche donne: avevano ancora indosso l'abito a righe, zoccoli di legno ai piedi, e i loro capelli avevano appena ricominciato a crescere. Al termine della seconda notte Mendel uscí dalla baracca per andare alla latrina. Appena varcata la soglia urtò contro un corpo umano e lo sentí oscillare inerte; era ancora caldo, pendeva impiccato dalle travi del soffitto. Il fatto si ripeté nei giorni successivi, come un'ossessione silenziosa.

Schmulek si separò dai gedalisti e si aggregò agli ex prigionieri. Invece, a poco a poco, Sissl dapprima, poi le altre donne della banda, infine tutti i gedalisti, riuscirono a vincere le resistenze di una delle donne del Lager. Si chiamava Francine e veniva da Parigi, ma attraverso una lunga via: era stata deportata prima ad Auschwitz, di qui ad un piccolo Lager presso Breslavia, ed infine, quando i russi erano stati vicini, e quando i tedeschi avevano evacuato tutti i Lager della zona costringendo i prigionieri ad una insensata marcia a piedi verso una nuova prigionia, lei era riuscita a fuggire. Francine era dottoressa, ma in Lager non aveva potuto esercitare il suo mestiere perché non sapeva bene il tedesco; tuttavia ne aveva imparato abbastanza da poter raccontare quello che aveva visto. Era stata fortunata: ogni ebreo vivo era una persona fortunata. Ma lei aveva avuto altre fortune; aveva ancora i capelli, come dottoressa non glieli avevano tagliati, i tedeschi hanno regole precise.

Francine si dichiarava ebrea, ma non assomigliava a nessun ebreo che i gedalisti avessero mai incontrato. Anzi, non le avrebbero neppure creduto, se non avessero pensato che a dichiararsi ebrei quando non lo si è non c'è nessun vantaggio. Non parlava jiddisch, non lo capiva e raccontò che quando era a Parigi non sapeva neppure che lingua fosse; ne aveva sentito parlare vagamente, credeva che fosse una specie di ebraico corrotto. Aveva trentasette anni; non si era mai sposata, aveva vissuto prima con un uomo, poi con un altro; era pediatra, le piaceva il suo lavoro, aveva uno studio proprio al centro di Parigi, e a suo tempo aveva fatto bellissime vacanze, crociere nel Mediterraneo, viaggi in Italia e in Spagna, sci e pattinaggi nelle Dolomiti. Certo, era stata ad Auschwitz, ma preferiva parlare di al-

tro, della vita di prima. Francine era alta e snella, aveva i
capelli rosso-bruni ed un viso severo e devastato.

Il suo incontro con la banda di Gedale fu pieno di stu-
pori reciproci. Sí, nel Lager lei aveva imparato a conoscere
le ebree dell'Europa orientale, ma non erano come le cinque donne della banda. Non aveva amato le sue compagne, le aveva sentite straniere, cento volte piú lontane delle sue amiche francesi cristiane. Aveva provato fastidio e
compassione per la loro passività, la loro ignoranza, i loro
modi primitivi, la rassegnazione muta con cui andavano in
gas...

In gas? La parola era nuova. Francine dovette spiegare,
e lo fece con parole brevi, senza guardare in faccia i combattenti ebrei che la interrogavano, quasi come giudici. In
gas, certo, come potevano non saperlo? a migliaia, a milioni; lei non sapeva quanti, ma le donne del Lager le fonde-
vano intorno, giorno dopo giorno. Ad Auschwitz la regola
era di morire, vivere era un'eccezione, lei era un'eccezione
appunto, ogni ebreo vivo era un fortunato. E lei? Come
era sopravvissuta lei?

– Non lo so, – disse. Anche Francine, come Schmulek,
come Edek, quando parlava di morte abbassava la voce. –
Non lo so: ho incontrato una francese che era dottoressa
nell'infermeria, mi ha aiutato, mi dava da mangiare, per
un po' di tempo mi ha fatto lavorare come infermiera. Ma
questo non sarebbe bastato, molte donne mangiavano piú
di me e morivano ugualmente, si lasciavano andare a fondo. Io ho resistito, ma non so perché; forse perché ama-
vo la vita piú di loro, o perché credevo che la vita avesse
un senso. È strano: era piú facile crederlo laggiú che non
qui. In Lager nessuno si uccideva. Non c'era tempo, c'era
altro da pensare, al pane, ai foruncoli. Qui c'è tempo, e la
gente si uccide. Anche per la vergogna.

– Quale vergogna? – chiese Line: – Si ha vergogna di
una colpa, e loro non hanno colpa.

– Vergogna di non essere morti, – disse Francine. – Ce
l'ho anch'io: è stupido ma ce l'ho. È difficile spiegarla. È

l'impressione che gli altri siano morti al tuo posto; di essere vivi gratis, per un privilegio che non hai meritato, per un sopruso che hai fatto ai morti. Essere vivi non è una colpa, ma noi la sentiamo come una colpa.

Gedale non si staccava da Francine, Bella ne era gelosa, e Gedale non si curava della gelosia di Bella.

– Eh già, – diceva Bella, – lui fa sempre cosí, gli viene naturale. Gli interessano le forestiere, corre sempre dietro all'ultima che incontra.

Alle domande di Gedale e degli altri, Francine rispondeva con volubilità nervosa. Era stata infermiera, sí; aveva compassione per le malate, ma qualche volta le picchiava. Non per far loro del male, solo per difendersi, non sapeva come spiegare, difendersi dalle loro richieste, dai loro lamenti. Lei sapeva del gas, tutte le anziane sapevano, ma non lo diceva alle nuove arrivate, non avrebbe servito a niente. Scappare? Una pazzia: scappare dove? E lei, poi, che parlava male il tedesco e niente il polacco?

– Vieni con noi, – le disse Sissl, – adesso tutto è finito, sarai il nostro medico.

– E fra qualche mese nascerà anche un bambino. Mio figlio, – aggiunse Isidor.

– Non sono come voi, – rispose Francine, – io torno in Francia, è il mio paese –. Vide in mano a Bella il romanzo, lesse «Victor Hugo», e se ne impadroní con un grido di gioia: – Oh, un libro francese! –; ma subito vide il titolo polacco, indecifrabile, e rese il volume a Bella che riprese a leggerlo con freddezza ostentata. Per qualche giorno Pavel si arrabattò a corteggiare Francine, con la grazia di un orso; ma lei rideva del suo francese orecchiato nei cabarets, e Pavel si ritirò senza drammi, anzi, con qualche vanteria borbottata fra i denti: – Non era il mio tipo, gliel'ho fatto capire. Troppo fine, troppo delicata: un po' meschugge, sarà effetto dei guai che ha patito, ma non pensa che a mangiare. L'ho vista io, tutte le briciole che trova se le ficca in tasca. E si lava troppo.

Nel campo di Glogau il tempo passava in un modo

strano. I giorni erano vuoti, tutti uguali, colavano via noiosi e lunghi, ma nel ricordo si appiattivano, diventava-
no corti e si confondevano l'uno con l'altro. Passavano le
settimane, i russi erano distratti, spesso anche ubriachi,
ma non davano permessi d'uscita. Nel recinto c'era un andirivieni continuo: arrivavano prigionieri di tutte le nazionalità e condizioni, altri venivano rilasciati in virtú di criteri indecifrabili. Partirono i greci, poi i francesi e Francine con loro; i polacchi e i tedeschi rimasero. Il comandante
del campo era gentile, ma si stringeva nelle spalle: lui non
sapeva niente, non dipendeva da lui, eseguiva gli ordini
che riceveva dai Comandi. Gentile ma fermo; di fatto la
guerra era vinta, ma si combatteva ancora, e non lontano:
intorno a Breslavia, ed anche sui monti dei Sudeti occi-
dentali. Le disposizioni erano severe, nessuno doveva in-
gombrare le strade.

– Abbiate pazienza ancora per qualche giorno, e non
chiedetemi cose che non vi posso concedere. E non tentate di evadere; è una cortesia che vi chiedo.

Gentile, fermo e curioso. Chiamò Gedale nel suo ufficio, poi tutti gli altri ad uno ad uno. Era mutilato della mano sinistra, e portava sul petto una medaglia d'argento e
una di bronzo; dimostrava una quarantina d'anni, era magro e calvo, scuro di carnagione, aveva grosse sopracciglia
nere, parlava con voce tranquilla ed educata e sembrava
molto intelligente.

– Secondo me, non è molto tempo che il capitano Smirnov si chiama Smirnov, – dichiarò Gedale di ritorno dal-
l'interrogatorio.

– Che vuoi dire? – chiese Mottel che non era ancora
stato chiamato.

– Voglio dire che è riuscito a farsi cambiare il nome.
Che è ebreo, ma non vuole che lo si sappia. Vedete un po'
anche voi, quando verrà il vostro turno, ma siate cauti.

– Che cosa dobbiamo dire e non dire? – chiese Line.

– Dire il meno possibile. Che siamo ebrei, va da sé.
Che fossimo armati non lo possiamo negare; se ve lo chie-

de, ammettete di essere partigiani, è sempre meglio che passare per banditi. Insistete sul fatto che abbiamo combattuto contro i tedeschi: dite dove e quando. Silenzio sulla banda di Edek e sui contatti con l'Organizzazione Ebraica di Combattimento. Silenzio, se possibile, anche sul camion, perché l'abbiamo fatta un po' grossa; alla peggio, dite che l'abbiamo trovato in avaria e l'abbiamo riparato. Sul resto è meglio essere vaghi: dove andiamo e da dove veniamo. Chi è stato nell'Armata Rossa se lo tenga per sé: tu soprattutto, Piotr; preparati una storia che stia in piedi. Ma non credo che sia della polizia, è curioso in proprio, e noi gli interessiamo.

Il turno di Mendel venne alla fine di aprile, quando già si aprivano le gemme delle betulle e la pioggia insistente aveva lavato via dai tetti delle baracche la polvere bruna della lignite. Le notizie della guerra erano trionfali: Bratislava e Vienna erano cadute, le truppe del 1° Fronte Ucraino combattevano già nei sobborghi di Berlino. Anche sul fronte occidentale la Germania era in agonia, gli americani erano a Norimberga, i francesi a Stoccarda e a Berchtesgaden, gli inglesi sull'Elba. In Italia, gli Alleati avevano raggiunto il Po, ed a Genova, Milano, Torino i partigiani italiani avevano cacciato i nazisti prima ancora che arrivassero le truppe liberatrici.

Il capitano Smirnov era elegante nella sua uniforme ben stirata, parlava un russo senza accento, e trattenne Mendel per quasi due ore, offrendogli whisky irlandese e sigari cubani. La favola che Mendel si era preparata, del resto poco plausibile, si rivelò superflua: Smirnov sapeva parecchio di lui, non soltanto il suo nome, patronimico e cognome. Sapeva dove e quando era rimasto disperso, conosceva i fatti di Novoselki e di Turov. Gli fece invece molte domande sull'incontro con la banda di Venjamín. Chi lo aveva informato? Ulybin stesso? Polina Gelman? I due messaggeri dell'aereo? Mendel non riuscì a stabilirlo.

– È stato dunque questo Venjamín che non vi ha voluti? E perché?

Mendel si tenne sul vago:

– Non so. Non saprei dire: un capo partigiano dev'essere diffidente, e per quei boschi girava gente d'ogni sorta. O forse non ci ha giudicati adatti a entrare nella sua banda, noi non conoscevamo quella zona...

– Mendel Nachmanovič, anzi, Mendel ben Nachman, – disse Smirnov sottolineando il patronimico ebraico, – con me puoi parlare. Ti vorrei convincere che io non sono un inquisitore, anche se raccolgo notizie e faccio domande. Ecco, io vorrei scrivere la tua storia, perché non vada perduta. Vorrei scrivere le storie di tutti voi, dei soldati ebrei dell'Armata Rossa che hanno fatto la tua scelta, e che sono rimasti russi ed ebrei anche quando i russi gli hanno fatto intendere, con le parole o coi fatti, che bisognava decidere, che non si poteva essere l'uno e l'altro. Non so se ci riuscirò, e se scriverò questo libro non so se lo potrò pubblicare: i tempi possono cambiare, forse in meglio, forse in peggio.

Mendel tacque, attonito, perplesso, combattuto fra la reverenza e il sospetto. Per antica abitudine, diffidava di chi mostra benevolenza e fa domande. Smirnov riprese:

– Non ti fidi, e non hai torto. Anch'io so le cose che tu sai; anch'io mi fido di pochi, e mi sforzo spesso di resistere alla tentazione di fidarmi. Pensaci su; ma una cosa ti voglio dire, ammiro te e i tuoi compagni, e vi invidio anche un poco.

– Ci invidi? Non siamo da invidiare. Non abbiamo avuto un cammino facile. Perché ci invidi?

– Perché la vostra scelta non vi è stata imposta. Perché avete inventato il vostro destino.

– Compagno capitano, – disse Mendel, – la guerra non è finita, e non sappiamo se questa guerra non ne partorirà un'altra. Forse è presto per scrivere la nostra storia.

– Lo so, – disse Smirnov. – So che cosa è la guerra partigiana. So che a un partigiano può capitare di aver fatto, visto o detto cose che non deve raccontare. Ma so anche che quanto voi avete imparato nelle paludi e nel bosco non deve andare perduto; e non basta che sopravviva in un libro.

Smirnov aveva pronunciato queste ultime parole staccando le sillabe e guardando Mendel fisso negli occhi.

– Che cosa vuoi dire? – chiese Mendel.

– So dove andate, e so che la vostra guerra non è finita. Ricomincerà, fra qualche anno, non saprei dire quando, e non piú contro i tedeschi. Non per la Russia, ma con l'aiuto della Russia. Ci sarà bisogno di gente come te, per esempio; potresti insegnare ad altri le cose che hai imparato, al fronte di Kursk, a Novoselki, a Turov, e forse anche altrove. Pensaci, artigliere: pensa anche a questo.

Mendel si sentiva come afferrato da un'aquila e trascinato in alto nel cielo.

– Compagno capitano, – disse, – questa guerra non è ancora finita e tu già mi parli di un'altra. Noi siamo gente stanca, abbiamo fatto e sopportato molte cose, e molti di noi sono morti.

– Non ti posso dare torto. E se tu mi dicessi che vuoi ricominciare a fare l'orologiaio, neppure ti saprei dare torto. Ma pensaci su.

Il capitano versò whisky per Mendel e per sé, alzò il bicchiere e disse «L'khàyim!» Mendel alzò il capo di scatto: questa espressione è l'equivalente ebraico di «Alla tua salute!», e si dice appunto quando si beve; ma ha una risonanza piú ampia, perché letteralmente significa «Alla vita!» Pochi russi la conoscono, e di solito la pronunciano male; invece Smirnov aveva riprodotto con correttezza l'aspirazione dura del *kh*.

Nei giorni seguenti Smirnov chiamò a colloquio ad uno ad uno tutti i gedalisti, alcuni anche piú di una volta. Con tutti fu estremamente gentile, ma sulla sua persona e sulla sua vera identità nacquero discussioni a non finire. Un ebreo convertito; un ebreo mascherato; un ebreo che si finge cristiano, o un cristiano che si finge ebreo. Uno storico. Un ficcanaso. Molti lo giudicarono per lo meno ambiguo, alcuni dissero chiaro e tondo che quello era una spia dell'NKVD, solo un po' piú abile della norma; ma la maggior parte dei gedalisti, e fra questi Mendel e Gedale stesso, ebbero fiducia in lui e raccontarono le imprese della banda e le loro vicende personali, perché, come si dice, «Ibergekúmene tsòres iz gut tsu dertséyln», è bello raccontare i guai passati. Il proverbio vale in tutte le lingue del mondo, ma in jiddisch suona particolarmente appropriato.

Nei giorni tumultuosi e memorabili in cui finí la Seconda Guerra Mondiale sui fronti europei, all'inizio del maggio 1945, il comando russo che amministrava la costellazione dei piccoli Lager di Glogau sparí come per un incantesimo. Di notte, senza saluti, senza congedi, se ne andarono tutti, compreso il capitano Smirnov: nessuno seppe se trasferiti o smobilitati o semplicemente assorbiti dalla frenesia collettiva dell'Armata Rossa ubriaca di vittoria. Non c'erano piú sentinelle, i cancelli erano aperti, i magazzini saccheggiati; ma, inchiodato dall'esterno alla porta della loro baracca, i gedalisti trovarono un biglietto scarabocchiato in gran fretta:

Dobbiamo partire. Scavate dietro il camino delle cucine; c'è un regalo per voi, a noi non serve piú. Buona fortuna.

SMIRNOV

Dietro le cucine trovarono qualche bomba a mano, tre pistole, una pistola mitragliatrice tedesca, una piccola scorta di munizioni, una carta militare della Sassonia e della Baviera, ed una mazzetta di ottocento dollari. La banda di Gedale si mise in cammino ancora una volta: non piú di notte, non piú per sentieri furtivi né in terre deserte e selvagge, ma per le strade della Germania già prospera e superba ed ora devastata, fra due siepi di visi sigillati, segnati dall'impotenza nuova, da cui il vecchio odio traeva nuovo alimento. – Prima regola, non separarci, – aveva detto

Gedale; marciavano per lo piú a piedi, chiedendo occasionalmente un passaggio ai veicoli militari sovietici, ma solo se la loro capienza era sufficiente a caricare tutti. Ròkhele Bianca entrava ormai nel settimo mese di gravidanza: solo a lei Gedale consentiva di farsi trasportare su qualche carro a cavalli, ma allora l'intera banda si disponeva a scorta.

Sullo sfondo indifferente della campagna primaverile, quelle strade brulicavano di un'umanità bipartita, afflitta e festante. Cittadini tedeschi, a piedi o su carri, rientravano nelle città diroccate, ciechi di stanchezza; su altri carri affluivano i contadini, ad alimentare il mercato nero. A contrasto, soldati sovietici, in bicicletta, in motocicletta, su veicoli militari, su automobili requisite, correvano come impazziti nei due sensi, cantando, suonando, sparando per aria. Per poco i gedalisti non furono travolti da un camion Dodge su cui erano caricati due pianoforti a coda: due ufficiali in divisa vi stavano suonando all'unisono, con impegno e solennità, l'*Ouverture 1812* di Čajkovskij, mentre il guidatore si destreggiava fra i carri con sterzate brusche, pigiando la sirena a tutta forza e senza curarsi dei pedoni che si trovava davanti. Ex prigionieri di tutte le nazionalità si spostavano in gruppi o solitari, uomini e donne, civili in panni borghesi laceri, militari alleati nelle loro divise khaki con le grosse lettere KG sulla schiena: tutti sulla via del rimpatrio o alla ricerca di una sistemazione qualsiasi.

Verso la fine di maggio la banda si accampò alle porte del villaggio di Neuhaus, non lontano da Dresda. Da quando avanzavano in terra tedesca si erano accorti che era quasi impossibile comperare viveri nei centri piú grandi, semidistrutti, semivuoti ed affamati. Pavel, Ròkhele Nera ed altri due uomini, in missione di approvvigionamento, bussarono alla porta di una casa colonica, due, tre volte; non rispose nessuno. – Entriamo? – propose Pavel. Gli scuri delle finestre erano stati dipinti di fresco, con vernice dai colori vivaci. Cedettero subito, ma dietro non c'erano i vetri: c'era una parete compatta di cemento armato, ed in corrispondenza della finestra si apriva la

strombatura di una feritoia. Non era una cascina, ma un
bunker camuffato, ora abbandonato e vuoto.

Il villaggio, invece, brulicava di gente. Era cinto da mura, e dalle porte entravano ed uscivano uomini anziani e
donne, dall'aria furtiva e famelica, trascinando carrettini
con viveri o cianfrusaglie. Ai lati del portale stavano due
guardiani dal volto duro, in borghese, apparentemente disarmati. – Che cosa volete? – chiesero ai quattro, che avevano riconosciuto come forestieri.

– Comprare roba da mangiare, – rispose Pavel nel suo
miglior tedesco. Una delle sentinelle fece con la testa cenno di entrare.

Il villaggio non era stato danneggiato. Le viuzze acciot-
tolate correvano racchiuse fra pittoresche facciate dai colori vivaci intersecate dai travi a vista dipinti di nero. Lo
sfondo era sereno, ma la presenza umana era inquietante.
Le strade erano gremite di gente che camminava in tutte le
direzioni, apparentemente senza meta né scopo: persone
anziane, bambini, mutilati. Non si vedevano uomini validi. Anche le finestre erano piene di volti timorosi e diffidenti.

– Sembra un ghetto, – mormorò Ròkhele, che era stata
a Kossovo.

– Lo è, – rispose Pavel; – devono essere profughi da
Dresda. Adesso tocca a loro –. Avevano parlato in jiddisch, e forse a voce troppo alta, perché una donna dal corpo massiccio, infilata in un paio di stivali da uomo, si volse
ad un vecchio che l'accompagnava e gli disse con ostenta-
zione: – Eccoli qui di nuovo, piú sfrontati di prima –. Poi,
rivolgendosi direttamente ai quattro ebrei, aggiunse:

– Il vostro posto non è qui.

– E dove, allora? – disse Pavel in buona fede.

– Dietro il filo spinato, – rispose la donna.

Pavel, d'impeto, la afferrò per i risvolti del cappotto, ma
subito la lasciò andare perché con la coda dell'occhio aveva
visto che intorno a loro si stava formando assembramen-
to. Allo stesso istante udí sopra il suo capo un colpo secco,

e al suo fianco Ròkhele barcollò e cadde prona. La gente
che stava intorno sparí in un attimo, anche le finestre si
svuotarono. Pavel si inginocchiò accanto alla ragazza: respirava, ma le sue membra erano flosce, inerti. Non san-
guinava, non si vedevano ferite. – È svenuta; portiamola
via, – disse agli altri due.

Al campo, Sissl e Mendel la esaminarono meglio. La ferita c'era sí, quasi invisibile, nascosta sotto la folta capigliatura nera: un foro netto poco al di sopra della tempia
sinistra; non c'era foro di uscita, la pallottola era rimasta
nel cranio. Gli occhi erano chiusi; Sissl sollevò le palpebre
e vide solo il bianco della sclera, le iridi erano girate all'in
su, nascoste dentro le orbite. Ròkhele respirava sempre
piú leggermente, irregolarmente, e non aveva piú polso. Finché visse, nessuno osò parlare, come per timore di
spezzare quel soffio; a sera la ragazza era morta. Gedale
disse: – Andiamo, con tutte le armi.

Partirono a notte, tutti; rimasero nel campo solo Bella e
Sissl a scavare la fossa, e la Bianca a recitare la preghiera
dei morti sul corpo della sua compagna nera. Le armi non
erano molte, ma la collera li spingeva come la tempesta
spinge una nave. Una donna, di vent'anni, neppure una
guerriera; una donna scampata al ghetto e a Treblinka, uccisa in tempo di pace, a tradimento, senza motivo, da una
mano tedesca. Una donna senz'armi, operosa gaia e spen-
sierata, quella che accettava tutto e non si lamentava mai,
la sola che non conoscesse la paralisi della disperazione, la
fuochista di Mendel, la donna di Piotr. Era Piotr il piú fu-
rente, ed anche il piú lucido.

– Al Rathaus, – disse breve: – Quelli che contano saranno lí –. Raggiunsero rapidi e silenziosi la porta del villaggio; le sentinelle non c'erano, irruppero di corsa per le
vie deserte, mentre a Mendel tornavano a mente immagini
lontane, sbiadite ed importune, immagini che ti inceppano
invece di sospingerti. Simone e Levi che vendicano col
sangue l'affronto fatto dai Sichemiti alla sorella Dina. Era
stata giusta quella vendetta? Esiste una vendetta giusta?

Non esiste; ma sei uomo, e la vendetta grida nel tuo sangue, e allora corri e distruggi e uccidi. Come loro, come i
tedeschi.

Accerchiarono il Rathaus. Piotr aveva ragione: a Neuhaus mancava ancora l'energia elettrica, le strade erano
buie, e buie la maggior parte delle finestre, ma quelle del
primo piano del municipio erano debolmente illuminate.
Piotr aveva chiesto ed ottenuto la pistola automatica dona-
ta da Smirnov; dall'ombra dove si era nascosto, con due
soli colpi singoli, uccise i due uomini che stavano di guardia davanti all'ingresso. – Presto, adesso! – gridò. Corse
alla porta e tentò convulsamente di sfondarla, prima col
calcio della pistola, poi a spallate. Era pesante e resisteva,
e già si sentivano voci concitate all'interno. Arié e Mendel
si scostarono dalla facciata, e simultaneamente gettarono
ciascuno una bomba a mano contro le finestre illuminate;
piovvero in strada schegge di vetro, passarono tre lunghis-
simi secondi, poi si udirono le due esplosioni: tutte le finestre del piano si sfondarono e vomitarono fuori frammenti
di legno e carte. Intanto Mottel cercava inutilmente di aiutare Piotr ad aprire la porta. – Aspetta! – gli gridò; si arrampicò in un lampo alla finestra del piano terreno, sfondò
i vetri con un colpo d'anca e saltò all'interno. Pochi secondo dopo lo si sentì sparare tre, quattro colpi dalla sua pistola, e subito dopo la serratura della porta fu aperta dal-
l'interno. – Voi rimanete qui fuori, e non lasciate scappare nessuno! – ordinò Piotr a quattro degli uomini di Ružany; lui e tutti gli altri si precipitarono su per le scale,
scavalcando il corpo di un uomo anziano che giaceva di
traverso sugli scalini. Nella sala del consiglio stavano quattro uomini con le braccia alzate; altri due erano morti, e il
settimo gemeva in un angolo e si agitava debolmente.
– Chi è il borgomastro? – urlò Gedale; ma già Piotr aveva
premuto il grilletto a raffica ed aveva falciato tutti.

Nessuno era intervenuto, nessuno era sfuggito, e i quattro uomini messi a guardia non avevano visto avvicinarsi
nessuno. Nelle cantine del Rathaus i gedalisti trovarono

pane, prosciutti e lardo, e tornarono al campo carichi e indenni, ma Gedale disse:

– Di qui ce ne dobbiamo andare. Seppellite la Nera,
smontate le tende, e subito in marcia: gli americani sono a
trenta chilometri.

Camminavano nella notte, con fretta, e rimorso per la
vendetta facile, e sollievo perché tutto era finito. La Bianca marciava con coraggio, aiutata a turno dagli altri perché
non rimanesse indietro. Mendel si trovò a camminare in
testa alla colonna, fra Line e Gedale.

– Li avete contati? – chiese Line.

– Dieci, – rispose Gedale. – Due accanto alla porta,
uno lo ha ucciso Mottel per le scale, sette nel salone.

– Dieci contro uno, – disse Mendel. – Abbiamo fatto
come loro: dieci ostaggi per un tedesco ucciso.

– Il tuo conto è sbagliato, – disse Line. – I dieci di Neuhaus non vanno sul conto di Ròkhele. Vanno sul conto dei
milioni di Auschwitz. Ricordati di quello che ha raccontato la francese.

Mendel disse: – Il sangue non si paga col sangue. Il sangue si paga con la giustizia. Chi ha sparato alla Nera è stato
una bestia, ed io non voglio diventare una bestia. Se i tedeschi hanno ucciso col gas, dovremo uccidere col gas tutti
i tedeschi? Se i tedeschi uccidevano dieci per uno, e noi faremo come loro, diventeremo come loro, e non ci sarà pace
mai piú.

Gedale si intromise: – Forse hai ragione, Mendel. Ma
allora, come si spiega che io adesso mi sento meglio?

Mendel si guardò dentro, poi ammise: – Sí, anch'io mi
sento meglio, ma questo non dimostra niente. A Neuhaus
erano profughi da Dresda. Lo ha raccontato Smirnov: a
Dresda sono morti centoquarantamila tedeschi in una sola
notte. Quella notte, a Dresda, c'era un fuoco che ha fuso
la ghisa dei lampioni.

– Non siamo stati noi a bombardare Dresda, – disse
Line.

– Basta, – disse Mendel. – È stata l'ultima battaglia. Camminiamo, andiamo dagli americani.

– Andiamo a vedere che faccia hanno, – disse Gedale, che non sembrava troppo coinvolto dai problemi che preoccupavano Mendel. – La guerra è finita: è difficile da capire, lo capiremo a poco a poco, ma è finita. Domani farà giorno e non ci sarà piú da sparare né da nascondersi. È primavera, e da mangiare ne abbiamo, e tutte le strade sono aperte. Andiamo a cercare un posto nel mondo dove lui possa nascere in pace.

– Lui chi? – chiese Line.

– Il bambino. Nostro figlio, il figlio dei due innocenti.

Si inoltrarono nella terra di nessuno con gli animi divisi. Erano incerti e timidi, si sentivano lavati a nuovo, come pagine bianche, ritornati bambini. Bambini adulti e selvaggi, maturati nei disagi, nell'isolamento, nei bivacchi e nella guerra, disadatti davanti alla soglia dell'Occidente e della pace. Ecco, sotto i loro stivali venti volte rappezzati, il suolo della nemica, della sterminatrice, la Germania-Deutschland-Dajčland-Niemcy: una campagna nitida, non toccata dalla guerra, ma attenzione, non è che apparenza, la Germania vera è quella delle città, quella intravista a Glogau e a Neuhaus, quella di Dresda, Berlino e Amburgo di cui avevano sentito raccontare con raccapriccio. È quella la vera Germania, quella che si era ubriacata di sangue e aveva dovuto pagare; un corpo prostrato, ferito a morte, già corrotto. Nudo: insieme con l'allegria barbarica della rivincita, provavano un disagio nuovo; si sentivano indiscreti ed impudichi, come chi scopre una nudità vietata.

Ai due lati della strada si vedevano case con le finestre sbarrate, come occhi spenti o che non vogliano vedere; alcune ancora coperte dal tetto di paglia, altre scoperchiate, o con il tetto bruciato. Campanili smozzicati, campi sportivi su cui già crescevano erbacce. Nei centri abitati, mucchi di macerie su cui si leggevano cartelli: «Non calpestare:

corpi umani»; lunghe code davanti ai pochi negozi aperti, e cittadini affaccendati a cancellare e scalpellare i simboli del passato, quelle aquile e croci uncinate che avrebbero dovuto durare mille anni. Ai balconi sventolavano strane bandiere rosse: recavano ancora l'ombra della svastica nera che ne era stata scucita in gran fretta; ma presto, al progredire del loro cammino, le bandiere rosse si fecero piú rade e infine sparirono. Gedale disse a Mendel: – Se il tuo nemico cade, non rallegrarti; ma non aiutarlo a rialzarsi.

La linea di demarcazione fra i due eserciti non era ancora stata consolidata. Al mattino del secondo giorno di marcia si trovarono in un dolce paese verde e bruno, collinoso, cosparso di fattorie e di ville; sui campi i contadini erano già al lavoro. – Americani? –; i contadini si stringevano nelle spalle con diffidenza ed accennavano vagamente a ovest. – Russi? – Niente russi; qui nessun russo.

Si trovarono in mezzo agli americani senza accorgersi del trapasso. Le prime pattuglie in cui si imbatterono sbirciarono senza interesse la carovana sbrindellata dei gedalisti: in Germania non c'erano che profughi, avevano visto di peggio. Solo a Scheibenberg una ronda li fermò e li scortò al comando tappa. Il piccolo ufficio, ricavato al piano terreno di una villa requisita, traboccava di gente, quasi tutti tedeschi, evacuati dalle città bombardate o in fuga davanti all'Armata Rossa. Gli uomini della banda lasciarono i bagagli (e le armi nascoste nei bagagli) alla custodia di Mottel e si misero ordinatamente in coda.

– Parla tu per tutti, – disse Gedale a Pavel. Pavel era intimidito:

– Ma l'inglese io non lo so. Faccio finta di saperlo, mastico solo le parole, come fanno gli attori e i pappagalli.

– Non importa, ti interrogherà in tedesco. Tu rispondi in cattivo tedesco, di' che siamo italiani e che andiamo in Italia.

– Non mi crederà. Non abbiamo l'aria di italiani.

– Tu prova. Se va bene, bene; se va male, vedremo. Non rischiamo molto, Hitler adesso non c'è piú.

L'americano che sedeva dietro la scrivania era sudato, scamiciato ed annoiato, ed interrogò Pavel in un tedesco sorprendentemente buono; tanto che Pavel dovette faticare non poco per inventarsi un linguaggio che suonasse credibile in bocca a un italiano. Fortunatamente l'americano sembrava del tutto indifferente a quello che Pavel diceva, a come lo diceva, alla banda, alla sua composizione, alle sue intenzioni, al suo passato e al suo futuro. Dopo qualche istante disse a Pavel: – Per favore, sia piú conciso –; dopo un altro minuto lo interruppe e gli disse di aspettare fuori della villa, lui e i suoi compagni. Pavel uscí, tutti si rimisero gli zaini in spalla, e se ne andarono da Scheibenberg «con la mano levata». Gedale disse:

– Non è detto che tutti gli americani siano cosí distratti, e non sappiamo quali accordi ci siano fra russi e americani. A buon conto, chi ha ancora uniformi e distintivi sovietici addosso o nel bagaglio, è meglio che se ne liberi; se ci rimandassero indietro non sarebbe divertente.

Ormai non avevano piú fretta. Proseguirono verso ponente a piccole tappe, fermandosi spesso a riposare, in uno scenario sempre nuovo, idilliaco e tragico. Spesso venivano sorpassati da reparti militari americani, motorizzati o a piedi, in marcia verso il cuore della Germania, o incrociavano sterminate colonne di prigionieri di guerra tedeschi scortati da soldati americani, bianchi o negri, col mitragliatore che pendeva indolentemente dalla spalla. Alla stazione di Chemnitz, fermo su un binario morto, stava un treno merci di cinquanta vagoni, orientato in direzione della linea di demarcazione; portava l'intero macchinario di una cartiera, le scorte, gli enormi rotoli di carta appena prodotta, e i mobili degli uffici. A guardia del convoglio c'era soltanto un soldato, giovanissimo e biondo, in divisa sovietica, sdraiato su un divano incastrato in mezzo al macchinario; Piotr lo salutò in russo, attaccarono discorso, e il soldatino spiegò che la cartiera andava in Russia, non sapeva dove; era un regalo degli americani ai russi, perché tutte le fabbriche russe erano kaputt. A Piotr il soldato non chiese nulla. Poco oltre era una fabbrica bombardata, forse un'officina meccanica; una squadra di prigionieri di guerra stava spalando le macerie, sorvegliata da ufficiali e tecnici americani. Non lavoravano come sterratori, ma piuttosto come archeologi: in punta di pala, spesso con le mani nude, e su ogni reperto metallico gli americani si curvavano attenti, lo esaminavano, lo etichettavano e lo mettevano accuratamente da parte.

Ròkhele non si lamentava mai, ma era stanca, e le sue condizioni preoccupavano tutti. Stentava a camminare: le sue caviglie gonfiavano ogni giorno di piú, dovette rinunciare agli stivali, tagliare malamente la tomaia delle scarpe che Mottel le aveva procurate, e si ridusse infine a camminare in ciabatte. Per brevi tratti la portarono anche su una barella, ma era chiaro che bisognava trovare una soluzione. Arrivarono a metà giugno a Plauen, sulla linea ferroviaria Berlino-Monaco-Brennero, e Gedale mandò Pavel e Mottel a studiare la situazione. La situazione era confusa; i treni passavano irregolarmente, con orari imprevedibili, carichi oltre ogni limite ragionevole. Si accamparono nella sala d'aspetto, che aveva assunto l'apparenza di un dormitorio pubblico. In cassa non c'era piú denaro sufficiente per pagare il tragitto dell'intera banda fino al Brennero, come Gedale avrebbe voluto; altro denaro dovette essere speso per una visita ginecologica alla Bianca, che fu ricoverata in una clinica e ne uscí entusiasta per la pulizia e l'ordine che vi aveva trovato; era sana, la gravidanza normale, solo un po' di stanchezza. Camminare sí, ma non troppo. Nel frattempo, la maggior parte dei componenti della banda vagabondavano per la città, come turisti ed insieme alla ricerca di qualche baratto da cui ricavare quattrini. – Gli abiti pesanti sí, perché andiamo verso Sud e verso l'estate, – aveva detto Gedale. – Gli attrezzi di cucina solo se a un prezzo conveniente; le armi a nessun costo.

Nessuno dei gedalisti aveva esperienza della vita di città; solo Leonid l'aveva avuta, e molti lo rimpiangevano. A Plauen erano intimiditi e sorpresi dalle contraddizioni: in

mezzo alle strade ancora ingombre di macerie girava il lat-
taio col carrettino e la trombetta, puntuale, tutte le mattine alla stessa ora. Il caffè e la carne avevano prezzi folli,
invece l'argenteria era a buon mercato. Mottel comprò per
pochi marchi una bella macchina fotografica già carica; si
disposero in gruppo, alcuni in piedi, altri accovacciati in
prima fila, tutti con le armi bene in vista. Nessuno voleva
mancare dalla foto, cosí dovettero pregare un passante di
fotografarli, sullo sfondo di una prospettiva di case in rovina. I treni funzionavano male, ma il Reisebüro, l'unico
Ufficio Viaggi della città, funzionava bene: la linea telefonica era stata ripristinata, e sapevano piú cose che alla stazione. Ciò non di meno, Gedale dalla stazione non si allontanava mai molto. Lo si vedeva spesso in compagnia di
uno dei manovali delle ferrovie; Gedale era generoso con
lui, gli offriva la birra all'osteria, un giorno furono visti insieme appartati nel giardinetto della stazione: Gedale suonava il violino e il tedesco il flauto, entrambi seri ed intenti. Gedale, senza dare spiegazioni, raccomandò che nessuno si assentasse: forse si ripartiva presto, tutti dovevano
essere reperibili nel giro di pochi minuti.

Invece trascorsero nella stazione ancora alcune settimane, in un'atmosfera di pigrizia e di attesa indistinta. Faceva caldo, in stazione funzionava un posto della Croce Rossa che distribuiva ogni giorno una zuppa a chiunque la ri-
chiedesse, profughi e dispersi di ogni razza e nazionalità
arrivavano e partivano alla spicciolata. Alcuni fra i cittadini di Plauen intrecciarono cauti rapporti con i gedalisti accampati: erano incuriositi ma non facevano domande. I
dialoghi erano inceppati dall'attrito linguistico; chi parla
jiddisch capisce abbastanza bene chi parla tedesco e viceversa, e per di piú quasi tutti i gedalisti si arrangiavano a
parlare il tedesco, piú o meno correttamente, e con accento jiddisch piú o meno marcato, ma le due lingue, storica-
mente sorelle, appaiono ai rispettivi parlatori l'una come la
caricatura dell'altra, cosí come a noi uomini le scimmie appaiono come le nostre caricature (e certo noi appariamo ta-

li a loro). Forse questo fatto non è estraneo all'antico risentimento dei tedeschi contro gli ebrei aschenaziti, in quanto corruttori dell'Alto Tedesco. Ma altri fattori piú profondi intervenivano ad intercettare la comprensione reciproca. Ai tedeschi, quegli stranieri ebrei, cosí diversi dai borghesi ebrei locali che si erano lasciati disciplinatamente irretire e massacrare, apparivano sospetti: troppo pronti, troppo energici, sporchi, stracciati, fieri, imprevedibili, primitivi, «russi». Agli ebrei riusciva impossibile, ed insieme necessario, distinguere i cacciatori di teste a cui erano sfuggiti, e su cui si erano appassionatamente vendicati, da questi vecchietti timidi e chiusi, da questi bambini biondi e gentili che si affacciavano alle porte della stazione come davanti alle inferriate dello zoo. Non sono loro, no: ma sono i loro padri, i loro maestri, i loro figli, loro stessi ieri e domani. Come risolvere il groviglio? Non lo si risolve. Partire, al piú presto. Anche questa terra scotta: scotta questo paese pettinato ed innamorato dell'ordine, scotta quest'aria dolce e blanda di piena estate. Partire, partire: non siamo venuti dal fondo della Polessia per addormentarci nella Wartesaal di Plauen sull'Elster, e per ingannare l'attesa con le foto di gruppo e la zuppa della Croce Rossa. Ma il 20 di luglio venne improvviso il segnale, in piena notte, ad esaudire il desiderio collettivo ed inespresso. Piombò Gedale nell'atrio, fra i dormienti:

– Tutti in piedi subito, con i bagagli legati. Seguitemi in silenzio, si parte fra un quarto d'ora –. Nel tramestio che seguí si incrociarono le domande e le spiegazioni frettolose: che tutti gli venissero dietro, non lontano, sul binario di manovra. Il suo amico, il flautista, il manovale, aveva fatto il miracolo. Eccolo lí, quasi nuovo, come nuovo, il vagone che li avrebbe portati in Italia: comperato, sí; comperato per pochi dollari, non tanto legalmente; un vagone sinistrato, riparato da poco, ancora da collaudare; organizzato, insomma. Organizzato? Sí, si dice cosí, si diceva cosí nei ghetti, nei Lager, in tutta l'Europa nazista; una cosa che uno si procura illegalmente si chiama organizzata. E il

treno sarebbe arrivato fra poco, il campanello della stazione stava già suonando.

Tutti furono pronti in un momento, ma all'appello
mancava Pavel. Gedale bestemmiò in polacco (perché il
jiddisch non possiede bestemmie) e mandò di corsa un gregario a cercarlo; fu trovato poco lontano, con una prostitu-
ta tedesca, e ricondotto alla stazione mentre ancora si riab-
bottonava i pantaloni. Bestemmiava anche lui, in russo,
ma non fece obiezioni. Salirono tutti sul vagone senza fare
rumore.

– Chi lo aggancerà al treno? – chiese Mendel.

– Lui, Ludwig. Me lo ha promesso. Se occorrerà, gli daremo una mano anche noi.

– Ma come hai fatto a fartelo amico?

– Col violino. Come quel tale, nell'antichità, che con la
lira ammansiva le tigri. Non che Ludwig sia una tigre, è
gentile e pieno di talento, è stato un piacere suonare con
lui; e per farci questo servizio si è accontentato di poco.

– Però è sempre un tedesco, – brontolò Pavel.

– Beh, che c'entra? In guerra non c'è andato, ha sempre fatto il ferroviere, suona il flauto e nel '33 non ha vo-
tato per Hitler. Lo sai, tu, che cosa avresti fatto se fossi
nato in Germania, da un padre e da una madre purosan-
gue, e se a scuola ti avessero insegnato tutto quelle loro
bubkes del sangue e del suolo?

Le donne prepararono in un angolo del vagone un giaciglio per la Bianca, con paglia e coperte. Bella si volse a Gedale e disse:

– ... però, di' la verità, a te i treni sono sempre piaciuti.
Io credo che, se non ci si fosse messa di mezzo quella suora
di Bialystok, non saresti diventato un violinista ma un ferroviere.

Gedale rise felice e disse che era proprio vero, gli piacevano i treni e tutti i veicoli: – Ma questa volta il gioco ha
dato profitto, andiamo in Italia con un vagone tutto nostro, padronale. Cosí viaggiano solo i capi di Stato!

– Nu, – disse Isidor pensieroso, – sei ancora abbastanza giovane. Adesso che la guerra è finita i partigiani non servono piú. Perché non dovresti fare il ferroviere? Piacerebbe anche a me, laggiú in Terra d'Israele.

In quel momento si udí un fragore di ruote, si vide sui binari il bagliore del faro, e un lungo treno merci entrò in stazione. Frenò stridendo, rimase fermo per una mezz'ora, poi manovrò lentamente: appollaiato sui respingenti dell'ultimo vagone, un uomo agitò la lanterna in segno di saluto, era lui, Ludwig. Il treno retrocedette a passo d'uomo, ci fu un urto, poi si udí lo stridore di ganci. Il treno ripartí, trascinando verso le Alpi il vagone speciale dei gedalisti.

Capitolo dodicesimo

Luglio-agosto 1945

Non avevano mai viaggiato cosí: non a piedi ma in un vagone agganciato a un treno; non al freddo, non esposti alle fucilate, non affamati, non dispersi. Regolari no, non ancora, e chissà fino a quando, ma alla fiancata del vagone era affisso il cartello con l'itinerario, München-Innsbruck-Brenner-Verona: Ludwig aveva pensato a tutto. – Uscite dal vagone meno che potete, – disse Gedale; – meno ci facciamo vedere, e meno è probabile che venga in mente a qualcuno di fare un controllo.

Ma controlli non ce ne furono; su tutta quella linea, e sulla maggior parte delle strade ferrate europee, c'era ancora ben altro da fare; riparare binari, rimuovere macerie, rimettere in opera i segnali. Il treno viaggiava lentamente, quasi solo di notte; di giorno sostava interminabilmente sui binari morti, ad arrostire al sole per lasciare il passo ad altri treni che avevano la precedenza. Pochi erano treni passeggeri: erano convogli di vagoni merci che portavano esseri umani, ma stipati come merci; le centinaia di migliaia di italiani, uomini e donne, militari e borghesi, salariati e schiavi, che avevano lavorato nelle officine e nei campi del Terzo Reich distrutto. Frammisti a loro, meno chiassosi, meno numerosi, desiderosi di sfuggire all'attenzione, viaggiavano altri passeggeri, i tedeschi che sciamavano dalla Germania occupata per sottrarsi alla giustizia alleata; militi delle SS, funzionari della Gestapo e del Partito; paradossalmente, per loro come per gli ebrei in transito, l'Italia era il luogo di minor resistenza, il miglior trampolino per paesi piú ospitali: il Sud America, la Siria, l'Egitto. Palese o camuffata, con documenti o senza, questa marea variopinta puntava verso Sud, verso il Brennero: il Brennero era diventato lo stretto cannello di un vasto imbuto. Attraverso il Brennero si arrivava all'Italia, al paese del dolce clima e dell'illegalità notoria, aperta; al paese affettuoso-mafioso la cui fama bivalente era arrivata fino in Norvegia e in Ucraina e nei ghetti sigillati dell'Europa orientale; al paese dei divieti elusi e della tolleranza anarchica, dove ogni straniero viene accolto come un fratello.

Nelle soste in stazione tenevano chiuse le portiere, ma le aprivano quando il treno era in moto, e nelle frequenti fermate in aperta campagna. Seduto sul pavimento, con le gambe penzoloni, Mendel assisteva al dipanarsi solenne del paesaggio: i campi fertili, i laghi, i boschi, le fattorie e le ville dell'Alto Palatinato, poi della Baviera. Né lui né alcun altro dei suoi compagni avevano mai abitato una terra cosí ricca e civile. Dietro di loro, come punteggiata dai loro passi innumerevoli, si allungava la pista del loro cammino, senza fine, come in un sogno tormentoso, attraverso paludi, guadi, foreste piene di agguati, neve, fiumi e morte patita e inflitta. Si sentiva stanco e straniero. Solo, oramai; senza donne, senza meta, senza paese. Senza amici? No, questo non lo poteva dire; i compagni rimanevano, sarebbero rimasti: riempivano il suo vuoto. Non gli importava di dove il treno lo trascinasse; aveva adempiuto, aveva fatto quello che doveva, non facilmente, non sempre volentieri, ma lo aveva fatto. Chiuso, finito. La guerra era finita, e che cosa fa un artigliere in tempo di pace? Che cosa è capace di fare? L'orologiaio? Chissà: forse mai piú, a sparare le dita diventano dure, insensibili, e gli occhi si abituano a guardare lontano, attraverso il mirino. Dalla terra promessa non gli veniva alcun richiamo, forse anche laggiú avrebbe dovuto camminare e combattere. Bene, è il mio destino, lo accetto, ma non mi scalda il cuore. È un dovere, e si fa, come quando ho ucciso l'ucraino della polizia ausiliaria. Il dovere non è una ricchezza. Neanche l'avvenire lo è; loro sí, di loro sono ricco, loro mi rimangono. Tutti: con le loro ruvidezze e difetti, anche quelli che mi hanno offeso, anche quelli che ho offeso io. Anche le donne, anche Sissl che ho stupidamente lasciata, anche Line che sa quello che vuole, che vuole tutti, e che ha lasciato me; anche Bella che è noiosa e tarda, anche Ròkhele Bianca col suo ventre temerario, che cresce come un frutto.

Si guardò ai fianchi e alle spalle. Ecco Piotr, candido come un infante e terribile in battaglia, matto come tutti i russi per bene. Daresti la vita per Piotr? Sí, la darei, senza esitare: come non esita chi sa di fare un cambio convincente. Sulla faccia della Terra sta meglio lui di me. Viene in Italia con noi, allegro e fiducioso come un bambino che monta sulla giostra. Ha scelto di combattere con noi e per noi come i cavalieri di una volta, perché è generoso, perché crede in quel Cristo in cui noi non crediamo; eppure il pope lo avrà detto anche a lui, che siamo stati noi a inchiodarlo sulla croce.

Ecco Gedale. È strano che si chiami Gedale: il Gedale della Bibbia era un uomo dappoco. Nabucodonosor il Caldeo lo aveva nominato governatore della Giudea, dei pochi ebrei rimasti in Giudea dopo la deportazione: allora come adesso, come i governatori che nominava Hitler; era un collaborazionista, insomma. Ed era stato ucciso da Ismaele, un partigiano, uno come noi. Se noi abbiamo ragione, aveva ragione Ismaele, e aveva fatto bene a uccidere quel Gedale... Che pensieri stupidi! Un uomo non ha colpa del nome che porta: io mi chiamo il Consolatore e non consolo nessuno, neppure me stesso. Comunque, a Gedale starebbe bene un altro nome; per esempio Jubal, quello che aveva inventato il flauto e la chitarra; o Jabal, suo fratello, che era stato il primo a girare per il mondo e a stare sotto le tende; o Tubalcaín, il terzo fratello, che aveva insegnato a tutti come si lavorano il rame e il ferro. Erano tutti figli di Lamec. Lamec era stato un misterioso vendicatore, nessuno sa piú quale fosse l'offesa che lui aveva

vendicato. Lamec a Ljuban, Lamec a Chmielnik, Lamec a
Neuhaus. Forse anche Lamec era stato un vendicatore allegro, come Gedale; a sera, sotto la tenda, dopo la vendetta, aveva suonato il flauto con i suoi figli. Io non capisco
Gedale, non saprei prevedere nessuno dei suoi gesti né
delle sue decisioni, ma Gedale è mio fratello.

E Line? Che dire di Line? Non è mia sorella: è molto piú e molto meno, è una madre-moglie-figlia-amica-
nemica-rivale-maestra. È stata carne della mia carne, io sono entrato in lei, mille anni fa, in una notte di vento dentro un mulino a vento, quando c'era ancora la guerra e il
mondo era giovane e ognuno di noi era un angelo con la
spada in mano. Non è allegra ma è sicura, e io non sono né
allegro né sicuro e ho mille anni e porto il mondo addosso.
Eccola accanto a me, non guarda me ma guarda fisso questo paesaggio tedesco e sa sempre con esattezza quello che
si deve fare. Mille anni fa, nelle paludi, lo sapevo anch'io
e adesso lei lo sa ancora e io non lo so piú. Lei non guarda
me ma io guardo lei, e provo piacere nel guardarla, e turba-
mento, e lacerazione, e desiderio della donna d'altri. Line,
Emmeline, Raab: la santa peccatrice di Gerico. Donna di
chi? Di tutti, che è come dire di nessuno; lega e non si lega. Donna di non m'importa chi, ma quando rivedo il suo
corpo nella memoria, quando lo indovino sotto le vesti, mi
sento lacerare, e vorrei ricominciare, e so che non si può e
proprio per questo mi sento lacerare. Ma mi sentirei lacerare comunque, anche senza Line, anche senza Sissl. Anche senza Rivke? No, Mendel, questo non lo sai, non lo
puoi dire. Senza Rivke saresti un altro uomo, che pensa
chissà come, un non-Mendel. Senza Rivke, senza l'ombra
di Rivke, saresti pronto per l'avvenire. Pronto a vivere, a
crescere come un seme: ci sono semi che attecchiscono in
tutte le terre, anche in Terra d'Israele, e Line è un seme di
questa specie, ed anche tutti gli altri. Escono dall'acqua e
si scrollano come i cani e si asciugano dei loro ricordi. Non
hanno cicatrici. Via, come puoi dirlo? Le hanno ma non ne

parlano; forse ognuno di loro, in questo momento, pensa come te.

Il treno aveva oltrepassato Innsbruck, e stava salendo con fatica verso il Brennero e il confine italiano. Gedale, seduto in un angolo del vagone, con la schiena appoggiata alla parete di legno, suonava alla sua maniera, sommesso, distratto. Suonava un motivo zingaro, o ebraico, o russo: i popoli mutuamente stranieri spesso si toccano nella musica, si scambiano musica, attraverso la musica imparano a conoscersi, a non diffidare. Un motivo dimesso, cento volte sentito, dozzinale, volgarmente nostalgico; ed ecco, di colpo il ritmo si faceva vivace, ed il motivo, cosí accelerato, diventava altro: alacre, nuovo, nobile e pieno di speranza. Un ritmo danzante, lieto, che invitava a seguirlo dondolando la testa e battendo le mani; e molti della banda, ispidi di barba, cotti dal sole, induriti dalle fatiche e dalla loro guerra, lo seguivano cosí, compiacendosi del fracasso, immemori e selvaggi. Finite le insidie, finita la guerra, la via, il sangue e il ghiaccio, morto il satàn di Berlino, vuoto e vagante il mondo, da ricreare, da ripopolare, come dopo il diluvio. In risalita, in allegra salita verso il valico: salita, *alià*, si chiama cosí il cammino quando si esce dall'esilio, dal profondo, e si sale verso la luce. Anche il ritmo del violino saliva, sempre piú rapido, si faceva sfrenato, orgiastico. Due dei gedalisti, poi quattro, poi dieci, si scatenarono nel vagone, ballando in coppie, in gruppi, spalla contro spalla, battendo i tacchi degli stivali sul pavimento sonoro. Anche Gedale si era alzato in piedi, e danzava suonando, girando su se stesso, levando alti i ginocchi.

Si udí a un tratto uno scatto secco, e il violino tacque. Gedale rimase con l'archetto a mezz'aria, il violino si era sfondato. – Fidl kapút! – sghignazzò Pavel; anche altri risero, ma Gedale non rise. Contemplava il violino veterano, quello che gli aveva salvato la vita a Luninets, e forse anche altre volte inavvertite, tenendolo a galla al di sopra della noia e della disperazione; il violino ferito in battaglia, sforacchiato dalle pallottole destinate a lui, che lui aveva decorato con la medaglia di bronzo dell'ungherese. – Non è niente, lo faremo riparare, – disse Ròkhele Bianca; ma non era cosí. Forse il sole e le intemperie avevano macerato il legno, o forse Gedale stesso lo aveva sforzato nella ridda che stava suonando: comunque fosse, il guasto era irreparabile. Il ponticello era rientrato, sfondando il ventre delicatamente convesso dello strumento e penetrandovi dentro; le corde pendevano ignobili e lente. Non c'era piú niente da fare. Gedale stese il braccio fuori della portiera, aprí le dita, ed il violino cadde sul ghiaione della strada ferrata con un rintocco funereo.

Il treno arrivò al Brennero a mezzogiorno del 25 luglio 1945. Nelle fermate alle stazioni precedenti Gedale non aveva mai trascurato di far chiudere le portiere, ma adesso sembrava che lo avesse dimenticato: eppure era importante, quella era una stazione di confine, quasi certamente ci sarebbe stato un controllo. Provvide Line, prima ancora che il treno fermasse; fece alzare quelli che stavano seduti nel vano, chiuse le due portiere, le legò dall'interno con spezzoni di filo di ferro, e raccomandò a tutti di fare silenzio. Sulle banchine ci fu da principio un certo tramestio, ma poi fu silenzio anche fuori, ed incominciarono a passare le ore e l'impazienza a crescere. Cresceva anche il calore, nel vagone chiuso e fermo in pieno sole. I gedalisti, trentacinque persone stipate su pochi metri quadrati, si sentivano ancora una volta in trappola. Si udivano bisbigli:

– Siamo già in Italia? Abbiamo passato la barra di confine?

– Forse hanno staccato il vagone.

– Ma no, avremmo sentito il rumore.

– Apriamo, scendiamo e andiamo a vedere.

– Usciamo tutti e proseguiamo a piedi.

Ma Line impose il silenzio; sulla banchina deserta si sentivano passi e voci. Pavel sbirciò dalla fenditura della portiera:

– Sono militari. Sembrano inglesi.

Le voci si avvicinarono: erano quattro o cinque perso-

ne, e si fermarono a parlare proprio sotto il vagone. Pavel
tese l'orecchio:

– ... però non parlano inglese, – disse con un filo di voce. Poi qualcuno batté due colpi con le nocche sulla portiera, e fece una domanda incomprensibile; ma Line capí, si
fece largo attraverso la ressa e rispose. Rispose in ebraico:
non nell'ebraico liturgico e imbalsamato delle sinagoghe, a
cui tutti avevano l'orecchio avvezzo, ma nell'ebraico flui-
do, vivente, che si parla da sempre in Palestina, e che fra
loro solo Line comprendeva e parlava: lo aveva imparato
dai sionisti di Kiev, prima che il cielo si richiudesse, prima
del diluvio. Line aprí la portiera.

Sulla banchina c'erano quattro giovani in uniforme khaki linda e ben stirata. Portavano buffi pantaloncini larghi
e corti, scarpe basse, calze di lana al ginocchio; avevano in
testa un basco nero con le insegne britanniche, ma sul ca-
miciotto a maniche corte portavano cucita la stella a sei
punte, lo Scudo di Davide. Ebrei inglesi? Ebrei prigionieri
degli inglesi? Inglesi travestiti da ebrei? Per i gedalisti, la
stella sul petto era un simbolo di schiavitú, era il marchio
imposto dai nazisti agli ebrei dei campi di concentramento. Gli ebrei perplessi sul vagone e gli ebrei tranquilli sulla
banchina si fronteggiarono in silenzio per pochi istanti.
Poi parlò uno di loro, giovane, tarchiato, dal viso allegro
biondo e roseo: in ebraico, chiese: – Chi sa l'ebraico?

– Solo io, – rispose Line. – Gli altri parlano jiddisch,
russo e polacco.

– Allora parliamo jiddisch, – disse il giovane; ma lo parlava con sforzo e con frequenti esitazioni. I suoi tre compagni davano segno di capire, ma non parlavano. – Non
dovete avere paura di noi. Siamo della Brigata Palestinese,
veniamo dalla Terra d'Israele ma apparteniamo all'Esercito inglese. Abbiamo risalito l'Italia combattendo, insieme
con gli inglesi, gli americani, i polacchi, i marocchini, gli
indiani. Voi da dove venite?

La domanda non era facile; risposero confusamente un
po' tutti, venivano dalla Polessia, da Bialystok, da Kos-

sovo, dai ghetti, dalle paludi, dal Caucaso, dall'Armata
Rossa. Il giovane, che i compagni chiamavano Chàim, fece
con le mani il gesto di chi acquieta le acque. – Parla tu, ragazza, – disse. Line, prima di parlare, si consultò sottovoce con Gedale e con Mendel: raccontare tutto? dire la verità? Questi sono strani soldati: ebrei ma con l'uniforme
inglese. A chi obbediscono? A Londra o a Tel-Aviv? C'è
da fidarsi? Gedale sembrava indeciso, anzi, indifferente:
– Vedi un po' tu, – disse, – tieniti sulle generali –. Mendel
disse: – Con che diritto ci fanno delle domande? Aspetta
a rispondere, e cerca di interrogare loro; poi vedremo che
linea seguire.

Chàim stava a vedere; sorrideva, poi rise apertamente:
– «Il saggio sente una parola e ne capisce sette»: ve l'ho
detto, questa divisa è inglese, ma la guerra adesso è finita,
e noi facciamo di testa nostra. Non siamo qui per tagliarvi
la strada, anzi, proprio per lo scopo opposto. Noi, e tutta
la nostra compagnia, stiamo girando la Germania, l'Ungheria, la Polonia: andiamo a cercare gli ebrei che si sono
salvati dai Lager, quelli che si sono nascosti, i malati, i
bambini.

– Che cosa fate di loro?

– Li aiutiamo, li curiamo, li raduniamo e li scortiamo
qui, in Italia. La mia squadra era a Cracovia due settimane
fa; domani sarà a Mauthausen e a Gusen, dopodomani sarà a Vienna.

– E gli inglesi sanno quello che fate?

Chàim scosse le spalle:

– Anche fra loro ci sono dei saggi, che capiscono e lasciano fare. Ci sono anche degli sciocchi, che non si accorgono di niente. E ci sono gli uomini d'ordine; sono anzi i
piú impiccioni, quelli che ci mettono i bastoni nelle ruote.
Ma noi non siamo nati ieri, e c'è rimedio anche per loro.
Voi dove volete andare?

– In Terra d'Israele; ma siamo stanchi, senza quattrini,
e quella donna deve partorire fra poco, – disse Line.

– Siete armati?

Colta alla sprovvista, Line disse di no, ma in tono cosí
poco convincente che Chàim dovette ridere ancora una
volta:

– Nu, ve l'ho detto che non siamo nati ieri. Pensate
che, col mestiere che facciamo da tre mesi, non sappiamo
distinguere un reduce da un profugo, e un profugo da un
partigiano? Ce l'avete scritto in faccia, chi siete; e perché
dovreste vergognarvene?

Intervenne Mottel:

– Nessuno se ne vergogna, ma le armi ce le teniamo.

– Noi non ve le togliamo sicuro: ve l'ho detto, siamo
qui di passaggio. Però dovreste essere ragionevoli. Poco
sotto il valico c'è il nostro comando di Brigata; non so se si
occuperanno di voi, ma la cosa piú sensata sarebbe che voi
vi presentaste e consegnaste le armi a loro. Piú giú, a Bolzano, c'è il comando inglese, e il controllo ve lo faranno di
sicuro; meglio consegnarle a noi che farvele requisire da loro, dico bene?

Pavel disse: – Tu hai la tua esperienza, ma noi abbiamo
la nostra. E la nostra esperienza è che le armi servono sempre. In guerra e in pace, in Russia e in Polonia e in Germania e in Italia. Due mesi fa, a guerra finita, i tedeschi hanno ammazzato una nostra compagna, e noi l'abbiamo ven-
dicata; come avremmo fatto se non avessimo avuto le armi? E in Polonia, sotto i russi, i fascisti polacchi ci hanno
tirato una bomba fra i piedi.

Chàim disse:

– Non comportiamoci come nemici: non siamo nemici.
Venite giú da quel vagone, andiamo a sederci sul prato;
hanno staccato la locomotiva, per almeno due ore il vostro
treno non parte. Vedete, c'è un discorso importante da fare –. Discesero tutti dal vagone e sedettero a cerchio sul
prato, nell'aria profumata di resina, sotto un cielo spazzato
dal vento alto. – Da noi, questo si chiama un *kum-sitz*, un
vieni-e-siediti, – disse Chàim, e proseguí:

– È il discorso del leone e della volpe. Voi venite da un
mondo terribile. Noi lo conosciamo poco: dai racconti dei

nostri padri, e da quello che abbiamo visto nelle nostre missioni; ma sappiamo che ognuno di voi è vivo per miracolo, e che si è lasciato la geenna alle spalle. Voi e noi abbiamo combattuto lo stesso nemico, ma in due modi diversi. Voi avete dovuto fare da soli: avete dovuto inventare tutto, le difese, le armi, gli alleati, le astuzie. Noi siamo stati piú fortunati: eravamo inseriti, organizzati, inquadrati in un grande esercito. Non avevamo nemici ai fianchi, ma solo di fronte; le armi non ce le siamo conquistate, ci sono state consegnate, e ci hanno insegnato ad usarle. Abbiamo avuto battaglie dure, ma dietro di noi c'erano le retrovie, le cucine, le infermerie e un paese che ci salutava come liberatori. In questo paese le armi non vi serviranno piú.

– Perché non ci serviranno? – chiese Mottel: – E in che cosa questo paese differisce dagli altri paesi? Siamo stranieri qui come dappertutto: anzi, piú stranieri qui che in Russia o in Polonia, e uno straniero è un nemico.

– L'Italia è un paese strano, – disse Chàim. – Ci vuole molto tempo per capire gli italiani, e neanche noi, che abbiamo risalito tutta l'Italia da Brindisi alle Alpi, siamo ancora riusciti a capirli bene; ma una cosa è certa, in Italia gli stranieri non sono nemici. Si direbbe che gli italiani siano piú nemici di se stessi che degli stranieri: è curioso ma è cosí. Forse questo viene dal fatto che agli italiani non piacciono le leggi, e siccome le leggi di Mussolini, e anche la sua politica e la sua propaganda, condannavano gli stranieri, proprio per questo gli italiani li hanno aiutati. Agli italiani non piacciono le leggi, anzi gli piace disobbedirle: è il loro gioco, come il gioco dei russi sono gli scacchi. Gli piace imbrogliare; essere imbrogliati gli dispiace, ma non tanto: quando qualcuno li inganna, pensano «vedi che bravo, è stato piú furbo di me», e non preparano la vendetta ma tutt'al piú la rivincita. Come agli scacchi appunto.

– Allora imbroglieranno anche noi, – disse Line.

– È probabile, ma è il solo rischio che correte; per questo ho detto che qui le armi non vi serviranno. Ma a que-

sto punto vi devo dire la cosa piú strana di tutte: gli italiani si sono mostrati amichevoli con tutti gli stranieri, ma
con nessuno si sono mostrati amichevoli come con noi della Brigata Palestinese.

– Forse non si sono accorti che eravate ebrei, – disse
Mendel.

– Se ne sono accorti sicuro, e del resto noi non lo abbiamo tenuto nascosto. Ci hanno aiutati non *benché* fossimo
ebrei, ma *perché* lo eravamo. Hanno aiutato anche i loro
ebrei; quando hanno occupato l'Italia, i tedeschi hanno fatto tutti gli sforzi che potevano per catturarli, ma ne
hanno preso ed ucciso solo un quinto; tutti gli altri hanno
trovato rifugio nelle case dei cristiani, e non solo gli ebrei
italiani, ma molti ebrei stranieri che si erano rifugiati in
Italia.

– Forse questo è avvenuto perché gli italiani sono buoni cristiani, – propose ancora Mendel.

– Può anche darsi, – disse Chàim grattandosi la fronte,
– ma non ne sono sicuro. Anche come cristiani gli italiani
sono strani. Vanno a messa ma bestemmiano. Chiedono le
grazie alla Madonna e ai santi, ma a Dio mi pare che cre-
dano poco. Sanno i dieci comandamenti a memoria, ma ne
rispettano al massimo due o tre. Io credo che aiutino chi
ne ha bisogno perché sono brava gente, che ha sofferto
molto, e che sa che chi soffre deve essere aiutato.

– Anche i polacchi hanno sofferto molto: eppure…

– Non so cosa dirvi: si potrebbero trovare dieci ragioni,
tutte buone e tutte cattive. Una cosa però dovete saperla:
gli ebrei italiani sono strani come i cattolici. Non parlano
jiddisch, anzi, che cosa sia il jiddisch non lo sanno neppure. Parlano solo italiano; anzi, gli ebrei di Roma parlano
romano, gli ebrei di Venezia veneziano, e cosí via. Si ve-
stono come gli altri, hanno le stesse facce degli altri…

– E allora, come si distinguono dai cristiani quando
passano per la strada?

– Appunto, non si distinguono. Non è un paese singolare? Del resto, non sono tanti; i cristiani non si occupano

di loro, e loro si curano poco di essere ebrei. In Italia non c'è mai stato un pogrom, neanche quando la Chiesa di Roma incitava i cristiani a disprezzarli e li incolpava di essere tutti usurai, neanche quando Mussolini ha imposto le leggi razziali, neanche quando l'Italia del Nord è stata occupata dai tedeschi; che cosa sia un pogrom, in Italia, non lo sa nessuno, neppure che cosa voglia dire la parola. È un paese-oasi. Gli ebrei italiani sono stati fascisti quando tutti gli italiani erano fascisti e battevano le mani a Mussolini; e quando sono venuti i tedeschi, alcuni sono scappati in Svizzera, alcuni sono andati partigiani, ma la maggior parte è rimasta nascosta in città o nelle campagne, e sono stati pochi quelli che sono stati scoperti o denunciati, anche se i tedeschi promettevano molto denaro a chi collaborava con loro. Ecco, è questo il paese dove state entrando; un paese di brava gente, a cui piace poco fare la guerra, e invece piace molto imbrogliare le carte; e siccome noi, per mandarvi in Palestina, dobbiamo imbrogliare gli inglesi, questo è proprio il posto ideale, lo si direbbe un molo nella posizione giusta, messo lí apposta per noi.

Ai gedalisti accovacciati e sdraiati sull'erba del Brennero l'idea di consegnare le armi, a chicchessia e per qualsiasi motivo, andava poco a genio; ma davanti ai quattro soldati che venivano dalla Palestina, che vestivano l'uniforme degli Alleati, e che apparivano cosí sicuri nel loro discorso, non osavano manifestare il loro dissenso. Se ne stettero muti per un pezzo, poi cominciarono a discutere fra loro sottovoce. Chàim e i suoi tre compagni non diedero segni di impazienza; si allontanarono di qualche passo e presero a passeggiare per il prato. Tornarono dopo qualche minuto, e Chàim chiese: – Chi è il vostro capo?

Gedale alzò la mano:

– Il capo sarei io. Sono io che ho condotto la banda, nel bene e nel male, dalla Russia Bianca fino qui; ma vedi, noi non abbiamo gradi, non li abbiamo mai avuti. Io non ho quasi mai avuto bisogno di comandare. Io facevo una proposta, o qualche volta un altro, si discuteva e ci si metteva d'accordo; ma il piú delle volte ci trovavamo d'accordo anche senza discutere. Abbiamo vissuto e combattuto cosí, per diciotto mesi, e abbiamo camminato per duemila chilometri. Io ero il loro capo perché inventavo le cose, perché mi venivano in mente le idee e le soluzioni; ma perché dovremmo avere un capo adesso, che la guerra è finita e che entriamo in un paese tranquillo?

Chàim si volse ai suoi compagni e disse loro qualcosa in ebraico; essi risposero, senza mostrare in viso scherno o insofferenza, ma piuttosto pazienza e rispetto. Chàim disse:

– Vi capisco, o almeno credo. Siete strani uccelli anche voi, piú degli italiani; ma ognuno è strano per un altro, è nell'ordine delle cose, e la guerra è un gran rimescolamento. Bene, per quanto riguarda il capo, fate come volete; eleggetene uno, riconfermate lui (e indicò Gedale, che si schermí), o state senza. Ma per le armi è un discorso diverso. Noi vi capiamo bene, ma gli inglesi e gli americani non vi capiranno affatto. Dei partigiani ne hanno piene le tasche; gli hanno fatto comodo finché si è combattuto, ma adesso non ne vogliono piú sentir parlare. Volevano addirittura metterli a riposo, i partigiani italiani, in quest'ultimo inverno, prima ancora che la guerra finisse; e adesso, medaglie e diplomi finché ne vogliono, ma armi niente. Se li trovano con le armi addosso, o in casa, li mettono in galera; figuratevi i partigiani stranieri, specie se vengono dalla Russia. Perciò dovreste essere ragionevoli e cedere le armi a noi; noi sapremo bene che cosa farne. Insomma, tenetevi quelle che potete nascondervi addosso e consegnateci le altre. Va bene?

Gedale esitò un momento, poi scosse le spalle e disse imbronciato:

– Cari compagni, qui si rientra nell'ordine –. Risalí sul vagone, e ne scese con la pistola automatica di Smirnov e poche altre armi. I quattro militari non si mostrarono rigorosi, non chiesero altro, e caricarono il tutto sulla jeep che avevano parcheggiata poco lontano.

– Bene. E adesso che cosa ne è di noi? – chiese Gedale quando furono ritornati.

– La faccenda è semplice, – disse Chàim. – Adesso che siete disarmati, o quasi, non siete piú tanto strani. Siete diventati dei DP.

– Cosa siamo diventati? – chiese Line sospettosa. – Cosa è un DP?

– Un DP è una «displaced person»: un profugo, un disperso, un senza patria.

– Noi non siamo DP, – disse Line. – Una patria ce l'avevamo, e non è colpa nostra se non ce l'abbiamo piú; e un'altra ce la costruiremo. È davanti a noi, non dietro. Di dispersi ne abbiamo incontrati molti, lungo la nostra strada, e non erano come noi. Noi non siamo DP, siamo partigiani, e non solo di nome. Il nostro avvenire ce lo siamo costruito con le nostre mani.

– Calmati, ragazza, – disse Chàim. – Questo non è il momento di badare alle definizioni, non bisogna dare troppo peso alle parole. Invece bisogna essere flessibili. Qui adesso ci sono gli Alleati; presto o tardi incapperete nella Polizia Militare. Non sono come i nazisti, ma sono noiosi, e vi chiuderanno chissà dove e chissà fino a quando. Vi daranno da mangiare e da bere, ma starete in gabbia, forse finché sarà finita la guerra col Giappone; e sempre che nel frattempo non sia cominciata la guerra fra gli americani e i russi. Non vi faranno tante domande; per loro un partigiano è un comunista, e se viene dall'Est è comunista due volte: sono stato chiaro? Insomma, la fratellanza d'armi è finita. Vi piacerebbe finire in un campo proprio adesso?

I gedalisti risposero alla domanda con un brontolio confuso, in cui Chàim distinse qualche brandello di parola.

– Darvi alla macchia? Non pensateci, l'Italia non è come i paesi da cui venite; specialmente l'Italia del nord. È popolata come un pollaio. Boschi non ce ne sono, paludi neanche, e il terreno non lo conoscete. I contadini non

vi capirebbero, vi scambierebbero per banditi, e banditi
finireste col diventare. Siate flessibili, consegnatevi.

– Dove, come, e a chi? – chiese Gedale.

– Cercate di arrivare a Milano senza dare troppo nel-
l'occhio, e a Milano presentatevi a questo indirizzo.

Scrisse qualche parola su un foglietto e lo diede a Gedale, poi aggiunse:

– Se mai ci incontreremo ancora, mi direte che vi ho
consigliati bene. Adesso risalite sul vostro vagone: stanno
riattaccando la locomotiva.

Quando scesero dal vagone alla Stazione Centrale di
Milano, sotto l'alta tettoia di vetro e d'acciaio sforacchiata
dalle bombe, pensarono che fosse scoppiata un'altra guerra. C'era gente accampata dappertutto, fra i binari, sulle
banchine, sugli scaloni che discendevano sul piazzale, sulle scale mobili che non funzionavano, sul piazzale stesso.
C'erano italiani vestiti di stracci che tornavano in patria,
stranieri in stracci che aspettavano di partire per chissà dove; c'erano militari alleati, di pelle bianca e nera, nelle loro
eleganti divise, e borghesi italiani, ben vestiti, con le valige
e i sacchi da montagna, che partivano per le vacanze. Sul
piazzale davanti alla brutta facciata di pietra circolava
qualche tram e qualche rara automobile; c'erano aiuole che
erano state trasformate in orti di guerra, poi erano state
saccheggiate ed abbandonate, e si stavano coprendo di erbacce. Vi erano state montate delle tende, davanti a cui
donne dall'aspetto misero facevano cucina su fuochi improvvisati. Altre donne si accalcavano intorno alle fonta-
nelle, con latte, pentole e recipienti di fortuna. Tutto intorno erano palazzi smozzicati dalle bombe.

Soltanto Pavel conosceva qualche parola d'italiano, imparata al tempo in cui girava l'Europa come attore. Mostrò
l'indirizzo a un passante, che lo guardò in viso con diffidenza e poi gli rispose irritato: – Non c'è piú! – Che cosa
non c'era piú? L'indirizzo era sbagliato? O l'edificio era
crollato? Il colloquio era faticoso, inceppato dalla reciproca

incomprensione: – Fascio, fascismo, fascisti, niente, finito, – badava a ripetere il passante. Pavel finí col capire
che a quell'indirizzo c'era stato un comando fascista importante, ma che adesso non c'era piú; comunque, il milanese gli spiegò del suo meglio la strada che doveva tenere.
C'era da camminare tre chilometri: che cosa sono tre chilometri? Una cosa da ridere. Si misero in via, timidi e curiosi; mai, in tutto il loro lunghissimo cammino, si erano
sentiti tanto stranieri.

Era primo pomeriggio. Procedevano in fila disordinata,
attenti a non perdere di vista Pavel che marciava in testa,
ma spesso lo trattenevano per potersi guardare attorno. A
ruderi anneriti si alternavano alti edifici intatti, pretenzio-
si; molti negozi erano aperti, le vetrine rigurgitavano di
merci piene di tentazioni sotto le insegne incomprensibili.
Solo intorno alla stazione c'era gente miserabile; i passanti
che incontravano nelle strade del centro erano ben vestiti
e rispondevano affabilmente alle loro domande, cercando
di capire e di farsi capire. Via Unione? Avanti diritto, ancora due chilometri, ancora uno; Duomo, Duomo, non capire? Piazza del Duomo, e poi ancora avanti. Davanti alla
mole del Duomo, butterato dai bombardamenti, si arresta-
rono ombrosi, sporchi e intimiditi, carichi dei loro fagotti
scoloriti dal sole; furtivamente, Piotr si segnò con le tre dita riunite, alla maniera russa.

In via Unione ritrovarono un'atmosfera che era loro piú
familiare. L'Ufficio Assistenza pullulava di profughi, polacchi, russi, céchi, ungheresi; quasi tutti parlavano jiddisch; tutti avevano bisogno di tutto, e la confusione era
estrema. C'erano uomini, donne e bambini accampati nei
corridoi, famiglie che si erano costruiti ripari con fogli di
compensato o coperte appese. Su e giú per i corridoi, e dietro gli sportelli, si affaccendavano donne di tutte le età, tra-
felate, sudate, infaticabili. Nessuna di loro capiva il jiddisch e poche il tedesco; interpreti improvvisati si sgolava-
no nello sforzo di stabilire ordine e disciplina. L'aria era
torrida, con sentori di latrina e di cucina. Una freccia, ed

un cartello scritto in jiddisch, indicavano lo sportello a cui
dovevano far capo i nuovi venuti; si misero in coda ed attesero con pazienza.

La coda procedeva a rilento, e Mendel meditava pensieri informi e contrastanti. Mai tanto straniero, anche lui:
russo in Italia, ebreo in cospetto del Duomo, orologiaio di
villaggio in una grande città, partigiano in tempo di pace;
straniero di lingua e d'animo, straniero estraniato da anni
di vita selvaggia. Eppure, mai prima, in nessuno dei cento
luoghi che avevano attraversati, aveva respirato l'aria che
respirava qui. Straniero, ma accettato, e non solo dalle signore gentili dell'Ufficio Assistenza. Non tollerato ma accettato; nei visi degli italiani a cui dal Brennero in poi si
erano rivolti c'era talora un lampo di diffidenza o di furberia, ma mai l'ombra torbida che ti separa dal russo o dal
polacco quando ti riconoscono come ebreo. In questo paese sono tutti come Piotr; forse meno coraggiosi o piú sottili, o solo piú vecchi. Sottili come i vecchi, che ne hanno viste tante.

Mendel e Pavel si presentarono allo sportello fianco a
fianco; dietro lo sportello stava una signora sulla trentina,
in una camicetta bianca ben stirata, minuta, graziosa, educata, coi capelli castani freschi di pettinatrice. Era profumata, ed accanto all'onda del suo profumo Mendel percepí
con disagio l'odore pesante, caprino del corpo sudato di
Pavel. La signora capiva il tedesco e lo parlava anche abbastanza bene: non c'erano grosse difficoltà per intendersi,
ma Pavel si piccava di parlare italiano, e cosí facendo com-
plicava la situazione invece di semplificarla. Nome, ancora
una volta: età, provenienza, cittadinanza. Risposero in tre
o quattro allo stesso tempo, e ne nacque un po' di confusione. La signora comprese che si trattava di un gruppo, e
senza dare segni di impazienza pregò Pavel di rispondere
lui per tutti: gli dava del lei, del *Sie*, ed anche questo era
gradevole, imbarazzante, e non era mai successo prima.
Era proprio un ufficio di assistenza: cercavano di assister-
li, di aiutarli, non di liberarsi di loro né di chiuderli dentro
una scatola di filo spinato.

La signora scriveva e scriveva; trentacinque nomi sono tanti, e la lista si andava allungando. Nomi e cognomi esotici, irti di consonanti; bisognava fermarsi, controllare, far ripetere, chiedere la grafia. Ecco, finito. La signora si sporse dallo sportello a guardarli. Un gruppo, uno strano gruppo; profughi diversi dai soliti, diversi dai rottami umani che da giorni e giorni le sfilavano davanti in quell'ufficio. Sporchi e stanchi, ma diritti; diversi negli occhi, nella parlata, nel portamento.

– Siete sempre stati insieme? – chiese a Pavel in tedesco.

Pavel non perse l'occasione per fare bella figura. Chiamò a raccolta tutti i brandelli d'italiano che aveva raggranellati anni prima nei suoi viaggi, orecchiati fra le scene, nei treni, negli alberghetti e nei bordelli. Gonfiò il petto:

– Gruppo, graziosa signora, gruppo. Sempre insieme, Russia, Polacchia. Camminare. Bosco, fiume, neve. Tedeschi morti, tanti. Noi partisani, tutti, porca miseria. Niente DP, noi guerra, partisani. Tutti soldati, madosca; anche donne.

La graziosa signora era perplessa. Pregò i gedalisti di mettersi da parte e di aspettare, e si attaccò al telefono. Parlò a lungo, in tono concitato, ma coprendosi la bocca con la mano in modo da non farsi sentire; alla fine, disse a Pavel che avesse pazienza; avrebbero dovuto passare ancora una notte accampati, che si sistemassero alla meglio anche loro nei corridoi, ma domani avrebbe trovato per loro una collocazione migliore. Lavarsi? Non era facile; bagni niente, neanche docce, l'edificio era stato riattato da poco, ma acqua sí, lavandini, sapone, e forse anche tre o quattro asciugamani. Pochi per tante persone, certo, ma che farci, non era colpa sua né dei suoi colleghi, tutti facevano del loro meglio, anche con contributi personali. Nelle sue parole e nel suo viso Mendel lesse reverenza, pietà, solidarietà ed allarme.

– Dove ci mandate? – le chiese nel suo miglior tedesco.

La signora fece un bel sorriso, e con le mani un gesto complicato ed allusivo che Mendel non capí:

– Non vi mandiamo al campo profughi, ma in un posto piú adatto a voi.

Infatti, il mattino seguente vennero due autocarri a caricarli; la signora li rassicurò, non sarebbero andati lontano, in una fattoria nei dintorni di Milano, mezz'ora di viaggio al massimo; si sarebbero trovati bene, meglio che in città, piú al largo, piú tranquilli. ... Cosí sarà piú tranquilla anche lei, pensò Mendel. Le chiese come mai parlava tedesco: sono molti gli italiani che lo parlano? Sono pochi, rispose la signora, ma lei era una insegnante di tedesco: sí, lo aveva insegnato in una scuola, finché non era venuto Hitler e lei era scappata in Svizzera. La Svizzera è a quaranta chilometri da Milano. Era stata internata in Svizzera col marito e col bambino piccolo; non si stava male; era tornata a Milano da poche settimane. Assistette allo spettacolo dei gedalisti che si arrampicavano sui camion con i loro bagagli da zingari; disse che avrebbe ripreso i contatti con loro, li salutò e rientrò nell'ufficio.

La fattoria era stata danneggiata negli ultimi giorni di guerra e restaurata alla meglio. Vi trovarono una cinquantina di profughi polacchi e ungheresi, ma le camerate erano ampie, previste per almeno due o trecento persone, e bene attrezzate con brandine e cuccette. Si guardarono intorno: no, né sentinelle né filo spinato, per la prima volta. Non una casa, ma poco meno; nessuna costrizione, se vuoi entrare entri, se te ne vuoi andare te ne vai. Cibo alle ore giuste, acqua, sole, prati, un letto: quasi un albergo, che cosa volete di piú? Ma si vuole sempre qualcosa di piú: niente è mai cosí bello come uno si aspetta; ma niente è neppure brutto come uno si aspetta, pensava Mendel, ricordando i giorni di fervore operoso a Novoselki in mezzo alle nebbie e alle paludi, e l'ebbrezza smemorata delle battaglie.

Ci fu una seconda iscrizione davanti a un secondo sportello; un giovane smilzo e sbrigativo, che parlava bene jiddisch ma veniva da Tel-Aviv, li prese in forza senza tante
scritturazioni, ma si fermò davanti a Bella e a Ròkhele
Bianca: queste no, queste devono tornare a Milano, non
sono adatte al lavoro della fattoria; questa soprattutto, che
cosa fanno in via Unione, sono diventati matti? Che cosa
gli viene in mente, di mandare una donna incinta qui da
noi? Intervennero Line, Gedale, Pavel, ed Isidor che gridava piú di tutti: noi non ci separiamo, non siamo profughi, siamo una banda, una unità. Se la Bianca va a Milano,
andiamo a Milano tutti quanti. Il giovane fece una faccia
strana ma non insistette.

Dovette invece insistere il giorno dopo. C'era del lavoro
da fare, un lavoro urgente: i gedalisti si accorsero che quella era una strana fattoria, dove il lavoro agricolo contava
poco, e invece c'era un grande movimento di merci. Erano
casse di viveri e di medicinali, ma alcune erano troppo pesanti perché si potesse credere alle scritte che vi comparivano stamplighate in inglese. Il giovane disse che tutti dovevano dare una mano a caricare le casse sugli autocarri.
Tre o quattro fra gli uomini di Ružany brontolarono che
loro non si erano aperta la strada combattendo, dalla Bielorussia fino in Italia, per fare i facchini, e uno addirittura
mormorò fra i denti «Kapo». Zvi, il giovane direttore della fattoria, non raccolse l'affronto, alzò le spalle e disse:
– Quando arriverà la vostra nave, questa roba farà comodo anche a voi –; e poi, aiutato da due ragazzi ungheresi,
si mise di buona lena a caricare lui stesso le casse. Allora
tutti cessarono di protestare e si misero al lavoro.

Alla fattoria c'era un grande movimento anche di persone; profughi di tutte le età arrivavano e partivano, in
modo che era difficile consolidare le conoscenze. Tuttavia
i gedalisti si accorsero presto che alcuni elementi erano
stanziali: evitavano di mettersi in vista, ma dovevano esercitare una qualche funzione essenziale. Due soprattutto
attirarono l'attenzione di Mendel. Erano sulla trentina,

atletici, agili nei movimenti; parlavano poco, e fra loro
parlavano russo. Spesso uscivano dall'aia con un drappello
di giovani, con falci, tridenti e rastrelli, e sparivano in direzione del fiume. Tornavano solo a sera; dalla boscaglia
che fiancheggiava il fiume si sentivano risuonare a tratti
spari isolati.

– Chi sono quei due? – chiese Mendel a Zvi.

– Istruttori: vengono dall'Armata Rossa. Due ragazzi
in gamba. E se qualcuno di voi...

– Ne riparleremo, – disse Mendel senza comprometter-
si. – Siamo appena arrivati; dateci un po' di respiro. E
poi, non credo che noialtri abbiamo ancora molto da imparare.

– Nu, non volevo dire questo, anzi, il contrario. Volevo dire che voi avete parecchio da insegnare, – disse Zvi
scandendo le parole. A Mendel tornò in mente la proposta
che gli aveva fatta Smirnov al campo di Glogau, e che lui
per stanchezza non aveva accettata. No, non ne aveva rimorso. In coscienza, no; la nostra parte l'abbiamo pur fatta, io e tutti gli altri. Non adesso, comunque: abbiamo ancora il fiato grosso, non abbiamo ancora imparato a respirare l'aria di questo paese.

Dopo due giorni arrivò alla fattoria una lettera da Milano: era scritta in tedesco, indirizzata al Signor Pavel Jurevič Levinski, firmata dalla signora Adele S.; emanava lo
stesso profumo della graziosa signora di via Unione, e conteneva l'invito per un tè, domenica pomeriggio, alle cinque, nella sua casa di via Monforte. Non era limitato al
solo Pavel, ma diceva vagamente «Lei ed alcuni dei Suoi
amici»; non troppi, insomma, non tutta la banda: piú che
ragionevole. Nacque una grande eccitazione, e la banda si
divise in tre fazioni: quelli che al tè ci volevano andare,
quelli che non ci volevano andare a nessun costo, e gli incerti o indifferenti. Ci volevano andare Pavel stesso, Bella,
Gedale, Line, e un buon numero degli altri, spinti da motivazioni diverse. Pavel, perché si riteneva indispensabile
come interprete, e perché la busta recava il suo nome; Bel-

la e Gedale, per curiosità; Line, per ragioni ideologiche, e cioè perché era la sola della banda che avesse ricevuto una educazione sionista; e gli altri perché speravano di trovare qualcosa di buono da mangiare. Non ci volevano andare Piotr ed Arié per timidezza e perché non capivano il tedesco; la Bianca, perché da qualche giorno aveva dolori all'addome; Isidor, per non separarsi dalla Bianca; e Mottel, perché diceva che le maniere «goyische» della signora lo mettevano a disagio, e che lui in un salotto non ci si vedeva.

Andarono Pavel, Bella, Line, Gedale e Mendel. Mendel, per verità, era fra gli incerti, ma gli altri quattro insistettero perché venisse: che era un'occasione unica di vedere come si vive in Italia, che si sarebbero divertiti e distratti, che avrebbero avuto occasione di sentire notizie utili; ma soprattutto, che lui, lo volesse o no, era insomma l'uomo chiave della banda, quello che meglio la rappresentava e che aveva preso parte a tutte le imprese; e non aveva fatto parte dell'Armata Rossa? Certo per gli italiani questo doveva essere importante, o almeno interessante.

Vestirono i loro abiti migliori. Line, che non possedeva nulla se non i goffi panni militari che portava addosso fino da Novoselki, disse che sarebbe andata al ricevimento cosí come stava:

– Se mi vestissi in un altro modo, sarebbe come se mi travestissi. Come se dicessi una bugia. Se mi vogliono, mi devono prendere come sono.

Ma tutti cercarono di convincerla a vestirsi un po' meglio, in specie Bella e Zvi. Zvi tirò fuori dai magazzini della fattoria una camicetta di seta bianca, una gonna di tela avorio a pieghe, una cintura di pelle, un paio di calze di nailon e un paio di sandali con la suola di sughero. Line si lasciò persuadere e si ritirò con il corredo; pochi minuti dopo saltò fuori dallo spogliatoio una creatura inedita, come una farfalla da un bozzolo. Quasi irriconoscibile: piú minuta della Line che tutti conoscevano, piú giovane, quasi una bambina, impacciata dalla gonna che non portava da anni e dagli alti sandali ortopedici; ma gli occhi bruni e fermi, lontani fra loro, e il naso affilato, diritto e breve, erano rimasti quelli, e quello il pallore teso delle guance, che il sole e il vento non riuscivano ad abbronzare. Il velo del nailon conferiva grazia alle caviglie ed alle gambe nervose; Bella le sfiorò con la mano, come a sincerarsi che non fossero nude.

Nel salotto della signora S. c'erano molti invitati, tutti italiani. Alcuni erano vestiti con eleganza, altri erano in abiti logori, altri ancora indossavano le divise degli Alleati. Solo due o tre capivano il tedesco e nessuno il jiddisch, per cui la conversazione si fece subito arruffata. I cinque della banda, quasi a difendersi da un'aggressione, tendevano a rimanere uniti, ma ci riuscirono solo per pochi minuti: in breve ciascuno di loro si trovò isolato, al centro di un cerchio di curiosi, e sottoposto a una grandine di domande melodiose ed incomprensibili. Pavel e la signora si affaccendavano a tradurre, ma con scarso risultato, l'offerta era di troppo inferiore alla domanda. Attraverso uno spiraglio fra due spalle, Mendel scorse Line attorniata da cinque o sei signori eleganti. – Come le bestie al giardino zoologico! – gli sussurrò la ragazza in jiddisch.

– Bestie feroci, – rispose Mendel. – Se sapessero tutto quello che abbiamo fatto, avrebbero paura di noi.

La padrona di casa era in ansia. Erano suoi, quei cinque: una sua trouvaille, una sua scoperta, e ne rivendicava il monopolio. Ogni parola detta da loro le apparteneva, non doveva andare perduta; si dava una gran pena a inseguirli in mezzo alla calca degli invitati, ed a farsi ripetere le battute che non aveva sentito. Ma era in ansia anche per un altro motivo: era una signora fine e bene educata, e alcune cose che i cinque raccontavano le ferivano gli orecchi. Pavel e Gedale, in specie, non avevano ritegno. Si sa, queste cose esistono, sono avvenute, la guerra non è uno scherzo, tanto meno è stata uno scherzo la guerra che hanno fatto questa povera gente; ma in un salotto, via, nel suo salotto... Sí, va bene per gli atti di valore, le rappresaglie contro i tedeschi, i sabotaggi, le marce nella neve; ma dei pidocchi si può anche fare a meno di parlare, e delle pezze dei piedi, e degli impiccati nelle latrine... Quasi si era pentita di averli invitati: principalmente per via di Pavel, che purtroppo sapeva qualche parola di italiano, ma, chissà perché, sembrava proprio che avesse una preferenza spiccata per le bestemmie e le parole poco pulite. C'era poco da illudersi, i suoi amici si sarebbero fatte delle pazze risate, e avrebbero raccontato la storia a mezza Milano. Dopo una mezz'ora si rifugiò sul divano d'angolo, accanto a Bella, che sembrava meno rozza, parlava poco, e mangiava cioccolatini ammirando i quadri appesi alle pareti. Ogni tanto dava un'occhiata alla pendola: suo marito era in ritardo. Se soltanto si sbrigasse ad arrivare! L'avrebbe aiutata a tenere le redini del party, in modo che ogni invitato, esotico o locale, avesse quanto gli spettava, e che non ci fossero trasgressioni.

Il signor S. arrivò poco prima delle sei e si scusò con tutti: il treno era partito da Lugano in orario, ma aveva perso tempo alla frontiera per i soliti controlli. Baciò la moglie e si scusò anche con lei. Era grassoccio, cordiale, rumoroso, calvo con una corona di capelli biondicci intorno alla nuca. Anche lui parlava tedesco, ma cosí alla buona, senza grammatica, lo aveva imparato viaggiando. Aveva un commercio, andava all'estero spesso. Si trovò faccia a faccia con Mendel e prese subito a raccontargli i fatti suoi come se lo conoscesse da sempre, e come usano fare coloro che hanno grande stima di se stessi e scarsa cura della persona a cui si rivolgono. Quanto era scomodo viaggiare, quanto difficile riprendere i contatti commerciali... Mendel pensò al modo come loro avevano viaggiato ed al coniglio dell'usbeco barattato con sale, ma non disse nulla. L'altro finalmente si interruppe: – Ma lei avrà sete: venga, venga con me!

Afferrò Mendel per il polso e lo rimorchiò fino al tavolo dei rinfreschi. Mendel lasciò fare intontito; provava un'intensa sensazione di irrealtà, come nei sogni che si fanno a stomaco troppo pieno. Colse il momento in cui S. portava il bicchiere alla bocca, e trovò il coraggio di fargli le domande che gli ronzavano in testa dall'inizio del ricevimento. Chi era tutta quella gente? Erano proprio ebrei, lui e sua moglie? E la casa era loro? Non erano venuti i tedeschi, anche a Milano? Come si erano salvati, loro e tutte le belle cose che si vedevano intorno? Tutti gli ebrei italiani erano ricchi come loro? O tutti gli italiani? Tutti avevano case belle cosí?

L'ospite lo guardò con una faccia strana, quasi che Mendel avesse fatto domande stupide o poco opportune, e gli rispose con pazienza, come si fa con i bambini non tanto svegli. Ma certo, loro erano ebrei, tutti quelli che si chiamano S. sono ebrei. Gli ospiti no, non tutti: ma è poi una faccenda cosí importante? Erano amici, ecco tutto, gente per bene, che desiderava conoscere loro che venivano tanto di lontano. E la casa era sua, perché no? Lui aveva guadagnato bene, prima della guerra, e anche nei primi anni di guerra, prima che venissero i nazisti. Dopo, la casa gliel'avevano requisita, ci avevano messo dentro un gerarca del fascio, ma lui, appena tornato dalla Svizzera, aveva mosso certe pedine e lo aveva fatto andare via. Eh no, non tutti avevano una casa come la sua: né cristiani né ebrei. Non tutti ma molti, Milano è una città ricca. Ricca e generosa, molti ebrei erano rimasti in città, nascosti o con documenti falsi; i vicini e gli amici che li incontravano facevano finta di non conoscerli, però di nascosto gli portavano da mangiare.

Furono interrotti da un omone dalla voce leggera e giovanile, che non parlava né capiva il tedesco ma si mostrò estremamente amichevole con Mendel. Chiese di essergli presentato; S. accondiscese, storpiò il nome di Mendel, e disse a Mendel: – Questo è l'avvocato Longo –. L'avvocato si mostrò piú discreto del padron di casa; ascoltò in silenzio rispettoso la storia che Mendel raccontò in forma compendiaria e che il padron di casa tradusse frase per frase, ed alla fine disse a quest'ultimo:

– Saranno stanchi, questi tuoi amici: avranno bisogno

di riposo. Chiedigli se vogliono essere miei ospiti, a Varazze; nella mia villa c'è posto, e forse loro non hanno mai visto il mare!

L'invito colse Mendel di sorpresa. Esitò, prese tempo, poi cercò di avvicinarsi ai suoi compagni per consigliarsi con loro. Lui no, non avrebbe accettato, si sentiva lontano, altro, spiacevole, selvatico; gli pareva di avere ancora addosso l'odore sepolcrale della tana di Schmulek. Tuttavia, se gli altri dicevano di sí, lo avrebbe detto anche lui. Anche Bella, Line e Gedale propendevano per un rifiuto: addussero pretesti vaghi, di fatto erano intimiditi, non si sentivano all'altezza della parte che veniva loro attribuita. Pavel avrebbe invece voluto accettare, ma non da solo; cosí si attenne al parere della maggioranza, e tutti ringraziarono e declinarono l'invito, lieti che le loro parole maldestre venissero tradotte nell'italiano armonioso della signora S. – Però vedere il mare non mi sarebbe dispiaciuto, – sussurrò Bella a Gedale.

La padrona di casa colse il momento in cui i cinque erano riuniti e presentò loro un altro amico, un giovane alto e ossuto dall'aria energica che indossava camicia e pantaloni di aspetto militare, ma senza gradi né mostrine. – Questo è Francesco, un vostro collega! – disse con un sorriso allusivo; Francesco invece rimase serio. – Anche lui è stato partigiano, – proseguí la signora: – In Valtellina, nelle Alpi, insomma su quelle montagne che vedete laggiú. Un ragazzo di fegato; peccato che sia comunista.

Con la mediazione della signora, la conversazione procedeva faticosa e contorta, ma quando Francesco seppe che Mendel aveva appartenuto all'Armata Rossa, gli si avvicinò e lo abbracciò: – Dal giorno che la Germania vi ha attaccati, non ho piú dubitato che sarebbe stata sconfitta. Diglielo, Adele. Digli che anche noi abbiamo combattuto, ma che se l'Unione Sovietica non avesse resistito, sarebbe stata la fine dell'Europa –. La signora tradusse del suo meglio, ed aggiunse di suo: – È un caro ragazzo, ma è una testa dura e ha delle idee strane. Se dipendesse da lui, non ci penserebbe su due volte: dittatura del proletariato, la terra ai contadini, le fabbriche agli operai, e buonanotte. Tutt'al piú, per noi che siamo suoi amici, un posticino al Soviet comunale.

Francesco capí a mezzo, non volle approfondire, e sempre serio fece dire che il suo partito era stato la spina dorsale della Resistenza e la voce vera del popolo italiano; poi fece chiedere a Mendel come mai lui e i suoi amici venivano via dal loro paese. Mendel era confuso. Aveva idee vaghe su quanto era avvenuto in Italia durante la guerra, era stupito che la signora dicesse cosí apertamente che il suo amico era comunista: forse era uno scherzo? E scherzava anche quando accennava alla sua paura del comunismo? O ne aveva paura veramente? E se sí, aveva ragione di averne paura? Adesso però bisognava rispondere alla domanda di quel Francesco. Come spiegargli che essere ebrei in Russia o in Polonia non era come essere ebrei in Svizzera o a Milano in via Monforte? Avrebbe dovuto raccontargli tutta la loro storia. Si limitò a dire che lui e i suoi compagni non avevano nulla contro Stalin, anzi, gli erano grati per aver abbattuto Hitler; ma che le loro case erano distrutte, avevano il vuoto alle spalle, e speravano di trovare una casa in Palestina. La signora tradusse, e Mendel ebbe l'impressione che la traduzione fosse piú lunga del testo; Francesco fece una faccia poco convinta e si allontanò. A Mendel, neppure le facce degli italiani erano chiare; le loro espressioni, le loro smorfie, non riusciva a leggerle, o temeva di leggerle in modo sbagliato. Francesco. Un partigiano, un commilitone. Quanto tempo hai combattuto, Francesco? Sedici mesi, diciotto: da quando la radio di Venjamín in riva al Dnepr ha raccontato che Mussolini era in prigione, da quando Dov ha saputo che l'Italia aveva capitolato. Quanto hai camminato Francesco? Quanti amici hai perduto? Dov'è la tua casa? A Milano, forse, o su quelle montagne dal nome che non so ripetere; ma una casa tu ce l'hai, la casa per cui hai combattuto, oltre che per le tue idee. Una casa, una terra sotto i piedi, un cielo sopra la testa che è tuo ed è sempre lo stesso. Una madre e un padre; una ragazza o una moglie. Hai qualcuno e qualcosa per cui ti piace vivere. Se parlassi la tua lingua potrei cercare di spiegarti.

Alle sue spalle, la signora Adele stava parlando con Line:

– ... ma adesso sono loro quelli che ci aiutano di piú. Le armi vengono da loro, attraverso la Cecoslovacchia. È il Partito Comunista italiano che decide sugli scioperi; quando gli inglesi cercano di fermare una nave di profughi, tutti gli operai del porto entrano in sciopero, e gli inglesi la devono lasciare partire...

Mendel si sentiva disorientato: in un salotto pieno di cose belle e di persone gentili, e insieme una pedina di un gioco gigantesco e crudele. Forse da sempre, una pedina da sempre, da quando era rimasto disperso, da quando aveva incontrato Leonid: credi di prendere una decisione e invece segui il destino che qualcuno ha già scritto. Chi? Stalin, o Roosevelt, o il Dio degli Eserciti. Si volse a Gedale:

– Andiamo via, Gedale: congediamoci. Questo non è il nostro luogo.

– Come? – chiese Gedale stupito: forse temeva di non aver capito, o stava seguendo un altro filo di idee. In quel momento suonò il telefono nell'angolo in cui sedeva Bella, e la signora andò a rispondere. Poco dopo depose la cornetta e disse a Mendel:

– È Zvi, dalla fattoria. La vostra compagna, quella che chiamate la Bianca, non sta bene. Hanno dovuto portarla in città; è in una clinica, non lontano di qui.

Arrivarono alla clinica ostetrica tutti e cinque, stipati nell'automobile dell'avvocato Longo. Era una clinica privata, ordinata e pulita, ma molti vetri delle finestre erano sostituiti con pannelli di legno compensato, e sugli altri erano incollate strisce di carta incrociate. Ròkhele era in una camera con tre altre donne; era pallida, tranquilla e si lamentava debolmente: forse le avevano dato un calmante. Nel corridoio, davanti alla porta della camera, c'era Isidor, nervoso ed aggrondato, insieme con Izu, il pescatore a ma-

ni nude, ed altri tre compaesani di Blizna, i piú ruvidi della
banda. Isidor passeggiava in su e in giú, e aveva una pistola infilata nella cintura. Due dei suoi compagni erano seduti sul pavimento e sembravano ubriachi; gli altri due parlavano fra loro nel vano della finestra. Mendel riconobbe attraverso il cuoio dei loro stivali consunti il rigonfio del manico del coltello. Sul davanzale della finestra c'era una bottiglia di vino rosso e due pagnotte contadine.

– Come sta? – sussurrò Bella a Isidor. Senza abbassare
la voce, Isidor rispose:

– Non sta bene. Ha male, prima gridava. Adesso le
hanno fatto una puntura –. In fondo al corridoio fecero
capolino due suore, si scambiarono poche parole e subito
sparirono.

– Venite via, è in buone mani, – disse Mendel. – Cosa
state a fare qui?

– Io non mi muovo, – disse Isidor. Gli altri quattro non
dissero nulla; si limitarono a volgere su Mendel e gli altri
uno sguardo ostile.

– Non servite a niente e date fastidio, – disse Line.

– Io non mi muovo, – ripeté Isidor. – Io sto qui: io non
mi fido.

I cinque si appartarono. – Che facciamo? – chiese Gedale.

– Qui siamo in troppi, – disse Mendel. – Io resto a vedere cosa succede; proverò a calmarli. Voi scendete e tor-
nate alla fattoria: l'avvocato è sotto che aspetta. Se si mette male vi chiamo al telefono.

– Resto anch'io, – disse Line inaspettatamente. – Una
donna può essere utile –. Gedale, Bella e Pavel se ne andarono; Line e Mendel sedettero sulle poltrone della sala
d'aspetto. Attraverso la porta socchiusa potevano sorvegliare i cinque uomini accampati nel corridoio.

– È ubriaco anche Isidor? – chiese Line.

– Non mi pare, – rispose Mendel. – Fa il bravaccio perché ha paura.

– Paura per il parto? Per Ròkhele?

– Sí, ma forse non solo per questo. È un ragazzo, e ha
bisogno di sentirsi importante. Ha fatto male Gedale a
fargli guidare il camion.

Line, negli inconsueti abiti femminili, sembrava cambiata anche interiormente. Rispose sommessa:

– Quando è stato? A febbraio, vero? C'era ancora la
neve.

– Era ai primi di marzo, quando siamo usciti da Wolbrom; sí, doveva proprio essere il primo di marzo.

– È difficile mettere ordine nei ricordi, vero? Non capita anche a te?

Mendel accennò di sí col capo, senza parlare. Venne
un'infermiera, disse loro qualcosa in italiano; Line e Mendel non capirono, l'infermiera alzò le spalle e se ne andò. Line entrò nella camera di Ròkhele e ritornò subito:
– Dorme, – disse; – sembra tranquilla, ma ha il polso rapido.

– Forse è cosí per tutte le donne che partoriscono?

– Non lo so, – rispose Line. Tacque, poi riprese:

– Non siamo fatti nel modo giusto. Ti pare giusto che
un uomo diventi padre a diciassette anni?

– Forse non è giusto diventare padri mai, – disse
Mendel.

– Taci, Mendel. Scaccia questi pensieri. Stanotte deve
nascere un bambino.

– Tu credi che i nostri pensieri lo possano toccare? Farlo nascere diverso?

– Chi sa? – disse Line. – Un bambino che nasce è una
cosa tanto delicata! Dove è stato concepito?

Mendel calcolò mentalmente:

– Quando eravamo con Edek, vicino a Tunel. A novembre. Sarà un bambino polacco? O ucraino come Ròkhele? O italiano?

– *Narische bucher, vos darfst du fregen?* – disse Line ridendo, e citando la canzone che aveva segnato il passaggio
del fronte: – Ragazzo sciocco, come puoi domandare? –
Stranamente, Mendel non fu per nulla offeso a sentirsi

chiamare cosí: anzi, intenerito. Questa nuova Line non era
piú Raab, ma la «meidele» pietosa-arguta della canzone.

– Come puoi domandare? – riprese Line, appoggiando
la mano sull'avambraccio di Mendel: – Un bambino è un
bambino; diventa qualche cosa solo dopo. Perché ti preoc-
cupi? Infine, non è neppure nostro figlio.

– Già. Non è neppure nostro figlio.

– Anche noi siamo stati partoriti, – uscí a dire Line ad
un tratto. Mendel la interrogò con lo sguardo, e Line cercò
di precisare il suo pensiero:

– Partoriti, espulsi. La Russia ci ha concepiti, ci ha nu-
triti, ci ha fatti crescere nel suo buio, come in una matrice;
poi ha avuto le doglie, si è contratta e ci ha gettati fuori, e
adesso eccoci qui, nudi e nuovi, come bambini appena nati. Non è cosí anche per te?

– *Narische meidele, vos darfst du fregen?* – ritorse Mendel, sentendosi sulle labbra un sorriso affettuoso e un velo
leggero davanti agli occhi.

Ci fu movimento nel corridoio, passi, bisbigli. Mendel
si alzò e andò a guardare dallo spiraglio: la Bianca respirava pesantemente e gemeva a intervalli. A un tratto si con-
torse e gridò forte, due, tre volte. I quattro di Blizna balzarono in piedi, bellicosi e insonnoliti; Isidor si inginocchiò accanto al letto, poi uscí nel corridoio a gran passi.
Tornò dopo un minuto, trascinandosi dietro una suora e il
medico di guardia. Erano tutti e tre spaventati, per motivi
diversi; Isidor gridava in jiddisch:

– Questa donna non deve morire, signor dottore, mi
capisce? È mia moglie, siamo venuti dalla Russia fin qui,
abbiamo combattuto, abbiamo camminato. E il bambino è
mio figlio, deve nascere. Non deve morire, capito? Guai
se la donna o il bambino muoiono: noi siamo partigiani.
Avanti, signor dottore, faccia quello che deve, e stia attento a quello che fa.

Line si avvicinò a Isidor per calmarlo e rassicurarlo, ma
Isidor, che teneva la mano sull'impugnatura della pistola infilata nella cintura, la mandò via con un urtone. Il

dottore non capiva il jiddisch, ma capiva che cosa voleva dire una pistola in mano a un ragazzo terrorizzato; parlò rapido con la suora, poi fece un passo verso il telefono all'angolo del corridoio, ma Isidor gli sbarrò la strada. Allora lui e la suora presero la lettiga a rotelle che stava poco lontano, vi trasferirono la Bianca che continuava a gridare e si avviarono verso la sala parto. Isidor fece un cenno ai suoi e li seguí; Mendel e Line seguirono Isidor.

Isidor non osò forzare l'ingresso alla sala parto. I sette si sedettero davanti alla porta, ed incominciarono a passare le ore. A diverse riprese Mendel cercò di acquietare Isidor e di farsi consegnare la pistola. Avrebbe anche tentato di strappargliela se non si fosse visto alle spalle i quattro compaesani. Non riuscí a nulla: Isidor gli stava davanti senza sentirlo, dapprima arrogante, poi tutto teso ai rumori attutiti che provenivano dalla sala.

Seduto accanto a Line, Mendel guardava le sue ginocchia che sporgevano dalla gonna. Era la prima volta che le vedeva: mai prima, se non con le dita veggenti, tremule dal desiderio, nell'oscurità dei loro giacigli ogni notte diversi, o attraverso il panno opaco dei pantaloni. Non cedere. Non cederle. Non ricominciare, sii savio, resisti. Non vivresti una vita accanto a lei, non è una donna per la vita, e tu non hai ancora trent'anni. A trent'anni la vita può ricominciare. Come un libro, quando hai finito il primo volume. Ricominciare da dove? Da qui, da oggi, da quest'alba milanese che sorge dietro i vetri smerigliati: da stamattina. Questo è un buon luogo per cominciare a vivere. Forse avresti dovuto fare come loro, hanno avuto ragione loro, i due nebech; non hanno fatto come te con Line, hanno chiuso gli occhi e si sono abbandonati e il seme dell'uomo non si è disperso e una donna ha concepito.

Passò una suora spingendo un carrello. Line, che sonnecchiava stanca, si riscosse e disse:

– Era un pezzo che non passavamo una notte bianca.

– Era un pezzo che non passavamo una notte insieme, – rispose Mendel. No, non vivrei una vita insieme con

Line, ma non posso lasciarla e non voglio lasciarla. Me la
porterò dentro sempre, anche se saremo divisi, come sono
stato diviso da Rivke.

Si sentiva la città risvegliarsi, stridere i tram, alzarsi le
saracinesche dei negozi. Dalla sala uscí un'infermiera, poi
uscí il medico stesso e rientrò poco dopo. Isidor, non piú
arrogante ma supplichevole, fece domande che furono
comprese a dispetto della lingua: il medico fece gesti rassi-
curanti, mostrò l'orologio da polso, fra due ore, fra un'ora.
Si udirono grida ripetute, ronzare un motore, poi silenzio.
Finalmente, a giorno pieno, uscí un'infermiera dal viso allegro, reggendo un fagottino. – Maschio, maschio, – rideva. Nessuno capí, lei si volse in giro, si trovò sottomano Izu l'irsuto, e gli dette uno strattone alla barba: – Maschio, come lui!

Tutti si alzarono in piedi. Mendel e Line abbracciarono
Isidor, i cui occhi, arrossati dalla veglia, erano divenuti lucidi. Uscí anche il dottore, batté la mano sulla spalla di Isidor e si avviò per il corridoio, ma si imbatté in un collega
che stava avanzando col giornale spiegato e si fermò a discutere con lui. Intorno ai due si raggrupparono altri medici, suore, infermiere. Si avvicinò anche Mendel, e riuscí a
vedere che il giornale, costituito da un solo foglio, portava
un titolo in corpo molto grande, di cui non capí il significato. Quel giornale era del martedí 7 agosto 1945, e recava
la notizia della prima bomba atomica lanciata su Hiroshima.

Torino, 11 gennaio - 20 dicembre 1981.

Nota

Questo libro è nato da quanto mi ha raccontato molti anni fa un mio amico, che a Milano, nell'estate del 1945, aveva prestato la sua opera nell'ufficio di assistenza delineato nell'ultimo capitolo. In quel periodo, insieme con una fiumana di rimpatriati e di profughi, arrivarono realmente in Italia alcune bande simili a quella che mi sono proposto di descrivere: uomini e donne che anni di sofferenze avevano induriti ma non umiliati, superstiti di una civiltà (poco nota in Italia) che il nazismo aveva distrutto fin dalle radici, stremati ma consapevoli della loro dignità.

Non mi sono prefisso di scrivere una storia vera, bensí di ricostruire l'itinerario, plausibile ma immaginario, di una di queste bande. In massima parte, i fatti che ho descritti sono realmente avvenuti, anche se non sempre nei luoghi e nei tempi che ho loro assegnati. È vero che partigiani ebrei hanno combattuto contro i tedeschi, quasi sempre in condizioni disperate, ora incorporati in bande piú o meno regolari sovietiche o polacche, ora in formazioni costituite solo da ebrei. Sono esistite bande vaganti come quella di Venjamín, che volta a volta hanno accettato o respinto (o talora disarmato o ucciso) i combattenti ebrei. È vero che gruppi di ebrei, per un totale di dieci o quindicimila persone, sono sopravvissuti a lungo, alcuni fino alla fine della guerra, in accampamenti fortificati come quello che ho arbitrariamente situato a Novoselki, o anche (per quanto incredibile possa sembrare) in catacombe come quella in cui ho collocato Schmulek. Azioni di «diversione», come i sabotaggi ferroviari e il dirottamento dei lanci paracadutati, sono ampiamente documentate nella letteratura sulla guerra partigiana in Europa Orientale.

I personaggi, con la sola eccezione di Polina, la ragazza pilota, sono invece tutti immaginari. In particolare, è immaginaria la figura del chansonnier Martin Fontasch, ma è vero che molti cantori e poeti ebrei, famosi e modesti, nelle città e nei villaggi sperduti, sono stati uccisi come questo Martin; e non solo negli anni 1939-1945, e non solo per mano dei nazisti. Inventata è dunque anche la canzone dei «gedalisti», ma il suo ritornello, insieme con il titolo del libro, mi è stato suggerito da alcune parole che ho trovate nei *Pirké Avoth* («Le massime dei Padri»), una raccolta di detti di rabbini famosi che fu redatta nel II secolo dopo Cristo e che fa parte del Talmud. Vi si legge (cap. I, § 13): «Egli [il Rabbino Hillel] diceva pure: "Se non sono io per me, chi sarà per me? E quand'anche io pensi a me, che cosa sono io? E se non ora, quando?"». Naturalmente, l'interpretazione che di questo detto io attribuisco ai personaggi non è quella ortodossa.

Poiché ho dovuto ricostruire un tempo, uno scenario e un linguaggio che ho conosciuti solo di striscio, ho fatto ampio ricorso a documenti, e mi è stata preziosa la consultazione di molti libri. Cito i principali:

R. Ainsztein, *Jewish resistance in nazi occupied Eastern Europe*, P. Elek, London 1974.

J. A. Armstrong, *Soviet Partisans in World War II*, The University of Wisconsin Press, Madison 1964.

A. Artuso, *Solo in un deserto di ghiaccio*, Tipografia Bogliani, Torino 1980.

H. J. Ayalti, *Yiddish Proverbs*, Schocken Books, New York 1963.

A. Eliav, *Tra il martello e la falce*, Barulli, Roma 1970.

M. Elkins, *Forged in Fury*, Ballantine Books, New York 1971.

M. Kaganovič, *Di milchamà fun di Jiddische Partisaner in Mizrach-Europe* [La guerra dei partigiani ebrei in Europa Orientale], Union Central Israelita Polaca, Buenos Aires 1956.

J. Kamenetsky, *Hitler's Occupation of Ukraine*, The Marquette University Press, Milwaukee 1956.

K. S. Karol, *La Polonia da Pilsudski a Gomulka*, Laterza, Bari 1959.

S. A. Kovpak, *Les Partisans Soviétiques*, La jeune Parque, Paris 1945.

S. Landmann, *Jüdische Witze*, DTV, München 1963.

B. Litvinoff, *La lunga strada per Gerusalemme*, Il Saggiatore, Milano 1968.

S. Minerbi, *Raffaele Cantoni*, Carucci, Roma 1978.

O. Pinkus, *A Choice of Masks*, Prentice-Hall, Englewood Cliffs (N.J.) 1969.

A. Sereni, *I clandestini del mare*, Mursia, Milano 1973.

L. Sorrentino, *Isba e Steppa*, Mondadori, Milano 1947.

G. Vaccarino, *Storia della Resistenza in Europa 1938-1945*, vol. I, Feltrinelli, Milano 1981.

Ne ringrazio gli Autori, insieme con tutti coloro che mi hanno incoraggiato con i loro giudizi, e le cui critiche mi hanno fatto da timone. Debbo un ringraziamento particolare a Emilio Vita Finzi, che mi ha raccontato il nòcciolo di questa storia e senza il quale il libro non sarebbe stato scritto, ed a Giorgio Vaccarino, che mi ha affettuosamente seguito ed ha messo a mia disposizione il suo portentoso archivio.

Ad ora incerta

A Lucia

Le prime ventotto poesie di questa raccolta (tranne *11 febbraio 1946*) sono state pubblicate da Vanni Scheiwiller nel 1975, sotto il titolo *L'osteria di Brema*. Le altre, in massima parte, sono comparse su «La Stampa» di Torino.

In tutte le civiltà, anche in quelle ancora senza scrittura, molti, illustri e oscuri, provano il bisogno di esprimersi in versi, e vi soggiacciono: secernono quindi materia poetica, indirizzata a se stessi, al loro prossimo o all'universo, robusta o esangue, eterna o effimera. La poesia è nata certamente prima della prosa. Chi non ha mai scritto versi?

Uomo sono. Anch'io, ad intervalli irregolari, «ad ora incerta», ho ceduto alla spinta: a quanto pare, è inscritta nel nostro patrimonio genetico. In alcuni momenti, la poesia mi è sembrata piú idonea della prosa per trasmettere un'idea o un'immagine. Non so dire perché, e non me ne sono mai preoccupato: conosco male le teorie della poetica, leggo poca poesia altrui, non credo alla sacertà dell'arte, e neppure credo che questi miei versi siano eccellenti. Posso solo assicurare l'eventuale lettore che in rari istanti (in media, non piú di una volta all'anno) singoli stimoli hanno assunto naturaliter una certa forma, che la mia metà razionale continua a considerare innaturale.

P. L.

Crescenzago

Tu forse non l'avevi mai pensato,
Ma il sole sorge pure a Crescenzago.
Sorge, e guarda se mai vedesse un prato,
O una foresta, o una collina, o un lago;
E non li trova, e con il viso brutto
Pompa vapori dal Naviglio asciutto.

Dai monti il vento viene a gran carriera,
Libero corre l'infinito piano.
Ma quando scorge questa ciminiera
Ratto si volge e fugge via lontano
Ché il fumo è cosí nero e attossicato
Che il vento teme che gli mozzi il fiato.

Siedon le vecchie a consumare l'ore
E a numerar la pioggia quando cade.
I visi dei bambini hanno il colore
Della polvere spenta delle strade,
E qui le donne non cantano mai,
Ma rauco e assiduo sibila il tranvai.

A Crescenzago ci sta una finestra,
E dietro una ragazza si scolora.
Ha sempre l'ago e il filo nella destra,
Cuce e rammenda e guarda sempre l'ora.
E quando fischia l'ora dell'uscita
Sospira e piange, e questa è la sua vita.

Quando nell'alba suona la sirena
Strisciano fuor dai letti scarmigliati.
Scendono in strada con la bocca piena,
Gli occhi pesti e gli orecchi rintronati;

Gonfian le gomme della bicicletta
Ed accendono mezza sigaretta.

Da mane a sera fanno passeggiare
La nera torva schiacciasassi ansante,
O stanno tutto il giorno a sorvegliare
La lancetta che trema sul quadrante.
Fanno l'amore di sabato sera
Nel fosso della casa cantoniera.

Crescenzago, febbraio 1943.

Buna[1]

Piedi piagati e terra maledetta,
Lunga la schiera nei grigi mattini.
Fuma la Buna dai mille camini,
Un giorno come ogni giorno ci aspetta.
Terribili nell'alba le sirene:
«Voi moltitudine dai visi spenti,
Sull'orrore monotono del fango
È nato un altro giorno di dolore».

Compagno stanco ti vedo nel cuore,
Ti leggo gli occhi compagno dolente.
Hai dentro il petto freddo fame niente
Hai rotto dentro l'ultimo valore.
Compagno grigio fosti un uomo forte,
Una donna ti camminava al fianco.
Compagno vuoto che non hai piú nome,
Un deserto che non hai piú pianto,
Cosí povero che non hai piú male,
Cosí stanco che non hai piú spavento,
Uomo spento che fosti un uomo forte:
Se ancora ci trovassimo davanti
Lassú nel dolce mondo sotto il sole,
Con quale viso ci staremmo a fronte?

28 dicembre 1945.

[1] È il nome dello stabilimento in cui ho lavorato durante la prigionia.

Cantare[1]

... Ma quando poi cominciammo a cantare
Le buone nostre canzoni insensate,
Allora avvenne che tutte le cose
Furono ancora com'erano state.

Un giorno non fu che un giorno:
Sette fanno una settimana.
Cosa cattiva ci parve uccidere;
Morire, una cosa lontana.

E i mesi passano piuttosto rapidi,
Ma davanti ne abbiamo tanti!
Fummo di nuovo soltanto giovani:
Non martiri, non infami, non santi.

Questo ed altro ci veniva in mente
Mentre continuavamo a cantare;
Ma erano cose come le nuvole,
E difficili da spiegare.

3 gennaio 1946.

---

[1] Cfr. Siegfried Sassoon, *Everyone sang*.

25 febbraio 1944[1]

Vorrei credere qualcosa oltre,
Oltre che morte ti ha disfatta.
Vorrei poter dire la forza
Con cui desiderammo allora,
Noi già sommersi,
Di potere ancora una volta insieme
Camminare liberi sotto il sole.

9 gennaio 1946.

---

[1] Cfr. *Inf.* III 57, *Purg.* V 135, e T. S. Eliot, *The Waste Land*: «I had not thought death had undone so many».

Il canto del corvo (I)

«Sono venuto di molto lontano
Per portare mala novella.
Ho superato la montagna,
Ho forato la nuvola bassa,
Mi sono specchiato il ventre nello stagno.
Ho volato senza riposo,
Per cento miglia senza riposo,
Per trovare la tua finestra,
Per trovare il tuo orecchio,
Per portarti la nuova trista
Che ti tolga la gioia del sonno,
Che ti corrompa il pane e il vino,
Che ti sieda ogni sera nel cuore».
    Cosí cantava turpe danzando,
    Di là dal vetro, sopra la neve.
    Come tacque, guardò maligno,
    Segnò col becco il suolo in croce
    E tese aperte le ali nere.

9 gennaio 1946.

Shemà[1]

Voi che vivete sicuri
Nelle vostre tiepide case
Voi che trovate tornando a sera
Il cibo caldo e visi amici:

    Considerate se questo è un uomo,
    Che lavora nel fango
    Che non conosce pace
    Che lotta per mezzo pane
    Che muore per un sí o per un no.
    Considerate se questa è una donna,
    Senza capelli e senza nome
    Senza piú forza di ricordare
    Vuoti gli occhi e freddo il grembo
    Come una rana d'inverno.

Meditate che questo è stato:
Vi comando queste parole.
Scolpitele nel vostro cuore
Stando in casa andando per via,
Coricandovi alzandovi:
Ripetetele ai vostri figli.
O vi si sfaccia la casa,
La malattia vi impedisca,
I vostri nati torcano il viso da voi.

10 gennaio 1946.

[1] Significa «Ascolta!» in ebraico. È la prima parola della preghiera fondamentale dell'ebraismo, in cui si afferma l'unità di Dio. Alcuni versi di questa poesia ne sono una parafrasi.

Alzarsi[1]

Sognavamo nelle notti feroci
Sogni densi e violenti
Sognati con anima e corpo:
Tornare; mangiare; raccontare.
Finché suonava breve e sommesso
Il comando dell'alba:
                                    «Wstawać»;
E si spezzava in petto il cuore.

Ora abbiamo ritrovato la casa,
Il nostro ventre è sazio,
Abbiamo finito di raccontare.
È tempo. Presto udremo ancora
Il comando straniero:
                                    «Wstawać».

11 gennaio 1946.

[1] «Wstawać» significa «Alzarsi!» in polacco.

Lunedí

Che cosa è piú triste di un treno?
Che parte quando deve,
Che non ha che una voce,
Che non ha che una strada.
Niente è piú triste di un treno.

O forse un cavallo da tiro.
È chiuso fra due stanghe,
Non può neppure guardarsi a lato.
La sua vita è camminare.

E un uomo? Non è triste un uomo?
Se vive a lungo in solitudine
Se crede che il tempo è concluso
Anche un uomo è una cosa triste.

17 gennaio 1946.

Un altro lunedí[1]

«Dico chi finirà all'Inferno:
I giornalisti americani,
I professori di matematica,
I senatori e i sagrestani.
I ragionieri e i farmacisti
(Se non tutti, in maggioranza);
I gatti e i finanzieri,
I direttori di società,
Chi si alza presto alla mattina
Senza averne necessità.

Invece vanno in Paradiso
I pescatori ed i soldati,
I bambini, naturalmente,
I cavalli e gli innamorati.
Le cuoche e i ferrovieri,
I russi e gli inventori;
Gli assaggiatori di vino;
I saltimbanchi e i lustrascarpe,
Quelli del primo tram del mattino
Che sbadigliano nelle sciarpe».

Cosí Minosse orribilmente ringhia
Dai megafoni di Porta Nuova
Nell'angoscia dei lunedí mattina
Che intendere non può chi non la prova.

Avigliana, 28 gennaio 1946.

---

[1] Per l'ultimo verso, cfr. *Vita Nuova*, XXVI, «Tanto gentile...»

Da R. M. Rilke[1]

Signore, è tempo: già fermenta il vino.
Il tempo è giunto di avere una casa,
O rimanere a lungo senza casa.
È giunto il tempo di non esser soli,
Oppure a lungo rimarremo soli:
Sopra i libri consumeremo l'ore,
Od a scrivere lettere lontano,
Lunghe lettere dalla solitudine;
Ed andremo pei viali avanti e indietro,
Inquieti, mentre cadono le foglie.

29 gennaio 1946.

[1] Cfr. Herbsttag, dal *Buch der Bilder*.

Ostjuden[1]

Padri nostri di questa terra,
Mercanti di molteplice ingegno,
Savi arguti dalla molta prole
Che Dio seminò per il mondo
Come nei solchi Ulisse folle il sale:
Vi ho ritrovati per ogni dove,
Molti come la rena del mare,
Voi popolo di altera cervice,
Tenace povero seme umano.

7 febbraio 1946.

[1] Nella Germania nazionalsocialista, era questa la denominazione ufficiale degli ebrei polacchi e russi.

Il tramonto di Fòssoli [1]

Io so cosa vuol dire non tornare.
A traverso il filo spinato
Ho visto il sole scendere e morire;
Ho sentito lacerarmi la carne
Le parole del vecchio poeta:
«Possono i soli cadere e tornare:
A noi, quando la breve luce è spenta,
Una notte infinita è da dormire».

7 febbraio 1946.

[1] Cfr. *Catulli Liber*, 5, 4. A Fòssoli, presso Carpi, era il campo di sosta e smistamento dei prigionieri destinati alla deportazione.

11 febbraio 1946

Cercavo te nelle stelle
Quando le interrogavo bambino.
Ho chiesto te alle montagne,
Ma non mi diedero che poche volte
Solitudine e breve pace.
Perché mancavi, nelle lunghe sere
Meditai la bestemmia insensata
Che il mondo era uno sbaglio di Dio,
Io uno sbaglio del mondo.
E quando, davanti alla morte,
Ho gridato di no da ogni fibra,
Che non avevo ancora finito,
Che troppo ancora dovevo fare,
Era perché mi stavi davanti,
Tu con me accanto, come oggi avviene,
Un uomo una donna sotto il sole.
Sono tornato perché c'eri tu.

11 febbraio 1946.

Il ghiacciaio

Sostammo, e avventurammo lo sguardo
Giú per le verdi fauci dolenti,
E ci si sciolse il vigore nel petto
Come quando si perde una speranza.
Dentro gli dorme una forza triste:
E quando, nel silenzio della luna,
A notte rado stride e rugge,
È perché, nel suo letto di pietra,
Torpido sognatore gigante,
Lotta per rigirarsi e non può.

Avigliana, 15 marzo 1946.

La strega

A lungo sotto le coltri
Si strinse contro il petto la cera
Finché divenne molle e calda.
Sorse allora, e con dolce cura,
Con amorosa paziente mano
Ne ritrasse l'effigie viva
Dell'uomo che le stava nel cuore.
Come finí, gettò sul fuoco
Foglie di quercia, di vite e d'olivo,
E l'immagine, che si struggesse.

Si sentí morire di pena
Perché l'incanto era avvenuto,
E solo allora poté piangere.

Avigliana, 23 marzo 1946.

Avigliana

Guai a chi spreca la luna piena,
Che viene solo una volta al mese.
Accidenti a questo paese,
A questa stupida luna piena
Che splende placida e serena
Proprio come se tu fossi con me.

... E c'è perfino un usignuolo,
Come nei libri del secolo scorso;
Ma io gli ho fatto prendere il volo,
Lontano, dall'altra parte del fosso:
Lui cantare ed io stare solo,
È davvero una cosa che non va.

Le lucciole, le ho lasciate stare
(ce n'era molte, per tutto il sentiero):
Non perché ti somigliano nel nome,
Ma son bestiole cosí miti e care
Che fanno svaporare ogni pensiero.
E se un giorno ci vorremo lasciare,
E se un giorno ci vorremo sposare,
Spero che venga di giugno, quel giorno,
E ci sian lucciole tutto intorno
Come stasera, che tu non sei qui.

28 giugno 1946.

Attesa

Questo è tempo di lampi senza tuono,
Questo è tempo di voci non intese,
Di sonni inquieti e di vigilie vane.
Compagna, non dimenticare i giorni
Dei lunghi facili silenzi,
Delle notturne amiche strade,
Delle meditazioni serene,
Prima che cadano le foglie,
Prima che il cielo si richiuda,
Prima che nuovamente ci desti,
Noto, davanti alle nostre porte,
Il percuotere di passi ferrati.

2 gennaio 1949.

Epigrafe

O tu che segni, passeggero del colle,
Uno fra i molti, questa non piú solitaria neve,
Porgimi ascolto: ferma per pochi istanti il tuo corso
Qui dove m'hanno sepolto, senza lacrime, i miei compagni:
Dove, per ogni estate, di me nutrita cresce
Piú folta e verde che altrove l'erba mite del campo.
Da non molti anni qui giaccio io, Micca partigiano,
Spento dai miei compagni per mia non lieve colpa,
Né molti piú ne avevo quando l'ombra mi colse.

Passeggero, non chiedo a te né ad altri perdono,
Non preghiera né pianto, non singolare ricordo.
Solo una cosa chiedo: che questa mia pace duri,
Che perenni su me s'avvicendino il caldo e il gelo,
Senza che nuovo sangue, filtrato attraverso le zolle,
Penetri fino a me col suo calore funesto
Destando a nuova doglia quest'ossa oramai fatte pietra.

6 ottobre 1952.

Il canto del corvo (II)[1]

« Quanti sono i tuoi giorni? Li ho contati:
Pochi e brevi, ognuno grave di affanni;
Dell'ansia della notte inevitabile,
Quando fra te e te nulla pone riparo;
Del timore dell'aurora seguente,
Dell'attesa di me che ti attendo,
Di me che (vano, vano fuggire!)
Ti seguirò ai confini del mondo,
Cavalcando sul tuo cavallo,
Macchiando il ponte della tua nave
Con la mia piccola ombra nera,
Sedendo a mensa dove tu siedi,
Ospite certo di ogni tuo rifugio,
Compagno certo di ogni tuo riposo.

Fin che si compia ciò che fu detto,
Fino a che la tua forza si sciolga,
Fino a che tu pure finisca
Non con un urto, ma con un silenzio,
Come a novembre gli alberi si spogliano,
Come si trova fermo un orologio ».

22 agosto 1953.

[1] Cfr. T. S. Eliot, *The Hollow Men*: « This is the way the world ends | Not
with a bang but a whimper ».

Erano cento

Erano cento uomini in arme.
Quando il sole sorse nel cielo,
Tutti fecero un passo avanti.
Ore passarono, senza suono:
Le loro palpebre non battevano.
Quando suonarono le campane,
Tutti mossero un passo avanti.
Cosí passò il giorno, e fu sera,
Ma quando fiorí in cielo la prima stella,
Tutti insieme, fecero un passo avanti.
« Indietro, via di qui, fantasmi immondi:
Ritornate alla vostra vecchia notte »;
Ma nessuno rispose, e invece,
Tutti in cerchio, fecero un passo avanti.

1° marzo 1959.

Per Adolf Eichmann

Corre libero il vento per le nostre pianure,
Eterno pulsa il mare vivo alle nostre spiagge.
L'uomo feconda la terra, la terra gli dà fiori e frutti:
Vive in travaglio e in gioia, spera e teme, procrea dolci figli.

... E tu sei giunto, nostro prezioso nemico,
Tu creatura deserta, uomo cerchiato di morte.
Che saprai dire ora, davanti al nostro consesso?
Giurerai per un dio? Quale dio?
Salterai nel sepolcro allegramente?
O ti dorrai, come in ultimo l'uomo operoso si duole,
Cui fu la vita breve per l'arte sua troppo lunga,
Dell'opera tua trista non compiuta,
Dei tredici milioni ancora vivi?

O figlio della morte, non ti auguriamo la morte.
Possa tu vivere a lungo quanto nessuno mai visse:
Possa tu vivere insonne cinque milioni di notti,
E visitarti ogni notte la doglia di ognuno che vide
Rinserrarsi la porta che tolse la via del ritorno,
Intorno a sé farsi buio, l'aria gremirsi di morte.

20 luglio 1960.

L'ultima epifania [1]

Era la vostra terra la piú vicina al mio cuore:
Per questo vi ho mandato messaggio dopo messaggio.
Sono disceso tra voi sotto spoglie strane e diverse,
Ma in nessuna di queste mi avete riconosciuto.

Ho bussato di notte, pallido ebreo fuggiasco,
Lacero, scalzo, braccato come una bestia selvaggia:
Voi chiamaste gli sgherri, mi additaste alle spie,
E diceste in cuor vostro: «Cosí sia. Dio lo vuole».

Da voi sono venuto quale vecchia insensata,
Tremante, con la gola piena di muto grido.
Voi parlavate di sangue, della stirpe avvenire,
E solo la mia cenere uscí dalla vostra porta.

Orfano giovinetto della piana polacca
Vi sono giaciuto ai piedi, supplicando per pane.
Ma voi temeste in me qualche vendetta futura,
E torceste lo sguardo, e mi deste la morte.

E venni qual prigioniero, e quale servo in catene,
Di cui si fa mercato, cui si addice la frusta.
Voi volgeste le spalle al livido schiavo cencioso.
Ora vengo da giudice. Mi conoscete adesso?

20 novembre 1960.

[1] Traduzione dal ciclo *Dies Irae* di Werner von Bergengrün.

Approdo[1]

Felice l'uomo che ha raggiunto il porto,
Che lascia dietro sé mari e tempeste,
I cui sogni sono morti o mai nati;
E siede e beve all'osteria di Brema,
Presso al camino, ed ha buona pace.
Felice l'uomo come una fiamma spenta,
Felice l'uomo come sabbia d'estuario,
Che ha deposto il carico e si è tersa la fronte
E riposa al margine del cammino.
Non teme né spera né aspetta,
Ma guarda fisso il sole che tramonta.

10 settembre 1964.

---

[1] Cfr. H. Heine, *Buch der Lieder*, *Die Nordsee*, II Zyklus, n. 9: «Glücklich der Mann, der den Hafen erreicht hat...»

Lilít[1]

Lilít nostra seconda parente
Da Dio creata con la creta stessa
Che serví per Adamo.
Lilít dimora in mezzo alla risacca,
Ma emerge a luna nuova
E vola inquieta per le notti di neve
Irrisoluta fra la terra e il cielo.
Vola in volta ed in cerchio,
Fruscia improvvisa contro le finestre
Dove dormono i bimbi appena nati.
Li cerca, e cerca di farli morire:
Perciò sospenderai sui loro letti
Il medaglione con tre parole.
Ma tutto è vano in lei: ogni sua voglia.
Si è congiunta con Adamo, dopo il peccato,
Ma di lei non son nati
Che spiriti senza corpo né pace.
Sta scritto nel gran libro
Che è donna bella fino alla cintura;
Il resto è fiamma fatua e luce pallida.

25 maggio 1965.

[1] Per le leggende relative a Lilít, si veda il racconto omonimo, nella raccolta *Lilít*, Einaudi, Torino 1981.

Nel principio[1]

Fratelli umani a cui è lungo un anno,
Un secolo un venerando traguardo,
Affaticati per il vostro pane,
Stanchi, iracondi, illusi, malati, persi;
Udite, e vi sia consolazione e scherno:
Venti miliardi d'anni prima d'ora,
Splendido, librato nello spazio e nel tempo,
Era un globo di fiamma, solitario, eterno,
Nostro padre comune e nostro carnefice,
Ed esplose, ed ogni mutamento prese inizio.
Ancora, di quest'una catastrofe rovescia
L'eco tenue risuona dagli ultimi confini.
Da quell'unico spasimo tutto è nato:
Lo stesso abisso che ci avvolge e ci sfida,
Lo stesso tempo che ci partorisce e travolge,
Ogni cosa che ognuno ha pensato,
Gli occhi di ogni donna che abbiamo amato,
E mille e mille soli, e questa
Mano che scrive.

13 agosto 1970.

[1] «Bereshíd», «nel principio», è la prima parola della Sacra Scrittura. Sul Big Bang, a cui qui si allude, si veda ad esempio lo «Scientific American» del giugno 1970.

Via Cigna

In questa città non c'è via più frusta.
È nebbia e notte; le ombre sui marciapiedi
Che il chiaro dei fanali attraversa
Come se fossero intrise di nulla, grumi
Di nulla, sono pure i nostri simili.
Forse non esiste più il sole.
Forse sarà buio sempre: eppure
In altre notti ridevano le Pleiadi.
Forse è questa l'eternità che ci attende:
Non il grembo del Padre, ma frizione,
Freno, frizione, ingranare la prima.
Forse l'eternità sono i semafori.
Forse era meglio spendere la vita
In una sola notte, come il fuco.

2 febbraio 1973.

Le stelle nere[1]

Nessuno canti piú d'amore o di guerra.

L'ordine donde il cosmo traeva nome è sciolto;
Le legioni celesti sono un groviglio di mostri,
L'universo ci assedia cieco, violento e strano.
Il sereno è cosparso d'orribili soli morti,
Sedimenti densissimi d'atomi stritolati.
Da loro non emana che disperata gravezza,
Non energia, non messaggi, non particelle, non luce;
La luce stessa ricade, rotta dal proprio peso,
E tutti noi seme umano viviamo e moriamo per nulla,
E i cieli si convolgono perpetuamente invano.

30 novembre 1974.

[1] Cfr. «Scientific American», dicembre 1974.

Congedo

Si è fatto tardi, cari;
Cosí non accetterò da voi pane né vino
Ma soltanto qualche ora di silenzio,
I racconti di Pietro il pescatore,
Il profumo muschiato di questo lago,
L'odore antico dei sarmenti bruciati,
Lo squittire pettegolo dei gabbiani,
L'oro gratis dei licheni sui coppi,
E un letto, per dormirci solo.
In cambio, vi lascerò versi nebbich[1] come questi,
Fatti per essere letti da cinque o sette lettori:
Poi andremo, ciascuno dietro alla sua cura,
Poiché, come dicevo, si è fatto tardi.

Anguillara, 28 dicembre 1974.

---

[1] «Nebbich» è voce jiddisch. Significa «sciocco, inutile, inetto».

Plinio[1]

Non trattenetemi, amici, lasciatemi salpare.
Non andrò lontano: solo fino all'altra sponda;
Voglio osservare da presso quella nuvola fosca
Che sorge sopra il Vesuvio ed ha forma di pino,
Scoprire d'onde viene questo chiarore strano.
Non vuoi seguirmi, nipote? Bene, rimani e studia;
Ricopiami le note che ti ho lasciate ieri.
La cenere non dovete temerla: cenere sopra cenere,
Cenere siamo noi stessi, non ricordate Epicuro?
Presto, approntate la nave, poiché già si fa notte,
Notte a mezzo meriggio, portento mai visto prima.
Non temere, sorella, sono cauto ed esperto,
Gli anni che m'hanno incurvato non sono passati invano.
Tornerò presto, certo, concedimi solo il tempo
Di traghettare, osservare i fenomeni e ritornare,
Tanto ch'io possa domani trarne un capitolo nuovo
Per i miei libri, che spero ancora vivranno
Quando da secoli gli atomi di questo mio vecchio corpo
Turbineranno sciolti nei vortici dell'universo
O rivivranno in un'aquila, in una fanciulla, in un fiore.
Marinai, obbedite, spingete la nave in mare.

23 maggio 1978.

[1] Plinio il Vecchio morí nel 79 d. C. nel corso dell'eruzione del Vesuvio
che distrusse Pompei, per essersi troppo avvicinato al vulcano.

La bambina di Pompei

Poiché l'angoscia di ciascuno è la nostra
Ancora riviviamo la tua, fanciulla scarna
Che ti sei stretta convulsamente a tua madre
Quasi volessi ripenetrare in lei
Quando al meriggio il cielo si è fatto nero.
Invano, perché l'aria volta in veleno
È filtrata a cercarti per le finestre serrate
Della tua casa tranquilla dalle robuste pareti
Lieta già del tuo canto e del tuo timido riso.
Sono passati i secoli, la cenere si è pietrificata
A incarcerare per sempre codeste membra gentili.
Cosí tu rimani tra noi, contorto calco di gesso,
Agonia senza fine, terribile testimonianza
Di quanto importi agli dèi l'orgoglioso nostro seme.
Ma nulla rimane fra noi della tua lontana sorella,
Della fanciulla d'Olanda murata fra quattro mura
Che pure scrisse la sua giovinezza senza domani:
La sua cenere muta è stata dispersa dal vento,
La sua breve vita rinchiusa in un quaderno sgualcito.
Nulla rimane della scolara di Hiroshima,
Ombra confitta nel muro dalla luce di mille soli,
Vittima sacrificata sull'altare della paura.
Potenti della terra padroni di nuovi veleni,
Tristi custodi segreti del tuono definitivo,
Ci bastano d'assai le afflizioni donate dal cielo.
Prima di premere il dito, fermatevi e considerate.

20 novembre 1978.

Huayna Capac[1]

Guai a te, messaggero, se menti al tuo vecchio sovrano.
Non esistono barche come quelle che tu descrivi,
Piú grandi della mia reggia, sospinte dalla tempesta.
Non esistono questi draghi di cui tu deliri,
Corazzati di bronzo, folgoranti, dai piedi d'argento.
I tuoi guerrieri barbuti non ci sono. Sono fantasmi.
Li ha finti la tua mente, nella veglia o nel sonno,
O forse li ha mandati per ingannarti un dio:
Questo avviene sovente nei tempi calamitosi
Quando le antiche certezze perdono i loro contorni,
Si negano le virtú, la fede si discolora.
La peste rossa non viene da loro: c'era già prima,
Non è un portento, non è un presagio nefasto.
Non ti voglio ascoltare. Raduna i tuoi servi e parti,
Discendi per la valle, accorri sulla pianura;
Interponi il tuo scettro tra i fratellastri nemici
Figli del mio vigore, Huascar ed Atahualpa.
Fa' che cessi la guerra di che s'insanguina il regno,
Cosí che lo straniero astuto non se ne valga.
Oro, ti ha chiesto? Daglielo: cento some d'oro,
Mille. Se l'odio ha sconnesso questo impero del Sole,
L'oro inietterà l'odio nell'altra metà del mondo,
Là dove l'intruso tiene in culla i suoi mostri.
Donagli l'oro dell'Inca: sarà il piú felice dei doni.

8 dicembre 1978.

[1] Huayna Capac, imperatore Inca, morí nel 1527, poco dopo il primo sbarco di Francisco Pizarro a Tumbes. Si dice che un suo messo abbia cenato a bordo della nave spagnola, e che Huayna Capac, ormai morente, abbia avuto notizia dell'arrivo degli stranieri.

I gabbiani di Settimo

Di meandro in meandro, anno per anno,
I signori del cielo hanno risalito il fiume
Lungo le sponde, su dalle foci impetuose.
Hanno dimenticato la risacca e il salino,
Le cacce astute e pazienti, i granchi ghiotti.
Su per Crespino, Polesella, Ostiglia,
I nuovi nati piú risoluti dei vecchi,
Oltre Luzzara, oltre Viadana spenta,
Ingolositi dalle nostre ignobili
Discariche, d'ansa in ansa piú pingui,
Hanno esplorato le nebbie di Caorso,
I rami pigri fra Cremona e Piacenza,
Retti dal fiato tepido dell'autostrada,
Stridendo mesti nel loro breve saluto.
Hanno sostato alla bocca del Ticino,
Tessuto nidi sotto il ponte di Valenza
Tra grumi di catrame e lembi di polietilene.
Han veleggiato a monte, oltre Casale e Chivasso,
Fuggendo il mare, attratti dalla nostra abbondanza.
Ora planano inquieti su Settimo Torinese:
Immemori del passato, frugano i nostri rifiuti.

9 aprile 1979.

Annunciazione

Non sgomentarti, donna, della mia forma selvaggia:
Vengo di molto lontano, in volo precipitoso;
Forse i turbini m'hanno scompigliato le piume.
Sono un angelo, sí, non un uccello da preda;
Un angelo, ma non quello delle vostre pitture,
Disceso in altro tempo a promettere un altro Signore.
Vengo a portarti novella, ma aspetta, che mi si plachi
L'ansimare del petto, il ribrezzo del vuoto e del buio.
Dorme dentro di te chi reciderà molti sonni;
È ancora informe, ma presto ne vezzeggerai le membra.
Avrà virtú di parola ed occhi di fascinatore,
Predicherà l'abominio, sarà creduto da tutti.
Lo seguiranno a schiere baciando le sue orme,
Giubilanti e feroci, cantando e sanguinando.
Porterà la menzogna nei piú lontani confini,
Evangelizzerà con la bestemmia e la forca.
Dominerà nel terrore, sospetterà veleni
Nell'acqua delle sorgenti, nell'aria degli altipiani,
Vedrà l'insidia negli occhi chiari dei nuovi nati.
Morrà non sazio di strage, lasciando semenza d'odio.
È questo il germe che cresce di te. Rallegrati, donna.

22 giugno 1979.

Verso valle

Arrancano i carriaggi verso valle,
Ristagna il fumo degli sterpi, glauco ed amaro,
Un'ape, l'ultima, scandaglia invano i colchici;
Lente, turgide d'acqua, scoscendono le frane.
La nebbia sale fra i larici rapida, come chiamata:
Invano l'ho inseguita col mio passo greve di carne,
Presto ricadrà in pioggia: la stagione è finita,
La nostra metà del mondo naviga verso l'inverno.
E presto avranno fine tutte le nostre stagioni:
Fin quando mi obbediranno queste buone membra?
È fatto tardi per vivere e per amare,
Per penetrare il cielo e per comprendere il mondo.
È tempo di discendere
Verso valle, con visi chiusi e muti,
A rifugiarci all'ombra delle nostre cure.

5 settembre 1979.

Cuore di legno

Il mio vicino di casa è robusto.
È un ippocastano di corso Re Umberto;
Ha la mia età ma non la dimostra.
Alberga passeri e merli, e non ha vergogna,
In aprile, di spingere gemme e foglie,
Fiori fragili a maggio,
A settembre ricci dalle spine innocue
Con dentro lucide castagne tanniche.
È un impostore, ma ingenuo: vuole farsi credere
Emulo del suo bravo fratello di montagna
Signore di frutti dolci e di funghi preziosi.
Non vive bene. Gli calpestano le radici
I tram numero otto e diciannove
Ogni cinque minuti; ne rimane intronato
E cresce storto, come se volesse andarsene.
Anno per anno, succhia lenti veleni
Dal sottosuolo saturo di metano;
È abbeverato d'orina di cani,
Le rughe del suo sughero sono intasate
Dalla polvere settica dei viali;
Sotto la scorza pendono crisalidi
Morte, che non saranno mai farfalle.
Eppure, nel suo tardo cuore di legno
Sente e gode il tornare delle stagioni.

10 maggio 1980.

Il primo Atlante

Abissinia abissale, Irlanda iridata adirata,
Svezia d'acciaio azzurro,
Finlandia ultima fine d'ogni landa,
Polonia presso al polo, dal pallido color di neve.
Angolosa Mongolia mongoloide,
Corsica corsa di corsa, dito indice puntato
Contro il retratto addome corsaro della Liguria.
Argentina sonante di sonagli
Appesi al collo di mille vacche argentate,
Brasile cotto dalla brace dei tropici,
Angariata Ungheria, bolo bruniccio di gulasch.
Italia buffo stivale dal tacco spropositato,
Ancona ascesso nero a metà polpaccio.
Bolivia rossoscura, terra di francobolli,
Germania terra turchina di germi e di germogli,
Grecia sfrangiata, pendula tetta di mucca
Cinta da innumerevoli schizzi di latte rosa.
Inghilterra imperterrita, austera lepida lady
Sciancata e fulva, fiera del suo cappellino a pennacchio.
Mar Nero gatta che cova, mar d'Azov il suo gattino,
Mar Baltico in preghiera, inginocchiato sul ghiaccio,
Mar Caspio orso che balla sul fango delle paludi.
Toscana attossicata, pentola capovolta,
Il manico infilato nel bruno d'un mezzotoscano.
Cinica Cina obliqua stampata su seta gialla
Rinchiusa nella muraglia di nitido inchiostro di china,
Panama di pagliette bene incollate e ritorte.
Uruguai Paraguai pappagallini gemelli,
Africa e Sudamerica brutti ferri di lancia
Librati a minacciare l'Antartide di nessuno.

Nessuna delle terre scritte nel tuo destino
Ti parlerà il linguaggio di quel tuo primo Atlante.

28 giugno 1980.

12 luglio 1980

Abbi pazienza, mia donna affaticata,
Abbi pazienza per le cose del mondo,
Per i tuoi compagni di viaggio, me compreso,
Dal momento che ti sono toccato in sorte.
Accetta, dopo tanti anni, pochi versi scorbutici
Per questo tuo compleanno rotondo.
Abbi pazienza, mia donna impaziente,
Tu macinata, macerata, scorticata,
Che tu stessa ti scortichi un poco ogni giorno
Perché la carne nuda ti faccia piú male.
Non è piú tempo di vivere soli.
Accetta, per favore, questi 14 versi,
Sono il mio modo ispido di dirti cara,
E che non starei al mondo senza te.

12 luglio 1980.

Schiera bruna[1]

Si potrebbe scegliere un percorso piú assurdo?
In corso San Martino c'è un formicaio
A mezzo metro dai binari del tram,
E proprio sulla battuta della rotaia
Si dipana una lunga schiera bruna,
S'ammusa l'una con l'altra formica
Forse a spiar lor via e lor fortuna.
Insomma, queste stupide sorelle
Ostinate lunatiche operose
Hanno scavato la loro città nella nostra,
Tracciato il loro binario sul nostro,
E vi corrono senza sospetto
Infaticabili dietro i loro tenui commerci
Senza curarsi di
               Non lo voglio scrivere,
Non voglio scrivere di questa schiera,
Non voglio scrivere di nessuna schiera bruna.

13 agosto 1980.

[1] Cfr. *Purg.* XXVI 34.

Autobiografia

«Un tempo io fui già fanciullo e fanciulla, arbusto,
uccello e muto pesce che salta fuori dal mare».

Da un frammento di Empedocle.

Sono vecchio come il mondo, io che vi parlo.
Nel buio degli inizi
Ho brulicato per le fosse cieche del mare,
Cieco io stesso: ma già desideravo la luce
Quando ancora giacevo nella putredine del fondo.
Ho ingurgitato il sale per mille minime gole;
Fui pesce, pronto e viscido. Ho eluso agguati,
Ho mostrato ai miei nati i tramiti sghembi del granchio.
Alto piú di una torre, ho fatto oltraggio al cielo,
All'urto del mio passo tremavano le montagne
E la mia mole bruta ostruiva le valli:
Le rocce del vostro tempo recano ancora
Il sigillo incredibile delle mie scaglie.
Ho cantato alla luna il liquido canto del rospo,
E la mia fame paziente ha traforato il legno.
Cervo impetuoso e timido
Ho corso boschi oggi cenere, lieto della mia forza.
Fui cicala ubriaca, tarantola astuta e orrenda,
E salamandra e scorpione ed unicorno ed aspide.
Ho sofferto la frusta
E caldi e geli e la disperazione del giogo,
La vertigine muta dell'asino alla mola.
Sono stato fanciulla, esitante alla danza;
Geometra, ho investigato il segreto del cerchio
E le vie dubbie delle nubi e dei venti:
Ho conosciuto il pianto e il riso e molte veneri.
Perciò non irridetemi, uomini d'Agrigento,
Se questo vecchio corpo è inciso di strani segni.

12 novembre 1980.

Voci[1]

Voci mute da sempre, o da ieri, o spente appena;
Se tu tendi l'orecchio ancora ne cogli l'eco.
Voci rauche di chi non sa piú parlare,
Voci che parlano e non sanno piú dire,
Voci che credono di dire,
Voci che dicono e non si fanno intendere:
Cori e cimbali per contrabbandare
Un senso nel messaggio che non ha senso,
Puro brusio per simulare
Che il silenzio non sia silenzio.
A vous parle, compaings de galle:
Dico per voi, compagni di baldoria
Ubriacati come me di parole,
Parole-spada e parole-veleno
Parole-chiave e grimaldello,
Parole-sale, maschera e nepente.
Il luogo dove andiamo è silenzioso
O sordo. È il limbo dei soli e dei sordi.
    L'ultima tappa devi correrla sordo,
    L'ultima tappa devi correrla solo.

10 febbraio 1981.

[1] Cfr. F. Villon, *Le Testament*, v. 1720.

Le pratiche inevase

Signore, a fare data dal mese prossimo
Voglia accettare le mie dimissioni
E provvedere, se crede, a sostituirmi.
Lascio molto lavoro non compiuto,
Sia per ignavia, sia per difficoltà obiettive.
Dovevo dire qualcosa a qualcuno,
Ma non so piú che cosa e a chi: l'ho scordato.
Dovevo anche dare qualcosa,
Una parola saggia, un dono, un bacio;
Ho rimandato da un giorno all'altro. Mi scusi,
Provvederò nel poco tempo che resta.
Ho trascurato, temo, clienti di riguardo.
Dovevo visitare
Città lontane, isole, terre deserte;
Le dovrà depennare dal programma
O affidarle alle cure del successore.
Dovevo piantare alberi e non l'ho fatto;
Costruirmi una casa,
Forse non bella, ma conforme a un disegno.
Principalmente, avevo in animo un libro
Meraviglioso, caro signore,
Che avrebbe rivelato molti segreti,
Alleviato dolori e paure,
Sciolto dubbi, donato a molta gente
Il beneficio del pianto e del riso.
Ne troverà la traccia nel mio cassetto,
In fondo, tra le pratiche inevase;
Non ho avuto tempo per svolgerla. È peccato,
Sarebbe stata un'opera fondamentale.

19 aprile 1981.

Partigia[1]

Dove siete, partigia di tutte le valli,
Tarzan, Riccio, Sparviero, Saetta, Ulisse?
Molti dormono in tombe decorose,
Quelli che restano hanno i capelli bianchi
E raccontano ai figli dei figli
Come, al tempo remoto delle certezze,
Hanno rotto l'assedio dei tedeschi
Là dove adesso sale la seggiovia.
Alcuni comprano e vendono terreni,
Altri rosicchiano la pensione dell'Inps
O si raggrinzano negli enti locali.
In piedi, vecchi: per noi non c'è congedo.
Ritroviamoci. Ritorniamo in montagna,
Lenti, ansanti, con le ginocchia legate,
Con molti inverni nel filo della schiena.
Il pendio del sentiero ci sarà duro,
Ci sarà duro il giaciglio, duro il pane.
Ci guarderemo senza riconoscerci,
Diffidenti l'uno dell'altro, queruli, ombrosi.
Come allora, staremo di sentinella
Perché nell'alba non ci sorprenda il nemico.
Quale nemico? Ognuno è nemico di ognuno,
Spaccato ognuno dalla sua propria frontiera,
La mano destra nemica della sinistra.
In piedi, vecchi, nemici di voi stessi:
La nostra guerra non è mai finita.

23 luglio 1981.

[1] È l'abbreviazione che era invalsa in Piemonte (sul modello di «burgu» per «borghese», «Juve» per «Juventus», «prepu» per «prepotente», «cumenda» per «commendatore» ecc.) a designare il partigiano, con la connotazione di partigiano spregiudicato, deciso, svelto di mano.

Aracne

Mi tesserò un'altra tela,
Pazienza. Ho pazienza lunga e mente corta,
Otto gambe e cent'occhi,
Ma mille filiere mammelle,
E non mi piace il digiuno
E mi piacciono le mosche e i maschi.
Riposerò quattro giorni, sette,
Rintanata dentro il mio buco,
Finché mi sentirò l'addome gravido
Di buon filo vischioso lucente,
E mi tesserò un'altra tela, conforme
A quella che tu passante hai lacerata,
Conforme al progetto impresso
Sul nastro minimo della mia memoria.
Mi siederò nel centro
E aspetterò che un maschio venga,
Sospettoso ma ubriaco di voglia,
A riempirmi ad un tempo
Lo stomaco e la matrice.
Feroce ed alacre, appena sia fatto buio,
Presto presto, nodo su nodo,
Mi tesserò un'altra tela.

29 ottobre 1981.

2000

Mille piú mille: un traguardo,
Un filo di lana bianco, non piú cosí lontano,
O forse nero o rosso. Chi lo potrebbe dire?
Saperlo è infausto. Non è dato tentare
D'interrogare i numeri di Babilonia.

11 gennaio 1982.

Pasqua[1]

Ditemi: in cosa differisce
Questa sera dalle altre sere?
In cosa, ditemi, differisce
Questa pasqua dalle altre pasque?
Accendi il lume, spalanca la porta
Che il pellegrino possa entrare,
Gentile o ebreo:
Sotto i cenci si cela forse il profeta.
Entri e sieda con noi,
Ascolti, beva, canti e faccia pasqua.
Consumi il pane dell'afflizione,
Agnello, malta dolce ed erba amara.
Questa è la sera delle differenze,
In cui s'appoggia il gomito alla mensa
Perché il vietato diventa prescritto
Cosí che il male si traduca in bene.
Passeremo la notte a raccontare
Lontani eventi pieni di meraviglia,
E per il molto vino
I monti cozzeranno come becchi.
Questa sera si scambiano domande
Il saggio, l'empio, l'ingenuo e l'infante,
E il tempo capovolge il suo corso,
L'oggi refluo nel ieri,
Come un fiume assiepato sulla foce.
Di noi ciascuno è stato schiavo in Egitto,
Ha intriso di sudore paglia ed argilla
Ed ha varcato il mare a piede asciutto:
Anche tu, straniero.
Quest'anno in paura e vergogna,
L'anno venturo in virtú e giustizia.

9 aprile 1982.

[1] Contiene varie citazioni dal rituale tradizionale della Pasqua ebraica.

In disarmo

Dondola tarda sull'acqua della darsena
Viscida, iridescente di petrolio,
Una vecchia carena, sola fra le molte nuove.
Il suo legno è lebbroso, il ferro fulvo di ruggine.
Il fasciame urta cupo contro il molo, obeso
Come una pancia gravida di nulla.
Sotto il pelo dell'acqua
Vedi alghe molli, e i trapani lentissimi
Di teredini e barnaccole ostinate.
Sulla coperta torrida, macchie bianche
Di sterco di gabbiani calcinato,
Catrame ossidato al sole e vernice inutile,
E macchie brune, temo, di sterco umano,
E ragnateli di sale: non sapevo che ci fossero ragni
Anche annidati sulle navi in disarmo.
Non so che preda sperino, ma sapranno il loro mestiere.
Il timone cigola e obbedisce pigro
Al capriccio segreto dei correntelli.
Sulla poppa già esperta del mondo
Un nome e un motto che non si leggono piú.
Invece il canapo d'ormeggio è nuovo,
Di nàilo giallo e rosso, teso, lucido,
Caso mai alla vecchia impazzita
Venisse fantasia di riprendere il largo.

27 giugno 1982.

Vecchia talpa [1]

Che c'è di strano? Il cielo non mi piaceva,
Cosí ho scelto di vivere solo e al buio.
Mi sono fatte mani buone a scavare,
Concave, adunche, ma sensitive e robuste.
Ora navigo insonne
Impercettibile sotto i prati,
Dove non sento mai freddo né caldo
Né vento pioggia giorno notte neve
E dove gli occhi non mi servono piú.
Scavo e trovo radici succulente,
Tuberi, legno fradicio, ife di funghi,
E se un macigno mi ostruisce la via
Lo aggiro, con fatica ma senza fretta,
Perché so sempre dove voglio andare.
Trovo lombrichi, larve e salamandre,
Una volta un tartufo,
Altra volta una vipera, buona cena,
E tesori sepolti da chissà chi.
In altri tempi seguivo le femmine,
E quando ne sentivo una grattare
Mi scavavo la via verso di lei:
Ora non piú; se capita, cambio strada.
Ma a luna nuova mi prende il morbino,
E allora qualche volta mi diverto
A sbucare improvviso per spaventare i cani.

22 settembre 1982.

---

[1] Cfr. *Hamlet, Prince of Denmark*, atto I, scena 3 («old mole»).

Un ponte

Non è come gli altri ponti,
Che reggono alla nevicata dei secoli
Perché le mandrie vadano per acqua e pascolo
O passi la gente in festa da luogo a luogo.
Questo è un ponte diverso,
Che gode se ti fermi a mezzo cammino
E scandagli il profondo e ti domandi se
Metta conto di vivere l'indomani.
È sordamente vivo
E non ha pace mai,
Forse perché dal cavo del suo pilastro
Filtra lento in veleno
Un malefizio vecchio che non descrivo;
O forse, come si narrava a veglia,
Perché è frutto di un patto scellerato.
Perciò qui non vedrai mai la corrente
Rispecchiare tranquilla la sua campata,
Ma solo onde crespe e vortici.
Perciò lima se stesso in sabbia,
E stride pietra contro pietra,
E preme preme preme contro le sponde
Per spaccare la crosta della terra.

25 novembre 1982.

L'opera

Ecco, è finito: non si tocca piú.
Quanto mi pesa la penna in mano!
Era cosí leggera poco prima,
Viva come l'argento vivo:
Non avevo che da seguirla,
Lei mi guidava la mano
Come un veggente che guidi un cieco,
Come una dama che ti guidi a danza.
Ora basta, il lavoro è finito,
Rifinito, sferico.
Se gli togliessi ancora una parola
Sarebbe un buco che trasuda siero.
Se una ne aggiungessi
Sporgerebbe come una brutta verruca.
Se una ne cambiassi stonerebbe
Come un cane che latri in un concerto.
Che fare, adesso? Come staccarsene?
Ad ogni opera nata muori un poco.

15 gennaio 1983.

Un topo

È entrato un topo, da non so che buco;
Non silenzioso, come è loro solito,
Ma presuntuoso, arrogante e bombastico.
Era loquace, concettoso, equestre:
S'è arrampicato in cima allo scaffale
E mi ha fatto una predica
Citandomi Plutarco, Nietzsche e Dante:
Che non devo perdere tempo,
Bla bla, che il tempo stringe,
E che il tempo perduto non ritorna,
E che il tempo è denaro,
E che chi ha tempo non aspetti tempo
Perché la vita è breve e l'arte è lunga,
E che sente avventarsi alle mie spalle
Non so che carro alato e falcato.
Che sfacciataggine! Che sicumera!
Mi faceva venire il latte ai gomiti.
Forse che un topo sa che cosa è il tempo?
È lui che me lo sta facendo perdere
Con la sua ramanzina facciatosta.
È un topo? Vada a predicare ai topi.
L'ho pregato di togliersi di torno:
Che cosa è il tempo, io lo so benissimo,
Entra in molte equazioni della fisica,
In vari casi perfino al quadrato
O con un esponente negativo.
Ai casi miei provvedo da me stesso,
Non ho bisogno dell'altrui governo:
Prima caritas incipit ab ego.

15 gennaio 1983.

Nachtwache[1]

«A che punto è la notte, sentinella?»

«Ho sentito il gufo ripetere
La sua concava nota presaga,
Stridere il pipistrello alla sua caccia,
La biscia d'acqua frusciare
Sotto le foglie fradice dello stagno.
Ho sentito voci vinose,
Impedite, iraconde, sonnolente
Dalla bettola presso la cappella.
Ho sentito bisbigli di amanti
Risa e rantoli di voglie assolte;
Adolescenti mormorare in sogno,
Altri volgersi insonni per desiderio.
Ho visto lampi muti di calore,
Ho visto lo spavento di ogni sera
Della ragazza che ha smarrito il senno
E non distingue il letto dalla bara.
Ho sentito l'ansito rauco
Di un vecchio solo che contesta la morte,
Lacerarsi una partoriente,
Il pianto di un bambino appena nato.
Stenditi e prendi sonno, cittadino,
È tutto in ordine; questa notte è al suo mezzo».

10 agosto 1983.

[1] Significa «guardia di notte» in tedesco (era un termine tecnico del Lager). Il primo verso riprende Isaia, 22, 11.

Agave

Non sono utile né bella,
Non ho colori lieti né profumi;
Le mie radici rodono il cemento,
E le mie foglie, marginate di spine,
Mi fanno guardia, acute come spade.
Sono muta. Parlo solo il mio linguaggio di pianta,
Difficile a capire per te uomo.
È un linguaggio desueto,
Esotico, poiché vengo di lontano,
Da un paese crudele
Pieno di vento, veleni e vulcani.
Ho aspettato molti anni prima di esprimere
Questo mio fiore altissimo e disperato,
Brutto, legnoso, rigido, ma teso al cielo.
È il nostro modo di gridare che
Morrò domani. Mi hai capito adesso?

10 settembre 1983.

Meleagrina[1]

Tu, sanguecaldo precipitoso e grosso,
Che cosa sai di queste mie membra molli
Fuori del loro sapore? Eppure
Percepiscono il fresco e il tiepido,
E in seno all'acqua impurezza e purezza;
Si tendono e distendono, obbedienti
A muti intimi ritmi,
Godono il cibo e gemono la loro fame
Come le tue, straniero dalle movenze pronte.
E se, murata fra le mie valve pietrose,
Avessi come te memoria e senso,
E, cementata al mio scoglio, indovinassi il cielo?
Ti rassomiglio piú che tu non creda,
Condannata a secernere secernere
Lacrime sperma madreperla e perla.
Come te, se una scheggia mi ferisce il mantello,
Giorno su giorno la rivesto in silenzio.

30 settembre 1983.

[1] Veramente, la Meleagrina (ostrica perlifera) è una specie diversa dalla comune ostrica commestibile.

La chiocciola

Perché affrettarsi, quando si è bene difesi?
Forse che un luogo è migliore di un altro,
Purché non manchino l'umidore e l'erba?
Perché correre, e correre avventure,
Quando basta rinchiudersi per aver pace?
E se poi l'universo le si fa nemico
Sa sigillarsi silenziosamente
Dietro il suo velo di calcare candido
Negando il mondo e negandosi al mondo.
Ma quando il prato è intriso di rugiada,
O la pioggia ha mansuefatto la terra,
Ogni tragitto è la sua via maestra,
Lastricata di bella bava lucida
Ponte da foglia a foglia e da sasso a sasso.
Naviga cauta sicura e segreta,
Tenta la via con gli occhi telescopici
Graziosa ripugnante logaritmica.
Ecco ha trovato il compagno-compagna,
Ed assapora trepida
Tesa e pulsante fuori del suo guscio
Timidi incanti di ancipiti amori.

7 dicembre 1983.

Un mestiere

Non hai che da aspettare, con la biro pronta:
I versi ti ronzano intorno, come falene ubriache;
Una viene alla fiamma e tu l'acchiappi.
Certo non è finito, una non basta,
Ma è già molto, è l'inizio del lavoro.
Le altre atterrano lí vicino a gara,
In fila o in cerchio, in ordine o in disordine,
Semplici e quete e serve al tuo comando:
Il padrone sei tu, non si discute.
Se il giorno è buono, tu le disponi a schiera.
È un bel lavoro, vero? Onorato dal tempo,
Vecchio sessanta secoli e sempre nuovo,
Con regole precise oppure lasche,
O senza regole, come piú ti piace.
Ti fa sentire in buona compagnia,
Non ozioso, non perso, non sempre inutile,
Caligato e togato,
Ammantato di bisso, laureato.
Abbi soltanto cura di non presumere.

2 gennaio 1984.

Fuga[1]

Roccia e sabbia e non acqua
Sabbia trapunta dai suoi passi
Senza numero fino all'orizzonte:
Era in fuga, e nessuno lo inseguiva.
Ghiaione trito e spento
Pietra rosa dal vento
Scissa dal gelo alterno,
Vento asciutto e non acqua.
Acqua niente per lui
Che solo d'acqua aveva bisogno,
Acqua per cancellare
Acqua feroce sogno
Acqua impossibile per rifarsi mondo.
Sole plumbeo senza raggi
Cielo e dune e non acqua
Acqua ironica finta dai miraggi
Acqua preziosa drenata in sudore
E in alto l'inaccessa acqua dei cirri.
        Trovò il pozzo e discese,
Tuffò le mani e l'acqua si fece rossa.
Nessuno poté berne mai piú.

12 gennaio 1984.

[1] Cfr. T. S. Eliot, *The Waste Land*, v. 332: «Rock and no water and the sandy road».

Il superstite[1]

a B. V.

Since then, at an uncertain hour,
Dopo di allora, ad ora incerta,
Quella pena ritorna,
E se non trova chi lo ascolti
Gli brucia in petto il cuore.
Rivede i visi dei suoi compagni
Lividi nella prima luce,
Grigi di polvere di cemento,
Indistinti per nebbia,
Tinti di morte nei sonni inquieti:
A notte menano le mascelle
Sotto la mora greve dei sogni
Masticando una rapa che non c'è.
«Indietro, via di qui, gente sommersa,
Andate. Non ho soppiantato nessuno,
Non ho usurpato il pane di nessuno,
Nessuno è morto in vece mia. Nessuno.
Ritornate alla vostra nebbia.
Non è mia colpa se vivo e respiro
E mangio e bevo e dormo e vesto panni».

4 febbraio 1984.

---

[1] Cfr. S. T. Coleridge, *The Rime of the Ancient Mariner*, v. 582, e *Inf.* XXXIII 141.

L'elefante[1]

Scavate: troverete le mie ossa
Assurde in questo luogo pieno di neve.
Ero stanco del carico e del cammino
E mi mancavano il tepore e l'erba.
Troverete monete ed armi puniche
Sepolte dalle valanghe: assurdo, assurdo!
Assurda è la mia storia e la Storia:
Che mi importavano Cartagine e Roma?
Ora il mio bell'avorio, nostro orgoglio,
Nobile, falcato come la luna,
Giace in schegge tra i ciotoli del torrente:
Non era fatto per trafiggere usberghi
Ma per scavare radici e piacere alle femmine.
Noi combattiamo solo per le femmine,
E saviamente, senza spargere sangue.
Volete la mia storia? È breve.
L'indiano astuto mi ha allettato e domato,
L'egizio m'ha impastoiato e venduto,
Il fenicio m'ha ricoperto d'armi
E m'ha imposto una torre sulla groppa.
Assurdo fu che io, torre di carne,
Invulnerabile, mite e spaventoso,
Costretto fra queste montagne nemiche,
Scivolassi sul vostro ghiaccio mai visto.
Per noi, quando si cade, non c'è salvezza.
Un orbo audace mi ha cercato il cuore
A lungo, con la punta della lancia.
A queste cime livide nel tramonto
Ho lanciato il mio inutile
Barrito moribondo: «Assurdo, assurdo».

23 marzo 1984.

[1] L'«orbo audace» è Annibale, di cui si tramanda che avesse contratto
una malattia agli occhi durante la traversata delle Alpi.

Sidereus nuncius

Ho visto Venere bicorne
Navigare soave nel sereno.
Ho visto valli e monti sulla Luna
E Saturno trigemino
Io Galileo, primo fra gli umani;
Quattro stelle aggirarsi intorno a Giove,
E la Via Lattea scindersi
In legioni infinite di mondi nuovi.
Ho visto, non creduto, macchie presaghe
Inquinare la faccia del Sole.
Quest'occhiale l'ho costruito io,
Uomo dotto ma di mani sagaci:
Io ne ho polito i vetri, io l'ho puntato al Cielo
Come si punterebbe una bombarda.
Io sono stato che ho sfondato il Cielo
Prima che il Sole mi bruciasse gli occhi.

      Prima che il Sole mi bruciasse gli occhi
      Ho dovuto piegarmi a dire
      Che non vedevo quello che vedevo.
      Colui che m'ha avvinto alla terra
      Non scatenava terremoti né folgori,
      Era di voce dimessa e piana,
      Aveva la faccia di ognuno.
      L'avvoltoio che mi rode ogni sera
      Ha la faccia di ognuno.

11 aprile 1984.

Dateci

Dateci qualche cosa da distruggere,
Una corolla, un angolo di silenzio,
Un compagno di fede, un magistrato,
Una cabina telefonica,
Un giornalista, un rinnegato,
Un tifoso dell'altra squadra,
Un lampione, un tombino, una panchina.
Dateci qualche cosa da sfregiare,
Un intonaco, la Gioconda,
Un parafango, una pietra tombale,
Dateci qualche cosa da stuprare,
Una ragazza timida,
Un'aiuola, noi stessi.
Non disprezzateci: siamo araldi e profeti.
Dateci qualche cosa che bruci, offenda, tagli, sfondi, sporchi,
Che ci faccia sentire che esistiamo.
Dateci un manganello o una Nagant,
Dateci una siringa o una Suzuki.
Commiserateci.

30 aprile 1984.

Scacchi (I)

Solo la mia nemica di sempre,
L'abominevole dama nera
Ha avuto nerbo pari al mio
Nel soccorrere il suo re inetto.
Inetto, imbelle pure il mio, s'intende:
Fin dall'inizio è rimasto acquattato
Dietro la schiera dei suoi bravi pedoni,
Ed è fuggito poi per la scacchiera
Sbieco, ridicolo, in passetti impediti:
Le battaglie non son cose da re.
Ma io!
Se non ci fossi stata io!
Torri e cavalli sí, ma io!
Potente e pronta, dritta e diagonale,
Lungiportante come una balestra,
Ho perforato le loro difese;
Hanno dovuto chinare la testa
I neri frodolenti ed arroganti.
La vittoria ubriaca come un vino.

Ora tutto è finito,
Sono spenti l'ingegno e l'odio.
Una gran mano ci ha spazzati via,
Deboli e forti, savi, folli e cauti,
I bianchi e i neri alla rinfusa, esanimi.
Poi ci ha gettati con scroscio di ghiaia
Dentro la scatola buia di legno
Ed ha chiuso il coperchio.
Quando un'altra partita?

9 maggio 1984.

Pio[1]

Pio bove un corno. Pio per costrizione,
Pio contro voglia, pio contro natura,
Pio per arcadia, pio per eufemismo.
Ci vuole un bel coraggio a dirmi pio
E a dedicarmi perfino un sonetto.
Pio sarà Lei, professore,
Dotto in greco e latino, Premio Nobel, che
Batte alle chiuse imposte coi ramicelli di fiori
In mancanza di meglio
Mentre io m'inchino al giogo, pensi quanto contento.
Fosse stato presente quando m'han reso pio
Le sarebbe passata la voglia di fare versi
E a mezzogiorno di mangiare il lesso.
O pensa che io non veda, qui sul prato,
Il mio fratello intero, erto, collerico,
Che con un solo colpo delle reni
Insemina la mia sorella vacca?
Oy gevàlt! Inaudita violenza
La violenza di farmi nonviolento.

18 maggio 1984.

[1] Si allude a noti versi carducciani. «Gewalt» vale in tedesco «violenza»;
in jiddisch il termine viene usato principalmente come interiezione, ad esprimere estrema e disperata protesta.

Scacchi (II)

... Cosí vorresti, a metà partita,
A partita quasi finita,
Rivedere le regole del gioco?
Lo sai bene che non è dato.
Arroccare sotto minaccia?
O addirittura, se ho capito bene,
Rifare i tratti che hai mossi all'inizio?
Via, le hai pure accettate, queste regole,
Quando ti sei seduto alla scacchiera.
Il pezzo che hai toccato è un pezzo mosso:
Il nostro è un gioco serio, non ammette
Contratti, confusioni e contrabbandi.
Muovi, che il tuo tempo è scarso;
Non senti ticchettare l'orologio?
Del resto, perché insistere?
Per prevedere i miei tratti
Ci vuole altra sapienza che la tua.
Lo sapevi fin dal principio
Che io sono il piú forte.

23 giugno 1984.

Traduzioni

Le traduzioni, nella mia intenzione, sono piú musicali che filologiche, e piuttosto divertimenti che opere professionali.

Sir Patrick Spens
(Ballata di anonimo scozzese, forse del 1600)

LA PARTENZA

Il re tien corte a Dunfermline,
Tutti bevono a prova.
«Trovatemi un buon marinaio
Per la mia nave nuova».

Si leva e parla un cavaliere
Alla destra del re:
«Sir Patrick Spens è un marinaio
Che meglio non ce n'è».

Ha scritto il re una lunga lettera,
L'ha fatta sigillare;
Sir Patrick cercano, e lo trovano
Sulla riva del mare.

«In Norvegia, in Norvegia,
In Norvegia sull'onda.
La figlia del re di Norvegia
Portatemi a questa sponda».

Sir Patrick legge una parola
E gli si allegra il cuore,
E poi ne legge una seconda
E piange di dolore.

«Chi sarà stato che ha parlato
Al re del mio talento?
Ora ci tocca di partire
Nella stagione del vento».

« Sia pioggia o neve, vento o grandine,
La nave ha da salpare.
La figlia del re di Norvegia
Dobbiamo qui portare ».

In tutta fretta son partiti,
Ed era un lunedí.
Han preso terra là in Norvegia
Ch'era mercoledí.

IL RITORNO

« Orsú siate pronti miei buoni compagni
Partiamo domani mattina ».
« Io temo, Signore, una grande tempesta
Sento che s'avvicina.

Ho visto ieri la luna nuova
Con la vecchia fra i corni.
Signore, se partiamo temo
Che nessuno ritorni ».

Avevan forse fatto un miglio,
Un miglio e forse no,
Si fece scuro e nacque un vento,
E il mare si arruffò.

Si strappa l'ancora si spacca l'albero
Si sfondano le murate:
Il mare dentro si precipita,
Son tutte sgretolate.

« Portate un panno di buona seta
E un rotolo di stoppa,
Stoppate bene tutto in giro
La falla che c'è a poppa ».

Hanno portato del buon panno,
Han portato la stoppa,
Ma l'acqua seguita ad entrare
Dalla falla di poppa.

Ahi quanto spiacque ai cavalieri
Bagnare gli alti tacchi!
Ma presto l'acqua giunse a spegnere
I loro fieri pennacchi.

E quante coltri di piumino
Vennero a galleggiare,
E quanti figli di gran dame
Si videro annegare!

Ahi quanto a lungo aspetteranno
Le dame biancafronte
Prima che scorgano la nave
Spuntare all'orizzonte!

E aspetteranno le donzelle
Dai pettini dorati,
Perché mai piú ritorneranno
I loro innamorati.

A dieci miglia da Aberdour
È fondo cento piedi,
E laggiú dorme Sir Patrick Spens
Con i suoi cavalieri.

Ho sognato un ometto assettatuzzo
Che incedeva sui trampoli a gran passi.
Portava vesti nobili a svolazzi,
Ma spandeva d'intorno un tristo puzzo.
Ma di dentro era rozzo, vigliaccuzzo,
Teneva il naso in aria e gli occhi bassi.
Faceva un gran parlare di sconquassi,
Ed era tracotante ed ombrosuzzo.
«Non lo conosci?» mi domandò il vecchio
Dio dei sogni, porgendomi uno specchio
Che mostrava il futuro per magia.
C'era un altare, e l'ometto era lí
Con la mia bella accanto, e dicean «sí»,
E Satana cantava: «Cosí sia!»

Da H. Heine, *Buch der Lieder, Junge Leiden*.

Un abete sta solitario
Là nel Nord, sul pendio deserto.
Dorme e sogna, sotto il sudario
Della neve che l'ha ricoperto.
Sogna di una palma sottile
Cresciuta nel lontano Oriente:
Anche lei sogna senza fine,
Confitta nella rupe rovente.

Da H. Heine, *Buch der Lieder, Lyrisches Intermezzo*.

Sono tornato nella camera
Dove lei mi giurò amore ardente.
C'erano i segni delle sue lacrime
E da ognuno è sgusciato un serpente.

Da H. Heine, *Buch der Lieder, Die Heimkehr*.

La notte è quieta, dormono le vie;
In questa casa stava la mia bella.
È molto tempo ormai che se n'è andata,
Ma la sua casa è rimasta quella.
Davanti è un uomo che guarda nel buio
E si torce le mani per la pena.
Ecco si volge, e il suo volto è il mio volto:
Mi son sentito stringere ogni vena.
O mio doppio, mio pallido compare
Che vieni a scimmiottare il mio tormento,
Che fai tu qui, di fronte a questa porta
Dove venivo a piangere nel vento?

Da H. Heine, *Buch der Lieder, Die Heimkehr*.

Caro amico, ci sei cascato
E ti tormenta un nuovo dolore.
Tutto è piú torbido nella tua testa,
Tutto è piú limpido dentro il tuo cuore.
Caro amico, ci sei cascato
Ed ancora non sai perché:
Però si vede il tuo cuore rovente
Che splende rosso attraverso il gilè.

Da H. Heine, *Buch der Lieder, Die Heimkehr.*

Il nostro mondo è troppo frammentario.
Ormai sta diventando necessario
Che un Herr Professor venga a restaurare
Quell'ordine che ormai la vita ha perso
E ne cavi un sistema razionale.
Lui taglia a pezzi la sua papalina
E tappa tutti i buchi dell'universo.

Da H. Heine, *Buch der Lieder*, *Die Heimkehr*.

Donna Clara

Va la figlia dell'Alcalde
Pel giardino pensierosa.
A lei scende dal castello
Una musica gioiosa.
        «Mi ripugnano le danze
        E le tenere parole,
        E i galanti che mi lodano
        Comparandomi col sole:
Tutto m'è venuto a noia
Dalla sera in cui ho scorto
Quell'ignoto cavaliere
Che cantava dolce e assorto.
        Era snello, alto ed ardito,
        Gli occhi azzurri come il mare.
        A San Giorgio somigliava
        Sulla pala dell'altare».
Va sognando Donna Clara
Quell'immagine del Santo.
Leva gli occhi, e il cavaliere
Sconosciuto le sta accanto.
        Sotto il lume della luna
        Già s'intrecciano le dita;
        L'aria mite della notte
        Bacia l'aiuola fiorita.
Rose rosse come il sangue
Danno impulso al loro amore.
«Però dimmi, cara amica,
Perché questo tuo rossore?»
        «Sono state le zanzare;
        Oh, mi sono odiose, quasi
        Quanto le incresciose schiere
        Degli ebrei dai lunghi nasi».

«Ma che ebrei, ma che zanzare!»
Dice il cavaliere blando.
Bianchi petali dai peri
Li circondano volando.

  La circondano volando
  E le sfiorano il bel viso.
  «Però dimmi, cara amica,
  È il tuo cuore ormai deciso?»

«Certo io t'amo, mio diletto.
Pel Signore sia giurato
Che gli ebrei stramaledetti
Hanno in croce suppliziato».

  «Ma che croce, ma che ebrei!»
  Dice il cavaliere blando.
  Bianchi gigli di lontano
  Li salutano ondeggiando.

Li salutano ondeggiando
Ed olezzan verso il cielo.
«Però dimmi, cara amica,
Hai giurato proprio il vero?»

  «Nulla è falso in me, mio caro:
  Né si trova nel mio petto
  Detestato sangue moro
  Né giudaico maledetto».

«Ma che mori, che giudei!»
Dice il cavaliere lieto,
E la prende per la mano,
La conduce nel mirteto.

  Come dolce quell'invito
  Come morbido il giaciglio!
  Motti brevi, lunghi baci,
  Cuori uniti sotto il tiglio.

La canzon di quelle nozze
L'ha cantata l'usignuolo,
E la danza delle lucciole
Rischiarava intorno il suolo.

È silenzio ora fra i mirti;
S'ode il tiglio mormorare,
E sommesso nelle tenebre
Delle rose il respirare.
Ecco un rullo di tamburi
Improvviso fra le piante:
Clara è desta, e si districa
Dalle braccia dell'amante.
        «Addio, caro, mi richia-
        mano:
        Di lasciarci è giunta l'ora.
        Ma il tuo nome prima
        dimmi
        Che celato m'hai finora».
Sorridendo, il cavaliere
Alla donna bacia il volto,
Bacia gli occhi ed i capelli
E le dice disinvolto:
        «Io, Señora, il vostro
        amato,
        Sono il figlio del famoso
        Pio, dottissimo rabbino
        Nataniele del Toboso».

Da H. Heine, *Buch der Lieder*, *Die Heimkehr*.

La notte sulla spiaggia

La notte è fredda e senza stelle
Ed il mare sbadiglia.
Sopra il mare, sdraiato sulla pancia,
Giace il vento del Nord, brutto e deforme:
Come un vecchiaccio balordo a cui prende il morbino,
Ciangotta sottovoce, geme e ciarla sott'acqua,
Racconta vecchie storie sciocche,
Fiabe di giganti furibondi,
Antichissime saghe di Norvegia;
Ecco, ride svegliando eco lontane,
Ulula incantamenti dell'Edda,
Oscuri detti runici,
Tanto pieni di magia torbida
Che i candidi figli del mare
Balzano in alto giubilanti,
Prepotenti ed ebbri.

Ma sulla piatta battigia,
Sulla sabbia madida e salata
Avanza furtivo uno straniero:
Alberga piú tempesta nel suo cuore
Che tutte le onde e i venti.
Là dove calca il suolo
Sprizzano faville e le conchiglie stridono:
Si serra indosso un mantello grigio
E avanza veloce nella notte e nel vento.
Lo guida la tenue luce
Che brilla amica e chiama
Dalla solitaria capanna del pescatore.
Padre e fratello sono in mare:
Sola soletta è rimasta a casa
La giovinetta pescatrice.

Siede presso il focolare,
Tende l'orecchio al domestico
Pio rimbrotto della marmitta,
Getta stecchi striduli sul fuoco,
Vi soffia forte,
Sí che il riflesso rosso
Batte incantato sulla fronte pura,
Sulla tenera spalla bianca
Che si affaccia alla rozza camicia,
Sulla piccola mano diligente
Che tende la gonna
Sull'anca gentile.

Ecco, la porta si spalanca,
Entra lo straniero notturno;
Il suo sguardo si posa fermo
Sulla fanciulla snella,
Che freme davanti a lui
Come un giglio nel vento.
Getta a terra il mantello,
E le sorride e parla:
«Vedi? Mantengo la promessa:
Sono venuto, e con me è venuto
L'antico tempo in cui i Celesti
Discendevano alle figlie degli umani
Per abbracciarle e generare in loro
Stirpi di re portatori di scettro
Ed eroi, meraviglia del mondo.
Ma riscuotiti, o donna, dal tuo stupore,
E, ti prego, fammi del tè col rum,
Perché fa freddo, là fuori,
E in queste nottatacce
Ci viene un accidente anche a noi, Dèi eterni,
E non è raro che ci prenda
Una divina infreddatura
E una tosse immortale».

Da H. Heine, *Buch der Lieder, Die Nordsee*, I 4.

L'envoi

C'è una voce per i prati, sopra i pascoli falciati,
Sui fastelli già appassiti:
Dice: «vieni presto, vieni, si ricoverano i fieni,
La breve estate inglese è al fine».
    Senti gli urti del libeccio,
    Senti la pioggia dirotta;
    Senti i suoni e le canzoni – è l'ora, è l'ora
    Di riprendere la rotta.
Leviamo le tende di Sem, mia cara,
Si sono volte le quattro stagioni.
È tempo di riprendere la via, la vecchia, nostra, lunga via,
La via che porta in ogni luogo ed è sempre nuova.

A Nord verso il sole alonato di brina,
A Sud nella collera cieca del Capo;
Ad Est per le brume di un torbido fiume,
Ad Ovest al Ponte Dorato,
Là dove ogni spaccone trova fede, mia cara,
Dove è vera ogni storia bugiarda,
E l'uomo ritrova il suo peso, là sulla vecchia via, la nostra,
        la via del largo,
Là dove la vita è prodiga, sulla via sempre nuova.

Lascia i giorni freddi e lenti, lascia i cieli grigi e spenti,
L'aria torpida e bagnata troppe volte respirata:
Venderei l'anima stanca per quella carretta che arranca
Fúmida verso la Spagna,
Stracarica che quasi affonda, mia cara,
E per la sua ciurma di terroni ubriachi,
Con la prua dritta alla via, la vecchia via, la nostra via,
Da Cadice lungo la lunga rotta, la rotta sempre nuova.

Saran tre le strade certe, o dell'aquila o del serpe
O dell'uomo con la donna:
Ma per me le vie piú care sono quelle per il mare
Sulle tracce del monsone.
Senti gli schianti sulla prua, mia cara,
Il pulsare dell'elica imballata,
Vedi la sua scia verde, la nostra via, la vecchia via,
Mentre il barco poggia e sbalza sulla vecchia via sempre
            nuova?

Ruggono le ciminiere vomitando nubi nere,
Scricchiolano i parabordi,
Ed il cavo schiocca e gratta mentre agganciano la cassa,
Geme il canapo sui bordi:
Gridano: «Su la passerella!»
E poi: «Forza col rimorchio!»
E poi: «Libero a poppa!», e via, sulla vecchia via, la via
            del largo:
Siamo a macchine indietro sulla lunga via, la via sempre
            nuova.

Come piange la risacca quando la nebbia ci fiacca,
La sirena ulula a morto,
E si avanza metro a metro sull'abisso buio e tetro,
Lo scandaglio si fa corto!
Siamo al traverso di Lower Hope, mia cara,
Le secche di Gunfleet sono in vista,
Ecco le acque verdi del Mouse sulla vecchia via,
            la nostra via,
S'erge il faro del Gull sulla lunga via sempre nuova.

Qui la notte ci conduce sulla scia piena di luce
Sotto il cielo caldo e mite,
E la prua procede intrepida per la piana d'acqua tiepida,
Vanno balene atterrite.

Qui le murate sono scottate dal sole, mia cara,
E le gomene grondano rugiada,
E la nave va tuonando per la vecchia rotta, la nostra
   rotta,
Deriva a sud sulla lunga rotta, la rotta che è sempre
   nuova.

Ora è tempo di tornare pettinando l'ebbro mare,
Che vocifera feroce:
Il motore batte e squilla, rulla e trepida la chiglia,
Alta in cielo sta la Croce.
Sí, le vecchie stelle perdute tramontano, mia cara,
Infisse nel velluto azzurro:
Sono le nostre amiche della vecchia via, la nostra via,
   la via del largo,
Divine guide della lunga rotta, della rotta sempre nuova.

Vola avanti, cuore stanco, oltre il Capo e verso il Banco:
Navighiamo troppo lenti.
Ci son ventimila miglia per quest'isola che sbadiglia
Nel suo letto di correnti
E di madide orchidee!
Hai sentito il richiamo del libeccio
E la voce della pioggia al largo:
Hai sentito le canzoni – è l'ora, è l'ora
Di riprendere la rotta.
Dio solo sa cosa troveremo, mia cara,
Sa il diavolo cosa faremo –
Ma siamo di nuovo sulla via del ritorno,
Sulla via vecchia, la via nostra, la via del largo:
Stiamo sulla lunga rotta, la rotta che è sempre nuova.

Da R. Kipling, *Rewards and Fairies.*

Altre poesie

Settembre 1984 - gennaio 1987

Le poesie *Agli amici*, *Il disgelo* e *Una valle* sono state pubblicate su «La Stampa» e in *Racconti e saggi*, Editrice La Stampa, Torino 1986.

Sansone-Delila su «Notiziario della Banca Popolare di Sondrio», n. 42, dicembre 1986.

Ladri (14 ottobre 1985) è inedita.

Le altre poesie sono state pubblicate su «La Stampa» di Torino.

Il decatleta

Credetemi, la maratona non è niente,
Né il martello né il peso: nessuna gara singola
Può compararsi con la nostra fatica.
Ho vinto, sí: sono piú famoso di ieri,
Ma sono molto piú vecchio e piú logoro.
Ho corso i quattrocento come uno sparviero,
Senza pietà per quello che mi stava a spalla.
Chi era? Uno qualunque, un novizio,
Uno mai visto prima,
Un tapino del terzo mondo,
Ma chi ti corre accanto è sempre un mostro.
Gli ho stroncato le reni, come volevo;
Godendo del suo spasimo, non ho sentito il mio.
Per l'asta, è stato meno facile,
Ma i giudici, per mia fortuna,
Non si sono avveduti del mio trucco
E i cinque metri me li hanno fatti buoni.
Il giavellotto, poi, è un mio segreto;
Non bisogna scagliarlo contro il cielo.
Il cielo è vuoto: perché vorreste trafiggerlo?
Basta che immaginiate, in fondo al prato,
L'uomo o la donna che vorreste morti
E il giavellotto diverrà una zagaglia,
Fiuterà il sangue, volerà piú lontano.
Dei millecinque, non vi saprei dire;
Li ho corsi pieno di vertigine
E di crampi, testardo e disperato,
Terrificato
Dal tamburo convulso del mio cuore.
Li ho vinti, ma a caro prezzo:
Dopo, il disco pesava come di piombo
E mi sfuggiva dalla mano, viscido

Del mio sudore di veterano affranto.
Dagli spalti mi avete fischiato,
Ho sentito benissimo.
Ma che cosa pretendete da noi?
Che cosa ci richiedereste ancora?
Di levarci per l'aria in volo?
Di comporre un poema in sanscrito?
Di arrivare alla fine di pi greco?
Di consolare gli afflitti?
Di operare secondo pietà?

4 settembre 1984.

Polvere

Quanta è la polvere che si posa
Sul tessuto nervoso di una vita?
La polvere non ha peso né suono
Né colore né scopo: vela e nega,
Oblitera, nasconde e paralizza;
Non uccide ma spegne,
Non è morta ma dorme.
Alberga spore vecchie di millenni
Pregne di danno a venire,
Crisalidi minuscole in attesa
Di scindere, scomporre, degradare:
Puro agguato confuso e indefinito
Pronto per l'assalto futuro,
Impotenze che diverranno potenze
Allo scoccare di un segnale muto.
Ma alberga pure germi diversi,
Semi assopiti che cresceranno in idee,
Ognuno denso di un universo
Impreveduto, nuovo, bello e strano.
Perciò rispetta e temi
Questo mantello grigio e senza forma:
Contiene il male e il bene,
Il pericolo, e molte cose scritte.

29 settembre 1984.

Una valle

C'è una valle che io solo conosco.
Non ci si arriva facilmente,
Ci sono dirupi al suo ingresso,
Sterpi, guadi segreti ed acque rapide,
Ed i sentieri sono ridotti a tracce.
La maggior parte degli atlanti la ignorano:
La via d'accesso l'ho trovata da solo.
Ci ho messo anni
Sbagliando spesso, come avviene,
Ma non è stato tempo gettato.
Non so chi ci sia stato prima,
Uno o qualcuno o nessuno:
La questione non ha importanza.
Ci sono segni su lastre di roccia,
Alcuni belli, tutti misteriosi,
Certo qualcuno non di mano umana.
Verso il basso ci sono faggi e betulle,
In alto abeti e larici
Sempre più radi, tormentati dal vento
Che gli rapisce il polline a primavera
Quando si svegliano le prime marmotte.
Più in alto ancora sono sette laghi
D'acqua incontaminata,
Limpidi, scuri, gelidi e profondi.
A questa quota le piante nostrane
Cessano, ma quasi sul valico
C'è un solo albero vigoroso,
Florido e sempre verde
A cui nessuno ha ancora dato nome:
È forse quello di cui parla la Genesi.
Dà fiori e frutti in tutte le stagioni,
Anche quando la neve gli grava i rami.

Non ha congeneri: feconda se stesso.
Il suo tronco reca vecchie ferite
Da cui stilla una resina
Amara e dolce, portatrice d'oblio.

29 ottobre 1984.

Agenda

In una notte come questa,
Di tramontana e pioggia mista a neve,
C'è chi sopora alla televisione
E chi risolve di assaltare una banca.

In una notte come questa, lontano
Quanto la luce corre in cinque giorni
C'è una cometa che ci piomba incontro
Dal grembo nero senz'alto né basso.
È la stessa che fu dipinta da Giotto;
Non porterà venture né sventure,
Ma ghiaccio antico e forse una risposta.

In una notte come questa
C'è un vecchietto mezzo demente
Che a suo tempo era un bravo fresatore,
Ma il suo tempo non era il nostro tempo
E adesso dorme a Porta Nuova e beve.

In una notte come questa
C'è chi si stende vicino a una donna
E gli sembra di non avere piú peso,
Che i suoi domani non abbiano piú peso,
Che conti l'oggi e non conti il domani
Ed il fluire del tempo abbia sosta.

In una notte come questa le streghe
Sceglievano la cicuta e l'elleboro
Per sottrarli al candore della luna
E cucinarli nelle loro cucine.

In una notte come questa
C'è un travestito in corso Matteotti
Che donerebbe un polmone od un rene
Per incavarsi e diventare femmina.

In una notte come questa ci sono
Sette giovani in camice bianco
Quattro dei quali fumano la pipa:
Disegnano un lunghissimo canale
Per convogliarvi un fascio di protoni
Veloci quasi quanto viaggia la luce:
Se riusciranno, il mondo esploderà.

In una notte come questa un poeta
Tende l'arco a cercare una parola
Che racchiuda la forza del tifone
Ed i segreti del sangue e del seme.

24 novembre 1984.

Carichi pendenti

Non vorrei disturbare l'universo.
Gradirei, se possibile,
Sconfinare in silenzio
Col passo lieve dei contrabbandieri
O come quando si diserta una festa.
Arrestare senza stridori
Lo stantuffo testardo dei polmoni,
E dire al caro cuore,
Mediocre musicista senza ritmo:
– Dopo 2,6 miliardi di battute
Sarai pur stanco; dunque, grazie e basta –.
Se possibile, come dicevo;
Se non fosse di quelli che restano,
Dell'opera lasciata monca
(Ogni vita è monca),
Delle pieghe e piaghe del mondo;
Se non fosse dei carichi pendenti,
Dei debiti pregressi,
Dei precedenti inderogabili impegni.

10 dicembre 1984.

Canto dei morti invano

Sedete e contrattate
A vostra voglia, vecchie volpi argentate.
Vi mureremo in un palazzo splendido
Con cibo, vino, buoni letti e buon fuoco
Purché trattiate e contrattiate
Le vite dei nostri figli e le vostre.
Che tutta la sapienza del creato
Converga a benedire le vostre menti
E vi guidi nel labirinto.
Ma fuori al freddo vi aspetteremo noi,
L'esercito dei morti invano,
Noi della Marna e di Montecassino,
Di Treblinka, di Dresda e di Hiroshima:
E saranno con noi
I lebbrosi e i tracomatosi,
Gli scomparsi di Buenos Aires,
I morti di Cambogia e i morituri d'Etiopia,
I patteggiati di Praga,
Gli esangui di Calcutta,
Gl'innocenti straziati a Bologna.
Guai a voi se uscirete discordi:
Sarete stretti dal nostro abbraccio.
Siamo invincibili perché siamo i vinti.
Invulnerabili perché già spenti:
Noi ridiamo dei vostri missili.
Sedete e contrattate
Finché la lingua vi si secchi:
Se dureranno il danno e la vergogna
Vi annegheremo nella nostra putredine.

14 gennaio 1985.

Il disgelo

Quando la neve sarà tutta sciolta
Andremo in cerca del vecchio sentiero,
Quello che si sta coprendo di rovi
Dietro il muro del monastero;
Tutto sarà come una volta.

Ai due lati, fra l'erica folta
Ritroveremo cert'erbe stente
Il cui nome non ti saprei citare:
Lo ripasso ogni venerdí
Ma ogni sabato m'esce di mente;
M'hanno detto che sono rare,
E buone contro la malinconia.

Le felci, agli orli della via
Sono tenere come creature:
Sporgono appena dal terreno,
Arricciolate a spirale, eppure
Sono già pronte per i loro amori
Alterni e verdi, piú intricati dei nostri.

I loro germi rodono il freno
Maschietti e femminette,
Negli sporangi rugginosi.
Eromperanno alla prima pioggia,
Nuotando nella prima goccia,
Vogliosi ed agili: viva gli sposi!

Siamo stanchi d'inverno. Il morso
Del gelo ha lasciato il suo segno

Su carne, mente, fango e legno.
Venga il disgelo, e sciolga la memoria
Della neve dell'anno scorso.

2 febbraio 1985.

Sansone

Figlio di madre sterile
Ero stato annunciato anch'io
Da un messaggero di viso tremendo.
Ero un figlio del Sole, sole io stesso;
Avevo la forza del Sole
Compressa nei miei lombi di toro.
Io, sole e bestia
Ho ucciso i miei nemici a mille a mille,
Ho infranto porte e spezzato catene,
Sfondato donne e incendiato raccolti
Finché una Delila filistea
Non m'ha raso la chioma e il nerbo
E non m'ha spento la luce degli occhi:
Contro le tenebre non c'è lotta.
I capelli mi sono ricresciuti
E la mia forza di bruto;
Non la voglia di vivere.

Delila

Sansone di Timnata, il ribelle,
Giudeo spaccamontagne,
Era tra le mie mani delicate
Tenero come creta di vasaio.
È stato un gioco carpirgli il segreto
Della sua forza tanto millantata:
L'ho adulato e blandito,
L'ho addormentato sul mio grembo
Ancora pieno del suo seme straniero,
L'ho accecato e gli ho raso i capelli
Sciogliendo la virtú delle sue reni.
La mia rabbia e la mia lussuria
Non hanno mai trovato tanta pace
Quanto nel rimirarlo in catene;
Non quando lo sentivo penetrarmi.
Vada ora al suo destino: che m'importa?

5 aprile 1985.

Aeroporto

Era un campione d'umanità in trasferta,
Come se fosse stato scelto a caso
Per sottoporlo ad un acquirente alieno.
C'erano ricchi e poveri, grassi e magri,
Indiani, neri, bianchi, infermi, infanti.
Che cosa fa l'umanità in trasferta?
Non fa cose di molto conto,
Ciarla, dorme, sfumacchia sulle poltrone:
Che dirà l'acquirente? Che quotazione offrirà
Per quella settantenne in calzamaglia?
Per quegli otto che parlano broccolino
Nonni, madri, nipoti e bisnipoti?
Per quella famigliola di obesi
Che s'incastrano a stento tra i braccioli?
Per noi due sazi di parole straniere?

Si parte. Il grande uccello cavernoso
Risucchia tutti quanti, alla rinfusa:
Varchiamo l'acheronte
Attraverso il condotto telescopico.
Rulla, accelera, accumula potenza,
Si stacca, e in un momento è assunto in cielo
Corpo ed anima: i nostri corpi ed anime.
Siamo degni dell'Assunzione?

Ora vola nel viola del tramonto
Sopra i ghiacci di mari innominati,
O su un bruno mantello di nubi,
Come se questo nostro pianeta
Si velasse la faccia per vergogna.
Ora vola con sussulti sordi
Quasi di chi piantasse tanti pali

Sul fondo della palude stigia;
Ora invece lungo soavi
Levigati binari d'aria.
La notte è insonne, ma breve
Come nessuna notte è stata breve:
Lieve ed ilare come una prima notte.

Alla Malpensa ci aspettava
Lisa dal viso arguto e chiaro.
Non credo che sia stato un viaggio inutile.

29 maggio 1985.

A giudizio

– Il tuo nome? – Alex Zink. – Dove sei nato?
– A Norimberga, città illustre ed antica:
Giustamente famosa, o giusto giudice,
Erstens, perché vi furono dettate
Certe leggi che qui non interessano;
Zweitens, per un processo discutibile;
Drittens, perché vi vengono prodotti
I migliori giocattoli del mondo.
– Dimmi come hai vissuto,
Senza mentire. Qui sarebbe inutile.
– Sono stato operoso, o giusto giudice.
Pietra su pietra, marco dopo marco,
Ho fondato un'industria modello.
Il migliore traliccio, il miglior feltro
Erano quelli della Ditta Zink.
Ero un padrone umano e diligente:
Prezzi onesti, salari generosi,
Mai una controversia coi clienti,
E soprattutto, come ti dicevo,
Il miglior feltro prodotto in Europa.
– Usavi lana buona?
– Lana fuor del comune, o giusto giudice.
Lana sciolta od in trecce,
Lana di cui avevo il monopolio.
Lana nera e castana, fulva e bionda;
Piú spesso grigia o bianca.
– Da quali greggi?
– Non so. Non m'interessava:
La pagavo in contanti.
– Dimmi: i tuoi sonni sono stati tranquilli?
– Di norma sí, giusto giudice,

Anche se qualche volta, in sogno,
Ho udito gemere fantasmi dolenti.
– Discendi, tessitore.

19 luglio 1985.

Ladri

Vengono a notte, come fili di nebbia,
Spesso anche in pieno giorno.
Inavvertiti, filtrano attraverso
Le fenditure, i buchi delle chiavi,
Senza rumore; non lasciano tracce,
Non serrature infrante, non disordine.
Sono i ladri del tempo,
Fluidi e viscidi come le mignatte:
Bevono il tuo tempo e lo sputano via
Come si butterebbe un'immondezza.
Non li hai mai visti in viso. Hanno viso?
Labbra e lingua sí certo
E dentini minuscoli, affilati.
Suggono senza provocare dolore
Lasciando solo una cicatrice livida.

14 ottobre 1985.

Agli amici

Cari amici, qui dico amici
Nel senso vasto della parola:
Moglie, sorella, sodali, parenti,
Compagne e compagni di scuola,
Persone viste una volta sola
O praticate per tutta la vita:
Purché fra noi, per almeno un momento,
Sia stato teso un segmento,
Una corda ben definita.

Dico per voi, compagni d'un cammino
Folto, non privo di fatica,
E per voi pure, che avete perduto
L'anima, l'animo, la voglia di vita.
O nessuno, o qualcuno, o forse un solo, o tu
Che mi leggi: ricorda il tempo,
Prima che s'indurisse la cera,
Quando ognuno era come un sigillo.
Di noi ciascuno reca l'impronta
Dell'amico incontrato per via;
In ognuno la traccia di ognuno.
Per il bene od il male
In saggezza o in follia
Ognuno stampato da ognuno.

Ora che il tempo urge da presso,
Che le imprese sono finite,
A voi tutti l'augurio sommesso
Che l'autunno sia lungo e mite.

16 dicembre 1985.

Delega

Non spaventarti se il lavoro è molto:
C'è bisogno di te che sei meno stanco.
Poiché hai sensi fini, senti
Come sotto i tuoi piedi suona cavo.
Rimedita i nostri errori:
C'è stato pure chi, fra noi,
S'è messo in cerca alla cieca
Come un bendato ripeterebbe un profilo,
E chi ha salpato come fanno i corsari,
E chi ha tentato con volontà buona.
Aiuta, insicuro. Tenta, benché insicuro,
Perché insicuro. Vedi
Se puoi reprimere il ribrezzo e la noia
Dei nostri dubbi e delle nostre certezze.
Mai siamo stati cosí ricchi, eppure
Viviamo in mezzo a mostri imbalsamati,
Ad altri mostri oscenamente vivi.
Non sgomentarti delle macerie
Né del lezzo delle discariche: noi
Ne abbiamo sgomberate a mani nude
Negli anni in cui avevamo i tuoi anni.
Reggi la corsa, del tuo meglio. Abbiamo
Pettinato la chioma alle comete,
Decifrato i segreti della genesi,
Calpestato la sabbia della luna,
Costruito Auschwitz e distrutto Hiroshima.
Vedi: non siamo rimasti inerti.
Sobbarcati, perplesso;
Non chiamarci maestri.

24 giugno 1986.

Agosto

Chi rimane nella città in agosto?
Solo i poveri e i matti,
Le vecchiette dimenticate,
I pensionati col volpino,
I ladri, qualche gentiluomo e i gatti.
Per le strade deserte
Senti un percuotere fitto di tacchi;
Vedi donne col sacco di plastica
Nella linea d'ombra lungo i muri.
Sotto la fontanella col toretto
Dentro la pozza verde d'alghe
C'è una naiade di mezza età
Lunga dieci centimetri e mezzo:
Ha solo indosso il reggipetto.
Qualche metro piú in là,
A dispetto del celebre divieto,
I colombi questuanti
Ti circondano a stuolo
E ti rubano il pane dalla mano.
Senti frusciare nel cielo, in volo
Stracco, il demone meridiano.

22 luglio 1986.

La mosca

Qui sono sola: questo
È un ospedale pulito.
Sono io la messaggera.
Per me non ci sono porte serrate:
Una finestra c'è sempre,
Una fessura, i buchi delle chiavi.
Cibo ne trovo in abbondanza,
Tralasciato dai troppo sazi
E da quelli che non mangiano piú.
      Traggo alimento
Anche dai farmaci gettati,
Poiché a me nulla nuoce,
Tutto mi nutre, rafforza e giova;
Materie nobili ed ignobili,
Sangue, sanie, cascami di cucina:
Trasformo tutto in energia di volo
Tanto preme il mio ufficio.
Io per ultima bacio le labbra
Arse dei moribondi e morituri.
Sono importante. Il mio sussurro
Monotono, noioso ed insensato
Ripete l'unico messaggio del mondo
A coloro che varcano la soglia.
      Sono io la padrona qui:
      La sola libera, sciolta e sana.

31 agosto 1986.

Il dromedario

A che tante querele, liti e guerre?
Non avete che da imitarmi.
Niente acqua? Me ne sto senza,
Attento solo a non sprecare fiato.
Niente cibo? Attingo alla gobba:
Quando i tempi vi sono propizi
Crescetene una anche voi.
E se la gobba è floscia
Mi bastano pochi sterpi e paglia;
L'erba verde è lascivia e vanità.
Ho brutta voce? Taccio quasi sempre,
E se bramisco non mi sente nessuno.
Sono brutto? Piaccio alla mia femmina,
Le nostre badano al sodo
E dànno il miglior latte che ci sia;
Alle vostre, chiedete altrettanto.
Sí, sono un servo, ma il deserto è mio:
Non c'è servo che non abbia il suo regno.
Il mio regno è la desolazione;
Non ha confini.

24 novembre 1986.

Almanacco

Continueranno a fluire a mare
I fiumi indifferenti
O a valicare rovinosi gli argini
Opere antiche d'uomini tenaci.
Continueranno i ghiacciai
A stridere levigando il fondo
Od a precipitare improvvisi
Recidendo la vita degli abeti.
Continuerà il mare a dibattersi
Captivo tra i continenti
Sempre piú avaro della sua ricchezza.
Continueranno il loro corso
Sole stelle pianeti e comete.
Anche la Terra temerà le leggi
Immutabili del creato.
Noi no. Noi propaggine ribelle
Di molto ingegno e poco senno,
Distruggeremo e corromperemo
Sempre piú in fretta;
Presto presto, dilatiamo il deserto
Nelle selve dell'Amazzonia,
Nel cuore vivo delle nostre città,
Nei nostri stessi cuori.

2 gennaio 1987.

Indice

Ad ora incerta

*Stampato per conto della Casa editrice Einaudi
presso le Industrie Grafiche G. Zeppegno & C. s. a. s., Torino*

C.L. 59973

Ristampa										Anno
0	1	2	3	4	5	6	7	8		88 89 90 91 92 93 94

Biblioteca dell'Orsa